新編高麗史全文

세가5책

의종 7–명종

目　　次

『高麗史』卷十八 世家卷十八

毅宗 2 5

『高麗史』卷十九 世家卷十九

毅宗 3 103

明宗 1 119

『高麗史』卷二十 世家卷二十

明宗 2 197

『高麗史』卷十八 世家卷十八

[輔國崇祿大夫·議政府左贊成·知集賢殿經筵春秋館成均事·世子賓客·臣金宗瑞奉敎撰]

正憲大夫·工曹判書·集賢殿大提學·知經筵春秋館事兼成均大司成·臣鄭麟趾奉敎修

毅宗 二

癸酉[毅宗]七年, 金天德五年→6月貞元元年,

[南宋紹興二十三年], [西曆1153年]

1153년 1월 27일(Gre2월 3일)에서 1154년 2월 13일(Gre2월 20일)까지, 13개월 383일

春正月辛卯朔(小盡,甲寅), 放朝賀.

癸卯(13日), 賜元子名泓, 後改稱祈.

[是時, 立詹事府, 以兵部尙書文公裕爲左詹事, 管太子册封事:追加].[1)]

甲辰(14日), 燃燈, 王如奉恩寺.

乙卯(25日), 出御長源亭.

[某日, 以金仁諭(~~金仁愈~~)爲慶尙道按察使:慶尙道營主題名記].[2)]

二月(庚申朔大盡,乙卯), 辛未(12日), 以(上將軍)于邦宰爲刑部尙書.[3)]

癸未(24日), 還壽昌宮.

己丑(30日), 王如靈通寺.

三月(庚寅朔大盡,丙辰), 乙未(6日), 幸普濟寺, 設五百羅漢齋.

---

1) 이는 다음의 자료에 의거하였다.
- 「文公裕墓誌銘」, "癸酉(毅宗7年)正月日, 今上(毅宗)爲太子立府, 上特授公太子左詹事, 以管册封事".

2) 金仁諭는 金仁愈의 오자로 추측된다.

3) 于邦宰(于學儒의 父)는 武臣이므로 이때 刑部尙書·□□衛上將軍에 임명되었을 것이고, 그의 최종관직은 尙書右僕射·上將軍이었다.
- 「張允文墓誌銘」, "外祖于邦宰, 以材官如(爲)顯, 有名仁廟時, 位至尙書右僕射·上將軍".
- 열전13, 于學儒, "父邦宰, 膂力絶人, 官至右僕射".

辛亥[22日], 幸興聖寺.

[是月, 知奏事劉碩, □□□□□[掌國子監試], 取詩賦金世賴, 十韻詩李東粹等:選擧2 國子試額轉載].[4)]

[是月乙卯[26日], 金以遷都詔中外, 改元貞元. 改燕京爲中都, 府曰大興, 汴京爲南京, 中京爲北京:追加].[5)]

夏四月[庚申朔小盡,丁巳], [丁卯[8日], 洪圓寺住持·僧統敎雄入寂, 年七十五, 臘六十三:追加].[6)]

己卯[20日], 册子泓爲王太子, 赦, 加內外文武兩班散職, 兼賜田柴.[7)]

丁亥[28日], 宴群臣於大觀殿.

[五月己丑朔[大盡,戊午]:追加].

六月己未朔[小盡,己未], 王如奉恩寺.

庚申[2日], 穆淸殿灾.[8)]

癸酉[15日], 王受菩薩戒.

甲申[26日], 移御安和寺.

○金□□□[遣使来],[9)] 告改天德五年, 爲貞元元年.[10)]

---

4) 이와 관련된 자료로 다음이 있다.

· 「劉碩墓誌銘」, "□□掌□□之□□□選奏官, 沙汰人才, 取士多賢, 天下英雄盡入彀中, 所謂□□能擧其類, 唯公其人也".

5) 이는 다음의 자료에 의거하였는데, 燕京[中都]는 契丹帝國의 南京을 基礎로 하여 정비된 據點都市이다.

· 『금사』 권5, 본기5, 廢帝 海陵王 貞元 1년, "三月辛亥[22日], 上至燕京, 初備法駕. … 乙卯[26日], 以遷都詔中外. 改元貞元. 改燕京爲中都, 府曰大興, 汴京爲南京, 中京爲北京".

6) 이는 「洪圓寺住持·僧統敎雄墓誌銘」에 의거하였다.

7) 이 구절은 열전3, 毅宗王子, 孝靈太子祈에도 수록되어 있다.

8) 이와 같은 기사가 지7, 五行1, 火, 火災에도 수록되어 있다. 일본의 京都에서는 이해의 6월 이래 비가 내리지 않았다고 한다.

· 『本朝世紀』第47, 仁平 3년 7월, "廿八日乙卯, 雨降, 六月朔以後, 雨澤不降, 今日雖可有神泉御讀經, 依雨降延引".

· 『台記』 권10, 仁平 3년 7월, "廿八日乙卯, 近日旱魃, 衆庶憂之, 自今曉至未刻降雨, 入夜復雨至明日, 衆庶大悅, … 廿九日丙辰, 雨猶不止".

9) 이는 『고려사절요』 권11에 의거하였다.

10) 金은 3월 26일(乙卯) 上京에서 燕京(中都, 現 北京市 西南部의 宣武區에 位置)으로 遷都하고

[某日, 以文公裕爲刑部尙書·集賢殿學士·知制誥兼太子賓客:慶尙道營主題名記].[11)]

秋七月戊子朔大盡,庚申, 丙申9日, [立秋]. 還新闕.
壬寅15日, 設盂蘭盆齋於奉元殿.
[某日, 以徐公徐恭爲慶尙道按察使:慶尙道營主題名記].[12)]

八月戊午朔小盡,辛酉, 丙寅9日, [白露]. 御宣仁殿, 論決重刑.
甲戌17日, 出御長源亭.
○賜郭元等及第.[13)]

[九月丁亥朔小盡,壬戌, 壬辰6日, 大雨, 雷電:五行2轉載].[14)]
[己亥13日, 霧塞:五行3轉載].

冬十月丙辰朔大盡,癸亥, 辛酉6日, 御史臺伏閤論事.
丁卯12日, [立冬]. 王還宮.
[辛巳26日, 門下侍郎平章事致仕李仁實卒, 年七十三. 贈特進·檢校太師·守司徒·

年號를 貞元으로 바꾸었다(『금사』 권5, 본기5, 海陵王 貞元 1년 3월 乙卯 ; 『송사』 권31, 본기31, 紹興 23년 3월).

11) 이는 「文公裕墓誌銘」에 의거하였다.

12) 徐公은 徐恭의 오자로 추측된다.

13) 이와 관련된 기사로 다음이 있다. 이때 郭元·朴逢均(沃溝郡夫人宋氏準戶口) 등이 급제하였다(許興植 2005년).
- 지27, 선거1, 科目1, 選場, "毅宗七年八月, 中書侍郎平章事金永錫知貢擧, 劉錫劉碩同知貢擧, 取進士, □□甲戌, 賜郭元等三十人·明經三人及第". 여기에서 劉錫은 是年 3월 國子監試를 主管하였던 知奏事 劉碩의 오자일 것이다(金龍善 2006년 322面).
- 「金永錫墓誌銘」, "癸酉毅宗7年春, 知禮部貢擧".

14) 이때 일본 교토[京都]에서 9월 1일(丁亥, 高麗曆과 同一)과 20일(丙午) 大風雨가 있었다고 한다(中央氣象臺 1941年 1册 29面).
- 『台記』 권10, 仁平 3년 9월, "一日丁亥, 甚雨, 依群行無御燈齋. … 十九日乙巳, 降雨, … 二十日丙午, 自昨日甚雨, 自酉刻大風, 折木發屋, 人民驚騷, … 後聞, 新造內裏南殿顚倒, 依大風也".
- 『本朝世紀』第47, 仁平 3년 9월, "廿日丙午, 終日暴風大雨, … 其勢猛烈, 高野河蔀屋, 皆悉顚倒, 野宮舍屋, 多以顚覆, … 賀茂別雷社前大木顚倒, 打損舍屋數間云々".
- 『百練抄』第7, 仁平 3년 9월, "廿日, 大雨·大風 齋宮·野宮幷西川蔀屋顚倒, 仍今日群行延引, 新造土御門內裏南殿顚倒, 又賀茂社內大樹顚折, 損御料屋渡殿中門·廻廊等".

門下侍郎同中書門下平章事·判吏部事·監修國史·柱國, 謚文貞:追加].[15)]

十一月[丙戌朔小盡,甲子], 己亥[14日], 設八關會, 幸法王寺.

庚子[15日], 耽羅縣徒上·仁勇副尉中連·珍直等十二人來, 獻方物.[16)]

壬寅[17日], 金遣少府監阿勒根彥忠來, 賀生辰.[17)]

是月, 遣起居舍人崔婁伯如金, 賀龍興節,[18)] 禮部員外郎尹鱗瞻, 謝賀生辰, 御史雜端李陽伸, 進方物, 禮部員外郎朴儒, 賀正.[19)]

[十二月[乙卯朔大盡,乙丑], 庚午[16日], 月食:天文2轉載].[20)]

---

15) 이는 「李仁實墓誌銘」에 의거하였는데, 이날은 율리우스曆으로 1153년 11월 13일(그레고리曆 11월 20일)에 해당한다.

16) 이 기사의 徒上·仁勇副尉에서 徒上은 職役을 표시하는 것이고, 仁勇副尉는 武散階의 正9品下이다. 먼저 耽羅縣에서의 徒上은 다음의 자료를 통해 볼 때 耽羅를 형성했던 3部族 중의 하나인 夫乙那의 後裔들이 신라왕조로부터 수여받은 직책이었던 것 같다. 또 현재 濟州道濟州市의 行政區域이 一徒·二徒·三徒로 구성되어 있었다고 하는데, 濟州島의 諸相은 李衡祥(1653~1733)의 『南宦博物』(보물 제652호)에 잘 서술되어 있다.

· 지11, 지리2, 耽羅縣, "良乙那所居, 曰第一都, 高乙那所居, 曰第二都, 夫乙那所居, 曰第三都, … 遂朝新羅, 王嘉之, 稱長子, 曰星主, 二子, 曰王子, 季子, 曰都內, … 自此, 子孫蕃盛, 敬事國家, 以高□[氏]爲星主, 良□[氏]爲王子, 夫□[氏]爲徒上. 後又改良□[氏]爲梁□[氏], …". 여기에서 ~~添字~~는 筆者가 추가하였다.

· 『南宦博物』, 誌蹟, "初高乙那·良乙那·夫乙那兄弟三仁分處其地, 名其所居曰徒[注, 高氏世系錄曰, 三人射矢卜地, 高所居曰第一徒, 漢拏山北一徒里. 良所居曰第二徒, 漢拏右翼之南山房里. 夫乙那所居曰第三徒, 漢拏左翼之南土山里. … 今之州城內分三部, 曰一徒, 曰二徒, 曰三徒. 徒字疑是都字之誤, 而方音稱徒曰, 乃似是其時所稱也]".

17) 阿勒根彥忠은 『금사』에는 그의 本名인 吏部郎中 窊合山으로 기록되어 있고(권90, 열전28, 阿勒根彥忠), 그는 9월 1일(丁亥)에 高麗生日使로서의 파견이 결정되었다.

· 『금사』 권5, 본기5, 海陵 貞元 1년 9월, "丁亥朔, … 吏部郎中窊合山爲高麗生日使".

· 『금사』 권60, 表2, 交聘表上, 貞元 1년, "九月, 以吏部郎中窊合山充高麗生日使".

18) 崔婁伯은 明年(貞元2) 1월 16일(己巳) 皇帝(廢帝 海陵王)의 生日인 龍興節을 賀禮하였던 것 같다.

· 『금사』 권5, 본기5, 海陵, 貞元 2년 1월, "己巳, 生辰, 宋·高麗·夏遣使來賀".

· 『금사』 권60, 表2, 交聘表上, 貞元 2년 1월, "己巳, 高麗使賀生辰".

19) 朴儒는 다음 해 正旦에 하례를 드리지 못하고 方物만 獻上하였던 것 같다.

· 『금사』 권5, 본기5, 海陵, 貞元 2년 1월, "甲寅朔, 上不豫, 不視朝. 賜宋·高麗·夏使就館燕".

· 『금사』 권60, 表2, 交聘表上, 貞元 2년 1월, "甲寅朔, 以疾不時朝, 賜高麗使就館燕".

20) 이날 金에서도 월식이 있었다(『금사』 권20, 지1, 天文, 月五星淩犯及星變). 또 일본의 교토[京都]에서도 皆旣月食이 있었다고 한다. 이날은 율리우스력의 1154년 1월 1일이고, 月食의 現象이 심했던 때의 世界時[標準時]는 17시 19분, 食分은 1.65이었다(渡邊敏夫 1979年 476面).

[某日, 以中書侍郞平章事金永錫爲判兵部事, 左承宣梁元俊爲樞密院副使·御史大夫:追加].[21]

[閏十二月乙酉朔小盡,乙丑:追加].

[是年, 以崔允儀爲知門下省事:追加].[22]
[○知奏事·司宰卿劉碩爲國子監大司成:追加].[23]
[○以朴儵爲知東北路兵馬事. 是年, 自兩界至南地州縣, 皆補軍卒:追加].[24]
[○以詹事府司直崔祐甫爲權知監察御史:追加].[25]
[○以前博州副使田起爲試閤門祗候:追加].[26]
[○以光教寺住持·三重大師靈炤爲首座:追加].[27]
[○以三重大師德素爲禪師:追加].[28]
[○以重大師覺觀爲三重大師, 年三十三:追加].[29]
[○以重大師祖膺爲三重大師:追加].[30]

· 『本朝世紀』제47, 仁平 3년 12월, "十六日庚午, 天陰雨降, 今夜月蝕, 皆旣, 雖天陰, 自雲間正現云々".

21) 이는 「金永錫墓誌銘」; 「梁元俊墓誌銘」에 의거하였다.

22) 이는 「崔允儀墓誌銘」에 의거하였다.

23) 이는 「劉碩墓誌銘」에 의거하였다.

24) 이는 다음의 자료에 의거하였다.

· 「朴儵墓誌銘」, "歲在癸酉, 充東北路知兵馬事, 振細柳威, 折衝, 未然, 隣敵聞而喪膽. 是年, 自兩界至南地, 州縣皆補軍卒. 公乃夙夜勤勤, 精選軍士, 甚合人言".

25) 이는 「崔祐甫墓誌銘」에 의거하였다.

26) 이는 「田起妻高氏墓誌銘」에 의거하였다.

27) 이는 「靈通寺住持·正覺僧統靈炤墓誌銘」에 의거하였다.

28) 이는 「永同寧國寺圓覺國師塔碑」에 의거하였다(金石總覽 397面 ; 李智冠 2004년 3册 459面).

29) 이는 「玄化寺住持·僧統覺觀墓誌銘」에 의거하였다.

30) 이는 「醴泉重修龍門寺記碑」에 의거하였다.

甲戌[毅宗]八年，金貞元二年，[南宋紹興二十四年]，[西曆1154年]

1154년 2월 14일(Gre2월 21일)에서 1155년 2월 3일(Gre2월 10일)까지, 355일

春正月[甲寅朔大盡,丙寅]， 丙寅[13日]， 以[參知政事]崔子英△[爲]判兵部事， 金永錫爲尙書左僕射·判工部事.[31)]

丁卯[14日]，燃燈，王如奉恩寺.

乙亥[22日]，册王弟旼爲平涼侯.

丙子[23日]，出御長源亭.

己卯[26日]，御慶豊殿，召扈從文臣，命賦青郊驛獻青牛詩，直翰林院金孝純等十四人合格，賜物有差，幷賜酒果.

壬午[29日]，召知門下省事崔允儀·樞密院使任克忠，曲宴于陽和樓，夜艾而罷.

[某日，以李之深[~~李知深~~]爲慶尙道按察使:慶尙道營主題名記].[32)]

二月[甲申朔大盡,丁卯]，辛亥[28日]，以仁宗忌日，飯僧于內殿.

癸丑[30日]，幸敬天寺.

三月[甲寅朔小盡,戊辰]，丙辰[3日]，召[知門下省事]崔允儀·[樞密院使]任克忠·[左承宣]金存中等六人，曲宴于陽和樓.

戊午[5日]，幸國淸寺.

[辛酉[8日]，前安西都護府使尹彥旼卒，年六十:追加].[33)]

庚午[17日]，[立夏]．還宮.

夏四月[癸未朔大盡,己巳]，丙申[14日]，親禘于大廟[~~太廟~~]，赦.

[某日，□[~~知~~]門下省事崔允儀知貢擧，左承宣金存中同知貢擧，取進士:選擧1選場轉載].[34)]

---

31) 金永錫은 1152년(의종6) 12월 26일(丙戌) 中書侍郞平章事에 임명되었는데, 이때 下位職인 尙書左僕射·判工部事에 임명된 이유를 알 수 없다.

32) 李之深은 李知深의 오자로 추측된다.

33) 이는 「尹彥旼墓誌銘」에 의거하였는데, 이날은 율리우스曆으로 1254년 4월 22일(그레고리曆 4월 29일)에 해당한다.

[是月, 右承宣李元應, □□□□□[掌國子監試], 取詩賦朴世南等十八人, 十韻詩金遇等九十三人, 明經五人:選擧2國子試額轉載].

五月癸丑朔[大盡,庚午], 日食.[35] 出御長源亭.

[某日], 參知政事致仕尹誧卒[→7月로 옮겨감].[36]

[某日], 閱兵于東郊.

[某日, 更定科擧法, 初場迭試論·策, 中場試經義, 終場試詩·賦. 又國學生, 考以六行, 積十四分以上者, 許直赴終場, 不拘其額. 又除三場連卷法:節要轉載].
[國制, 以藍衫就試者, 例不過三赴. 時, 文克謙以刪定都監判官, 屢擧不中, 乃曰, 白衣且十赴, 藍衫何止三赴. 請以五赴爲限. 朝議從之, 遂爲恒規:選擧1科目轉載].

[→克謙, 初以伯父公仁, 蔭補刪定都監判官. 國制, 以藍衫就試者, 例不過三赴. 克謙屢擧不中, 嘆曰, "白衣且十赴, 藍衫何止三赴". 請以五赴爲限, 朝議從之, 遂爲恒規. 克謙從宦, 未常廢業, 毅宗時登第:列傳12文克謙轉載].

[某日], 賜皇甫倬等及第.[37]

[是月, 遣使如金, 謝賜橫賜:追加].[38]

---

34) 이는 지27, 선거1, 科目1, 選場에서 전재하였다.

35) 이날 宋에서도 일식이 예고되었으나 구름[霧]으로 인해 보이지 않았다고 하며, 金에서는 일식이 있었다(『송사』 권52, 지5, 천문5, 日食 ; 『금사』 권5, 본기5, 海陵, 貞元 2년 5월 癸丑, 권20, 지1, 天文, 日薄食煇珥雲氣). 또 일본의 京都에서도 일식이 있었던 것 같다. 이날은 율리우스曆의 1154년 6월 13일이고, 開京에서 日食의 現象이 심했던 시간은 4시 47분, 食分은 0.17이었다(渡邊敏夫 1979年 307面).

- 『台記』 권11, 久壽 1년 5월, "一日癸丑, 日食, 不信日月星宿, 不惜身命, 故上格子如常, 無念誦讀經事, 而依禪閤仰, 過食時行仁王講".

36) 參知政事致仕尹誧卒은 시기의 정리에 실패하였다. 尹誧는 이해의 7월 16일(丁卯)에 逝去하였다(尹誧墓誌銘, 校正事由).

37) 이와 관련된 기사로 다음이 있는데, 添字가 추가되어야 할 것이다. 이에서 5월 某日은 5월 癸丑朔으로 比定할 수도 있으나 이달의 기사는 순서가 錯亂되었을 것이다. 또 이때 皇甫倬은 10回째 應擧하여 급제하였다고 한다.

- 지27, 선거1, 科目1, 選場, "[毅宗]八年四月, □[知]門下省事崔允儀知貢擧, 左承宣金存中同知貢擧, 取進士, [~~五月某日~~], 賜皇甫倬等及第".
- 『파한집』권하, 東館是蓬萊山, 玉堂號鼇頂, 皆神仙之職, … 毅王初, 賢良皇甫倬十擧擢上第, 會上遊上林, 賞芍藥, 遂成一什, 侍臣莫賡載, 玄兩亦進一篇, ….

38) 이는 다음의 자료에 의거하였다. 金의 橫賜使·太府少監 梁彬은 6월 16일(戊戌) 고려에 羊 2,000頭를 전달하였고, 이에 대한 謝賜橫宣使가 일반적으로 11월에 파견되었으며 이해에도 마찬가지였다. 이때의 謝賜橫宣使는 前年(貞元1, 의종7)의 橫賜에 대한 謝禮使였을 것으로 추측된다.

六月癸未朔小盡,辛未, 戊戌16日, 金遣大府少監~~太府少監~~梁彬來, 賜羊二千頭.

[秋七月壬子朔大盡,壬申, 丁卯16日, 參知政事致仕尹誧卒, 年九十二, 謚烈靖←5月에서 옮겨옴:追加].[39]

[某日, 以崔婁伯爲慶尙道按察使:慶尙道營主題名記].

[八月壬午朔小盡,癸酉, 某日, 以梁元俊爲知門下省事·御史大夫:追加].[40]

[是時, 以權知監察御史崔祐甫爲右正言·知制誥:追加].[41]

秋九月辛亥朔小盡,甲戌, 創西京重興寺.

[庚申10日, 故門下侍郞平章事崔溱妻沃溝郡大夫人林氏卒, 年七十:追加].[42]

冬十月庚辰朔大盡,乙亥, 饗老人, 又飯僧三萬.

是月, 開蘇泰縣安興梁堀浦河渠, 未卒其功.

十一月庚戌朔小盡,丙子, [甲子15日, 月食:天文2轉載].[43]

丙寅17日, 金遣大府監~~太府監~~李珪來, 賀生辰.

是月, 遣金永寧如金, 進方物,[44] 奉說, 謝賀生辰,[45] 金仁愈, 謝橫賜, [右司員

· 『금사』 권60, 표2, 交聘表上, 貞元 2년, "六月己亥17日, 高麗使謝橫賜".

39) 이는 「尹誧墓誌銘」에 의거하였는데, 이날은 율리우스曆으로 1154년 8월 26일(그레고리曆 9월 2일)에 해당한다.

40) 이는 「梁元俊墓誌銘」에 의거하였다.

41) 이는 「崔祐甫墓誌銘」에 의거하였다.

42) 이는 「崔溱妻林氏墓誌銘」에 의거하였는데, 이날은 율리우스曆으로 1154년 10월 18일(그레고리曆 10월 25일)에 해당한다.

43) 이날 金에서도 월식이 있었고(『금사』 권20, 지1, 天文, 月五星凌犯及星變), 일본의 교토에서도 월식이 있었던 것 같다. 이날은 율리우스력의 1154년 12월 21일이고, 월식 현상이 심했던 때의 世界時는 19시 4분, 食分은 0.32이었다(渡邊敏夫 1979年 476面).

· 『台記』 권11, 久壽 1년 11월, "十五日甲子, … 依月食愼, 鷄鳴出洛, 申刻歸家".

44) 金永寧은 12월 29일(丁未) 金에 方物을 바쳤던 것 같다.

· 『금사』 권60, 表2, 交聘表上, 貞元 2년, "十二月丁未, 高麗使貢方物".

45) 『금사』에는 謝賜生日使가 11월 19일(戊辰) 도착하였다고 하는데, 시기 정리[繫年]에 오류가 있었던 것 같다

外郎<u>林景軾</u>, 賀正:追加],[46] [又遣使, 賀龍興節:追加].[47]

[十二月己卯朔大盡,丁丑, 某日, 中書侍郎平章事<u>金永錫</u>爲特進·守太尉, 以~~知門下省事~~梁元俊爲吏部尙書·判刑部事:追加].[48]

[冬某月, 以國子監大司成<u>劉碩</u>疾甚 累旬告暇, 於是, 除右散騎常侍·寶文閣學士, 不就:追加].[49]

[是年, 守太尉·中書侍郎平章事金永錫, 以風痺乞退, 上初不許, 永錫堅乞不已, 上重違其意, 遂依允, 仍令致仕. □~~時~~永錫, 年六十五:追加].[50]

[○以共議法泉寺住持·首座<u>觀奥</u>轉住轉住廣州牧修理寺:追加].[51]

[補遺].[52]

· 『금사』 권5, 본기5, 海陵 貞元 2년 11월, "是月, 高麗遣使謝賜生日".
· 『금사』 권60, 表2, 交聘表上, 貞元 2년, "十一月戊辰, 高麗使謝賜生日",

46) 이는 「林景軾墓誌銘」에 의거하였다. 또 林景軾은 다음 해 正旦에 賀禮하였던 것 같다. 또 이보다 먼저 閤門祗候 林景軾이 忠淸州道의 選軍使가 되어 士卒을 선발하였다고 하며, 이해의 前半에 試尙乘奉御에 임명되었던 것 같다.
· 『금사』 권5, 본기5, 海陵, 貞元 3년 1월, "己酉朔, 宋·高麗·夏遣使來賀".
· 『금사』 권60, 表2, 交聘表上, 貞元 3년 1월, "己酉朔, 高麗使賀正旦".
· 「林景軾墓誌銘」, "改授閤門祗候, 自閤門授忠淸州道選軍使, 得其大體, 精選士卒, 畢選復命, 左承宣<u>李元膺</u>傳宣獎諭, 士大夫聞之, 莫不歎美, 是亦公□□□□. 是歲, 今上御宇之八載貞元二年甲戌也. 擢遷試尙乘奉御, 賜緋魚".

47) 이때 이름을 알 수 없는 節日使는 明年(貞元3) 1월 16일(甲子) 皇帝(廢帝 海陵王)의 生日인 龍興節을 賀禮하였던 것 같다.
· 『금사』 권5, 본기5, 海陵, 貞元 3년 1월, "甲子, 生辰, 宋·高麗·夏遣使來賀".
· 『금사』 권60, 表2, 交聘表上, 貞元 3년 1월, "甲子, 高麗使賀生辰".

48) 이는 「金永錫墓誌銘」; 「梁元俊墓誌銘」에 의거하였다.

49) 이는 「劉碩墓誌銘」에 의거하였다.

50) 이는 다음의 자료에 의거하였다.
· 「金永錫墓誌銘」, "是年, 公金永錫年六十五, 以風痺乞退, 上初不許, 公堅乞不已, 上重違其意, 遂依允, 仍令致仕".

51) 이는 「修理寺住持·首座觀奥墓誌銘」에 의거하였다.

52) 이해에 金의 進士試에 급제한 趙可가 고려에 사신으로 파견되었을 때 지은 詩文 4首가 찾아진다(『中州集』 권2, 趙內翰<u>可</u>, 來遠驛雪夕[使高麗時作], 雲興館曉起, 江路聞松風·中州樂府, 望海潮[發高麗作]). 또 그의 '望海潮'와 蔡松年의 '石州漫'에 대한 劉祁(1203~1250)의 詩評도 찾아진다.

乙亥[毅宗]九年, 金貞元三年, [南宋紹興二十五年], [西曆1155年]

1155년 2월 4일(Gre2월 11일)에서 1156년 1월 23일(Gre1월 30일)까지, 354일

春正月[己酉朔小盡,戊寅], 辛亥[3日], 以大府卿[~~太府卿~~]崔褒偁爲西北面兵馬使, 試刑部侍郎許純爲東北面兵馬副使.

[○以李陽伸爲慶尙道按察使, [□□司郎中]林景軾爲全羅道按察副使:慶尙道營主題名記].[53]

[丙辰[8日], 雨土:五行3轉載].[54]

己未[11日], [雨水]. 飯僧于奉元殿.

壬戌[14日], 燃燈, 王如奉恩寺.

[丙寅[18日], 右散騎常侍·寶文閣學士劉碩卒, 年六十二:追加].[55]

[戊辰[20日], 雨土:五行3轉載].

乙亥[27日], 出御長源亭.

二月[戊寅朔大盡,己卯], 丁亥[10日], 給事中閔懿·左司諫朴得齡等, 伏閤論事, 不報.

乙巳[28日], [淸明]. 飯僧于內殿.

丁未[30日], 出御敬天寺.

三月[戊申朔小盡,庚辰], 壬戌[15日], 還宮.

· 『歸潛志』 권10, "趙翰林可, □[字]獻之, 少時赴擧, … 晩年, 奉使高麗, 高麗故事, 上國使來, 館中有侍妓, 獻之作~~望海潮~~以贈, 爲世所傳. 其詞云, '雲垂餘髮, 霧拖廣袂, 人間自有, 飛瓊三館, 俊游百街, 高選翩翩, 老阮才名, 銀漢會雙星, 尙相看脈脈, 似隔盈盈醉玉添, 春夢雲同夜惜, 卿卿離觴, 草草同傾, 記靈犀舊曲, 曉枕餘酲, 海外九州, 郵亭一別, 此生未卜他生, 江上數峯靑, 帳斷雲殘雨, 不見高城, 二月遼陽, 芳草千里路傍情'. 歸而下世, 人以爲他生未卜之讖云. 先是蔡丞相伯堅[松年], 以嘗奉使高麗, 爲館妓賦~~石州慢~~云 '雲海蓬萊, 風霧鬢鬟, 不假梳掠, 仙衣捲盡, 霓裳方見, 宮腰纖弱, 心期得處, 世間, 言語非眞, 海犀一點, 通廖廓, 無物比情濃與無情, 相博離索, 曉來一枕, 餘香, 酒病賴花醫, 卻瀲灩金尊, 收拾新愁重酌 片帆雲影, 載將無際, 關山夢魂, 應被楊花覺, 梅子雨絲絲, 滿江千樓閣'. 二詞, 至今, 人不能優劣. 余謂蕭閒之渾厚, 玉峯之峭拔, 皆可人, 然蔡之仙衣卷盡, 霓裳方見, 宮腰纖弱, 與趙之惜卿卿, 皆不免爲人疵議之矣". 여기에서 ~~添字~~는 필자가 추가하였다(張東翼 1997년 354·355, 359·360面).

53) 林景軾의 기사는 그의 墓誌銘에 의거하였다.

54) 이날 일본 京都에서 비가 내렸다고 한다(『山槐記』, 久壽 2년 1월, "八日丙辰, 雨降").

55) 이는 「劉碩墓誌銘」에 의거하였는데, 이날은 율리우스曆으로 1255년 2월 21일(그레고리曆 2월 28일)에 해당한다.

庚午23日, 出御長源亭.

癸酉26日, 以中書侍郎平章事?崔子英△爲權判尙書吏部事, 參知政事?崔允儀△爲權判尙書兵部事.

乙亥28日, [乙亥]. 出御國淸寺.

[春某月, 賜禪師德素磨衲法衣:追加].[56]

夏四月丁丑朔大盡,辛巳, 庚子24日, 還宮.

五月丁未朔大盡,壬午, 日食.[57]

辛亥5日, 端午, 謁景靈殿.

庚午24日, 以崔子英△爲判吏部事·西京留守事.

甲戌28日, 以梁元俊△爲知門下省事, 任克忠爲樞密院使·翰林學士承旨△爲太子賓客, [文公裕爲檢校太子太保·同知樞密院事·刑部尙書·集賢殿學士·知制誥兼太子賓客:追加].[58]

[是月, 御史中丞李公升, □□□□□掌國子監試, 取詩賦金端寶, 十韻詩黃文莊等白餘人:選擧2國子試額轉載].[59]

六月丁丑朔小盡,癸未, 王如奉恩寺.

辛卯15日, [大暑]. 王受菩薩戒於修文殿.

乙未19日, 以崔子英爲西北面兵馬判事兼判中軍兵馬事, 崔允儀爲東北面兵馬判事兼判中軍兵馬事, 同知樞密院事文公裕副之, [國子祭酒金永夫爲東北面兵馬副使:追加].[60]

---

56) 이는 「永同寧國寺圓覺國師塔碑」에 의거하였다.

57) 이날 宋에서도 일식이 예고되었으나 구름[霧]으로 인해 보이지 않았다고 하며, 金과 日本에서는 일식이 있었다(『송사』 권52, 지5, 천문5, 日食 ; 『금사』 권5, 본기5, 海陵, 貞元 3년 5월 丁未 ; 권20, 지1, 天文, 日薄食煇珥雲氣). 이날은 율리우스력의 1155년 6월 2일이고, 개경에서 일식 현상이 심했던 時間은 5시 38분, 食分은 0.47이었다(渡邊敏夫 1979年 307面).
· 『台記』 권12, 久壽 2년 5월, "一日丁未, 日食正現".
· 『山槐記』, 久壽 2년 5월, "一日丁未, 天晴, 日蝕".

58) 이는 「文公裕墓誌銘」에 의거하였다.

59) 이때 柳公權이 國子監試[成均試]에 합격하였다(「柳公權墓誌銘」, "貞元三年, 中成均試").

60) 이는 「金永夫墓誌銘」에 의거하였다.

[秋七月丙午朔大盡,甲申:追加].

秋八月丙子朔小盡,乙酉, 出御長源亭.

○宋明州歸我漂風人知里先等五人.

辛卯16日, 幸國淸寺.

[○以金黃文爲慶尙道按察使:慶尙道營主題名記].

[九月]乙巳朔大盡,丙戌, [61] 丙午2日, 召中書侍郞?平章事崔子英·知門下省事梁元俊·起居舍人崔婁伯·左司諫朴得齡·左正言許洪材·右正言崔祐甫, 訪問國政.

[冬十月乙亥朔大盡,丁亥:追加].

冬十一月乙巳朔小盡,戊子, 戊子~~戊午~~14日, 設八關會, 幸法王寺.[62]

癸巳~~癸亥~~19日, 金遣使來, 賀生辰.[63]

是月, 遣右司員外郞金純如金, 賀龍興節,[64] 刑部員外郞金溫中, 謝賀生辰, 戶部郞中崔子葩, 賀正,[65] 左司諫朴得齡, 進方物.

[是月頃, 知奏事金存中, 密白王曰, "太子幼, 宗親盛, 恐致覬覦. 宜選兩府宰相, 以爲東宮師傅, 以効周公·霍光故事". 王然之, 以庾弼爲太師, 崔允義~~崔允儀~~爲太傅:列傳36金存中轉載].[66]

---

61) 丙午는 9월 2일이므로, 丙午의 앞에 九月이 탈락되었다.

62) 戊子는 戊午의 오자이다. 이날 팔관회가 개최되었는데, 개경의 팔관회는 11월 14일·15일에 개최되며, 이달의 14일은 戊午이다.

63) 癸巳는 癸亥(19일)의 오자일 것이다. 위의 戊子와 癸巳는 이해의 11월(乙巳朔)에 있는 날짜[日辰]로서 각각 14일과 19일에 해당한다.

64) 金純은 明年(正隆1) 1월 16일(戊午) 皇帝(廢帝 海陵王)의 生日인 龍興節을 賀禮하였던 것 같다.
- 『금사』 권5, 본기5, 海陵, 正隆 1년 1월, "戊午, 生辰, 宋·高麗·夏遣使來賀".
- 『금사』 권60, 表2, 交聘表上, 正隆 1년 1월, "戊午, 高麗使賀生辰".

65) 崔子葩는 다음 해 正旦에 賀禮하였던 것 같다.
- 『금사』 권5, 본기5, 海陵, 正隆 1년 1월, "癸卯朔, 宋·高麗·夏遣使來賀".
- 『금사』 권60, 表2, 交聘表上, 正隆 1년, "癸卯朔, 高麗使賀正旦".

66) 崔允義는 崔允儀의 오자일 것이다.

十二月甲戌朔小盡,己丑, [某日], 削□守司空<u>璋</u>爵,[67] [流直長同正李龜壽于仁州. 璋濟安公偦之子, 素無賴, 好弓馬, 與龜壽飮博擊毬. 王弟僧冲曦, 在興王寺, 數往還遊戲, 興王寺管勾內侍朴懷俊, 奏二人意叵測, 故罪之. 璋憤恚, 尋死:節要轉載].

[→□守<u>司空璋</u>,[68] 素無賴, 好弓馬, 與直長同正<u>李龜壽</u>,[69] 飮博擊毬. 毅宗弟僧冲曦, 在興王寺, 數往還遊戲, 興王寺管勾內侍朴懷俊, 奏二人意叵測, 毅宗九年, 削璋爵, 流龜壽于仁州. 璋憤恚死:列傳3肅宗王子齊安公偦轉載].

<u>戊申</u>~~某日~~, 宴金使於大觀殿.[70]

○宋歸我漂風人三十餘口.

○門下侍郞平章事□□~~致仕~~<u>庾弼</u>卒. [弼, 以文行顯, 性質直不阿, <u>諡</u>謚恭肅, 後配享王廟毅宗:節要轉載].

[是年, 以金閔甫爲臨陂縣尉:追加].[71]

[○詔伽倻寺住持·首座<u>義光</u>, 移住崇教寺:追加].[72]

[○智勒寺居·大禪師<u>之印</u>, 以開城府管內鈴平縣金剛寺距京不遠, 可以託身, 乃往居之. 上每遣中使, 饋贈慰問, 無日無之:追加].[73]

丙子[毅宗]十年, 金貞元四年→2月正隆元年[高麗行正豊元年], [南宋紹興二十六年], [西曆1156年]

1156년 1월 24일(Gre1월 31일)에서 1157년 2월 11일(Gre2월 18일)까지, 13개월 385일

春正月癸卯朔大盡,庚寅, 放朝賀.

---

67) 王璋의 열전에도 司空으로 되어 있으나 守司空의 오자일 것이다(열전3, 종실1, 肅宗 齊安公偦 璋).

68) 原文에서는 璋司空이었지만, 司空璋으로 바꾸었다.

69) 李龜壽는 延世大學本과 東亞大學本에는 李龜禱로 되어 있으나 오자일 것이다(東亞大學 2006년 20책 412面).

70) 戊申은 이달에 없는 날짜[日辰]이므로 오자일 것이다.

71) 이는 「金閔甫墓誌銘」에 의거하였다.

72) 이는 다음의 자료에 의거하였다.

· 「正覺首座義光墓誌銘」, "明年戊辰, 赴大內百座法會, 上親賜磨衲衣".

73) 이는 「海東廣智大禪師之印墓誌銘」에 의거하였다.

丙辰14日, 燃燈, 王如奉恩寺.

[某日, 以金孝思爲慶尙道按察使:慶尙道營主題名記].

[二月癸酉朔小盡,辛卯, 金改元正隆, 大赦:追加].[74]

三月壬寅朔大盡,壬辰, 幸國淸寺.

壬子11日, 置祈福道場于內殿.

[戊午17日, 月犯房星:天文2轉載].

[癸亥22日, 雨雹:五行1雨雹轉載].

是月, 以左承宣金存中爲太子少保,[75] [王命宗室·宰相·文武百僚, 就賀其第, 守門者, 皆衣紫佩劍. ○存中與宦官鄭諴, 相結用事, 大張威福, 附己者進, 異己者斥. 久典銓注, 賣官鬻爵, 財累鉅萬, 甲第至數四. 兄弟親戚, 恃勢驕恣:列傳36金存中轉載].[76]

[春某月, 鈴平縣金剛寺居·大禪師之印, 恨金剛寺隣接都會, 卜朱溪縣裳山小寺, 卽欲遯去. 上知之, 遣近臣徐淳, 固留之:追加].[77]

夏四月壬申朔小盡,癸巳, [乙亥4日, 夜, 赤氣如火, 長三十尺許, 廣一尺:五行1轉載].

[丙子5日, 霧塞:五行3轉載].

[丁丑6日, 月犯房星:天文2轉載].

[丁亥16日, 黃赤霧塞:五行3轉載].

[辛卯20日, 吏部尙書·政堂文學金存中卒, 年四十六. 上聞之悲悼, 襄事饎終, 禮無不備, 諡景肅:追加].[78]

[→毅宗十年, 金存中, 背疽, 遣醫問疾, 絡繹於道. 及卒, 王悼甚, 贈輸忠內輔同德功臣·吏部尙書·政堂文學·修文殿大學士:列傳36金存中轉載].

---

74) 이는 『금사』 권5, 본기5, 海陵王에 의거하였다(→是年 윤10월 是月의 脚注).

75) 이때 金存中은 太子少傅로 임명되었다고 한다(金存中墓誌銘).

76) 이와 같은 기사가 『고려사절요』 권11에도 수록되어 있으나 字句에 출입이 있다.

77) 이는 「海東廣智大禪師之印墓誌銘」에 의거하였다.

78) 이는 「金存中墓誌銘」에 의거하였는데, 이날은 율리우스曆으로 1156년 5월 11일(그레고리曆 5월 18일)에 해당한다.

甲午23日, 王如興王寺, 轉華嚴經, 初, 王無嗣, 與妃金氏誓, 若生子, 當成金銀字華嚴經四部, 及元子生, 寫成二部, 修興王寺弘敎院, 藏之, 改額弘眞, 大設法會, 以落之.

丙申25日, 還宮, 赦大辟以下, 凡從事法會者, 皆職賞.

五月辛丑朔大盡,甲午, 辛亥11日, [芒種]. 雨雹.[79]

[丙寅26日, 立夏. 流星出下台, 入中台, 大如鉢:天文2轉載].

六月辛未朔小盡,乙未, [己卯9日, 知閤門事朴儵卒, 年六十:追加].[80]

[庚辰10日, 大雨二日, 川邊人家, 多漂沒:五行1水潦轉載].

[戊子18日, 大雨, 市廊頹, 壓死者衆:五行1水潦轉載].

辛卯21日, 賜黃文莊等及第,[81] [詔曰, 文莊, 丙寅毅宗卽位年科壯元~~狀元~~文富弟也, 兄弟俱占魁科, 在古罕聞, 宜准三子登科例, 歲廩母粟三十碩:節要·選擧2轉載].[82)]

[某日, 以文公裕爲金紫光祿大夫·檢校太子太保·知門下省事·刑部尙書, 金永夫爲樞密院副使].[83]

秋七月庚子朔大盡,丙申, [癸卯4日, 流星出紫微, 入七公, 大如木瓜:天文2轉載].

---

79) 이와 같은 기사가 지7, 五行1, 水, 雨雹에도 수록되어 있다.

80) 이는 「朴儵墓誌銘」에 의거하였는데, 이날은 율리우스曆으로 6월 28일(그레고리曆 7월 5일)에 해당한다.

81) 이와 관련된 기사로 다음이 있다.

· 지27, 선거1, 科目1, 選場, "毅宗十年六月, 中書侍郎平章事?李之茂知貢擧, 李元膺同知貢擧, 取進士, ~~辛丑~~, 賜黃文莊等二十七人及第". 여기에서 黃文莊은 □□卿·知工部事 黃偉의 아들인데(黃偉妻崔氏墓誌銘), 後日에 黃彬然으로 改名하였을 가능성이 있다(李鎭漢 2013년 39面 ; 金甫桄 2014년).

· 『파한집』권상, "黃壯元~~狀元~~彬然, 中秋直玉堂".

· 『파한집』권상, "昔仁王初, 許平章洪材, 以金榜首, 入侍玉堂, 毅王卽祚, 劉公羲·黃公彬然, 上繼而入. 明王在宥, 李公純祐先鳴, 僕以不才, 繼之於後. 近有金公君綏, 亦踵僕而入焉".

82) 詔曰은 지28, 선거2, 崇奬에 詔로만 표기되어 있는데, 이를 통해서 『고려사』와 『고려사절요』에서 詔, 勑, 制(또는 判), 敎 등은 모두 고려의 實錄에 수록된 詔曰, 勑曰, 制曰, 敎曰 등을 『고려사』의 편찬자가 축약한 것임을 알 수 있다. 또 지28, 선거2, 凡崇奬之典에서는 壯元으로, 『고려사절요』 권11에서는 狀元으로 되어 있는데, 後者가 옳을 것이지만, 『조선왕조실록』에서는 兩者가 並用되어 있다.

83) 文公裕와 金永夫는 그들의 묘지명에 의거하였다.

[辛酉[22日], 流星自南入尾, 大如木瓜, 長三尺許:天文2轉載].
丙寅[27日], 彗見東方.[84)]
[某日, 以崔婁伯爲慶尙道按察使:慶尙道營主題名記].
[是月, 法水寺重大師資華與大師萬轉開板'梵字陀羅尼':追加].[85)]

八月[庚午朔大盡,丁酉], 丁丑[8日], 以彗星未滅, 赦二罪以下, 流者量移.
[辛卯[22日], 流星出五諸侯, 大如木瓜:天文2轉載].
甲午[25日], 遣尙書韓縉如金, 賀上尊號.

九月[庚子朔小盡,戊戌], 乙巳[6日], 御史臺吏脫內官禁服, 王怒, 囚其吏.
丁未[8日], 定安公任元厚卒,[86)] [年六十八:列傳8任元厚轉載]. [元厚, 初名元敳, 器宇宏深, 風彩嚴重, 博通經史. 爲宰相, 勤儉淸白, 宰執皆傾信妙淸. 元厚獨擯而不從, 人服其明. 及判吏部, 銓注甚公, 人稱之曰, 古之山濤. 及王卽位, 以太后父, 令朝會上殿行禮, 諫官論駁, 遂封定安公. 自是, 居閑頤養:節要轉載].

冬十月[己巳朔大盡,己亥], 乙亥[7日], 設藏經道場于宣慶殿.
壬午[14日], 飯僧五百于內殿.
○召[中書侍郞同中書門下]平章事崔允儀·李之茂·知樞密院事申淑·右承宣李元膺·右副承宣金貽永·國子監大司成金永胤·[樞密院副使]寶文閣學士金永夫·知閤門事崔溫·給事中崔應淸·內侍殿中監崔褎偁·御史雜端金諹等,[87)] 入穆淸殿, 周覽善救寶·養性亭及御苑花卉, 賜曲宴于冲虛閣. 初, 王於大內東北隅, 起一閣, 扁曰冲虛, 金碧鮮明, [華飾節麗:節要轉載]. 又於內閣別室, 居善藥, 意欲廣治衆病, 扁曰善救寶, 又搆亭其

---

84) 宋에서는 彗星이 7일(丙午), 14일(癸丑)에 관측되었다(『송사』 권56, 지9, 천문9, 彗星).
85) 이는 다음의 자료에 의거하였는데(海印寺 所藏, 南權熙 2005년 ; 郭丞勳 2021년 面), 法水寺는 현재의 慶尙北道 星州郡 修倫面 百雲里 1316에 위치해 있었던 사찰일 것이다. 이곳에 法水寺址 幢竿支柱만 남겨져 있다(경상북도 유형문화재 제87호, 郭丞勳 2021년 118面).
· 『梵字陀羅尼』末尾, "玆者奉爲聖壽無彊,國泰民安,先亡師」僧父母及法界有情,速證菩提之愿,與」大師萬轉,同發信義,命工雕造梵字」陀羅尼板,印施無窮者,」時正豊元年七月日,法水寺重大師資幸記」".
· 『신증동국여지승람』 권28, 星州牧, 佛宇, "法水寺, 在伽倻山南".
86) 任元厚는 任元敳의 改名으로 1148년(의종2) 12월 27일(辛巳)까지 任元敳라고 하였다(열전8, 任懿·元厚). 이날은 율리우스曆으로 1156년 9월 24일(그레고리曆 10월 1일)에 해당한다.
87) 이때 金永夫의 本職은 樞密院副使였다(金永夫墓誌銘).

側, 聚怪石·名花, 扁曰養性.

[甲申[16日], 月食. 日官不報, 春州道按察使朴育和, 驛聞[馳驛以聞]. 有司請論日官, 從之:天文2轉載].[88]

[是月頃, 前秘書監張脩卒:追加].[89]

閏[十]月[己亥朔大盡,己亥], 壬寅[4日], 以[中書侍郎]平章事李之茂爲太子太保, 以代金存中.

是月, 金改貞元四年, 爲正隆元年, 避世祖諱, 以豊字, 代隆字, 行之.[90]

十一月[己巳朔小盡,庚子], 壬午[14日], 設八關會, 幸法王寺.

乙酉[17日], 金遣定遠將軍[~~定遠大將軍~~]耶律邃禮來, □□□[~~賀生辰~~].[91]

辛卯[23日], 宴金使於大觀殿.

[是月, 遣使如金, 賀正, 又遣使, 賀龍興節:追加].[92]

[冬某月, 上特下詔知門下省事梁元俊, 以權判吏部事提品:追加].[93]

---

88) 이날(甲申, 16일)은 율리우스력의 1156년 10월 31일이고, 월식 현상이 심했던 때인 15일(癸未)의 世界時는 8시 40분, 食分은 0.47이었다(渡邊敏夫 1979年 476面).
또 春州道는 지12, 지리3, 交州道에 의하면 1171년(명종1) 처음으로 春州道라고 칭하였다고 하는데("明宗元年, 始稱春州道"), 이는 『고려사』를 편찬한 春秋館員의 견해일 것이다(→명종 1년 是年]. 또 驛聞은 馳驛以聞으로 고쳐야 좋게 될 것인데, 이는 驛馬를 이용하여 奏狀을 傳送한다는 뜻이다.
· 『昌黎先生文集』 권31, 南海神廟碑, "… 因其故廟易而新之, 在今廣州治之東海道八十里, 扶胥之口黃木之灣[注, 祝曰, 扶胥黃木地名]. 常以立夏氣至, 命廣州刺史行事祠下, 事迄驛聞. …". 이 碑는 現在 廣東省 廣州市 黃埔區 穗東街道 廟頭村 旭日街 22에 위치해 있다고 한다.

89) 이는 「張脩墓誌銘」에 의거하였다.

90) 金은 이해의 2월 1일(癸酉) 年號를 正隆으로 바꾸었다(『금사』 권5, 海陵王 正隆 1년 2월 癸酉). 또 이 措置가 내려지기 전에 이미 避諱하여 正豊을 사용하고 있었다. 그 예로 같은 해 7월에 작성된 『梵字大藏』(海印寺 所藏), 10월에 작성된 「五臺山文殊寺石塔記」(『삼국유사』 권3) 등을 들 수 있다.

91) 定遠將軍은 定遠大將軍(從4品中)에서 大가 탈락되었고, 賀生辰이 탈락되었다.

92) 이는 다음의 자료에 의거하였다.
· 『금사』 권5, 본기5, 海陵, 正隆 2년 1월, "戊辰朔, 宋·高麗·夏遣使來賀, … 癸未[16日], 生辰, 宋·高麗·夏遣使來賀".
· 『금사』 권60, 表2, 交聘表上, 正隆 2년, "正月戊辰朔, 高麗使賀正旦, 癸未, 高麗使賀生辰".

93) 이는 다음의 자료에 의거하였다.
· 「梁元俊墓誌銘」, "丙子年[毅宗10年]冬, 上特下詔權判吏部事, 使公提品, 皆順上無私".

十二月[戊戌朔大盡,辛丑], 丙午[9日], 慮囚.

乙丑[28日], 以東北面兵馬副使李公升爲樞密院左副承宣.

[某日, 門下侍郎平章事致仕文公元卒, 年七十三, 諡貞敬:追加].[94]

[某日, 以[知門下省事]梁元俊爲中書侍郎同中書門下平章事·權判吏部事:追加].[95]

[某日, 郎將崔淑淸, 密謂左僕射權正鈞曰, "□[右]承宣李元膺·宦官鄭諴等, 乘勢弄權, 吾欲誅之, 何如?". 正鈞卽以聞, 流淑淸于遠地:節要轉載].[96]

丁丑[毅宗]十一年, 金正隆[正豊]二年, [南宋紹興二十七年], [西曆1157年]

1157년 2월 12일(Gre2월 19일)에서 1158년 1월 31일(Gre2월 7일)까지, 354일

春正月戊辰朔[小盡,壬寅], 放朝賀.

[○風自乾來. 太史□[卜]奏曰, "國有憂". 王懼, 卜者·內侍榮儀, 因進禳禬之說. 王信之, 命於靈通·敬天等五寺, 自是月, 至歲終, 恒作佛事, 以禳之. ○儀父[司天監]尙, 嘗配島, 娶島內逆民之後, 生儀, 形貌怪異, 性姦猾. [毅宗初, 充內侍使令,] 常自言曰, "國家基業之遠近, 人君壽命之脩短, 只在禳禱勤怠, 巡御疏數". 王頗感之. ○儀, 每伺王憂懼, 輒奏云, "某年某月, 恐有禍災, 若依某法禳之, 則無患矣". 於是, 置司祈禳, 幸而無事, 儀卽曰, "咸我力也." 又奏曰, "如欲延壽, 須事天帝釋及觀音菩薩." 王多畫其像, 分送中外寺院, 廣設梵采, 號曰祝聖法會, 發州郡倉廩, 以支其費. 儀乘傳巡視, 守令·僧徒, 皆畏苛酷, 爭遺賄賂. 又於安和寺, 塑置帝釋·觀音·須菩提, 聚僧, 晝夜連聲, 唱諸菩薩名號, 稱爲連聲法席. 儀陽示勤苦, 終宵禮拜. 王時幸觀之, 特加褒賞. 又信儀言, 遍祀遠近神祠, 使者絡繹, 或取閭巷名第, 以爲離宮·別館, 或勞民, 以營山齋野墅, 巡幸無時. 又於諸寺[大小佛寺], 皆張法會, 至有千日萬日爲限者, 京外府庫傾竭[空竭], 人皆怨之:節要·五行3轉載].[97]

[某日], [卜者·內侍]榮儀奏, "闕東新成翼闕, 則可以延基". 王奪弟翼陽侯第, 創離

---

94) 이는 「文公元墓誌銘」에 의거하였다. 또 文公元이 門下侍郎平章事를 역임하였는데, 그의 묘지명의 冒頭에 최종 관직을 中書侍郎平章事·判吏部事로 기재한 이유를 알 수 없다.

95) 이는 「梁元俊墓誌銘」에 의거하였다.

96) 이 기사는 열전35, 宦者, 鄭諴에도 수록되어 있다.

97) 이 기사는 열전36, 嬖幸1, 榮儀에도 수록되어 있는데, 添字는 이에 의거하였다.

宮:節要·五行3轉載].[98]

庚辰13日, 御睦親殿, 召拯世僧統玄曦等二百餘僧, 設齋祈福.

癸未16日, 召翼陽侯□晧及宰臣中書侍郎平章事崔允儀·李之茂等, 置酒便殿, 至翼日甲申17日午時, 乃罷.

乙酉18日, [驚蟄]. 出御長源亭.

辛卯24日, 王如國淸寺, 遂幸敬天寺, 有司, 以行在所狹隘, 請去史官. 王曰, 史官記予言動, 不可暫離□也.[99]

[某日, 以徐恭爲慶尙道按察使:慶尙道營主題名記].[100]

二月丁酉朔小盡,癸卯, 己亥3日, 中書侍郎平章事致仕高兆基卒,[101] [無子. 輟朝三日, 命有司護喪, 賜諡:列傳11高兆基轉載]. [兆基, 初名唐愈, 耽羅人. 性慷慨, 涉獵經史, 尤工五言詩, 仁宗朝爲臺諫, 直言不諱, 多所裨益, 及卽位拜平章事, 當知奏事金存中用事, 屈己儉合, 時議非之:節要轉載].[102]

戊申12日, 王還宮.

○流弟大寧侯暻于天安府,[103] [貶南京留守崔惟淸, 爲忠州牧使, 工部尙書任克正, 爲梁州防禦使, 左副承宣金貽永, △爲知昇平郡事, 前御史雜端李綽升, 復爲南海縣令, 徙配鄭嗣文于巨濟縣. 嗣文卽敍也, 貽永敍之妹壻也, 克正元厚之子, 於大寧侯舅也. 時, 樂工崔藝, 遇赦還京, 與妻不協, 妻誣告, 藝尙不悛, 往來大寧侯第. 王命崔褎偁, 鞫之, 無驗. 王素信圖讖, 不友諸弟, 故猶且疑之, 密諭諫臣, 論劾大寧侯及克正等罪. 又恐太后救之, 先遷太后於普濟寺, 陽若不得已而允之:節要轉載].[104]

---

98) 이 기사는 열전36, 榮儀에도 수록되어 있다.

99) 添字는 『고려사절요』 권11에 의거하였다.

100) 이때 徐恭(裴景誠의 壻)에 관련된 기사로 다음이 있다.

· 「徐恭神道碑」, "知閣門事兼大子中舍人, 出督慶尙晋州道按察使, 時盜□公□□姓騷擾, 下詔捕之, 承 命奇計, 捕二十五人, 而後其害息焉. 都兵馬使褒奏, 奬擢之, 授少府監·尙書刑部侍郎, 尋改吏□□□部侍郎兼三司副使".

101) 이날은 율리우스曆으로 1157년 3월 15일(그레고리曆 3월 22일)에 해당한다.

102) 이와 관련된 기사로 다음이 있다.

· 지18, 禮6, 諸臣喪, "仁宗十一年二月, 平章事高兆基卒, 輟朝三日, 命有司護喪, 賜諡".

· 열전11, 高兆基, "仁宗十一年卒, 無子. 輟朝三日, 命有司護喪, 賜諡".

103) 이때의 형편은 『고려사절요』 권11, 의종 11년 2월 ; 열전3, 종실1, 仁宗王子, 大寧侯暻 ; 열전12, 崔惟淸에 구체적으로 서술되어 있다.

104) 이 기사는 열전3, 仁宗王子, 大寧侯暻에도 수록되어 있으나 자구에 출입이 있다.

[史臣林民庇曰, “象之惡, 天下之所共知也, 而舜封於有庳者, 恐傷友于之義也,[105) 大寧侯, 叛狀未明, 母后尙在, 而忍使流竄. 毅宗亦少恩哉, 惟淸秉心正直, 一代名臣, 綽升淸白謇諤, 有諫臣風, 見忌於鄭諴, 未免流放, 惜哉”:節要轉載].

癸丑[17日], 出御敬天寺.

丁巳[21日], 彭夢齡等八人, 群聚賭博, 並流南州.

[是月, 遣使如金, 賀上尊號:追加].[106)

三月[丙寅朔大盡,甲辰], 壬申[7日], 移御長源亭. 是夜, 尙乘局灾, 延及御輦.

[→壬申, 尙乘局灾, 延及御輦:五行1火災轉載].

庚辰[15日], 移御天壽寺.

[辛巳[16日], 月食. 王素服, 率近臣, 救之:天文2轉載].[107)

癸未[18日], 流禮賓卿李仲齊及家屬于南島. 仲齊妻李氏, 尙書福林之女, 性惡, 嘗語僕, 有不臣語, 僕妻素怨李, 遂狀訴于宦寺, 以聞, 王怒命近臣, 面縛李氏以來, 闔家流竄, 自是, 讒言交搆, 王多疑群臣.

[春某月, 以[前試閤門祗候]田起爲知靈巖郡事:追加].[108)

夏四月丙申朔[小盡,乙巳], 闕東離宮成, 宮曰壽德, 殿曰天寧, 又以侍中[侍中致仕]王冲第爲安昌宮, 前參政[前參知政事]金正純第爲靜和宮, 平章事[故門下侍郞平章事]庾弼第爲連昌宮, 樞密院副使金巨公第爲瑞豊宮. 又毁民家五十餘區, 作大平亭[太平亭],[109) 命太子書額.

---

105) 이 내용은 舜의 弟인 象이 舜을 제거하려고 하였는데도 治罪하지 아니하고 諸侯로 책봉한 것을 가리키는데, 이는 追放의 의미도 있다고 한다.
· 『漢書』 권8, 宣帝紀第8, 元康 3년 3월, “詔曰, 蓋聞象有罪, 舜封之, 應劭曰, 象者舜弟也, 日以殺舜爲事, 舜爲天子, 猶封之於庳之國. 骨肉之親, 粲而不殊”.
· 『孟子』 권9, 萬章章句上, “萬章問曰, 象日以殺舜爲事. 立爲天子, 則放之何也. 孟子曰, 封之也. 或曰, 放焉”.

106) 이는 다음의 자료에 의거하였다. 이때 廢帝 海陵王은 前年(正隆1) 1월 7일(己酉) 群臣들로부터 聖文神武皇帝라는 尊號를 받았다(권5, 본기5, 正隆 1년 1월 己酉).
· 『금사』 권5, 본기5, 海陵, 正隆 2년 3월, “丙寅朔, 高麗遣使賀受尊號”.
· 『금사』 권60, 表2, 交聘表上, 正隆 2년 3월, “丙寅朔, 高麗使賀受尊號”.

107) 이날 일본의 교토에서도 月食이 있었다고 한다. 이날은 율리우스력의 1157년 4월 26일이고, 월식 현상이 심했던 때의 世界時는 11시 24분, 食分은 1.76이었다(渡邊敏夫 1979年 476面).

108) 이는 「田起妻高氏墓誌銘」에 의거하였다.

旁植名花異果, 奇麗珍玩之物, 布列左右. 亭南鑿池, 作觀瀾亭, 其北, 構養怡亭,[110] 盖以靑瓷, 南構養和亭, 盖以椶. 又磨玉石, 築歡喜·美成二臺, 聚怪石作仙山, 引遠水爲飛泉, 窮極侈麗. 群小逢迎, 民間珍異之物, 輒稱密旨, 無問遠近, 爭取馱載, 絡繹於道, 民甚苦之.

戊戌[3日], 命宰樞·臺諫·侍臣等, 遊覽壽德宮, 因賜酒食.

庚子[5日], 王入御壽德宮.

壬寅[7日], 御觀瀾亭, 曲赦二罪以下, 復鄭諴職, 凡預營繕者, 皆賞之.

癸卯[8日], 幸普濟寺, 遂移御天壽寺.

乙巳[10日], 王以眞絲四百斤, 買平章事[故門下侍郞平章事]文公元第, 爲巡御所.

甲寅[19日], 王還宮.

甲子[29日晦], [卜者·內侍]榮儀奏曰, "來歲, 國有灾, 宜修古寺, 以禳之." 王率百官, 幸海安寺[~~海晏寺~~], 相風水.[111]

[是月, 給事中崔應淸, □□□□□[掌國子監試], 取李陽秀等一百餘人:選擧2國子試額轉載].

五月[乙丑朔小盡,丙午], 壬申[8日], 御密殿, 召見[中書侍郞]平章事崔允儀·右承宣李元膺等, 賜犀紅·鞓帶各一腰. 是夜, 王率內豎·伶人, 巡宴林亭, 至曉不輟.

癸酉[9日], 夜, 亦如之.

丙子[12日], 以朴純冲爲樞密院副使, [復以鄭諴, 權知閤門[閤門]祇候:節要轉載].[112]

---

109) 太平亭[大平亭]이 위치한 곳은 壽德宮의 境內였던 것 같은데, 이 亭子에서 1157년(의종11) 의종이 그의 庶三寸인 廣智大禪師 之印을 불러 饗宴하였다고 한다. 또 이때 養怡亭의 지붕[屋蓋]을 靑瓷瓦로 덮었다고 하는 것이 주목되는데, 현재 開城의 高麗宮室址에서도 靑瓷瓦片이 발견되고 있다. 이들 瓦片과 동일한 것이 全羅南道 康津郡 大九面 沙堂里의 靑瓷瓦窯址에서도 많이 출토되었다고 한다(鄭良謨 1992년 1책 154面·308面).

· 「廣智大禪師墓誌銘」, "丁丑年[毅宗11年], 上又遣近臣, 徵之, 辭不獲已, 來赴闕下, 賜對壽德宮大平亭上, 玉色親臨宴, 示慈惠, 寵眷甚渥, 無與比者".

110) 養怡亭은 『고려사절요』 권11에는 養貽亭으로 되어 있지만, 前者가 옳을 것이다(盧明鎬 等編 2016년 290面).

· 『漢魏六朝百三家集』 권23, 魏武帝集, 碣石篇四首, 龜雖壽, "神龜雖壽, 猶有竟時, 騰蛇乘霞, 終爲土灰. 老驥伏櫪, 志在千里, 烈士暮年, 壯心不已. 盈縮之期, 不但在天, 養怡之福, 可得永年[黃節注, '說文', 怡, 和也], 幸甚至哉, 歌以咏志".

111) 이 기사는 열전36, 榮儀에도 수록되어 있다. 또 海安寺는 海晏寺로 표기한 경우도 있지만 誤字일 것이다(閔瑛墓誌銘).

○王聞東海中，有羽陵島，地廣土肥，舊有州縣，可以居民，遣溟州道監倉·殿中內給事金柔立，往視．柔立回奏，[島中有大山，從山頂，向東，行至海一萬餘步，向西，行一萬三千餘步，向南，行一萬五千餘步，向北，行八千餘步，有村落基址七所，有石佛·鐵鍾·石塔，多生柴胡·蒿本·石南草，然:節要轉載]．土多巖石，民不可居．遂寢其議.[113)]

甲申[20日]，幸觀靜寺，相風水，遂如國淸寺.

乙酉[21日]，移御安和寺.

[○流星犯帝座北，大如木瓜，長十尺許:天文2轉載].

六月[甲午朔大盡,丁未]，戊申[15日]，金橫宣使·大府卿~~大府卿~~張喆來.[114)]

辛亥[18日]，至自安和寺.

[丙辰[23日]，前奉先庫副使崔精卒，年八十二:追加].[115)]

戊午[25日]，宴金使于大觀殿.[116)]

秋七月[甲子朔大盡,戊申]，戊子[25日]，宋商獻鸚鵡·孔雀·異花.

[某日，以吳中正爲慶尙道按察使:慶尙道營主題名記].

八月[甲午朔小盡,己酉]，己亥[6日]，王還壽德宮.

---

112) 이 기사는 열전35, 宦者, 鄭諴에도 수록되어 있다.

113) 이와 관련된 기사로 다음이 있다.

· 지12, 지리3, 蔚珍縣, "毅宗十一年, 王聞, 鬱陵地廣土肥, 舊有州縣, 可以居民, 遣溟州道監倉□[使]金柔立, 往視, 柔立回奏云, '島中有大山, 從山頂, 向東行至海一萬余步, 向西行一萬三千余步, 向南行一萬五千余步, 向北行八千余步. 有村落基址七所, 有石佛·鐵鍾·石塔. 多生柴胡·蒿本·石南草, 然多岩石, 民不可居'. 遂寢其議. 一云, 于山·武陵, 本二島, 相距不遠, 風日淸明, 則可望見".

114) 金에서 簽書宣徽院事 張喆의 파견은 4월 3일(戊戌)에 결정되었다.

· 『금사』 권5, 본기5, 海陵, 正隆 2년 4월, "戊戌, 以簽書宣徽院事張喆爲橫賜高麗使".

· 『금사』 권60, 表2, 交聘表上, 正隆 2년, "四月, 以簽書宣徽院事張喆爲橫賜高麗使".

115) 이는 「崔精墓誌銘」에 의거하였는데, 이날은 율리우스曆으로 1157년 7월 31일(그레고리曆 8월 7일)에 해당한다.

116) 이날 연회에 참석하였던 右司諫·知制誥 李陽允이 中毒에 걸려 8월 5일에 逝去하였다고 한다.

· 「李陽允墓誌銘」, "至今年夏, 上讌大金使於大內, 公侍讌終夜, 因中毒熱, 寢疾累月, 至秋八月五日卒于私第".

乙卯[22日], 幸揔持寺, 召住持懷正, 遊賞林亭, 留題祈福詩二絶, 宣視宰樞·侍臣, 扈從百官·軍卒, 露宿林壑, 頗多愁嘆. 懷正, 唯以呪噤得幸, 恩寵無比, 凡僧徒求職·賞者, 皆趣附賄賂, 貪鄙無厭.[117)]

辛酉[28日], 王欲置離宮於金吾衛堤上里[118)], [中書侍郎]平章事崔允儀切諫, 乃止.

壬戌[29日晦], 出御長源亭.

九月癸亥朔[大盡,庚戌], 命內侍朴允恭, 增營壽德宮.

辛未[9日], 移御大壽寺.

翼日[壬申10日], 移御興王寺.

[戊寅[16日], 月食:天文2轉載].[119)]

[某日, 以王從祖父·太原公侾爲勵翼功臣:追加].[120)]

冬十月癸巳朔[大盡,辛亥], 還移天壽寺.

壬寅[10日], 以大府寺[~~太府寺~~]油蜜告匱, 徵斂[~~徵斂~~]諸寺院, 以充齋醮之費.[121)]

乙卯[23日], 幸外帝釋院.

丁巳[25日], 飯僧三萬于毬庭三日.

[是月, 溫, 無雪:五行1無雪轉載].

十一月癸亥朔[大盡,壬子], 王還宮.

○遣工部郎中李光縉如金, 謝賀生辰, 刑部員外郎朴育和, 謝橫賜, 刑部員外郎

---

117) 이날에 관련된 자료로 다음이 있다. 이에 의하면 23일(丙辰)로 되어 있는데, 兩者의 日辰 중에 어느 것이 오류일 가능성이 있다.

· 「林景和墓誌銘」, "丁丑[毅宗11年]八月二十三日[丙辰], 上幸惣持寺, 宣示御製詩于侍從之臣, 各令和進, 公亦應製, 上覽之, 遣中貴人, 賜御札云, 詠侍臣和進詩吏人之中, 景和尤佳. 其公之榮遇如此".

118) 堤上里는 開京의 北部에 소속된 堤上坊 △△里(自然里名) 또는 堤上坊 第△里(編戶里名)의 略稱일 가능성이 있다(지10, 지리1, 王京開城府 ; 朴龍雲 1996년).

119) 宋에서는 하루 전인 丁丑(15일에) 월식이 있었고(『송사』 권52, 지5, 천문5, 월식), 일본의 京都에서는 고려와 같이 戊寅(16일)에 월식이 있었다고 한다. 이날은 율리우스력의 1157년 10월 19일이고, 월식 현상이 심했던 때인 15일(丁丑)의 世界時는 22시 45분, 食分은 1.81이었다(渡邊敏夫 1979年 476面).

120) 이는 「王侾廟誌銘」에 의거하였다.

121) 이 기사는 지33, 식화2, 科斂에도 수록되어 있다.

金敦中，賀正，[122] 禮賓少卿崔令儀，進方物，工部員外郎金嘉會，賀龍興節.[123]

[己巳[7日]，大雨:五行2轉載].

[乙亥[13日]，亦如之[大雨]:五行2轉載].

丁丑[15日]，設八關會. 是夜，召[中書侍郎]平章事崔允儀·李之茂·□[左?]承宣李元膺·□□□[左右承?]崔褎偁等，遊賞林亭，賜曲宴.[124]

己卯[17日]，金遣少府監完顏德壽來，賀生辰.

[某日，命左承宣·直門下省李元膺，右承宣·左諫議大夫李公升，[125] 傳旨門下省，督署鄭諴告身. 宰臣及諫官，論執不可. 公升往來再三，復傳旨曰，“卿等不聽朕言，朕食不甘味，寢不安席”. [中書侍郎]平章事崔允儀·右諫議□□[大夫]崔應淸及元膺·公升等，不得已署之，給事中李知深·□[左]司諫崔祐甫·裵景誼[崔景義]，獨不署，伏閤力爭. 左遷知深爲國子司業，祐甫爲尙舍奉御，景誼[景義]爲殿中內給事. 諴，自是獲參朝列，權寵日盛，意氣洋溢，親黨布列，薦引宦奴王光就·白子端，以爲羽翼，[蔽王耳目，]交構讒訴，陵轢朝臣，侵漁閭巷，宦寺亂法，莫盛於斯[宰相·臺諫，畏威脅勢，含嘿不言]:節要轉載].[126]

[史臣曰，“宦寺與於縉紳之列，古無其制. 王以乳媼之故，溺於私愛，旣授朝官，又督告身，允儀爲相，公升應淸爲諫官，旣不能正其罪，又從而署之，何也. 由是，閹人日盛，若王光就，白子端輩，相繼用事，蔽塞聰明，宰相臺諫，畏威脅勢，緘默不言，終致普賢之變，噫”:節要轉載].

癸未[21日]，冊長女爲敬德宮主，第二女爲安貞宮主，第三女爲順和宮主[127]. 是夜，

---

122) 金敦中은 다음 해 正旦에 賀禮하였던 것 같다.
- 『금사』 권5, 본기5, 海陵，正隆 3년 1월，“壬戌朔，宋·高麗·夏遣使來賀”.
- 『금사』 권60，表2，交聘表上，正隆 3년 1월，“壬戌朔，高麗使賀正旦”.

123) 金嘉會는 明年(正隆3) 1월 16일(丁丑) 皇帝(廢帝 海陵王)의 生日인 龍興節을 賀禮하였던 것 같다.
- 『금사』 권5, 본기5, 海陵，正隆 3년 1월，“丁丑，生辰，宋·高麗·夏遣使來賀”.
- 『금사』 권60，表2，交聘表上，正隆 3년 1월，“丁丑，高麗使賀生辰”.

124) 崔褎偁[최유칭]은 直門下省事，尙書右丞，殿中監 등을 거쳐 右承宣에 임명되었다고 한다.
- 열전38，崔褎偁，“[崔褎偁,,] 累歷直門下省□[事]·尙書右丞·殿中監. 拜右承宣”.

125) 左諫議大夫는 延世大學本에서 左諫議大公로 되어 있으나 오자이다(東亞大學 2006년 27冊 514面).

126) 이때 崔祐甫는 尙舍奉御에 左遷되었다가 다시 淸州牧副使로 축출되었다(崔祐甫墓誌銘). 또 이 기사는 열전35，宦者，鄭諴에도 수록되어 있으나 字句에 출입이 있다. 그중에서 “宦寺亂法，莫盛於斯”는 12월 21일에도 다시 인용되고 있음을 보아 『讎校高麗史』 또는 이를 교감한 『고려사절요』의 편찬자가 『의종실록』을 축약할 때 어떤 착오가 있었던 것 같다.

127) 順和宮主는 그의 列傳에는 和順宮主로 되어 있다(열전4，公主，毅宗).

召宰樞·近臣，曲宴于天寧殿.

甲申[22日]，出御普濟寺.

[丙戌[24日]，大雨:五行2轉載].

戊子[26日]，還宮.

辛卯[29日]，宴金使于大觀殿.

[某日，中書侍郎同中書門下平章事梁元俊請致仕，不允:追加].[128)]

十二月[癸巳朔小盡,癸丑]，癸丑[21日]，詔，以[宦官]鄭諴私第爲慶明宮. [諴第，在闕東南三十許步，大小廊廡，凡二百餘間，樓閣崢嶸，金磨交輝，僭擬宮禁:節要轉載]，[宦寺亂法，莫盛於斯:列傳35鄭諴轉載]. 陰陽家以爲犬擧頭吠主之勢，不宜臨御. 不從.

戊午[26日]，以[中書侍郞平章事]李之茂△[爲]監修國史，崔誠爲政堂文學[·判尙書禮部事:追加][129)]，金永夫△[爲]知樞密院事·太子賓客，任克忠△[爲]守司空·□□□[左僕射?].

庚申[28日]，移御慶明宮.

[○崇教寺住持·首座義光入寂於玄化寺上淸院，年五十一，臘四十. 上聞之，追悼不已，贈僧統:追加].[130)]

[是月，無冰:五行1恒澳轉載].

[○以[監察御史]李文著爲西京分司戶部員外郞:追加].[131)]

[是年，改修金州合浦縣城:追加].[132)]

[○中河寺住持僧宗某造成同寺銅鍾一口:追加].[133)]

[○以首座靈炤爲興王寺興教院經學主，使講'華嚴經章疏'，至丁未年[明宗17年]，凡十一年:追加].[134)]

---

128) 이는「梁元俊墓誌銘」에 의거하였다.

129) 이는「崔誠墓誌銘」에 의거하였다.

130) 이는「崇教寺住持·首座義光墓誌銘」에 의거하였는데, 이날은 율리우스曆으로 1158년 1월 30일(그레고리曆 2월 6일)에 해당한다.

131) 이는「李文著墓誌銘」에 의거하였다.

132) 이는 경상남도 昌原市 馬山合浦區(舊 馬山市) 玆山洞 산16 會原城址에서 출토된 瓦銘, '正豊二年丁丑」寺□一品八月造」'에 의거하였다(世宗文化財硏究院 編 2015년 518面).

133) 이는 다음의 자료에 의거하였다(許興植 1984년 750面).

· 「中河寺鍾銘」, "正豊二年」[~~某月~~]庚戌支,中」河寺住」持比丘宗」□發心」□□□□」". 이해[是年]에 朔日이 庚戌인 月次가 없어 ~~添字~~가 刻字되지 못했음을 알 수 있다.

戊寅[毅宗]十二年, 金正隆[正豊]三年, [南宋紹興二十八年], [西曆1158年]

1158년 2월 1일(Gre2월 8일)에서 1159년 1월 20일(Gre1월 27일)까지, 354일

春正月壬戌朔大盡,甲寅, 甲戌13日, 還宮.

[某日, 以金存夫爲慶尙道按察使:慶尙道營主題名記].

[是月頃, 尙食直長金惟珪卒, 年六十四:追加].[135]

二月壬辰朔小盡,乙卯, 乙未4日, 出御興王寺.

庚子9日, 移御天壽寺.

[己酉18日, 判衛尉寺事·御書檢討官致仕朴景山卒, 年七十八:追加].[136]

[丙辰25日, 歲星入月穿道:天文2轉載].

戊午27日, 王還宮.

己未28日, 以仁宗忌日, 飯僧於壽德宮大平亭太平亭. 時, 王好作佛事, 緇徒盈溢宮庭, 怙恃恩寵, 附託宦官, 侵擾百姓, 競造寺塔, 爲害日甚.

庚申29日晦, 王如靈通寺.

三月辛酉朔小盡丙辰, 日食.[137]

丁卯7日, 降死罪, 流以下原之. 又赦西京叛逆充爲奴婢者.

[某日, 量移崔惟淸爲廣州牧使, 任克正爲忠州牧使, 金貽永爲南京留守:節要轉載].[138]

壬申12日, 幸壽德宮, 宴宰樞·臺閣·侍臣于壽德宮大平亭, 仍許遊賞御苑花木.

[癸酉13日, 日無光:天文1轉載].

[甲戌14日, 白霧塞天:五行2轉載].

---

134) 이는 「靈通寺住持·正覺僧統靈炤墓誌銘」에 의거하였다.

135) 이는 「金惟珪墓誌銘」에 의거하였는데, 그는 前年 12월 무렵에 逝去하였을 가능성도 있다.

136) 이는 「朴景山墓誌銘」에 의거하였는데, 이날은 율리우스曆으로 1158년 3월 20일(그레고리曆 3월 27일)에 해당한다.

137) 이날 宋에서는 일식이 예고되었으나 구름[霧]으로 인해 보이지 않았다고 하며, 金에서는 예보는 되었으나 보이지 않았다고 한다(『송사』 권52, 지5, 천문5, 日食 ; 『금사』 권5, 본기5, 海陵, 正隆 3년 3월 辛酉, 권20, 지1, 天文, 日薄食煇珥雲氣). 이날은 율리우스력의 1158년 4월 1일이고, 개경에서 일식 현상이 심했던 시간은 5시 36분, 食分은 0.51이었다(渡邊敏夫 1979年 307面).

138) 忠州牧使 任克正은 在職 중에 逝去하였다고 한다(열전8, 任懿, 克正).

[→霧塞, 日無光:五行3轉載].

[乙亥15日, 月食:天文2轉載].[139)]

壬午22日, 大酺國內老人.

[某日, 以中書侍郎平章事梁元俊爲守司徒, 仍令致仕:追加].[140)]₩

夏四月庚寅朔大盡,丁巳, [癸巳4日, 新倉舘里三百二十餘戶災:五行1火災·節要轉載].

乙巳16日, 命平章事門下侍郎同中書門下平章事崔允儀·知門下省事申淑·同知樞密院事知樞密院事金永夫,[141)] 醮于賞春亭, 禱雨.

戊申19日, 再雩.[142)]

五月庚申朔小盡,戊午, 乙丑6日, 幸安和寺, 賦石井詩, 令宰相·詞臣, 和進.

丙寅7日, 大雨雹.[143)]

己巳10日, 白虹貫日.

[庚辰21日, 前修理寺住持·首座觀奧入寂, 年六十三, 僧臘五十二. 奧某年三冬, 大設施與于鼇山院, 指南大路, 行旅往來, 上自僧俗男女老少幼稚, 下至服乘之畜, 飢者食焉, 渴者飮焉, 無不充足飽煖, 其惠澤之及, 不知其數, 千萬億也:追加].[144)]

辛巳22日, 賜金正明等及第.[145)]

六月己丑朔小盡,己未,[146)] [丙申8日, 大雨:五行2轉載].

---

139) 이날은 율리우스력의 1158년 4월 15일이고, 월식 현상이 심했던 때의 世界時는 12시 29분, 食分은 0.54이었다(渡邊敏夫 1979年 476面).

140) 이는 「梁元俊墓誌銘」에 의거하였다.

141) 崔允儀는 1157년(丁未, 의종11)에 門下侍郎同中書門下平章事에 임명되었다고 한다(崔允儀墓誌銘). 또 金永夫는 前年 12월 26일(戊午)에 知樞密院事에 임명되었으므로(『고려사절요』 권11에도 같음), 이 기사의 同知樞密院事는 오자일 가능성이 있다.

142) 지8, 五行2, 金行에는 戊申이 戊戌(9日)로 되어 있으나 오자이다.

143) 이와 같은 기사가 지7, 五行1, 水, 雨雹에도 수록되어 있다.

144) 이는 「修理寺住持·首座觀奧墓誌銘」에 의거하였다.

145) 이와 관련된 기사로 다음이 있다. 이때 金正明·許利涉·刪定都監判官文克謙 등이 급제하였다(『등과록』, 朴龍雲 1990년 ; 許興植 2005년).

· 지27, 선거1, 科目1, 選場, "毅宗十二年五月, 樞密院使李陽升知貢擧, 右承宣李公升同知貢擧, 取進士, 辛巳, 賜金正明等二十七人及第".

146) 戊申은 5월에는 없고, 6월 20일에 해당하므로 戊申의 앞에 六月이 탈락되었을 것이다.

[癸卯[15日], 王師坦然入寂, 年九十, 臘七十一. 門人奉遺狀及印寶, 乘驛來奏, 上聞訃悲悼, 即遣內臣[入內侍某官]韓就·日者[司天官員]陰仲寅等,[147)] 往護葬事. 然嘗作'四威儀'頌, 併上堂語句, 附商舶寄宋四明縣阿育王山廣利寺禪師介諶,[148)] 諶認可, 乃復書劇加歎美, 僅四百餘言. 又有道膺·膺壽·行密·戒環·慈仰,[149)] 時大禪伯也, 乃書通好, 約爲道友, 自非有德者, 豈能使人, 響慕如此哉?:追加].[150)]

戊申[20日], 移御安和寺.

[庚戌[22日], 日無光:天文1轉載].

[某日, 召右承宣·知御史臺事李公升·中丞宋淸允·侍御史吳忠正等曰, 鄭諴, 自寡人在襁褓時, 辛勤阿保, 以至今日, 故除權知閤門[閤門]祗候, 以酬其勞, 已經三載. 卿等不署告身, 實非臣子愛君之心, 苟不署□[之], 若輩皆菹醢, 淸允·忠正, 俯伏流汗, 獨公升不奉旨. 王怒, 譴逐之:節要轉載].[151)]

[某日, 知門下省事申淑·諫議□□[大夫]金諹·柳公材·中書舍人洪源滌·起居舍人金于蕃·右正言許勢修,[152)] 上疏諫曰, 鄭諴之先, 在聖祖開創之時, 逆命不臣, 錮充奴隷, 區別種類, 使不得列於朝廷, 今授諴顯任, 以太祖功臣之裔, 反僕役於不臣之類, 有乖太祖立法垂統之意, 請削諴職, 凡與諴相結爲黨者, 亦降爲庶人. 王大怒, 還其疏. 諫官伏閤二日, 竟不得達. 勢修, 揮涙太息, 棄官而去:節要轉載].[153)]

[某日, 召臺諫, 督署諴告身. 皆唯唯, [右承宣·知御史臺事]李公升猶不奉旨. 王責公升曰, "汝嘗爲諫官, 旣署諴告身, 今反不署, 何也?", 對曰, "臣悟昨日之非, 故不奉

---

147) 여기에서 入內侍某官은 帝王의 侍從官(近侍, 內侍, 中朝官)가 아닌 一般官僚(外朝官)가 入闕하여 直宿하고 있던 官僚를 指稱한 것 같다.
· 『자치통감』 권31, 漢紀23, 成帝鴻嘉 1년(BC20) 4월, "… [大司馬·車騎將軍]王音旣以從舅越親用事, 小心親職. 上以音自御史大夫, 入爲將軍[胡三省注, 將軍, 中朝官, 故曰入], 不獲宰相之封[注, 自公孫弘以來, 爲相者封侯]. …".

148) 阿育王寺는 현재의 江蘇省 寧波市 鄞州區 五鄕鎭 寶幢 太白山 山麓에 위치해 있고, 無示介諶은 臨濟宗 黃龍派의 僧侶이다.

149) 여기에서 道膺, 膺壽, 行密, 慈仰 등의 행적을 알 수 없고, 溫陵大師 戒環은 無示介諶의 제자로서 溫陵(現 浙江省 溫州市) 白蓮寺(開元寺, 開元蓮寺)에 머물면서 『妙法蓮華經要解』·『楞嚴經要解』 등을 저술하였다.

150) 이는 「山淸斷俗寺大鑑國師塔碑」에 의거하였다. 또 坦然의 遺墨 偈頌 1首가 남겨져 있다(吳世昌 1928년).

151) 이 기사는 열전12, 李公升에도 수록되어 있는데, 添字는 이에 의거하였다. 또 열전35, 宦者, 鄭諴에는 축약되어 있다.

152) 右正言은 열전12, 申淑에는 左正言으로 되어 있다(盧明鎬 等編 2016년 292面).

153) 이 기사는 열전35, 宦者, 鄭諴에도 수록되어 있으나 자구에 출입이 있다.

詔". 王怒, 勅公升歸家. 金諹等又上疏諫, 不報. 是日, 日無光:節要轉載].[154)]

[某日, 召李公升, 復令視事:節要轉載].

秋七月[戊午朔大盡,庚申], 己未[2日], 太白晝見.

[○虎入京城:五行2轉載].

辛酉[4日], 亦如之[太白晝見].

甲申[27日], 王還宮.

[○備禮贈諡前王師坦然爲大鑑國師:追加].[155)]

[某日, [知門下省事]申淑, 獨詣闕上疏, 請削鄭諴職. 王曰, "古者, 未有大臣獨諫者". 對曰, "自祖聖創垂以來, 亦無宦寺拜朝官者, 至聖朝始有之. 臣聞此以還, 居常憤懣, 食不知味, 故敢來上請, 若臣言非, 請誅, 臣是則願賜兪允". 王乃降制, 削諴職, 布告中外:節要轉載].

[某日, 以金光中爲慶尙道按察使:慶尙道營主題名記].

八月[戊子朔小盡,辛酉], [己亥[12日], 廣智大禪師之印入寂, 年五十七, 僧臘四十八:追加].[156)]

庚子[13日], 尙書刑部奏, 決重刑.

[→尙書刑部奏, 決重刑. 大風雨, 拔木飛瓦:五行3轉載].

乙巳[18日], 以朴純冲△[爲]知門下省事, [左遷[知門下省事]申淑△[爲]守司空·尙書右僕射, 以請削鄭諴之職也:節要轉載].

丙午[19日], 出御天壽寺.

癸丑[26日], 移御安和寺.

甲寅[27日], 太史監候劉元度奏, "白州兎山半月岡, 實我國重興之地, 若營宮闕, 七年之內, 可呑北虜". 於是, 遣[門下侍郞同中書門下]平章事崔允儀等, 相風水. 還奏曰, 山朝水順, 可營宮闕, 王然之.

九月[丁巳朔大盡,壬戌], 己未[3日], 王還宮.

---

154) 이 기사는 열전12, 李公升에도 수록되어 있다.

155) 이는 「山淸斷俗寺大鑑國師塔碑」에 의거하였다.

156) 이는 「廣智大禪師之印墓誌銘」에 의거하였는데, 이날은 율리우스曆으로 1158년 9월 6일(그레고리曆 9월 13일)에 해당한다.

庚申[4日]，遣[門下侍郎平章事]崔允儀·知奏事李元膺·內侍朴懷俊等，創別宮于白州．懷俊性苛刻，徵丁夫于西海道，日夜催督，不日告成．賜闕名重興，殿額大化．術者私語曰，“此，道詵所謂庚方客虎擧頭掩來之勢，創闕於此，恐有危亡之患”．[157]

[某日，復以鄭誠△[爲]權知閤門[閤門]祗候:節要轉載]．

[某日，左遷殿中侍御史金敦中，爲戶部員外郎，以不署鄭誠告身也:節要轉載]．[158]

[壬申[16日]，月食:天文2轉載]．[159]

癸酉[17日]，王如國淸寺．

[是月，命國子祭酒廉直諒·司業崔婁伯，□□□□[掌升補試]，取尹敦敘等十六人:選擧2升補試轉載]．

[秋某月，以李應璋爲[東北面]沿海道監稅使[監倉使]:追加]．[160]

冬十月[丁亥朔大盡,癸亥]，[乙未[9日]，大雨，雷電:五行2轉載]．

丁酉[11日]，曲宴于安平齋，召左承宣李公升獻壽，公升賦詩以進．

乙卯[29日]，幸白州．

丙辰[30日]，入御重興闕．[丁巳，受賀于大化殿．是日，天地昏黑，大風拔木．王頗疑之，多方祈禳．戊午，宴群臣于大化殿→이들 記事는 11월로 옮겨감]．

十一月[丁巳□[朔大盡,甲辰]，受賀于大化殿．是日，天地昏黑，大風拔木．王頗疑之，

---

157) 重興宮에 관련된 기사로 다음이 있다. 이들 기사에서 十三年은 十二年으로 고쳐야 옳게 될 것이다(東亞大學 2012년 15책 674面). 이는 원래 『毅宗實錄』의 13년에 수록된 기사였으나 『고려사』를 편찬할 때 12년으로 改書하지 못했던 것으로 추측되지만, 어떤 판단을 내리기 어렵다.

· 지12, 지리3, 白州, “毅宗十三年[十二年]，創兎山重興闕，陞知開興府事，後復舊名”．

· 『세종실록』 권152, 지리지, 황해도 白川郡, “毅宗十三年己卯，創兎山重興闕，陞爲知開興府事[一云復興郡，宋紹興二十九年]，後復舊名，爲任內”．

158) 이 기사는 열전11, 金富軾, 敦中에도 수록되어 있다.

159) 이날 일본의 교토에서도 월식이 있었다고 한다. 이날은 율리우스력의 1158년 10월 9일이고, 월식 현상이 심했던 때의 世界時는 14시 48분, 食分은 0.72이었다(渡邊敏夫 1979年 476面).

·『山槐記』，保元 3년 9월 “十六日壬申，天晴，月蝕”．

160) 이는 「李應璋墓誌銘」에 의거하였다. 이에서 沿海道監稅使가 무엇을 지칭하는지는 분명하지 않지만, 沿海道는 行政區域의 道[5道]가 아니라 東北面[東界]의 管轄 下에 있는 軍事道 또는 巡行을 위한 方面의 道일 것이다(→명종 8년 1월 22일의 脚注). 또 監稅使는 兩界에 설치된 監倉使의 다른 表記[別稱]일 가능성이 있다.

多方祈禳.

戊午[2日], 宴群臣于大化殿←이들 記事는 10월에서 옮겨옴].[161)]

癸亥[7日], 還宮, 赦.

<u>甲子</u>[~~癸亥~~7日], 門下侍郎平章事致仕梁元俊卒, [年七十, 謚貞簡:追加].[162)] [元俊, 出自胥吏, 嘗與諫官, 論鄭諴, 堅執不變, 時議重之. 性淸儉純直, 終始一節, 不事產業, 不通餽謝, 門巷蕭然. 初, 守光州, 妻事姑不謹, 黜之. 妻子號哭乞哀, 終不許, 至使其妻獨還, 人或譏其不仁:節要轉載].

[丙寅[10日], 大雨:五行2轉載].

庚午[14日], 設八關會, 幸法王寺.

癸酉[17日], 金遣[教坊提點]<u>高存福</u>來, 賀生辰.[163)]

[丙子[20日], 天暗如夜, 溫如三四月:五行3轉載].

癸未[27日], 宴金使.

○萬寶殿<u>灾</u>.[164)]

[是月, 遣使如金, 賀正, 又遣使, 賀龍興節:追加].[165)]

十二月[丁亥朔小盡,乙丑], 己丑[3日], 以[知門下省事]朴純冲△[爲]權判吏部事.

癸巳[7日], 富閏縣人奉衔, 弑其父及繼母, 幷殺家僮, 皆投竈火而逃.

乙未[9日], 幸天壽寺.

---

161) 丁巳는 11월(丁巳朔) 1일이고, 戊午는 11월 2일이므로, 癸亥(7일) 앞에 있는 十一月을 丁巳 앞으로 移動시키고 朔을 추가하여야 한다. 또 宋曆과 日本曆에서 11월의 朔日은 丁巳이기에 高麗曆도 丁巳朔일 것이다. 그렇게 하여야 11월 7일(癸亥)에 서거한 梁元俊의 墓誌銘 및 庚午(14일)에 팔관회가 개최된 것과 일치한다[校正事由].

162) 甲子(8일)의 門下侍郎平章事致仕<u>梁元俊</u>卒은 癸亥(7일)의 잘못이다. 梁元俊의 墓誌銘에는 十一月七日癸亥卒로 되어 있으므로(梁元俊墓誌銘), 『고려사』의 편찬과정에서 오류가 있었을 것이다. 이날은 율리우스曆으로 1158년 11월 29일(그레고리曆 12월 6일)에 해당한다.

163) 金에서 敎坊提點 高存福의 파견은 9월 21일(丁丑) 결정되었다.

· 『금사』 권5, 본기5, 海陵, 正隆 3년 9월, "丁丑, 以教坊提點<u>高存福</u>爲高麗生日使".

· 『금사』 권60, 表2, 交聘表上, 正隆 3년, "九月丁丑, 以教坊提點<u>高存福</u>爲高麗生日使".

164) 이와 같은 기사가 지7, 五行1, 火, 火災에도 수록되어 있다.

165) 이는 다음의 자료에 의거하였다.

· 『금사』 권5, 본기5, 海陵, 正隆 4년 1월, "丙辰朔, 宋·高麗·夏遣使來賀. … 辛未, 宋·高麗·夏遣使來賀".

· 『금사』 권60, 表2, 交聘表上, 正隆 4년, "正月丙辰朔, 高麗使賀正旦, 辛未, 高麗使賀生辰".

[是年, 以[政堂文學]<u>崔諴</u>爲中書侍郞同中書門下平章事·判尙書戶部事:追加].[166]

[○御史中丞林景和卒, 年五十七:追加].[167]

[○上[毅宗]追悔左遷諫官之事, 召淸州牧副使崔祐甫, 爲起居舍人·知制誥兼太子文學:追加].[168]

[○以吳元卿爲內侍:追加].[169]

[增補][170]

己卯[毅宗]十三年, 金正隆[正豊]四年, [南宋紹興二十九年], [西曆1159年]

1159년 1월 21일(Gre1월 28일)에서 1160년 2월 8일(Gre2월 15일)까지, 13개월 384일

春正月丙辰□[朔大盡,丙寅], 日暈有珥, 色靑赤白, 人皆謂三日並出.[171]

[→日暈有珥, 色靑赤白, 西北方有二背氣三重, 皆去日輪, 不數尺閒, 人望之, 皆謂三日並出:天文1轉載].

壬戌[7日], 移御壽德宮.

己巳[14日], 燃燈, 王如奉恩寺.

[丙子[21日], 鎭星犯月:天文2轉載].

[辛巳[26日], 禁中十員殿災:五行1火災轉載].

[某日, 鄭諴饗王, 獻衣對, [門下侍郞平章事]崔允儀·[知奏事]李元膺等侍宴, 樂聲聞外. 聞者, 莫不嘆息掩涕曰, "權在<u>內豎</u>矣":節要轉載].[172]

---

166) 이는 「崔諴墓誌銘」에 의거하였다.

167) 이는 「林景和墓誌銘」에 의거하였다.

168) 이는 다음의 자료에 의거하였다.
 · 「崔祐甫墓誌銘」, "上追悔之, 召拜起居舍人·知制誥兼太子文學, 未幾, 遷試吏部郞中".

169) 이는 「吳元卿墓誌銘」에 의거하였다.

170) 이해에 金의 帝王 完顔亮(海陵王)이 左諫議大夫 張仲軻(?~1159)에게 장차 2~3년 안에 南宋을 征伐하고 高麗와 西夏를 平定하겠다고 豪言하였다고 한다.
 · 『금사』 권129, 열전67, 佞幸, 張仲軻, "正隆三年 … 旣而曰, 朕擧兵滅宋, 遠不過二三年, 然後討平高麗·夏國. 一統之後, 論功遷秩, 分賞將士, 彼必忘勞矣".

171) 丙辰에 朔이 탈락되었다. 또 이날 일본의 京都에서는 날씨가 흐리다가 밤부터 비가 내렸다고 한다(『山槐記』, 保元 4년 1월, "一日丙辰, 天陰, 自夜雨降").

172) 이 기사는 열전35, 宦者, 鄭諴에도 수록되어 있다. 그렇지만 이후 鄭諴의 行蹟에 대해 서술되어

[某日, 以朴育和爲慶尙道按察使:慶尙道營主題名記].

[是月頃, 知門下省事<u>文公裕</u>卒:追加].[173)]

二月丙戌朔大盡,丁卯, [己丑4日, 流星出中台, 入紫微東蕃, 大如鉢, 尾長三尺許:天文2轉載].

壬寅17日, 王如安和寺.

丙午21日, 幸大安寺.

○國子生李良平, 道謁, 上䟽論事.

丁未22日, 王率百官飯僧, 御製詩一絶, 令詞臣和進, 遂幸普濟寺.

[某日, ~~守司空~~·右僕射·前知門下省事申淑棄官, 歸田里:節要轉載].[174)]

庚戌25日, [春分]. 移御金存中第.

辛亥26日, 還宮.

乙卯30日, 王如靈通寺.

三月丙辰朔小盡,戊辰, 丁巳2日, <u>門下侍中</u>□□~~致仕~~王冲卒, [年八十二:追加][175)], 謚剛烈.

乙丑10日, 王還宮.

戊辰13日, 設消灾道場於宣慶殿七日.

있지 않았는데, 이는 鄭諴의 열전이 제대로 편찬되지 못하였거나 組版過程에서 後半部의 기록이 脫落되었을 것이다.

173) 이는 다음의 자료에 의거하여 유추하였다. 이에서 襄事는 成事와 같은 의미를 가지는데, 後世에 葬事의 의미를 지니기도 하였다고 한다. 한편 文公裕의 墓所에서 매우 세련된 青磁象嵌寶相唐草文盌이 出土되어 象嵌青瓷의 發生時期과 관련되어 주목을 끌고 있다. 1146년(의종 즉위년) 3월 15일(甲申) 만들어진 長陵(仁宗의 墓所)에서는 純青瓷만이 출토된 것에 비해 이해[是年]에 만들어진 文公裕의 墓所에는 象嵌青瓷가 출토되었기에, 상감청자가 1146년에서 1159년(의종13) 사이에 발생하였다고 추정되기도 하였다(鄭良謨 1992년 1책 213面). 그렇지만 현재에는 青磁象嵌寶相唐草文盌이 너무나 세련된 것이기에 그러한 수준에 이르기 위해서는 10세기 이래 상감기술이 시작되었을 것으로 추측하는 견해도 있으며, 11세기에 제작된 것으로 추정되는 상감청자도 출토되었다고 한다.

· 「文公裕墓誌銘」, "太歲己卯毅宗13年二月十二日, 主上命□有司具<u>襄事</u>, …"

· 『春秋左傳正義』 권57, 定公 15年 秋七月, "葬定公, 雨不克襄事, 禮也. 注疏, 襄成也, 雨而成事, 若汲汲於欲葬".

174) 이 기사에서 ~~添字~~를 추가하여야 옳게 될 것이다.

175) 이는 「王冲墓誌銘」에 의거하였는데, 이날은 율리우스曆으로 1159년 3월 23일(그레고리曆 3월 30일)에 해당한다.

乙亥[20日], 幸玄化寺, 東西兩院僧, 各設茶亭, 迎駕, 競尙華侈.
丙子[21日], 遊覽東西兩院, 飯僧.
[戊寅[23日], 雨雪, 霰雹, 平地三寸許, 草木盡枯:節要·五行1雨雪轉載].

夏四月[乙酉朔小盡,己巳], 庚寅[6日], 大雨雹.[176)]
甲辰[20日], 移御霍井洞□□□□□[~~故門下侍郎~~]平章事崔溱第.
庚戌[26日], 還宮.

[夏五月[甲寅朔大盡,庚午], 某日, 召[守司空·尙書右僕射]申淑還:節要轉載].
[是月, 國子祭酒李德壽, □□□□□[掌國子監試], 取七十八人:選擧2國子試額轉載].[177)]

六月甲申朔[小盡,辛未], 王如奉恩寺.
戊申[25日], □[王]如安和寺.

閏[六]月[癸丑朔小盡,辛未], 己未[7日], 還宮.

秋七月[壬午朔大盡,壬申], 癸未[2日], [處暑]. 王如安和寺.
乙未[14日], 還宮.
[某日, 以吳中正爲慶尙道按察使:慶尙道營主題名記].

八月[壬子朔小盡,癸酉], 丁巳[6日], 王如國淸寺.
戊辰[17日], [寒露]. 還宮.
庚辰[29日晦], □[王]如興王寺.

九月[辛巳朔大盡,甲戌], 乙酉[5日], 王如國淸寺.
丙申[16日], 出御天壽寺.
己亥[19日], [立冬]. 還御楊堤洞平章事[故門下侍郎平章事]文公元第.

---

176) 이와 같은 기사가 지7, 五行1, 水, 雨雹에도 수록되어 있다.
177) 이때 尹宗諹(尹鱗瞻의 6子, 1143~1188)이 17세의 나이로 합격하였다(尹宗諹墓誌銘).

冬十月[辛亥朔大盡,乙亥], 甲寅[4日], [小雪]. 出御興王寺.

壬戌[12日], 還宮.

十一月辛巳朔[大盡,丙子], 賜宰樞·郎舍酒果.

甲午[14日], 設八關會, 幸法王寺.

乙未[15日], 地震, 聲如雷.

[○天狗星流行:天文2轉載].

丁酉[17日], 金遣安遠大將軍<u>完顔德溫</u>來, 賀生辰,[178]

己亥[19日], [小寒]. 宴于壽昌宮. 幸普濟寺.

戊申[28日], 幸興國寺.

[是月, <u>遣使</u>如金, 賀正, 又<u>遣使</u>, 賀龍興節:追加].[179]

十二月[辛亥朔小盡,丁丑], 甲寅[4日], 幸普濟寺.

壬戌[12日], 移御<u>司空</u>[故守司空]尹彦植第.

癸亥[13日], 移御楊堤洞宅.

己巳[19日], 幸普濟寺.

乙亥[25日], 出御興國寺.

[是年, 典牧司奏定諸牧監場畜馬料式.

△戰馬一匹, 黃草節一日, 稗一斗·豆二升·末豆四升, 青草節, 稗一斗·末豆三升. 雜馬一匹, 黃草節一日, 稗四升·豆二升·末豆三升, 青草節, 稗三升·末豆二升.

△駱駝一首, 黃草節一日, 稗五斗·豆二斗·鹽五合, 青草節, 稗二斗·豆九升·鹽

---

178) 安遠大將軍[從4品上] 完顔德溫은 『금사』에는 宣武將軍[正5品中]·翰林待制 完顔達紀로 되어 있다. 또 이들 기사에서 日辰이 탈락되었다.

· 『금사』 권5, 본기5, 海陵, 正隆 4년 9월, "□□[某日], 以翰林待制<u>完顔達紀</u>爲高麗生日使".

· 『금사』 권60, 表2, 交聘表上, 正隆 4년, "九月, 遣宣武將軍·翰林待制<u>完顔達紀</u>爲高麗生日使".

179) 이는 다음의 자료에 의거하였다. 이들 金에 파견된 사신 중의 1인은 吏部侍郎 崔祐甫였던 것으로 추측된다.

· 『금사』 권5, 본기5, 海陵王, 正隆 5년 1월, "庚辰朔, 宋·高麗·夏遣使來賀. … 乙未, 宋·高麗·夏遣使來賀".

· 『금사』 권60, 表2, 交聘表上, 正隆 5년 1월, "庚辰朔, 高麗使賀正旦, 乙未, 高麗使賀生辰".

· 「崔祐甫墓誌銘」, "明年, 除試卽眞, 仍帶直寶文閣. 時東按春州道, 北使大金國, 皆稱旨".

三合.

△驢騾各一匹, 黃草節一日, 稗六升·豆二升·末豆三升, 青草節, 稗六升·末豆三升.
△役牛一頭, 黃草節一日, 稗六升·豆二升, 青草節, 稗四升, 末豆二升.
△犢牛一頭, 黃草節一日, 稗四升·豆二升, 青草節, 稗三升·末豆二升.
△尙乘局御馬一匹, 黃草節, 田米·實豆及末豆各五升, 青草節, 只除實豆.
△件馬一匹, 黃草節, 田米·實豆·末豆各三升, 青草節, 亦除實豆.
△役騾一匹, 稗一斗·實豆二升·末豆三升, 青草節, 亦除豆.
△牝馬一匹, 稗一斗·豆二升·末豆三升, 青草節, 稗一斗·末豆三升.
△二歲駒, 稗四升·豆二升, 青草節, 稗三升, 豆二升.
△把父馬一匹, 一日, 加稗三升·豆二升.
△典廐役騾一匹, 一日, 稗一斗五升·實豆·末豆各三升, 青草節, 除實豆.
△大牛一頭, 一日, 稗八升·實豆三升·黃草七束.
△大僕寺別立馬, 稗一斗三升·實豆三升·末豆四升, 青草節, 除實豆.
△常立馬, 稗一斗·實豆三升·末豆四升, 青草節, 除實豆.
△役騾, 稗一斗·實豆二升·末豆三升, 青草節, 除實豆:兵2馬政轉載].
[○以前廣州牧使崔惟淸爲尙書右僕射:追加].[180]
[○以左承宣李公升爲知奏事:追加].[181]

庚辰[毅宗]十四年, 金正隆[正豊]五年, [南宋紹興三十年], [西曆1160年]

1160년 2월 9일(Gre2월 16일)에서 1161년 1월 27일(Gre2월 3일)까지, 354일

春正月庚辰朔大盡,戊寅, 王在興國寺, 受中外朝賀.
壬辰13日, 還宮.
[甲午15日, 月食:天文2轉載].[182]

---

180) 이는 「崔惟淸墓誌銘」에 의거하였다.
181) 이는 「李公升墓誌銘」에 의거하였다.
182) 이날 宋에서도 월식이 예측되었으나 구름으로 인해 보이지 않았다고 하며, 金에서는 월식이 있었다(『송사』 권52, 지5, 천문5, 月食 ; 『금사』 권20, 지1, 天文, 月五星凌犯及星變). 이날은 율리우스력의 1160년 2월 23일이고, 월식 현상이 심했던 때의 世界時는 11시 20분, 食分은 0.74

乙未[16日], 燃燈, 王如奉恩寺.

丁酉[18日], 幸普濟寺.

己亥[20日], 日中有怪氣, 三日.

辛丑[22日], 出御興王寺.

甲辰[25日], 龍虎軍卒張彥弑其母, 斬首, 梟市三日.

[某日, 以朴懷俊爲慶尙道按察使:慶尙道營主題名記].

二月庚戌朔[大盡,己卯], 王還宮.

乙丑[16日], 出御興王寺.

三月[庚辰朔小盡,庚辰], 壬午[3日], 移御長源亭.[183]

丙戌[7日], [穀雨]. 御西樓, 閱諸將鞍馬.

己丑[10日], 移御興王寺, 道見一老嫗, 賜布及酒.

丁酉[18日], 還宮, 召兩府宰樞·侍臣, 許賞御苑花草及珍禽奇獸, 仍賜酒果.

[是月, 溟州北山楊等寺僧智資與同州人全廷規造成同寺飯子一口, 入重八斤四兩:追加].[184]

夏四月[己酉朔小盡,辛巳], 壬子[4日], 以樞密院副使李元膺△[爲]參知政事, 是日卒.[185]

戊午[10日], 王如玄化寺.

辛酉[13日], 遂幸法泉寺.

이었다(渡邊敏夫 1979年 476面).

183) 이때 太子 泓도 수종하여 長源亭(西江 餅山에 위치)에 갔던 것 같고, 이를 시위하던 兵卒 金純이 渡江할 때 곁을 떠나지 않았던 공으로 인해 隊正에 임명되었다고 한다.

· 「金純墓誌銘」, "□[金]正豊五年庚辰三月, 判以侍從儲闈, 至於涉江, 命駕, 未嘗暫離, 終始有功, 故初調爲隊正".

184) 이는 溟州 楊等寺 飯子銘에 의거하였다(黃壽永 1964년b ; 許興植 1984년 780面). 楊等寺가 溟州(현 江原道 江陵市)의 어느 곳에 있었는가를 알 수 없지만, 조선시대에 江陵府와 인접한 橫城縣의 楊等村에 있었던 寺刹인 것 같다.

· 『신증동국여지승람』 권46, 江原道, 橫城郡 古跡, "楊等村處, 在縣東南三十里".

· 『신증동국여지승람』 권9, 京畿道, 南陽都護府 古跡, "楊等干處[楊等村處], 在府北五里". 여기에서 ~~添字~~와 같이 고쳐야 옳게 될 것이다.

185) 이날은 율리우스曆으로 1260년 5월 11일(그레고리曆 5월 18일)에 해당한다.

五月[戊寅朔大盡,壬午]，乙未[18日]，賜崔孝著等及第.186)

戊戌[21日]，再雩.

六月[戊申朔小盡,癸未]，庚申[13日]，金遣耶律琳來.

[庚午[23日]，內侍·試閤門祗候胡晋卿卒，年五十四:追加].187)

秋七月[丁丑朔小盡,甲申]，戊寅[2日]，宴金使.

癸未[7日]，參知政事致仕申淑卒.188) [淑，高靈郡人，博學經書，以淸儉忠正，著名:節要轉載].

己丑[13日]，[檢校太尉·守司徒:追加]·中書侍郎平章事[中書侍郞同中書門下平章事]崔誠卒，[年六十七，謚文簡:追加].189)

[辛卯[15日]，月食:天文2轉載].190)

乙未[19日]，移御慶龍齋.

[某日，以金遇明爲慶尙道按察使:慶尙道營主題名記].

---

186) 이와 관련된 기사로 다음이 있다. 이때 崔孝著·柳公權(乙科，柳公權墓誌銘)·尹宗諹(尹宗諹墓誌銘)·崔詵·趙永仁(『東人之文五七』)·井宗厚 등이 급제하였다(『등과록』，朴龍雲 1990년 ; 許興植 2005년).

· 지27，선거1，科目1，選場，"[毅宗]十四年五月，[樞密院使·翰林學士承旨]金永夫知貢擧，李知深同知貢擧，取進士，[乙未]，賜崔孝著等三十三人·明經三人及第".

·「金永夫墓誌銘」，"至正豊五年，以樞密院使·翰林學士承旨，掌春官試，得士之盛，前無與比".

·『보한집』권하，"趙承宣伯琪[趙冲]，文正公[趙永仁]之子，弱冠擢第，不數年腰犀爲襯衣使，過淸風縣．其監務井宗厚，膝行膜拜而進曰，我是嚴君同榜，不幸陸沈，年將七十始得此任．趙驚起避席再拜，作詩贈之曰，靑衫門外白頭翁，曾共先人折桂叢．同榜盡爲卿相貴，可憐七十在淸風．時趙年二十餘，詩語已老". 여기에서 井宗厚는 古阜郡 管內의 音聲地域，井邑縣 등의 土姓인 井氏로 추측된다(『신증동국여지승람』 권33，古阜郡，姓氏，권34，井邑縣，姓氏).

187) 이는「胡晋卿墓誌銘」에 의거하였는데，이날은 율리우스曆으로 1160년 7월 28일(그레고리曆 8월 4일)에 해당한다.

188) 이날은 율리우스曆으로 8월 10일(그레고리曆 8월 17일)에 해당한다.

189) 이는「崔誠墓誌銘」에 의거하였는데，이날은 율리우스曆으로 8월 16일(그레고리曆 8월 23일)에 해당한다.

190) 이날 일본의 京都에서도 월식이 있었던 것 같다. 또 이날(15일)은 율리우스력의 1160년 8월 18일이고，월식 현상이 심했던 때의 世界時는 19시 8분，食分은 0.60이었다(渡邊敏夫 1979年 476面).

·『山槐記』，永曆 1년 7월，"十五日辛卯，今夜月蝕，自寅及丑云々，或說去夜云々，仍所々兩夜修如讀經云々".

八月丙午朔[大盡,乙酉], 日食.[191)]

丁未[2日], 出御興王寺.

[○雨雹, 大如拳:五行1雨雹轉載].

[癸丑[8日], 前鷹揚軍大將軍石受珉卒, 年八十四:追加].[192)]

乙丑[20日], 還宮.

戊辰[23日], 設消災道場於宣慶殿六日.

癸酉[28日], [寒露]. 日中有黑子.

○王密使嬖人白子端·李榮, 搜取故郎中李之中玩物, 置諸霍井洞離宮.

九月[丙子朔小盡,丙戌], 戊寅[3日], 王如興王寺.

甲申[9日], 幸新成藏堂後苑, 置酒賞菊.

乙酉[10日], 詣母后殿, □[問]起居.

冬十月[乙巳朔大盡,丁亥], [丁未[3日], 霧塞:五行3轉載].

庚戌[6日], 幸景福寺.

丙辰[12日], 遂幸普賢寺, 飯僧, 命造銀甁十口, 重三十斤, 各盛五香五藥, 納于寺.

己未[15日], [小雪]. 御普賢院樓, 賜丐者布人一匹·緜二兩.

庚申[16日], 又御寺樓, 親賜行旅飯羹.

辛酉[17日], 亦如之.

壬戌[18日], 還宮, 遂幸慶龍齋.

乙丑[21日], 飯僧三萬于毬庭三日.

壬申[28日], 出御興王寺.

十一月[乙亥朔大盡,戊子], 丁丑[3日] 還宮.

---

191) 이날 宋에서는 翼星에 일식이 있었다고 하며, 金에서도 일식이 있었다고 한다(『송사』 권52, 지5, 천문5, 日食 ; 『금사』 권5, 본기5, 海陵, 正隆 5년 8월 丙午 ; 권20, 지1, 天文, 日薄食煇珥雲氣). 또 일본의 京都에서도 일식이 있었다. 이날은 율리우스력의 1160년 9월 2일이고, 개경에서 일식 현상이 심했던 시간은 12시 1분, 食分은 0.72이었다(渡邊敏夫 1979年 307面).
·『山槐記』, 永曆 1년 8월, "一日丙午, 天陰, 時々雨, 今日日蝕, 巳正現云々".

192) 이는 「石受珉墓誌銘」에 의거하였는데, 이날은 율리우스曆으로 1160년 9월 9일(그레고리曆 9월 16일)에 해당한다.

辛卯[17日], 金遣高通來, 賀生辰.
乙未[21日], 宴金使於大觀殿.
[是月, 遣使如金, 賀正, 又遣使, 賀龍興節:追加].[193)]

[十二月乙巳朔[小盡,己丑]:追加].

[是年, 以[前廣州牧使]崔惟清爲尙書右僕射:追加].[194)]
[○以內侍吳元卿爲知靈光郡事:追加].[195)]
[增補].[196)]

辛巳[毅宗]十五年, 金正隆[正豊]六年→10月大定元年, [南宋紹興三十一年], [西曆1161年]

1161년 1월 28일(Gre2월 4일)에서 1162년 1월 16일(Gre1월 23일)까지, 354일

[春正月[甲戌朔大盡,庚寅], 某日, 以尹鱗瞻爲慶尙道按察使:慶尙道營主題名記].

[二月甲辰朔[大盡,辛卯]:追加].

---

193) 이는 다음의 자료에 의거하였다.
· 『금사』 권5, 본기5, 海陵, 正隆 6년 1월, "甲戌朔, 宋·高麗·夏遣使來賀. … 己丑, 宋·高麗·夏遣使來賀".
· 『금사』 권60, 表2, 交聘表上, 正隆 6년, "正月 甲戌朔, 高麗使賀正旦, 己丑, 高麗使賀生辰".
194) 이는 「崔惟清墓誌銘」에 의거하였다.
195) 이는 「吳元卿墓誌銘」에 의거하였다.
196) 이해에 日本에서 다음과 같은 일이 있었다. 이보다 먼저 對馬島司가 貢銀採掘丁 등이 高麗 金海府에 拘禁되어 있다는 것을 보고하였고, 이날 여러 分野의 專門家[諸道, 諸道博士]로 하여금 의견을 개진[勘申]하게 하였다. 또 12월 17일(辛酉) 고려가 對馬島의 商人을 拘留[搦留]하고 있는 것에 대해서 의논하였다고 한다(張東翼 2004년 119面·312面 ; 荒木和憲 2017年a ; 近藤 剛 2018年).
· 『百練抄』 권7, 永曆 1년(平治2), 4월, "廿八日, 對馬嶋司言上, 高麗國金海府禁錮[錮]採進房幷貢銀採丁事, 令諸道勘申".
· 『百練抄』 권7, 永曆 1년, 12월, "十七日, 諸卿定申高麗國搦留對馬嶋商人事".
· 『山槐記』, 永曆 1년 12월, "十七日辛酉, 今夜有高麗國搦留商人之定云〃, 可尋諸道勘文定文等".

[三月[甲戌朔], 乙丑[~~己丑~~小盡,壬辰16日], 東界宣德鎭兵庫三百餘間及民家三百戶火:五行1火災轉載].[197]

[癸巳[20日], 戶部侍郎趙某妻齊安郡夫人皇甫氏卒, 年八十:追加].[198]

夏四月癸卯朔[大盡,癸巳], 出御長源亭.

[甲辰[2日], 鎭星犯鍵閉:天文2轉載].

[壬子[10日], 太原公侾卒, 年六十九, 諡莊平:追加].[199]

乙卯[13日], 移御玄化寺.

[壬戌[20日], 小滿. 前尙書右丞金臣璉卒, 年七十九:追加].[200]

戊辰[26日], 移御歸法寺.

五月癸酉朔[小盡,甲午], 還宮.

甲申[12日], 雨雹.[201]

甲午[22日], 以[守司空·右僕射]崔惟淸爲奉元殿大學士.

乙未[23日], 出御玄化寺.

丁酉[25日], 雨, 王製喜雨詩, 以示儒臣.

[是月, 金諹, □□□□□[掌國子監試], 取高克中等八十三人, 明經五人:選擧2國子試額轉載].

六月[壬寅朔大盡,乙未], 癸卯[2日], 王如奉恩寺.

癸丑[12日], 再雩.[202]

---

197) 乙丑은 己丑의 오자일 것이다.

198) 이는 「趙某妻齊安郡夫人皇甫氏墓誌銘」에 의거하였는데, 이날은 율리우스曆으로 1161년 4월 17일(그레고리曆 4월 24일)에 해당한다.

199) 이는 「王侾廟誌銘」에 의거하였다. 그런데 王侾(肅宗의 5子)는 毅宗世家와 그의 열전에 의하면 1170년(의종24) 1월에 逝去하였다고 되어 있지만(세가19, 의종 24년 1월·권90, 열전3, 宗室1, 肅宗), 當代의 기록이 더 옳을 것이다. 또 이날은 율리우스曆으로 5월 6일(그레고리曆 5월 13일)에 해당한다.

200) 이는 다음의 자료에 의거하였는데, 이날은 율리우스曆으로 5월 16일(그레고리曆 5월 23일)에 해당한다.

· 「金臣璉墓誌銘」, "… 公大金正豊六年辛巳四月二十日卒于家".

201) 이와 같은 기사가 지7, 五行1, 水, 雨雹에도 수록되어 있다.

秋七月壬申朔[小盡,丙申], 還宮.

[○丙申朔[~~壬申朔~~], 大風傷穀:五行3轉載].[203]

[○流星出鉤陳, 入北斗, 又出營室, 入牛:天文2轉載].

庚寅[19日], 赦.

[壬辰[21日], 太府少卿·西京分司監軍使林景軾卒, 年六十三:追加].[204]

[癸巳[22日], 處暑. 月犯畢星:天文2轉載].

[某日, 以[□□郎中]李文著爲慶尙道按察使:慶尙道營主題名記].[205]

八月[辛丑朔小盡,丁酉], 壬寅[2日], 出御長源亭.

丁未[7日], 還宮.

癸丑[13日], 出御興王寺.

壬戌[22日], 還宮.

丁卯[27日], 出御[城東]天和寺.

[戊辰[28日], 太白經天:節要·天文2轉載].

九月[庚午朔大盡,戊戌], [壬申[3日], 鎭星犯鍵閉:天文2轉載].

[甲戌[5日], 熒惑犯軒轅大星:天文2轉載].

[丙子[7日], 太白犯心前星:天文2轉載].

丁丑[8日], 移御長源亭.

[戊寅[9日], 試殿中內給事·知洪州事崔允仁卒, 年五十:追加].[206]

---

202) 이때 일본의 京都에서도 비가 내리지 않아 6월 26일 이래 神泉苑(신센엔, 現 京都市 中京區 御池通 神泉苑町에 위치한 지배층의 연락을 위한 庭園)에서 祈雨를 행사가 계속된 것 같다.
·『山槐記』, 應保 1년 7월, "一日壬申, 未刻大雨, 頃之休止, 藏人萱定正爲勅使, 自去月廿六日, 向神泉苑請雨, … 昨日, 神泉苑未始御祓之以前, 陰陽師在憲獻代官云々, 黑蛇出來, 陰陽師相共拜之祈念之處, 卽入池畢, 以之知可有感應之由, 果而翌日大雨, 殊勝事也者".

203) 이에서 丙申朔은 壬申朔(그레고리曆 1161년 8월 1일)의 오자일 것이다. 또 이때 颱風이 九州를 거처 韓半島로 상륙하였기에 일본의 京都에서는 잠시 大雨가 있었던 것 같다(→6월 12일의 脚注).

204) 이는 「林景軾墓誌銘」에 의거하였는데, 이날은 율리우스曆으로 8월 14일(그레고리曆 8월 21일)에 해당한다.

205) 이 시기에 李文著는 按察使[廉察使]를 네 번이나 역임하였다고 하는데(李文著墓誌銘), 1161년(의종15) 秋冬慶尙道按察使와 1169년(의종23) 春夏慶尙道按察使의 두 번이 찾아진다.

206) 이는 「崔允仁墓誌銘」에 의거하였는데, 이날은 율리우스曆으로 9월 29일(그레고리曆 10월 6일)

[己卯10日, 寒露. 太白犯心大星:天文2轉載].
丁亥18日, 移御天和寺.
[庚寅21日, 儒林郎·檢校戶部尙書·行戶部員外郞尹裕延卒:追加].207)
[甲午25日, 霜降. 月犯軒轅左角:天文2轉載].
[乙未26日, □月犯大微太微上將:天文2轉載].
[丙申27日, □月又食大微太微執法:天文2轉載].
[己亥30日, 歲星犯大微太微西蕃上將:天文2轉載].

冬十月庚子朔小盡,己亥, 壬寅3日, 移御玄化寺.
丙午7日, 感陰縣人子和·義章等, 誣告鄭敍妻任氏與縣吏仁梁, 呪詛上及大臣. 王命閣門祗侯閤門祗候林文賁, 按問, 乃子和與仁梁有隙, 欲陷之也. 於是, 投子和·義章于江, [降感陰爲部曲:節要轉載].208)
[丁未8日, 熒惑食大微太微西垣上將天文2轉載].
[己酉10日, 立冬. □□熒惑又犯歲星天文2轉載].
[己未20日, □□熒惑入天庭:天文2轉載].
[辛酉22日, 月犯軒轅大星:天文2轉載].
[是月丙午7日, 世宗完顔烏祿卽位, 丁未8日, 改元大定:追加].

十一月己巳朔大盡,庚子, [癸酉5日, 太白·鎭星聚尾:天文2轉載].
甲戌6日, 太白晝見, 經天.
○西北面馳報金主海陵王被弑.209)
戊寅10日, 王還宮.

에 해당한다.

207) 이는 「尹裕延墓誌銘」에 의거하였는데, 이날은 율리우스曆으로 10월 11일(그레고리曆 10월 18일)에 해당한다.

208) 이와 같은 기사가 지11, 지리2, 陜州, 感陰縣에도 수록되어 있다.

209) 金의 皇帝(廢帝 海陵王 完顔亮)는 11월 27일(乙未) 浙西兵馬都統制 完顔元宜 등의 叛亂으로 인해 揚州 龜山寺에서 弑害당하였다(40歲). 이 기사는 10월 7일(丙午) 東京[遼陽府]留守 烏祿(褎, 雍, 太祖의 子인 宗輔의 長子, 海陵王의 從弟)이 叛亂을 일으켜 遼陽에서 皇帝位(世宗)에 오르고, 8日(丁未) 年號를 大定이라고 바꾼 渦中에서 皇帝가 弑害당하였다는 誤報일 것이다(『금사』 권5, 본기5, 海陵王, 正隆 6년 10월 丙午, 11월 乙未 ; 권6, 본기6, 世宗上, 大定 1년 10월 丙午, 11월 乙未).

壬午[14日], 御毬庭, 觀樂.

甲申[16日], 亦如之[觀樂].

辛卯[23日], 出御興王寺.

[丙申[28日], 流星出天廩, 入羽林:天文2轉載].

[是月壬午[14日], 金遣尙書右司員外郎完顔兀古出報諭高麗:追加].[210]

[是月[乙未27日], 金帝完顔亮遇弑:追加].

十二月[己亥朔小盡,辛丑], 庚子[2日], 移御玄化寺.

[戊申[10日], 熒惑犯大微[太微]左執法:天文2轉載].

辛亥[13日], 移御興王寺.

[丁巳[19日], 月犯歲星:天文2轉載].

己未[21日], 王還百順宮.

乙丑[27日], [大寒]. 以金永夫△[爲]知門下省事,[211] 金巨公爲吏部尙書,[212] 崔褒偁爲樞密院副使, 崔惟淸爲中書侍郞平章事致仕[中書侍郞同中書門下平章事致仕],[213] [知奏事]李公升△

---

210) 이는 『금사』 권61, 表3, 交聘表中에 의거하였는데, 고려 측의 기록에는 完顔兀古出의 到着이 찾아지지 않는다. 이해(正隆6, 大定1)의 7월 金帝(海陵王)가 이끈 金軍이 國境인 淮河를 건너 長江一帶를 공격함으로 인해 天下가 騷亂하고, 8월 東京遼陽府에서 留守 完顔烏祿(世宗)이 擧兵한 틈새에 遼東地域에서 草賊이 발생하였던 것 같다. 이로 인해 고려가 金에 사신을 파견하지 않자 金이 牒을 보내와 詰問하였던 것 같다.

· 「李文鐸墓誌銘」, "至正豊間, 聞金國草賊蜂起, 藩將等多言, 金國內亂燕京爲□墟, □如因而取之, 由是, 國家不通信, 使者數歲至, 壬午歲, 金國牒問, 因曰□□依違計無所決, 崔相召與公議, 公謂大國難測, 不如遣人, 諜其虛□□, 崔相頷, 而用其計, 果使人牒之, 還報曰, 草賊巳平, 新皇帝卽位于燕京, 若便信使不通, 則彼將興師討之矣. 於是, 殺□□□, 則遣使入朝, 至今邊陲寧謐, 與大國講好, 公之力也".

또 이보다 먼저 對馬島의 官人이 東南海都部署에 牒을 보내오자, 都兵馬錄事 李文鐸이 知奏事 李公升과 의논하여 對馬島의 位相에 걸맞은 都部署로 하여금 答書를 보내게 하였다고 한다[近藤 康 2011年a).

· 「李文鐸墓誌銘」, "崔相喜謂□公曰, 吾亦嘗聞其爲人矣. 遂引爲錄事, 凡邊要大議, 皆所總攬, 時□日本國對馬島官人, 以邊事移牒東南海都部署, 都部署不敢決, 馳駋聞諸朝, 兩府議卽欲以尙書都省牒回示, 公聞之謂承制李公升曰, '彼對馬島官人邊吏也. 今以尙書都省牒回示, 失體之甚, 宜都部署□回公文', 承制李公驚曰, 微子之言, 幾失國家之體, 自此明公之達識".

211) 이때 金永夫가 知門下省事에 임명된 것은 그의 묘지명에도 반영되어 있다.

212) 이때 金巨公은 同知樞密院事로서 吏部尙書를 兼職하였던 것으로 추측된다.

213) 이는 「崔惟淸墓誌銘」에 의거하였다. 그런데 1170년(의종24)에 만들어진 「崔惟淸妻鄭氏墓誌銘」에 의하면 최유청은 守司空·尙書左僕射로 致仕하였다고 하는데, 이 시기에 中書門下省의 宰相[眞宰]도 本職 또는 上位職으로 致仕하지 아니하고 일종의 勳職으로 보여지는 守

[爲]知尙書吏部事, 曹晉若△[爲]知御史臺事,[214] 李德壽爲翰林學士.

[是年, 以李應璋爲閤門祗候:追加].[215]
[○以柳公權爲淸州牧掌書記:追加].[216]
[○以[校尉]申甫純爲散員:追加].[217]

[是年頃, [門下侍郎同中書門下]平章事崔允儀·少府注簿崔均等十七人撰'詳定古今禮'五十卷:追加].[218]

[○祭服, 毅宗朝詳定, 凡祀圜丘·社稷·太廟·先農, 服衮冕九旒. 每旒十二玉, 玉用赤白蒼相間. 纊亦如之. 版, 廣八寸, 長一尺六寸, 前圓後方. 前高八寸五分, 後高九寸五分, 前俛後仰, 玄表朱裏, 前後邃延. 青紘青紞, 青瑱青纊. 犀簪導, 長一尺二寸. 衮服. 玄衣五章, 繪以山·龍·華虫·火·宗彝, 纁裳四章, 繡以藻·米·黼·黻. 纁色, 紕以爵韋, 今以帛代. 純, 以素, 紃, 以, 五采, 繡山·火, 貫於革帶. 白

司空·尙書左·右僕射로 致仕하였던 것 같다. 이 점은 최유청과 비슷한 시기에 치사한 金永夫의 경우에도 마찬가지였다.

214) 이때 曹晉若은 西北面兵馬使를 역임했던 正3品官으로서 知御史臺事(종4품)를 兼職하였던 것 같다.

215) 이는 「李應璋墓誌銘」에 의거하였다.

216) 이는 「柳公權墓誌銘」에 의거하였다.

217) 이는 「申甫純墓誌銘」에 의거하였다.

218) 이는 다음의 자료에 의거하였다.

- 열전8, 崔沖, 允儀, "嘗奉詔, 撰'古今詳定禮'五十卷, 行于世".
- 열전12, 崔均, "累轉少府注簿. 時宰相崔允儀, 奉旨擇文士, 詳定禮儀, 均首居其選".
- 『東國李相國後集』 권11, '新序詳定禮文'跋尾. "… 本朝自有國來, 禮制之損益, 隨代靡一, 病之久矣. 至仁廟朝[毅廟朝], 始勑平章事崔允儀等十七臣, 集古今同異, 商酌折中, 成書五十卷, 命之曰'詳定禮文'. 流行於世, 然後禮有所歸, 而人知不惑矣". 여기에서 ~~添字~~와 같이 고쳐야 옳게 될 것이다(金塘澤 1992년).

또 『詳定禮文』(『詳定古今禮』)이 是年에 편찬되었다는 것은 학계의 성과를 바탕으로 한 것이다(金塘澤 1992년 ; 金澈雄 2003년). 이 『詳定禮文』은 최윤의가 毅宗의 命을 받아 崔均 등과 함께 祖宗의 憲章을 모으고 唐制를 採錄하여 고금의 예의를 상정하였는데, 위로는 王公의 면류관·의복·가마·수레 및 의장행렬[冕服·輿輅·禮儀鹵簿]로부터 아래로는 관원들의 관·의복[百官冠服] 등에 대해서 수록하였다고 한다(『大東韻府群玉』 권2, 儀, 詳定禮儀). 또 『詳定禮文』은 蒙古와의 전쟁 과정에서 많이 散逸된 것으로 추측되며, 이를 보완하기 위해 충렬왕대의 재상 柳陞이 『新儀』를 편찬하자 後人들이 遵用하였다고 한다(열전18, 柳璥, 陞 ; 『五洲衍文長箋散稿』 권19, 經史編4, 經史雜流2, 其他典籍).

羅中單，繡黼領．大帶素終辟，紐約用組，組用赤白蒼三色織，其垂與紳齊．革帶白玉雙佩，朱組綬，絲網玉環，繫衣上．朱綠帶，繫中單上．素襪綦帶，赤舃，赤繶赤純，靑約綦帶．

○視朝之服，毅宗朝詳定，凡正至節日朝賀·大觀殿大宴·儀鳳門儀鳳樓門宣赦·奉恩寺謁祖眞·八關會·燃燈大會·祈穀圓丘·出宮·王太子納妃·醮戒·册王妃·王太子·臨軒發册，服赭黃袍．燃燈小會，則服梔黃衣．

○百官祭服，毅宗朝詳定，七旒冕，每旒十二玉，玉用赤白蒼相間．纊亦如之．前俛後仰，玄表朱裏，前後邃延．靑紘靑紞，靑瑱靑纊，犀簪導．玄衣，繪以華虫，火·宗彝，纁裳，繡以藻·粉米·黼·黻·紱，纁色，紕以爵韋，純以素，紃以五采，繡山·火，貫於革帶．白羅中單，大帶素終辟，紐約用組，組用赤白蒼三色織，其垂與紳齊．革帶玉佩，繫玄衣上．玄黃帶，繫中單上．玉佩，緇組綬．素襪綦帶，赤舃，赤繶赤純，靑約綦帶．亞獻以下，太尉·司徒·司空·中書令·侍中服之．五旒冕，每旒十二玉，玉用赤白蒼相間．纊亦如之．前俛後仰，玄表朱裏，前後邃延．靑紘靑紞，靑瑱靑纊，角簪導．玄衣，繪以宗彝·藻·粉米，纁裳，繡黼·黻，紱纁色，紕以爵韋，純以素，紃以五采，繡山，貫於革帶．白羅中單，大帶，素終辟，紐約用組，組用赤白蒼三色織，其垂與紳齊．革帶，玉佩，繫玄衣上．玄黃帶，繫中單上．玉佩，緇組綬．素襪綦帶，赤舃，赤繶赤純，靑約綦帶．太常卿·光祿卿·黃門侍郎·殿中監，籍田則有司農卿等服之．三旒冕三章服，衣畫藻·粉米，裳繡黻，太祝·太史令·太常博士·執禮·奉禮·堂上恊律，圓丘則上帝配主二太祝服之．三旒冕一章服，衣無章，裳黼黻，尙衣奉御·贊引·贊者·通事舍人·御史，圓丘則五帝大祝等服之．平冕無旒，衣裳 無章，革帶，堂下恊律·太樂令·七祀·功臣獻官·謁者·太官令·良醞令·守宮令·郊社令·掌牲令·大官丞·祝史等，太廟則太廟令·宮闈令服之．黑介幘·緋絹衣·緋絹袴·鑞塗銅赤革帶·緋韋舃，齋郎服之．

○朝服，毅宗朝詳定，凡正至節日朝賀，每朔三大朝賀等事，服之．

○公服，毅宗朝詳定，文官四品以上，服紫，紅鞓佩金魚．常參六品以上，服緋，紅鞓佩銀魚，官未至而特賜者，不拘此例．九品以上，服綠，閤門班武臣，皆紫而不佩魚．內侍·茶房等官，除本服外，亦皆紫而不佩魚，西京留守，視尙書，副留守，視三品，以下各依本品，東·南京副留．大都護·牧副使以上，服紫佩金魚．都護·牧判官·知州事以上，衣帶魚，從本品，借紫緋，不佩魚．知州副使以下，服紫緋者，不得着紅鞓．凡帶，公侯伯，通犀·金玉班犀，不佩魚，宰臣·樞密，金玉班犀及方團毬路．

文官八座·左·右常侍左·右散騎常侍·御史大夫·翰林學士承旨·侍臣三品以上, 武官上將軍以上, 金班犀. 文武三品及侍臣·給舍中丞以上, 班犀金塗銀. 文武四品以下常參官, 金塗銀犀. 閤門通事舍人以下, 祗候以上, 金塗銀, 參外官, 不許着犀. 兩府及承制·文武三品以上·四品知制誥·翰林東宮侍講·侍讀學士·寶文閣直學士·待制·正四品知閣門閤門·內侍行頭員·茶房·侍郎以上, 皀衫紅鞓. 官未至而特賜者, 不拘此例. 凡笏, 服紫緋者, 以象, 服綠者, 以木, 其制, 上挫下方.[219)]

○王輿輅, 毅宗朝詳定, 象輅, 朱漆·金塗·銀裝, 以象飾諸末. 駕赭白馬, 六祀郊廟, 乘之. 軺軺輦, 以椶梠爲屋朱漆, 金塗·銅龍鳳裝. 金銀線織, 成黃盤龍罽褥一, 案一, 長竿一, 並朱漆. 案鋪, 以紅繡, 長竿, 飾以銀龍頭, 上元燃燈·八關會·御樓大赦, 乘之. 其還闕, 乘平輦, 其制, 如軺軺而無屋.

○儀衛, 凡遇大禮·大朝會則有內外儀仗. 毅宗朝詳定, 大觀殿朝會·節日·正至賀禮, 殿庭, 水精杖一在左, 鉞斧一在右, 都將各二人[注, 放角, 紫衣, 束帶]. 大傘一在左, 陽傘一在右, 軍士六人[皀紗帽子, 紫小袖, 衣束帶]. 罕一在左, 畢一在右. 軍士四人[衣帶同前], 莊嚴弓十二, 將校十二人, 分左右[放角, 紫衣, 束帶]. 白甲隊, 領都將二人[放角, 紫衣, 佩刀, 執旗], 將校二人[衣服同前], 軍士五十人, 分左右[衣甲, 把小旗槍]. 銀粧長刀隊, 領將校二人[放角, 紫衣, 束帶, 佩刀, 執旗], 軍士十人, 分左右[立角, 寶祥花衣, 假銀帶]. 銀骨朶子隊. 領將校二人[服執, 同前隊], 軍士十人, 分左右[皀紗帽子, 紫小袖衣, 束帶]. 黑簳斫子紅羅號隊, 領將校二人[服執, 同銀粧長刀隊], 軍士十人, 分左右[紫冠, 紅背子, 綠羅汗衫]. 哥舒捧二十, 軍士二十人, 分左右[立角, 寶祥花大袖衣, 假銀帶]. 絞床一, 軍士二人[皀紗帽子, 紫小袖衣, 束帶], 筆硏案一, 軍士二人[衣服同前]. 銀毬仗, 殿省南班員二十人, 分左右[紫公服, 紅鞓]. 衙仗一百人[放角, 紫公服, 皀鞓, 執杖子]. 中禁班, 領指諭二人[放角, 紫衣, 束帶, 佩刀], 行首二人[衣帶同上, 執旗], 班士十四人[放角, 紫衣, 束帶, 八人佩刀, 先排六人執彈弓]. 都知班, 領指諭二人[衣帶, 與中禁指諭同], 行首二人[衣服, 與中禁行首同], 班士十人[放角, 紫衣, 束帶, 把黑簳紅羅號斫子]. 殿上, 上將軍二人, 千牛大將軍二人, 並分左右[放角, 紫衣, 紅鞓], 千牛備身將軍四人, 備身將軍四人,[220)] 各分左右[放角, 紫衣, 束帶, 佩刀]. 殿門外儀衛, 如常儀. ○宣麻朝

---

219) 이상과 같은 冠服制度는 唐帝國과 차이가 있었던 것 같다.

· 『자치통감』 권202, 唐紀18, 高宗上元 1년(674) 8월, "戊戌, 敕, 文武官三品以上服紫, 金玉帶, 四品服深緋, 金帶, 五品服淺緋, 金帶, 六品服深綠, 七品服踐綠, 並銀帶, 八品服深靑, 九品服淺靑, 並鍮石帶[胡三省注, 鍮石似金而非金], 庶人服黃, 銅鐵帶. 自非庶人, 不聽服黃[注, 非庶人, 謂工商雜戶]".

會, 則上將軍二人, 大將軍二人[紫衣, 紅鞓], 備身將軍八人, 分立於殿上左右[紫衣, 束帶, 佩刀]. 中禁十人, 都知十人, 分立於殿庭左右, 儀衛, 只設陽兩傘, 絞床筆硏案. ○若立春及人日, 凡殿門外朝會, 上將軍二, 大將軍二, 備身將軍八, 分立於殿庭左右, 中禁十人, 都知十人, 分立於殿門內外. 凡儀注, 如上儀.

○凡法駕衛仗, 毅宗朝詳定, 先排隊, 領將軍一[錦衣, 束帶, 佩長刀, 執旗, 騎], 將校六人[放角, 紫衣, 束帶, 佩刀, 執旗], 軍士一百人, 分左右[紫衣, 執長刀], 淸遊隊, 領都將二人[紫衣, 佩長刀, 執旗, 騎], 將校十人[紫衣, 束帶, 佩刀, 執旗, 騎], 軍士二百人[靑衣同心, 弢鞬, 騎]. 金吾折衝都尉, 將軍二人[衣紫甲, 佩長刀, 執旗, 騎], 將校四人[衣服同前], 軍士八十人[弢鞬, 鐵甲騎]. 金吾果毅, 將校二人[服色, 同前隊], 軍士八十人, 分左右[甲騎, 與折衝隊同]. 行漏輿一, 中道, 淸道一人[挿角, 紫衣, 束帶, 執杖], 軍士八人[立角, 紫寶祥花衣, 假銀帶], 太史局吏二人, 分左右[放角, 紫衣]. 虞侯佽飛隊, 領將校二人[衣甲, 佩刀, 執旗, 騎], 軍士四十八人, 分左右[弢鞬, 甲騎]. 防牌隊, 領都將二人[衣甲, 佩刀, 執旗, 騎], 將校六人[衣服同前], 軍士一百人[衣皮, 甲持小旗槍], 佽飛將校二人[鐵甲, 執旗, 騎], 軍士二十四人, 分左右[衣甲, 佩刀騎]. 前行繡鞍馬十二匹, 甲馬八匹, 控軍士四十人[立角, 紫寶祥花大袖衣, 假銀帶].

景靈殿判官, 中道, 淸道一人[挿角, 紫衣, 紅鞓束帶, 執杖子], 軍士九人[皀紗帽, 紫小袖衣, 束帶]. 行爐茶擔各一, 軍士四人[服與前行馬控軍士同]. 彩羅幡十, 分左右, 軍士二十人[立角, 繡抹額, 隨幡色大袖衣, 銅鍍金帶], 引將校二人[放角, 紫衣, 佩刀, 執旗]. 黃繡幡十, 分左右, 軍士二十人, 引將校二人[衣服, 並同前].

靑曲柄大傘一, 中道, 靑陽傘二, 分左右, 拱鶴八人(金畫帽子, 錦衣, 束帶]. 平輦一, 引駕一人[放角, 錦衣, 束帶, 執杖子], 護輦都將二人, 將校二人, 分前後[並放角, 錦衣, 束帶, 佩長刀], 拱鶴三十二人[立角, 寶祥花衣, 假銀帶]. 銀毬仗四十, 殿省南班員, 分左右[紫公服, 紅鞓騎]. 御甲擔一, 中道, 拱鶴四人[立角, 寶祥花大袖衣, 假銀帶]. 靑曲柄大傘一, 中道, 黃傘一, 在左, 紅傘一, 在右, 拱鶴八人(金畫冒子, 錦衣, 束帶]. 軺一, 中

---

220) 千牛備身將軍과 備身將軍은 隋代의 禁衛軍인 左右領左右府에 소속된 官員에서 유래된 것 같다(張金龍 2014年).

· 『隋書』 권28, 지23, 百官下, 左右領左右府, "各大將軍一人, 將軍二人, 掌侍衛左右, 供御兵仗. 領千牛備身十二人, 掌執千牛刀, 備身左右十二人, 掌供御弓箭, 備身六十人, 掌宿衛侍從. 各置長史·司馬·錄事及倉·兵二曹參軍事, 鎧曹行參軍各一人等員".

· 『수서』 권12, 지7, 禮儀7, "高祖受命, 因周·齊宮衛, 微有變革. 戎服臨朝大仗, 則領左右大將軍二人, 分在左右廂. 左右直寢, 左右直齋, 左右直後, 千牛備身, 左右備身等, 夾侍供奉於左右及坐後".

道, 引駕一人, 護軍都將二人, 將校二人, 拱鶴四十八人[衣帶, 並如奉平輦人].

銀粧長刀隊, 領將校二人[放角, 紫衣, 束帶, 佩刀, 執旗], 軍士二十人[立角, 寶祥花大袖衣, 假銀帶]. 絞床·水灌子各一, 分左右, 軍士四人(金畫冒子, 錦衣, 假銀帶]. 國印·書詔寶擔各一, 分左右, 中書主寶吏一人[紫衣, 皀鞓, 陪其後], 軍士十六人[立角, 紫寶祥花大袖衣, 假銀帶], 符寶郎一, 在道右[具公服騎]. 中衛軍旗一, 在左, 軍士二人[衣甲, 兜牟], 拱鶴軍旗一, 在右, 軍士二人[衣服同前]. 青龍幢二, 白虎幢二, 朱雀幢二, 玄武幢二, 紅繡幢二, 分左右, 軍士二十人[立角, 繡抹額, 大袖衣各隨幢色, 假銀帶]. 靑幢十, 赤幢十, 白幢十, 黃幢十, 黑幢十, 分左右, 軍士一百人[服色同前], 引將校二人[服色, 與銀粧長刀隊將校同].

銀骨朶子隊, 領將校二人[衣服同前], 軍士四十人(金畫冒子, 紫窄袖衣, 假銀帶]. 銀粧長刀隊, 領將校二人[放角, 紫衣, 束帶, 佩刀, 執旗], 軍士二十人, 分左右[立角, 寶祥花大袖衣, 假銀帶]. 銀斫子紅羅號隊, 領將校二人[服執, 同前隊], 軍士二十人[紫羅冠, 緋羅背子, 綠羅汗衫, 紫繡包肚]. 絲戟小旗槍隊, 領將校二人[服執, 同前隊], 軍士四十人, 分左右[衣鐵甲]. 銀斫子紅羅號四, 軍士八人[衣朱甲], 莊嚴弓十二, 將校十二人, 分左右[放角, 錦衣, 束帶]. 戟幡四, 軍士八人[衣白甲]. 罕一在左, 畢一在右, 軍士四人[錦冒子, 錦衣, 紅鞓帶], 靜鞭承旨四人, 分左右[放角, 錦衣, 束帶]. 節六, 旌二, 各分左右, 旌節郞八人[紫公服, 紅鞓騎]. 水精杖一在左, 郞將一員, 鉞斧一, 在右, 郞將一員[並放角, 錦衣束帶].

中禁班, 領指諭二人[放角, 錦衣, 束帶, 佩刀], 行首二人[衣紫甲, 佩刀, 執旗], 班士三十六人, 竝分左右[衣紫甲, 佩刀, 先排執彈弓]. 都知班, 領指諭二人[衣服, 與中禁指諭同], 班士二十人, 分左右[放角, 錦衣, 把黑簳紅羅號斫子], 行首二人[佩刀, 執旗]. 紅繡扇十二, 孔雀扇四, 蟠龍扇二, 承旨三十六人, 分左右[放角, 錦衣, 束帶]. 孔雀傘二, 分左右, 黃傘一, 在左, 紅傘一, 在右, 軍士十二人(金畫帽子, 錦衣, 束帶], 御牽龍二十二人(金畫帽子, 錦衣, 金塗銀束帶]. 御輅一, 中道, 奉輅都將二人, 將校二人[放角, 錦衣, 束帶, 佩刀], 拱鶴一百五十人[武弁冠, 緋寶祥花衣, 銅鍍金帶]. 銀斫子紅羅號四, 郞將四人, 分左右(金畫帽子, 錦衣, 或別將充], 內侍官, 分左右. 御弓箭將軍一人, 中道[錦衣, 束帶, 騎], 承制員, 仗內橫行, 雨傘二, 在玄武幢後, 分左右, 夾傘四人(金畫帽子, 錦衣, 束帶]. 後行馬八匹, 控軍士十六人[立角, 寶祥花大袖衣, 假銀帶], 後擁馬四匹, 分左右, 控軍士八人[錦帽子, 寶祥花衣, 假銀帶]. 左上將軍一人, 右上將軍一人, 千牛大將軍二人, 分左右[並錦衣, 紅鞓, 騎], 千牛備身將軍四人, 備身將軍四人, 分左右[並衣紫甲, 佩長刀, 執旗, 騎].

龍虎衛身隊, 領都將二人[衣甲佩刀, 執旗, 騎], 將校三十人[衣甲佩刀, 執旗, 騎], 軍士六百人[弢韃甲騎]. 白鐵甲小旗槍隊, 領都將二人, 將校十二人[並衣甲. 佩刀. 執旗], 軍士二百人, 分左右, 後殿祗應官, 分左右,監察御史二人, 分左右. 駕後, 金吾折衝都尉二人[衣皮甲, 佩刀, 執旗, 騎], 將校四人[衣服同上, 騎], 軍士八十人[衣鐵甲騎]. 玄武隊, 領都將二人[衣甲, 佩刀, 執旗], 將校六人[衣服同前], 軍士二百人[衣甲, 翊衛鷹揚軍充], 太僕馬二十匹, 控軍士四十人[帽子, 小袖衣, 束帶], 雨傘二十, 軍士二十人[衣服同前]. 後殿, 領將軍一[錦衣, 紅鞓, 束帶, 佩刀, 執旗, 騎], 將校五人[放角, 紫衣, 佩長刀, 執旗], 軍士一百人[紫衣, 執長刀].

○郊廟, 則册祝教書樓子若干, 在鹵簿, 赤龍大旗之次, 中道, 淸道一人[揷角, 紫衣, 執杖子]. 護樓子, 將校若干[放角, 紫衣, 束帶, 佩刀, 執旗], 軍士若干[立角, 緋大袖衣, 假銀帶]. 引駕, 教坊樂官一百人, 分左右[放角, 紫公服, 紅鞓], 安國伎一部, 雜伎一部, 各四十人, 分左右. 高昌伎一部, 十六人在左, 天竺伎一部, 十八人在右, 宴樂伎一部, 四十人, 分左右. 吹角軍一部, 二十人, 分左右, 並在駕前[立角, 紫寶祥花大袖衣, 假銀帶]. 吹螺軍一部, 二十四人, 在駕後[皂紗帽子, 紫衣, 假銀帶].

駕後中道, 太子·公侯伯·宰臣, 左文班, 右武班. 郊廟親祀, 回駕至<u>儀鳳門</u>儀鳳樓門, 頒德音, 環列, 爲充庭之儀.

○上元燃燈奉恩寺眞殿親幸衛仗, 毅宗朝詳定, 先排隊, 領將軍一[錦衣, 束帶, 佩刀, 執旗, 騎], 將校六人[放角, 紫衣, 束帶, 佩刀, 執旗], 軍士一百人, 分左右[紫衣, 把長刀]. 淸遊隊, 領都將二人[紫衣, 束帶, 佩刀, 執旗, 騎], 將校六人[衣服同前], 軍士一百人[青衣同心, 弢韃騎]. 防牌隊, 領將校十人[衣甲, 佩刀, 執旗], 軍士二百人, 分左右[衣甲, 白簳小旗槍]. 白甲隊, 領都將二人, 將校十人[衣服, 同前隊], 軍士一百五十人, 分左右[衣鐵甲, 把小旗槍].

銀骨朶子隊, 領將校二人[放角, 紫衣, 佩刀, 執旗], 軍士四十人, 分左右[皂紗帽子, 紫小袖衣]. 景靈殿判官, 中道, 淸道一人[揷角, 紫衣, 執杖子], 軍士九人[皂紗帽子, 紫小袖襴衫, 假銀帶]. 行爐茶擔, 中道, 軍士四人[立角, 寶祥花大袖衣, 假銀帶]. 前行馬十四匹, 引將校二人[放角, 紫衣, 佩刀, 執旗], 拱軍士二十八人, 分左右[服同行爐茶擔軍士]. 銀粧長刀隊, 領將校二人[服執, 同銀骨朶子隊], 軍士二十人, 分左右[服同前行馬控軍士]. 絞床·水灌子各一, 分左右, 軍士四人[錦帽子, 錦衣, 假銀帶].

御甲擔一, 中道, 軍士四人[服同銀粧長刀隊]. 銀簳斫子紅羅號隊, 領將校二人[服同銀粧長刀隊], 軍士二十人, 分左右[紫羅冠, 紅背子, 綠羅汗衫, 紫繡包肚], 國印·書詔寶擔各一, 分左右, 軍士十二人[皀紗帽子, 小袖襴衫, 假銀帶]. 銀毬杖四十, 殿省南班員, 分左右[紫公服, 紅鞓, 騎]. 莊嚴弓十二, 將校十二人, 分左右[放角, 錦衣, 束帶], 次左右侍臣. 罕一在左, 畢一在右, 軍士四人[錦帽子, 錦衣, 束帶]. 戟幡四, 軍士四人, 分左右[白甲, 兜牟]. 紅羅號銀斫子四, 軍士四人, 分左右[衣朱甲. 孔雀傘一], 中道, 軍士四人(金畫帽子, 錦衣, 束帶]. 黃傘一在左, 紅傘一在右, 各軍士二人[衣服同前], 引駕一人[放角, 錦衣, 束帶, 執杖子].

平兜輦一, 中道, 護輦都將二人, 將校二人[放角, 錦衣, 束帶, 佩刀], 軍士三十二人[服同御甲擔]. 紅繡扇十二, 孔雀扇四, 盤龍扇二, 各分左右, 承旨十八人[放角, 錦衣, 束帶]. 水精杖一在左, 鉞斧一在右, 郎將各二人[服同前]. 靜鞭承旨四人[服同前]. 節六, 旌二, 各分左右, 旌節郎八人[紫公服, 紅鞓, 騎]. 孔雀傘一, 中道, 軍士四人(金畫帽子, 錦衣, 束帶]. 黃傘一在左, 紅傘一在右, 各軍士二人[衣服同前], 引駕一人[服執, 同平兜輦引駕]. 軺輦一, 中道, 護輦都將二人, 將校二人, 軍士四十八人[衣服, 與護平輦人同].

中禁班, 領指諭二人[放角, 錦衣, 束帶, 佩刀], 行首二人[衣紫甲, 佩刀, 執旗], 班士二十人[衣甲, 十二人佩刀, 先排八人執彈弓]. 都知班, 領指諭二人[衣服, 與中禁指諭同], 行首二人[放角, 錦衣, 束帶, 佩刀, 執旗], 班士二十人[放角, 錦衣, 束帶, 把黑簳紅羅號斫子], 御牽龍二十二人(金畫帽子, 錦衣, 束帶], 紅羅號銀斫子四, 郎將四人(金畫帽子, 錦衣, 束帶].

內侍官, 分左右, 御弓箭將軍一人, 中道[錦衣, 束帶, 騎]. 承制員, 仗內橫行. 左右上將軍二人[錦衣, 紅鞓, 騎], 左右千牛大將軍二人[衣服同前], 千牛備身將軍四人, 備身將軍四人, 各分左右[錦衣, 束帶, 佩刀, 騎]. 後殿祗應官, 分左右, 監察御史二, 分左右. 玄武隊, 領都將二人[衣紫甲, 佩刀, 執旗], 將校十人[衣服同前], 軍士一百人, 分左右[衣皮甲, 把長刀]. 後行馬四匹, 控軍士八人[皀紗帽子, 小袖衣, 腰帶]. 衛身馬隊, 領都將二[衣甲, 佩刀, 執旗, 騎], 將校二人, 分左右[服執, 同上騎], 軍士四百人, 分左右[弢鞬, 甲騎]. 後殿隊, 領將軍一[放角, 錦衣, 佩刀, 執旗, 騎], 將校五人[紫衣, 束帶, 佩刀, 執旗], 軍士一百人, 分左右[紫衣, 執刀], 引駕· 教坊樂官一百人分左右, 安國伎·雜伎, 各四十人, 分左右·吹角軍士十六人, 分左右, 並在駕前, 吹螺軍士二十四人, 在駕後.

○仲冬八關會, 出御看樂殿衛仗. 毅宗朝詳定, 儀衛士三千二百七十六人, 左右黃龍大旗各一, 植在殿階之東西稍南. 護旗將校二人[放角, 紫衣, 束帶, 佩刀, 執旗], 軍士四十人[平巾幘, 扞袴, 緋衣], 衙仗將校一百人[放角, 紫公服, 執藤杖子, 坐殿後分立, 銀毬仗之次]. 先排隊, 領將軍一[錦衣, 束帶, 佩刀, 執旗], 將校六人[放角, 紫衣, 束帶, 佩刀, 執旗], 軍士一百人[紫衣, 束帶, 執刀]. 淸遊隊, 領都將二人, 將校六人[衣佩, 並同前隊], 軍士一百人[靑衣同心, 束帶, 弢韃]. 防牌隊, 領都將二人[衣甲, 佩刀, 執旗], 將校十人[衣服同前], 軍士二百人[衣甲, 防牌, 執小旗槍, 在白甲隊外]. 白甲隊, 領都將二人, 將校十二人[衣服, 並同前隊.], 軍士一百五十人[衣甲, 執旗槍]. 至駕後, 環衛坐殿後, 擁立第三階左右. 前行馬十四匹, 引將校二人[放角, 紫衣, 束帶, 執旗, 佩刀], 控軍士二十八人[立角, 紫寶祥花大袖衣, 假銀帶, 分左右, 在仗內]. 駕前, 景靈殿員一, 中道, 國印·書詔寶擔各一, 分左右, 軍士十六人[皀紗帽子, 紫小袖衣, 束帶], 中書主寶吏一人, 陪其後. 行爐·茶擔各一, 軍士四人, 御甲擔一, 中道, 軍士四人[寶祥花大袖衣, 假銀帶]. 絞床·水灌子各一, 軍士四人[衣服同前]. 孔雀大傘一, 在輦前中道, 拱鶴四人. 黃傘一在左, 紅傘一在右, 軍士六人(金畫帽子, 錦衣, 束帶]. 平兜輦一, 引駕一人[放角, 錦衣, 束帶, 執杖子], 奉輦都將二人[放角, 錦衣, 束帶, 佩長刀], 將校二人[衣服同前], 拱鶴三十二人[立角, 寶祥花大袖衣, 假銀束帶].

骨朶子隊, 領將校二人[放角, 紫衣, 佩刀, 執旗], 軍士四十人, 分左右[黑帽子, 紫小袖衣, 在毬仗外], 銀毬仗四十, 殿省南班員, 分左右[紫公服, 紅鞓]. 銀粧長刀隊, 領將校二人[服執, 同前隊], 軍士二十人, 在侍臣行外[服與奉輦拱鶴同]. 銀斫子紅羅號四, 軍士四人[衣朱甲], 粧嚴弓十二, 將校十二人[放角, 錦衣, 紅鞓, 束帶], 戟幡四, 軍士八人[衣白甲]. 銀簳斫子紅羅號隊, 領將校二人[服執, 同銀粧長刀隊], 軍士二十人, 分左右[紫羅冠, 紅背子, 綠羅汗衫, 紫繡包肚]. 罕一在左, 畢一在右, 拱鶴軍士四人[錦帽子, 錦衣, 紅鞓, 束帶], 靜鞭承旨四人, 分左右[放角, 錦衣, 束帶]. 旌二, 節六, 分左右, 旌節郞八人[紫公服, 紅鞓, 具穿執]. 水精杖一在左, 鉞斧一在右, 郞將各二人[並放角, 錦衣, 束帶, 郞將或別將充].

中禁班, 領指諭二人, 分左右[放角, 錦衣, 束帶, 佩刀], 行首二人[衣紫甲, 佩刀, 執旗], 班士二十人[衣紫甲, 先排六人執彈弓, 十四人佩刀]. 都知班, 領指諭二人, 分左右[放角, 錦衣, 束帶, 佩刀], 行首二人[放角, 錦衣, 束帶, 佩刀, 執旗], 班士二十人, 分左右[放角, 錦衣, 束帶, 把黑簳紅羅號斫子]. 紅繡扇八, 孔雀扇四, 蟠龍扇二, 承旨十四人, 分左右[放角, 錦衣, 束帶]. 孔雀大傘一, 在輦前中道, 指諭將校一人[服同前], 拱鶴軍士四人(金畫帽子, 錦衣, 束帶], 千牛備身將軍四人, 備身將軍四人, 各分左右[衣紫甲, 佩刀, 執旗]. 坐殿後, 升上階, 分左右, 左右上將軍二人, 千牛大將軍二人, 並分左右[錦衣, 紅鞓],

坐殿後，升立負扆左右．黃傘一在左，紅傘一在右，軍士六人(金畫帽子，錦衣，束帶]．軺輦一，引駕及都將，將校，與平輦同．奉輦拱鶴四十八人[衣服，與奉平輦軍士同]，銀斫子四，分左右，都將四人(金畫帽子，錦衣，束帶]，御輦龍班二十二人[服同前]．

玄武隊，領都將二人[衣紫甲，佩刀，執旗]，將校十人[衣佩同前]，軍士一百人[靑衣同心，束帶，把長刀]．衛身隊，領都將二人，將校二十人，分左右[衣甲，佩長刀，執旗]，軍士四百人，分左右[衣甲，佩弓箭]．後殿隊，領將軍一[錦衣，束帶，佩長刀，執旗]，將校五人[放角，紫衣，佩刀，執旗]，軍士一百人[紫衣，束帶，執長刀，並在環衛後]．引駕·敎坊樂官一百人，分左右，坐殿後，第二階，左右升立．吹角軍士三十人，在駕前，分左右，吹螺軍士三十人在駕後．宣勅後，敎坊樂官，曲直華盖，近仗儀衛以次上階．

○西·南京巡幸衛仗，毅宗朝詳定，先排隊，領將軍一[放角，紫衣，束帶，佩刀，執旗，騎]，將校二人[紫衣，束帶，佩刀，執旗]，軍士二十人，分左右[紫衣，執刀]．五方旗各一，引將校五人[服執，同前隊]，夾軍士十人[平巾幘，緋衣扞袴]．淸遊隊，領都將四人[放角，紫衣，束帶，佩刀，執旗，騎]，將校四人[紫衣，束帶，佩刀，執旗，騎]，軍士四十人，分左右[靑衣同心，束帶，弢韃，騎]．白甲隊，領都將二人[放角，紫衣，佩刀，執旗]，將校二人[紫衣，束帶，佩刀，執旗]，軍士八十人，分左右[靑衣同心，束帶，把絲戟小旗槍]．骨朶子隊，領將校二人[服執，同前隊]，軍士十二人，分左右[皀紗帽子，紫紬小袖衣，束帶]．景靈殿判官，中道，淸道一人[揷角，紫衣，束帶，執杖子]，軍士六人[服與骨朶子隊軍士同]．行爐·茶擔各一中道，軍士六人[立角，寶祥花大袖衣，假銀帶]．前行馬十二匹，控軍士二十四人，分左右[衣帶同前]．銀粧長刀隊，領將校二人[紫衣，佩刀，執旗]，軍士十人，分左右[立角，寶祥花大袖衣，束帶]．絞床·水灌子各一，中道，軍士四人[服與骨朶子隊軍士同]．御甲擔一中道，軍士四人[服同前隊]．白簳斫子紅羅號隊，領將校二人[紫衣，佩刀，執旗]，軍士十二人，分左右[紫羅冠，紅背子，綠羅汗衫]．國印·書詔寶擔各一，分左右，中書主寶吏一人陪其後，軍士十二人[服與絞床·水灌子軍士同]．細弓箭將校六人[紫衣，束帶]．紫繡扇一十，分左右，承旨十人[放角，紫衣，束帶]，靑大傘一，夾軍士六人[皀紗帽子，紫衣，束帶]，陽傘一，軍士四人[衣服同前]，靜鞭承旨四人[服與前隊承旨同]．水精杖一在左，鉞斧一在右，都將二人[紫衣，放角，束帶]，引駕一人[放角，紫衣，束帶，執杖子]．

中禁班，領指諭二人[紫衣，束帶，佩刀]，行首二人[紫衣，束帶，佩刀，執旗]，班士二十人，分左右[紫衣，束帶，佩刀，先排執彈弓]．都知班，領指諭二人[放角，紫衣，束帶，佩刀]，行首一人[紫衣，束帶，佩刀，執旗]，班士十六人，分左右[紫衣，束帶，把紅羅號黑簳斫子]．御輦中道，護輦拳龍班，班士十四人(金畫帽子，紫衣，束帶]，控鶴二十四人[紫羅冠，紫衣, 束帶], 轎子一中道, 護轎子將校一人[紫衣, 束帶, 佩刀], 軍士三十人[服與御輦拱鶴同], 內侍官, 分左右, 御弓箭將軍一人, 中道[放角, 紫衣, 束帶, 騎], 承制員, 仗內橫行, 左右上將軍二人[放角, 紫衣, 束帶, 騎]. 千牛大將軍二人, 千牛備身將軍四人, 備身將軍四人, 並分左右[衣服同前]. 後殿官, 監察御史, 分左右.

玄武隊, 領都將二人[放角, 紫衣, 束帶 佩刀, 執旗], 將校二人[紫衣, 束帶, 佩刀, 執旗], 軍士三十人, 分左右[靑衣同心, 束帶, 執刀]. 後行馬四匹, 控軍士十二人[皂紗帽子, 紫紬小袖衣, 束帶]. 衛身馬隊, 領都將二人[放角, 紫衣, 束帶, 佩刀, 執旗, 騎], 將校二人[紫衣, 束帶, 佩刀, 執旗, 騎], 軍士三十人[靑衣同心, 弢韃, 騎], 細弓箭軍士四十六人, 分左右[靑衣, 束帶]. 雨傘一, 軍士四人[服與後行馬控軍士同]. 後殿隊, 領將軍一人, 都將二人[並放角, 紫衣, 束帶, 佩刀, 執旗, 騎], 將校二人[紫衣, 束帶, 佩刀, 執旗], 軍士三十人, 分左右[紫衣, 束帶, 佩刀]. 巡檢左右府, 領都將二人[放角, 紫衣, 佩刀, 執旗, 騎], 指諭六人[郞將·別將·散員交差, 衣佩同上], 軍士一百五十人[靑紫衣, 執兵仗]. 隨駕, 敎坊樂官四十五人, 淸樂五人, 吹角軍士一十人, 在駕前, 分左右, 吹螺軍士一十人, 在駕後.

○西·南京巡幸回駕奉迎衛仗, 毅宗朝詳定, 先排隊, 領將軍一[錦衣, 束帶, 佩刀, 執旗, 騎], 將校六人[放角, 紫衣, 束帶, 佩刀, 執旗], 軍士一百人, 分左右[紫衣, 執刀]. 淸遊隊, 領都將二人[放角, 紫衣, 束帶, 佩刀, 執旗, 騎], 將校六人[衣服同前], 軍士一百人, 分左右[靑衣同心, 弢韃, 騎]. 防牌隊, 領將校十人[衣甲, 佩刀, 執旗], 軍士二百人, 分左右[衣甲, 白斡小旗槍]. 白甲隊, 領都將二人, 將校十人[服執, 並同前隊], 軍士一百五十人, 分左右[衣甲, 絲戟小旗槍]. 銀骨朶子隊, 領將校二人[放角, 紫衣, 束帶, 佩刀, 執旗], 軍士四十人, 分左右[皂紗帽子, 紫小袖衣]. 景靈殿判官, 中道, 淸道一人[揷角, 紫衣, 執杖子], 軍士九人[皂紗帽子, 紫小袖衣, 假銀帶]. 行爐·茶擔各一, 軍士四人[立角, 寶祥花大袖衣, 假銀帶], 前行馬十四匹, 控軍士二十八人, 分左右[服色, 與行爐茶擔軍士同]. 銀粧長刀隊, 領將校二人[放角, 紫衣, 佩刀, 執旗], 軍士二十人, 分左右[服色, 與前行馬軍士同]. 絞床·水灌子各一, 分左右, 軍士四人[錦帽子, 錦衣, 假銀帶]. 御甲擔一, 中道, 軍士四人[服同銀粧長刀隊]. 銀斡斫子紅羅號隊, 領將校二人[放角, 紫衣, 束帶, 佩刀, 執旗], 軍士二十人, 分左右[紫羅冠, 紅背子, 綠羅汗衫]. 國印·書詔寶擔各一, 分左右, 軍士十二人[皂紗帽子, 紫小袖衣, 假銀帶]. 莊嚴弓十二, 將校十二人[放角, 錦衣, 束帶]. 孔雀傘一, 中道, 軍士六人, 黃傘一在左, 紅傘一在右, 軍士四人(金畫帽子, 錦衣, 束帶], 引駕一人[放角, 錦衣, 束帶, 執杖子]. 平輦一, 中道, 護輦都將二人, 將校二人[放角, 錦衣, 束帶, 佩刀], 軍士三十二人[立角, 寶祥花大袖衣, 假銀帶]. 銀毬仗, 殿省南班員四十人, 分左右[紫公服, 紅鞓, 騎]. 孔雀傘一, 中道, 軍士六人. 紅黃傘各一, 如平兜輦前. 軺輦一, 中道, 護輦都將二人, 將校二人, 軍士四十八人[衣服, 與護平輦人同]. 罕一在左, 畢一在右, 軍士四人[錦帽子, 錦衣, 束帶], 靜鞭承旨四人[放角, 錦衣, 束帶]. 水精杖一在左, 鉞斧一在右, 都將二人[服同靜鞭承旨], 銀斫子紅羅號四, 軍士四人[衣朱甲]. 戟幡四, 分左右, 軍士八人[衣白甲].

中禁班, 指諭二人[放角, 錦衣, 束帶, 佩刀], 行首二人[衣甲, 佩刀, 執旗], 班士二十人[衣甲, 佩刀, 先排執彈弓]. 都知班, 領指諭二人[衣服, 與中禁都將同], 行首二人[放角, 錦衣, 束帶, 佩刀 執旗], 班士二十人[放角. 錦衣. 束帶. 把紅羅號黑篠斫子]. 紅繡扇十二, 孔雀扇四, 蟠龍扇二, 承旨十八人, 分左右[放角, 錦衣, 束帶], 靑曲柄大傘一中道, 夾軍士四人(金畫帽子, 錦衣, 束帶]. 陽傘一中道, 夾軍士二人[衣帶同前]. 御輦中道, 牽龍班行首二人, 軍士二十人[衣帶, 並同前], 銀斫子紅羅號四, 郎將四人[服同靑曲柄大傘夾軍士]. 上將軍二人, 大將軍二人[錦衣, 紅鞓, 騎], 千牛備身將軍四人, 各分左右[錦衣, 束帶, 佩刀, 騎]. 後行馬四匹, 控軍士八人[皀紗帽子, 紫小袖衣, 假銀帶]. 玄武軍隊, 領都將二人[衣紫甲, 佩刀, 執旗], 將校十人[衣服同前], 軍士一百人, 分左右[衣皮甲, 執刀]. 衛身馬隊, 領都將二人[衣甲, 佩刀, 執旗, 騎], 將校二十人[服·執旗·騎同前], 軍士四百人, 分左右[弢韃, 甲騎]. 後殿隊, 領將軍一[放角, 錦衣, 束帶, 佩刀, 執旗, 騎], 將校五人[紫衣, 束帶, 佩刀, 執旗]. 軍士一百人, 分左右[紫衣, 執刀]. 雨傘二, 軍士二人[皀紗帽子, 紫小袖衣, 假銀帶].

敎坊樂官一百人, 分左右, 安國伎四十人, 雜劇伎一百六十人, 各分左右. 吹角軍士, 十人, 並在駕前, 吹螺軍士十人, 在駕後, 各分左右. 駕至儀鳳門儀鳳樓門, 頒德音, 環衛, 爲充庭之儀.

○鹵簿, 法駕鹵簿,[221] 毅宗朝詳定, 第一引, 開城令中道, 淸道拱鶴一人[插角, 紫衣, 束帶, 執杖], 錦絡縫衣軍十人, 冷里軍六人, 分左右[皀紗帽子, 紫小袖衣, 假銀帶], 散手軍十人, 分左右[立角, 寶祥花大袖衣, 假銀帶]. 第二引, 開城尹中道, 淸道拱鶴一人, 錦絡縫衣軍十人, 冷里軍十人, 散手軍十人, 並分左右[衣服, 與令儀注同]. 第三引, 御史大夫, 中道, 淸道控鶴一人[儀注, 與開城尹同], 指揮儀仗使, 正郎 二員[具公服,

221) 鹵簿는 전근대사회에서의 帝王의 幸次에 따른 諸般 儀典行事 및 儀仗隊를 가리키는데, 이에는 大駕·小駕·法駕가 있고 法駕와 小駕는 大駕에 비해 의장대의 규모가 작다고 한다.
· 『獨斷』 권하, "天子出, 車駕次第, 謂之鹵簿, 有大駕, 有小駕, 有法駕, …".
· 『후한서』 권10하, 皇后紀第10하, 匽皇后, "漢官儀, 天子車駕次第, 謂之鹵簿, 有大駕, 有小駕, 有法駕, …".

騎], 指揮員二十二[紫衣], 淸道電吏二十人, 分左右[放角, 紫衣, 執杖子]. 紅門大旗二, 分左右, 引將校各一人[放角, 紫衣, 束帶, 佩長刀, 執旗.], 夾軍士各二十人[平巾幘, 抹額, 緋衣, 扞袴]. 五方旗各一, 依其方色, 在紅門大旗間, 引將校各一人, 夾軍士十人. 朱雀中旗一中道, 引將校一人, 夾軍士十人. 彩旗十, 分左右, 引將校二人, 白澤旗二, 分左右, 夾軍士二十四人. 黃麒麟中旗一中道, 引將校一人, 夾軍士十人, 白象大旗二, 分左右, 引將校各一人, 夾軍士四十人. 左右龍旗各五, 引將校二人, 左右彩旗各五, 引將校二人, 夾軍士四十人. 白龍大旗二, 分左右, 引將校二人, 夾軍士四十人. 天下太平大旗一中道, 引將校一人.

左右西王母大旗各一, 引將校二人, 夾軍士六十人. 駕雲執拍仙人大旗二, 分左右, 引將校二人, 夾軍士四十人. 彩旗十, 分左右, 引將校二人, 夾軍士二十人. 捧寶珠仙人大旗, 分左右, 引將校二人, 夾軍士四十人. 四海永淸大旗一中道, 引將校一人, 夾軍士二十人. 白澤大旗二, 分左右, 引將校二人, 夾軍士四十人. 彩旗十, 分左右, 引將校二人, 夾軍士二十人. 二儀交泰大旗一中道, 引將校一人, 夾軍士二十人.

捧如意珠仙人大旗二, 分左右, 引將校二人, 夾軍士四十人. 五方龍中旗五, 各依方色, 引將校各一人, 夾軍士五十人. 彩旗十, 分左右, 引將校二人, 夾軍士二十人. 雙舞仙人大旗二, 分左右, 引將校二人, 夾軍士四十人. 彩旗二十, 分左右, 引將校四人, 夾軍士四十人. 赤龍大旗一, 中道, 引將校一人, 夾軍士二十人. 孔雀大旗二, 分左右, 引將校二人, 夾軍士四十人. 彩旗十, 分左右, 引將校二人, 夾軍士二十人. 左靑龍中旗一, 右白虎中旗一, 引將校二人, 夾軍士二十人. 碧鳳大旗二, 分左右, 引將校二人, 夾軍士四十人. 彩旗十, 分左右, 引將校二人, 夾軍士二十人.

金雞旗二, 寶珠旗二, 火珠旗二, 赤豹旗二, 胡人旗二, 各分左右, 引將校二人, 夾軍士二十人. 駕雲吹笛仙人大旗二, 分左右, 引將校二人, 夾軍士四十人. 火珠旗二, 神龜負書旗二, 彩旗十, 分左右, 引將校四人, 夾軍士二十八人, 黃龍大旗二, 引將校二人, 夾軍士四十人. 君王萬歲中旗二, 引將校二人, 夾軍士二十人, 角旗二, 白象旗二, 玄鶴旗二, 鳳旗二, 夾軍士十六人. 寶珠仙人大旗二, 分左右, 引將校各一人, 夾軍士四十人.

金雞旗二, 分左右, 引將校二人, 夾軍士二十人. 鸞大旗二, 引將校二人, 夾軍士四十人. 白麒麟旗二, 神龜含珠旗二, 鸞旗二, 黃獅子旗二, 赤獅子旗二, 赤豹旗二, 各分左右, 引將校二人, 夾軍士二十四人. 龍馬大旗二, 引將校二人, 夾軍士四十人. 黑獅子旗二, 白獅子旗二, 靑獅子旗二, 麒麟旗二, 鳳旗二, 各分左右, 引將校二人, 夾軍士二十人. 五色龍旗各二, 分左右, 引將校二人, 夾軍士二十人. 黃龍負圖旗二, 孔雀旗二, 騶牙旗二, 獬豸旗二, 天鹿旗二, 各分左右, 引將校二人, 夾軍士二十人. 神龍含珠旗二, 辟邪圖旗二, 黃龍負圖旗二, 白鶴旗二, 玄鶴旗二, 各分左右, 引將校二人, 夾軍士二十人.

鸑鷟旗二, 周匝旗二, 三角獸旗二, 龍馬旗二, 黑旗二, 各分左右, 引將校二人, 夾軍士二十人. 玄旗一中道, 繡龜蛇合形, 引將校一人, 夾軍士十人. 白澤旗二, 龍馬旗二, 一角獸旗一, 白鶴旗一, 綵旗五, 引將校一人, 夾軍士十八人, 在左. 白澤旗一, 三角獸旗一, 周匝旗一, 天鹿旗一, 綵旗五, 引將校一人, 夾軍士十八人, 在右. 黑大旗四, 分左右, 引將校四人, 夾軍士八十人[已上衣服, 竝與紅門大旗隊同].

弓箭二十, 軍士二十人[貍頭冠, 衣服同前], 豹尾槍二十, 軍士二十人, 分左右. 金鉦十, 軍士十人. 㧓鼓十, 軍士三十人, 分左右, 鼗鼓二十, 軍士二十人分左右. 銀簳槍, 二十軍士二十人, 分左右, 班劒二十, 軍士二十人, 分左右[已上衣服, 與夾旗軍士同]. 哥舒捧二十, 軍士二十人, 分左右[立角, 寶祥花衣, 假銀帶], 銀斫子二十, 軍士二十人, 分左右[平巾幘抹額, 緋衣扞袴]. 鐙杖子二十, 鍮石鉞斧二十, 各分左右, 軍士四十人[衣服同前]. 蛙螟幡二十, 軍士二十人, 分左右. 銀粧長刀二十, 領將校二人[放角, 紫衣, 束帶, 佩刀, 執旗], 軍士二十人[立角, 緋寶祥花大袖衣, 假銀帶].

○上元燃燈, 奉恩寺眞殿親幸鹵簿, 毅宗朝詳定, 第一紅門大旗二, 分左右, 引將校二人[放角, 紫衣, 束帶, 佩刀, 執旗. 凡將校服色下並同], 夾軍士四十人[平巾幘抹額, 緋衣扞袴. 凡夾旗人服色下並同]. 天下太平大旗一中道, 引將校一人, 夾軍士二十人. 四海永淸大旗一中道, 引將校一人, 夾軍士二十人. 二儀交泰大旗一中道, 引將校一人, 夾軍士二十人. 五方旗各一, 引將校一人, 夾軍士十人. 白澤大旗二, 分左右, 引將校二人, 夾軍士四十人. 彩旗一百, 分左右, 引將校二十人, 夾軍士二百人. 一角獸大旗二, 騶牙大旗二, 黃龍大旗二, 天鹿大旗二, 捧寶珠仙人大旗二, 交龍大旗二, 白龍大旗二, 龍馬大旗二, 鸑鷟大旗二, 並分左右, 引將校各二人, 夾軍士各四十人. 後殿, 黑大旗四, 分左右, 引將校四人, 夾軍士八十人.

弓箭二十, 軍士二十人, 分左右[貍頭冠, 緋衣, 扞袴], 豹尾槍二十, 軍士二十人, 分左右[平巾幘, 緋衣, 扞袴]. 金鉦十, 軍士十人, 分左右. 㧓鼓十, 軍士三十人, 分左右, 鼗鼓二十, 軍士二十人, 分左右. 銀簳小旗槍二十, 軍士二十人, 分左右[衣服, 並同前], 哥舒捧二十, 軍士二十人, 分左右[立角, 紫寶祥花衣, 假銀帶]. 斫子二十, 軍士二十人，分左右[平巾幘抹額，緋衣，扞袴]，鐙杖二十，鍮石鉞斧二十，軍士四十人，各分左右．蛙蟆幡二十，軍士二十人，分左右[衣服，並同前]．銀粧長刀二十，領將校二人[放角，紫衣，束帶，佩刀，執旗]，軍士二十人，分左右[立角，緋寶䄪花袖衣，假銀帶]．塗金粧長刀二十，領將校二人，軍士二十人，分左右[衣服，並同前]．

○仲冬八關會，出御看樂殿鹵簿，毅宗朝詳定，左右紅門大旗一，引將校二人[放角，紫衣，束帶，佩刀]，軍士四十人[平巾幘，扞袴，緋衣]，弓箭隊，軍士二十人[貍頭冠，扞袴，緋衣]．彩旗一百，軍士二百人[服與紅門大旗軍士同]，引旗將校二十人[服色，與紅門大旗同]．豹尾槍二十，軍士二十人[平巾幘，扞袴，緋衣]，鐙杖二十，軍士二十人．鼗鼓二十，軍士二十人，㭭鼓一十，軍士三十人．金鉦一十，軍士十人[衣服，並與豹尾槍軍士同]，吹角軍士十人[立角，寶䄪花衣，假銀帶]．

蛙蟆幡二十，軍士二十人，鍮石鉞斧二十，軍士二十人．小旗銀簳槍二十，軍士二十人，黑簳斫子二十，軍士二十人[衣服，並同執鉦人]．銀粧長刀二十，軍士二十人[衣服，與吹角軍士同]，塗金粧長刀二十，軍士二十人[衣服，與銀粧長刀同]，領將校二人[服色，與護旗將校同]．哥舒捧二十，軍士二十人[衣服，與塗金粧長刀執軍士同]．自紅門大旗，至哥舒捧，並相次，分左右，排列左右，小龍旗各一，夾軍士四人[平巾幘，扞袴，緋衣]，五方旗各一，引將校五人[放角，紫衣，束帶，佩刀，執旗]，夾軍士十人[衣服，與夾小龍旗軍士同]．

○西·南京巡幸，還闕幸迎鹵簿，毅宗朝詳定，紅門大旗二，分左右，引將校各一人[放角，紫衣，佩刀，執旗]，夾軍士各二十人[平巾幘抹額，緋衣，扞袴]．天下太平大旗一中道，引將校一人[服同紅門旗將校]，夾軍士二十人[服同前夾軍士]．四海永淸大旗一，二儀交泰大旗一，並中道[引將校夾軍士衣服，並與天下太平旗同]．五方旗各一，引將校各一人，夾軍士十人[並衣服，與大旗同]．

白澤大旗二，分左右，引將校各一人，夾軍士各二十人．彩旗九十，分左右，引將校十八人，夾軍士一百八十人．白獅子大旗二，分左右，引將校各一人，夾軍士四十人．胡人大旗二，分左右，引將校各一人，夾軍士各二十人．靑龍大旗二，分左右，引將校各一人，夾軍士各二十人．赤象大旗二，分左右，引將校各一人，夾軍士各二十人．彩鳳大旗二，分左右，引將校各一人，夾軍士各二十人．黃獅子大旗二，分左右，引將校各一人，夾軍士各二十人．駕龜仙人大旗二，分左右，引將校各一人，夾軍士各二十人．白麒驎大旗二，分左右，引將校各一人，夾軍士各二十人．彩鳳大旗二，分左右，引將校各一人，夾軍士各二十人．

後殿黑大旗二, 分左右, 引將校各一人, 夾軍士各二十人[衣服, 並同上]. 冷里一十, 分左右, 軍士十人[皀紗帽子, 紫紬小袖衣, 假銀帶]. 豹尾槍一十, 分左右, 軍士十人. 鐙杖子一十, 分左右, 軍士十人[衣服並同上]. 弓箭一十, 分左右, 軍士十人[貍頭冠, 餘衣服同上]. 蛙螟幡槍一十, 分左右, 軍士十人, 銀簳槍一十, 分左右, 軍士十人. 鍮石鉞斧一十, 分左右, 軍士十人. 鼗鼓一十, 分左右, 軍士十人, 搁鼓一十, 分左右, 軍士三十人. 金鉦六, 分左右, 軍士六人, 黑簳斫子一十, 分左右, 軍士十人[衣服, 並與冷里軍同]. 銀粧長刀一十, 分左右, 軍士十人[立角, 寶祥花大袖衣, 假銀帶], 塗金粧長刀一十, 分左右, 軍士一十人, 哥舒捧一十, 分左右, 軍士十人[衣服, 並同上].

○小駕鹵簿, 毅宗朝詳定, 只設紅門大旗二, 後殿, 黑大旗二, 其餘以次差減. 凡儀仗, 有司, 各以令式排列, 如常儀.

○王太子鹵簿, 毅宗朝詳定, 先排隊, 領將校四人[放角, 紫衣, 束帶, 佩刀, 執旗], 軍士一百人, 分左右[紫衣, 執長刀], 淸道電吏八人, 分左右[放角, 執杖子]. 白澤中旗二, 三角獸中旗二, 白獅子中旗二, 騶牙中旗二, 引將校二人, 夾軍士各二人. 雜彩旗二十, 引將校四人, 夾軍士各二人, 並分左右[引將校, 皆放角, 紫衣, 束帶, 佩刀, 執旗, 軍士, 皆平巾幘, 抹額, 緋衣, 扞袴].

銀骨朶子隊, 領將校二人[放角, 紫衣, 束帶, 佩刀, 執旗], 軍士二十人[皀紗帽子, 紫小袖衣, 假銀帶], 銀粧長刀隊, 領將校二人, 軍士八人[衣服, 各與銀骨朶子隊同, 已上並分左右]. 行爐·茶擔各一, 軍士四人中道[立角, 寶祥花大袖衣, 假銀帶]. 絞床·水灌子各一, 分左右, 軍士四人[衣服同前]. 書函·筆硏案各一, 軍士四人[衣服同前]. 銀斫子隊, 軍士十六人, 分左右[紫羅冠, 緋羅背子, 綠羅汗衫, 紫繡包肚].

都知班十二人, 分左右[放角, 錦衣, 束帶, 把斫子], 行首二人[佩刀, 執旗]. 中禁班十人, 分左右[衣甲, 佩刀, 行首執旗, 先排執彈弓]. 大傘二, 拱鶴四人(金畫帽子, 錦衣, 束帶], 靑陽傘二, 拱鶴四人[衣服同前], 牽龍班指諭二人, 將校八人, 分左右(金畫帽子, 錦衣, 金塗銀束帶]. 兩傘二, 拱鶴四人, 茶房·衣房軍士各十五人[靑衣]. 後擁馬二匹, 控軍士十四人[立角, 寶祥花大袖衣, 假銀帶]. 玄武隊, 領將校四人, 軍士一百人, 分左右[衣服, 並如先排隊]:輿服志轉載].

[增補].[222]

222) 이해의 8월 23일(癸亥) 太常博士 張崇이 高麗生日使로 파견되기로 결정되었으나 東京에서 變亂이 일어나 고려에 도착하지 못하였던 것 같다.
·『금사』 권4, 본기4, 海陵王, 正隆 6년 8월 癸亥, "以太常博士張崇爲高麗生日使".

壬午[毅宗]十六年, 金正隆[正豊]七年:大定二年,[223)]

[南宋紹興三十二年], [西曆1162年]

1162년 1월 17일(Gre1월 24일)에서 1163년 2월 4일(Gre2월 11일)까지, 13개월 384일

春正月戊辰朔大盡,壬寅, 日食.[224)]

[丁丑10日, 月犯畢星:天文2轉載].

辛巳14日, 燃燈, 王如奉恩寺.

[癸未16日, 月犯軒轅大星:天文2轉載].

· 『금사』 권60, 表2, 交聘表上, 正隆 6년, "八月, 遣太常博士張崇爲高麗生日使".

또 이해에 발생한 金帝國의 사정은 다음과 같다.

· 4월 某日, 金主 亮(廢帝 海陵王)이 文武群臣을 이끌고 汝·洛으로 갔다(『송사』 권32).

· 7월 某日, 金主 亮이 群臣을 거느리고 首都인 汴京(現 河南省 開封市)에 入城하였다(『송사』 권32).

· 9월 某日, 金主 亮이 스스로 大將이 되어 100萬을 이끌고 淮水를 건너 南宋을 공격하였다(『송사』 권32). 1141年(皇統 2) 이래의 20年에 걸친 南宋과의 和好가 破壞되었다.

· 10월 7일(丙午), 東京[遼陽府]留守 烏祿(褎, 雍, 太祖의 子인 宗輔의 長子)이 叛亂을 일으켜 遼陽에서 皇帝位(世宗)에 오르고, 8日(丁未) 年號를 바꾸어 大定이라고 하였다(『금사』 권5·6 ; 『송사』 권32).

· 11월 14일(壬午), 尙書右司員外郞 完顔兀古出을 詔諭高麗使로 삼았다(『금사』 권6, 권61交聘表, 이때 完顔兀古出이 高麗에 到着한 事實은 확인되지 않는다).

· 11월 27일(乙未), 浙西兵馬都統制 完顔元宜 등의 軍隊가 叛亂을 일으켜 揚州 龜山寺에서 皇帝(廢帝 海陵王)를 弑害하였다(40歲)(『금사』 권5, 권6 ; 『송사』 권32).

· 12월 12일(庚戌), 南宋을 攻擊하던 金兵이 皇帝(廢帝 海陵王)가 弑害됨에 따라 淮水를 건너 撤收하였다(『송사』 권32).

· 12월 某日, 皇帝(廢帝 海陵王)를 弑害되었음을 들은 烏祿(褎, 雍, 世宗)이 燕京으로 향하였다(『송사』 권32).

223) 『경상도영주제명기』에는 이해(壬午)의 4월에 金의 연호를 사용하지 않았다고 하는데("是年四月, 始不行年號"), 이는 前年(正隆6), 10월 8일 東京留守 烏祿이 遼陽에서 반란을 일으켜 大定으로 改元한 것을 수긍하지 않고 正豊을 그대로 사용한 것을 意味한다. 이의 사례로 正豊 7년(1162, 壬午, 大定2) 5월의 「田起妻高氏墓誌」, 正豊 8년(1163) 4월의 「李仁榮墓誌」 등이 있고, 大定을 쓰지 않고 二年(大定2)만을 기록한 「崔允仁墓誌」도 있다. 이로 인해 다음과 같이 大定初期의 年代를 잘못 기록도 사례도 찾아진다.

· 「廉德方配沈氏墓誌」, "以大金泰定元年大定二年壬午十二月望, 卒於私第".

· 「白月庵靑銅銀入絲香垸」, "大定四年丁卯甲申八月日□□白月庵香垸棟樑玄旭".

224) 이날 宋에서는 女星에 일식이 있었다고 하고, 金에서도 일식이 있었다(『송사』 권52, 지5, 천문5, 日食 ; 『금사』 권6, 본기6, 世宗上, 大定 2년 1월 戊辰, 권20, 지1, 天文, 日薄食煇珥雲氣). 이날은 율리우스력의 1162년 1월 17일이고, 개경에서 일식 현상이 심했던 시간은 16시 56분, 食分은 0.66이었다(渡邊敏夫 1979年 307面).

· 『文忠集』 권163, 紹興 32년 1월, "庚午3日, 晴, 聞歲旦鎭江日蝕五分".

辛卯24日, 出御興王寺.

[某日, 以李敦爲慶尙道按察使:慶尙道營主題名記].

二月[戊戌朔大盡,癸卯, 歲星犯大微太微上將:天文2轉載].

[乙巳8日, □□歲星又犯西垣上將:天文2轉載].

庚戌13日, 移御天壽寺.

辛亥14日, [鷩蟄]. 御經筵, 講論經義.

[甲子27日, 尙書戶部員外郞李仁榮卒, 年五十八:追加].[225]

丁卯30日, 王如靈通寺.

閏[二]月戊辰朔小盡,癸卯, [壬申5日, 畢星犯月:天文2轉載].

甲戌7日, 移御興王寺.

[己卯12日, 月食歲星:天文2轉載].

己丑22日, 移御天壽寺.

三月丁酉朔大盡,甲辰, 丙午10日, 移御長源亭.

[乙卯19日, 雨雹:五行1雨雹轉載].

[丙辰20日, 隕霜如雪:五行1霜轉載].

戊午22日, 還宮.

○宋都綱侯林等四十三人來, 明州牒報云, "宋朝與金, 擧兵相戰, 至今年春大捷, 獲金帝完顔亮, 圖形敍罪, 布告中外, 御製書圖上曰, '金虜曰亮, 獨夫自大, 弑君殺母, 叛盟犯塞, 殘虐兩國. 屢遷必敗, 皇天降罰, 爲夷狄戒". 盖宋人欲示威我朝, 未必盡如其言.

己未23日, 以金巨公△爲知樞密院事·判三司事, 崔褎偁△爲同知樞密院事, 曹晋若爲樞密院副使兼太子賓客, 知奏事李公升爲翰林學士, 金諹爲右承宣.

[某日, 御史臺劾奏, 內侍金獻璜, 諂事宦者白善淵, 削籍. ○善淵, 本南京官奴也, 王嘗幸南京, 見而悅之, 號爲養子. 由是, 與王光就, 相出入臥內, 與宮人無比狎, 頗有醜聲:節要轉載].

---

225) 이는 「李仁榮墓誌銘」에 의거하였는데, 이날은 율리우스曆으로 1162년 3월 14일(그레고리曆 3월 21일)에 해당한다.

[→白善淵, 本南京官奴. 毅宗嘗幸南京, 見而悅之, 號爲養子. 宮人無比亦官婢也, 嬖於王, 善淵狎之, 頗有醜聲. 善淵與王光就常出入王臥內, 專擅威福.:列傳35 白善淵轉載].

丙寅30日, 諫官伏閤上疏, 請罷別宮貢獻. 不聽. 王酷信陰陽秘祝之說, 每於行在, 集僧道數百餘人, 常設齋醮, 糜費不貲, 帑藏虛竭. 又多取私第, 爲別宮, 誅求貨財, 名曰別貢, 使宦者監領, 夤緣營私. 時旱荒·疫癘, 中外, 道殣相望.[226)]

[是月, 淸州管內靑塘縣長岬寺住持·重大師靈椿敬造靑石塔一座九層兼香臺, 安置釋迦牟尼佛:追加].[227)]

[春某月, 以尹東輔爲大丘縣尉:追加].[228)]

夏四月丁卯朔大盡,乙巳, 甲戌8日, 出御玄化寺.

辛巳15日, 還宮.

甲申18日, 以久旱, 再雩. 下詔曰, "朕臨政願理, 思與群臣, 同心合德. 日聞忠言, 施於有政, 上答天心, 下副民望. 其文武四品以上, 各言時政得失·民閒利害, 以備採擇.

己丑23日, 出御興王寺.

[某日, 中書侍郞~~門下侍郞平章事~~崔允儀知貢擧, 秘書監李德壽同知貢擧, 取進士:選擧1選場轉載].[229)]

---

226) 南宋에서는 이해의 1월부터 軍糧의 運送이 이루어지지 못하여 嵩州(現 河南省 嵩縣), 汝州(現 河南省 臨汝縣), 西京河南府(現 河南省 洛陽市), 壽春府(現 安徽省 鳳台縣) 등의 지역에서 軍中에 疫癘(溫癧)가 크게 일어났다고 한다(龔勝生 2015年).
- 『文忠集』 권163, 親征錄, 紹興 32년 1월, "丙戌, 聞有旨班進討之師, 運糧不繼, 次疫癘大作也".
- 『水心先生文集』前集권13, 翰林醫痊王克明君墓誌銘, "從張子蓋救海州戰士大疫, 全活幾萬人, 子蓋上其功, 君曰, 吾非有戰功也, 辭不受".
- 『송사』 권400, 열전159, 王信, "時須次者例徙外, 添差溫州教授, 郡饑疫, 議遣官振救之, … 信聞之, 欣然爲行, 徧至病者家, 全活不可勝記".

227) 이는 다음의 자료에 의거하였다(許興植 1984년 802面). 이해(大定2)의 年號를 前年(正隆) 11월에 끝난 正豊(正隆)을 사용한 것은 國家가 金帝國의 政變에 대해 어떠한 對應을 하지 않았던 결과로 추측된다.
- 「淸州長岬寺靑石塔銘」, "奉佛弟子高麗國淸州牧內淸塘」 地長岬寺住持·重大師靈椿,玆以」 聖祚無疆,儲齡有永,文虎百官,忠」 … 敬造」 靑石塔一座,九層兼香臺安置, 釋」 迦文佛,以立金剛種子云」,時正豊七秊三月 日誌」". 여기에서 淸塘縣은 조선시대에 靑安縣으로 개편되었다(지10, 지리1, 淸州牧 靑塘縣 ; 『신증동국여지승람』 권16, 忠淸道 淸州牧 淸安縣).

228) 이는 「尹東輔墓誌銘」에 의거하였다.

五月丁酉朔小盡,丙午，［夏至］. 賜李繼元等及第.[230]

己亥3日，移御安和寺.

［某日，盜起伊川·安峽·東州·平康·永豊·宜州·谷州之境，遣內侍·閤門祗候盧永醇·兵部郎中金莊等，討平之:節要轉載］.

［→□□~~先是~~，東北面兵馬使及春州道按察使奏，“京畿，伊川·安峽·東州平康，東界永豊·宜州，西海谷州之境，寇盜橫行，請捕之”. 王遣內侍·閤門祗候盧永淳~~永醇~~及兵部郎中金莊等，捕賊首異雙·員衣朴等，誅之:列傳13盧永淳~~盧永醇~~轉載］.[231]

丁巳21日，宣旨,[232] “人君之德，在於好生惡殺，勤恤民隱. 近者，囹圄不空，民多疫癘，朕甚憫焉. 其赦殊死以下，蠲諸道郡縣逋租，發倉廩，以賑貧窮失所者.[233] ［太祖之裔，未得祿仕者，令有司選補□□~~官吏~~:節要·選擧3祖宗苗裔轉載］. 兼擧淸白守節者”.[234]

己未23日，官婢善花，與一孕婦，爭斗粟，殺之. 善花子爲宦寺，請托法司，免刑待赦，直送原州. 有司駁奏，移配仁州紫燕島.[235]

是月，風旱爲甚，人以爲孕婦寃氣所感.

六月丙寅朔大盡,丁未，丁卯2日，王如奉恩寺.

辛未6日，宋都綱鄧成等四十七人來.

［某日， 王以諫官不署崔光鈞告身， 召諫議□□大夫李知深·給事中朴育和·起居注尹鱗瞻·司諫金孝純·正言梁純精·鄭端遇，督署之. 郎舍畏縮，唯唯而退. 時，宮人

---

229) 이는 지27, 선거1, 科目1, 選場에서 전재하였다.

230) 이와 관련된 기사로 다음이 있다. 이에서 崔允儀의 관직인 中書侍郞은 門下侍郞平章事의 오류일 것이다(→의종 12년 4월 16일).
· 지27, 선거1, 科目1, 選場, “毅宗十六年四月，中書侍郞~~門下侍郞平章事~~崔允儀知貢擧，秘書監李德壽同知貢擧，取進士，~~五月丁酉朔~~，賜李繼元等二十九人·明經三人及第”.

231) 盧永淳은 盧永醇의 오자인데, 이는 世家篇과 그의 아들 卓儒의 묘지명에서 後者로 되어 있음을 통해 알 수 있다(盧卓儒墓誌銘).

232) 宣旨는 『고려사절요』 권11에는 詔曰로 되어 있다.

233) 이 기사에서 “蠲諸道郡縣逋租”는 지34, 식화3, 賑恤恩免之制에 의종 16년 4월에 기록되어 있다. 또 “發倉廩，以賑貧窮失所者”는 지34, 식화3, 水旱疫癘賑貸之制에 “毅宗十六年四月五月，發倉廩，賑貧窮失所者”로 되어 있다. 이에서 四月은 五月의 오자일 것이다.

234) 여기에서 選補는 選補官吏의 縮約일 것이다.

235) 이와 같은 기사로 다음이 있다.
· 지38, 刑法1, 殺傷, “官婢善花，與一孕婦爭豆粟，殺之，配紫燕島”.

無比嬖於王, 光鈞爲其女壻, 因緣內嬖, 驟拜式目錄事. 士大夫莫不切齒. 有人嘲諫官曰, "莫說爲司諫, 無言是正言, 口吃爲諫議, 悠悠何所論":節要轉載].

[→時, 宮人無比, 得幸於王, 生三男九女, 崔光鈞爲無比女壻, 因緣內嬖, 超授八品, 兼式目錄事, 士夫莫不切齒. 諫官不署光鈞告身, 王召鱗瞻及諫議李知深·給事中朴育和·司諫金孝純·正言梁純精·鄭端遇, 督署之. 郎舍畏縮, 唯唯而退. 有人嘲之曰, "莫說爲司諫, 無言是正言, 口吃爲諫議, 悠悠何所論":列傳9尹鱗瞻轉載].

癸未18日, [立秋]. 京城有賊三十餘人, 夜至永平門, 擊走門卒, 斬關而出.

丁亥22日, 王還宮.

庚寅25日, 宋都綱徐德榮等八十九人·吳世全等一百四十二人來.

癸巳28日, 移御安和寺.

[是月丙子10日, 南宋高宗遜位, 趙昚即位, 是爲孝宗, 不改元:追加].

秋七月丙申朔小盡,戊申, 壬寅7日, 王還宮.

[癸丑18日, 白露. 熒惑犯房三星:天文2轉載].

庚申25日, 宋都綱河富等四十三人來.

辛酉26日, 中書侍郞平章事致仕朴純冲卒. 純冲, 由胥吏, 入內侍, 歷敭中外, 遂登宰輔, 以勤儉自持.[236]

[某日, 以金存夫爲慶尙道按察使, 太府少卿·寶文閣待制崔祐甫爲西海道按察使:追加].[237]

八月乙丑朔小盡,己酉, 出御長源亭.

乙亥11日, 王還宮.

庚辰16日, 出御天壽寺.

[某日, 以吳中正爲御史中丞. 中正起吏胥, 累補外寄, 爲人嚴烈詭隨, 不恤孤窮, 要結貴近, 能爲禍福, 但以言貌備, 歷要途. 時同知樞密院事·左散騎□□~~常侍~~崔褒偁, 性亦强狠, 疾不附己者. 中正同爲省郎, 脂韋依阿, 恩讎必報. 人皆側目. 褒偁薦爲御史中丞, 視事一日而死:節要轉載].

---

236) 이날은 율리우스曆으로 1162년 9월 7일(그레고리曆 9월 24일)에 해당한다.

237) 金存夫는 『慶尙道營主題名記』에 의거하였고, 崔祐甫는 그의 묘지명에 의거하였다.

· 「崔祐甫墓誌銘」, "壬午, 拜太府少卿·寶文閣待制, 復出按西海道. 時丁儉歲, 或弛賦蘇民, 或宣恩降賊, 諸道無與爲比".

[→時有吳中正者，起吏胥，累補外寄．爲人嚴酷，不恤孤窮，要結貴近，能爲禍福．但以言貌備，歷要途．與裦偁同爲省郞，脂韋依阿，恩讎必報，人皆側目．及裦偁秉政，薦爲御史中丞，視事一日而死:列傳38崔裦偁轉載].

壬辰[28日]，門下侍郞平章事[~~門下侍郞同中書門下平章事~~]崔允儀卒，[238)] [年六十一，贈守太師·門下侍中·上柱國·樂浪郡開國侯，諡文肅:追加].[239)] [允儀，嘗判吏部□[事]，銓注平允，任用賢能，再掌科擧，時稱得人:節要轉載].

[→門下侍郞平章事·判吏部事□□□[崔允儀]卒，年六十一，□□□[諡文肅]．□□[允儀]，生長閥閱，揚歷華要，論事明白慷慨．典銓選，注擬平允，任用賢才．又能文章，再掌貢擧，時稱得人．嘗奉詔，撰'古今詳定禮'五十卷，行于世．配享毅宗廟庭:列傳8崔允儀轉載].[240)]

[→□[崔]允儀遘疾，毅宗遣中人，問所欲言者，奏曰，"臣蒙國重恩，備位將相，至於子壻，竝居華顯，更無所望．爲國大用者，唯[小府主簿]崔均耳"．王卽授閤門祗候:列傳12崔均轉載].

九月甲午朔[大盡,庚戌]，移御長源亭.

[戊戌[5日]，熒惑入南斗:天文2轉載].

己亥[6日]，移御興王寺.

辛丑[8日]，王之嬖倖，挾媚道，[241)] 密置畵雞於御床褥中，事覺，誣告注簿同正金義輔與內侍尹至元通謀祝詛，斬義輔，流至元於無人島.

[○流星出王良，入天苑:天文2轉載].

癸丑[20日]，移御天壽寺.

冬十月[甲子朔小盡,辛亥]，戊寅[15日]，移御興王寺.

---

238) 이날은 율리우스曆으로 1162년 10월 8일(그레고리曆 10월 15일)에 해당한다.

239) 이는「崔允儀墓誌銘」에 의거하였다.

240) ~~添字~~는「崔允儀墓誌銘」에 의거하였다.

241) 媚道는 木製의 人形[木偶人]을 만들어 땅에 묻어서 怨恨을 품은 사람에게 天罰이 내리기를 비는 巫術[巫蠱詛呪]인 것 같다.

· 『자치통감』 권18, 漢紀, 武帝元光 5년(BC130) 7월, "女巫楚服等敎陳皇后祠祭厭勝，挾婦人媚道，事覺[注，賈公彥曰，按'漢書'，婦人蠱惑媚道，更相詛呪，作木偶人埋於地．漢法又有官禁敢行媚道者]，上使御史張湯窮治之．湯深竟黨與，相連及誅者三百餘人，楚服梟首於市".

十一月癸巳朔大盡,壬子，還宮.

[丙申4日，熒惑犯月:天文2轉載].

壬寅10日，王太子加元服.

癸卯11日，以右承宣李聃△爲知御史臺事.

丙午14日，設八關會，幸法王寺.

戊申16日，金遣大府監太府監完顔興來，告卽位.

[丙辰24日，流星出五車，入大陵:天文2轉載].

[辛酉29日，□□流星又出危，歷軒轅·大微太微帝座，入紫微東蕃:天文2轉載].

壬戌30日，出御天壽寺.

[是月，遣衛尉少卿丁應起如金，賀正:追加].[242]

十二月癸亥朔小盡,癸丑，太白經天，四日.

丙寅4日，王還宮，自是屢微行.

庚午8日，[大寒]. 出御興王寺.

乙亥13日，還仁智齋.

[辛巳19日，熒惑·太白，並入羽林:天文2轉載].

壬午20日，王還宮.

己丑27日，以中書侍郎平章事李之茂△爲判尙書吏部事，金永夫△爲參知政事·判尙書兵部事，金巨公△爲知門下省事·戶部尙書，守司空·左僕射?任克忠△爲判尙書刑部事，同知樞密院事·左散騎常侍崔褎偁△爲知樞密院事·判三司事，樞密院副使曹晋若△爲同知樞密院事，金永胤爲樞密院副使.

辛卯29日晦，王御仁智齋，親製春帖字云，“蕩蕩春光好，欣欣物意新，將修仁知德，今得萬年春”. 又云，“夢裏明聞眞吉地，扶蘇山下別神仙，迎新納慶今朝日，萬福攸同瑞氣連”. 王酷信術士，改慶龍齋爲仁智，開廣增飾，日與嬖倖，沈酣遊戲，不恤國政. 諫官或請毁之，王輒稱夢報，以拒之，故有是詩. 自是，諫者乃止.

是月，遣守司空金永胤·尙書禮部侍郎金淳夫如金，賀登極，[禮賓少卿許勢脩，進方物:追加]，又遣秘書少監金居實，謝宣諭登極.[243]

---

242) 이는 다음의 자료에 의거하였다.

· 『금사』 권61, 表3, 交聘表中, 大定 2년, “十二月，高麗衛尉少卿丁應起賀正旦”.

· 『금사』 권6, 본기6, 世宗上, 大定 3년 1월, “壬辰朔，高麗·夏遣使來賀”.

[是年, 長女敬德宮主, 適司空評:列傳4毅宗公主轉載].

[○以閤門祗候李應璋爲義州分道兵馬判官:追加].244)

癸未[毅宗]十七年, 金大定三年, [南宋隆興元年], [西曆1163年]

1163년 2월 5일(Gre2월 12일)에서 1164년 1월 25일(Gre2월 1일)까지, 355일

春正月壬辰朔大盡,甲寅, 己亥8日, 幸仁智齋.

壬寅11日, 以尙書左丞徐淳△爲知西北面兵馬事, 翰林侍讀學士崔祐甫爲東北面兵馬副使.245)

[○熒惑守東壁:天文2轉載].

乙巳14日, 燃燈, 王如奉恩寺.

[某日, 以鄭仁壽爲慶尙道按察使:慶尙道營主題名記].

[是月朔, 南宋改元隆興:追加].

二月壬戌朔大盡,乙卯, 丁卯6日, 出御普濟寺.

壬申11日, 還宮.

乙亥14日, 幸天壽·洪圓二寺, 沈醉留宿, 從官·衛士, 皆不得食.

丁丑16日, 出御玄化寺.

[○惠民局南路, 左右街巷, 有小兒, 分東西二隊, 各結草爲人形, 如三歲童女. 衣以錦繡繒綵, 又裝一婢子, 隨其後, 前有几案方丈, 飾以金銀珠玉, 仍設饌食. 觀者如堵, 二隊爭媚鬪巧, 至於呼譟作亂. 如是者五六日乃罷, 不知所之:五行1服天轉載].246)

---

243) 이때 金에 도착한 고려의 사신인 守司空 金永胤·尙書禮部侍郎 金淳夫는 進奉使, 禮賓少卿 許勢脩는 賀登寶位使, 秘書少監 金居實은 謝宣諭使였다. 그렇지만 『금사』에서 金永胤·金淳夫는 賀登寶位使, 許勢脩는 進奉使였는데, 기록 과정에서 서로 바뀌었을 가능성이 있다. 또 賀登寶位使는 2월 29일(庚寅) 節日使가 世宗에게 賀禮를 드린 후에 즉위를 하례하였다.

· 『금사』 권61, 표3, 交聘表中, 大定 3년, "二月庚寅29日, 高麗守司空金永胤·尙書禮部侍郎金淳夫進奉使, 禮賓少卿許勢脩賀登寶位, 秘書少監金居實謝宣諭".

· 『금사』 권6, 본기6, 世宗上, 大定 3년 2월, "庚寅29日, 高麗·夏遣使來賀萬春節, 高麗遣賀卽位".

244) 이는 「李應璋墓誌銘」에 의거하였다.

245) 이때 崔祐甫는 太子侍讀學士를 兼任하였다고 한다.

· 「崔祐甫墓誌銘」, "癸未春, 加帶東宮侍讀學士, 出爲東北面兵馬副使".

[→惠民局南街，有小兒，分東西二隊，各結草爲童女，衣以錦繡，又裝一婢子，隨其後，前有几案方丈，飾金玉，仍設饌食．觀者如堵，二隊爭媚鬪巧，至於呼譟作亂，如是者五六日乃罷，不知所之:節要轉載].

乙酉24日，移御天壽寺．

辛卯30日，如靈通寺，遂御玄化寺．

[○遣衛尉少卿李公老，賀萬春節:追加].[247)]

三月壬辰朔小盡,壬辰，丁酉6日，移御興王寺．

庚子9日，以東面都監判官孫應時，廬墓三年，詔旌表門閭．

癸卯12日，移御洪圓寺．

夏四月辛酉朔大盡,丁巳，壬戌2日，還宮．

癸酉13日，移御館北宮．

乙亥15日，親祼大廟太廟，赦殊死以下，陞百官爵一級，其執事，正郎以上官，各許一子蔭職.[248)]

丙子16日，移御仁智齋．

---

246) 服妖가 지닌 의미를 잘 설명하는 기록은 찾아지지 않으나 이 項目을 설정한 『晋書』의 사례에 의하면 服飾, 衣冠, 彫像 등에 대한 것인데, 이것이 常度를 벗어나면 敗亡에 이른다는 觀念이 있었던 것 같다.

· 『晋書』 권27, 지17, 五行上, 服妖, "景初元年, 發銅鑄爲巨人二, 號曰翁仲, 置之司馬門外. 案古長人見, 爲國亡. 長狄見臨洮, 爲秦亡之禍. 始皇不悟, 反以爲嘉祥, 鑄銅人以象之. 魏法亡國之器, 而於義竟無取焉. 蓋服妖也". 여기에서 長狄은 현재의 山東省 淄博市 管內의 高青縣 高城鎭 一帶에 거주하던 農民인 長狄人을 指稱하는 것 같다.

· 『진서』 권27, 지17, 五行上, 服妖, "吳, 孫休後, 衣服之制, 上長下短, 又積領五六而裳居一二. 干寶曰, '上饒奢, 下儉逼, 上有餘下不足之妖也'. 至孫晧, 果奢暴恣精於上, 而百姓彫困於下, 卒以亡國, 是其應也".

247) 이는 다음의 자료에 의거하였다.

· 『금사』 권6, 본기6, 世宗上, 大定 3년 2월, "庚寅29日, 高麗·夏遣使來賀萬春節, 高麗遣賀卽位".

· 『금사』 권61, 表3, 交聘表中, 大定 3년, "三月壬辰朔, 高麗衛尉少卿李公老賀萬春節".

248) 이 기사에서 正郎以上官이 무엇을 의미하는지를 알 수 없으나 『고려사절요』 권11에는 五品以上官으로 표기되어 있다. 그렇다면 正郎以上官은 官職을 指稱할 때는 郎中(正5品, 몽골의 壓制下에서 郎中이 正郎으로 바뀜)을, 官階를 지칭할 때는 大夫(從5品)를 가리키는 것으로 이해될 수 있을 것이다. 또 고려진기에 사용된 正郎의 사례로 殿中侍御史·禮部員外郎(정6품)을 역임했던 李瑞林이 있는데, 그의 試職 또는 檢校職은 정5품이었을 것이다.

· 「李瑞林墓誌銘」, "銘曰, 位正郎, 年耳順".

[戊寅[18日], 流星自西北, 向東南行:天文2轉載].

[是月, 起居注尹鱗瞻, □□□□□[掌國子監試], 取鄭成澤等九十四人:選擧2國子試額轉載].

五月[辛卯朔小盡,戊午], 丁酉[7日], 還宮.

壬子[22日], 知門下省事金巨公卒. [巨公, 起自胥吏, 性廉謹, 美容儀, 善辭令, 常兼閤門, 進止詳雅, 遂登宰輔, 至是, 與[知樞密院事]崔褒偁有隙, 憂懣而死:節要轉載].[249]

丙辰[26日], 以王璞[毅宗之壻]△[爲]守司徒·咸寧伯.[250]

六月庚申朔[大盡,己未], 日食.[251]

甲子[5日], 王微行, 移御安和寺.

丁丑[18日], 還宮.

○金橫賜使·少府監韓鋼來.[252]

秋七月[庚寅朔小盡,庚申], 辛卯[2日], 宴金使于大內.

乙未[6日], 出御玄化寺.

[戊戌[9日], 客星犯月:天文2轉載].

乙巳[16日], 宋都綱徐德榮等來, 獻孔雀及珍翫之物. 德榮又以宋帝密旨, 獻金銀合二副, 盛以沈香.

甲寅[25日], 移御天壽寺.

○以衛尉卿李陽實△[爲]知西北面兵馬事, [給事中金光中爲西北面兵馬副使:節要轉載],[253] 給事中朴育和爲東北面兵馬副使. 有司劾陽實不合藩鎭, 以[尙書左丞·知西北面兵馬

---

249) 이날은 율리우스曆으로 1163년 6월 25일(그레고리曆 7월 2일)에 해당한다.

250) 이 기사는 열전3, 顯宗王子, 平壤公基에도 수록되어 있다.

251) 이날 宋에서는 남쪽에 있는 별인 井宿[井, 東井]에 일식이 있었다고 하며, 金에서도 일식이 있었다(『송사』 권52, 지5, 천문5, 日食 ; 『금사』 권6 본기6, 世宗上, 大定 3년 6월 庚申, 권20, 지1, 天文, 日薄食煇珥雲氣). 이날은 율리우스曆의 1163년 7월 3일이고, 開京에서 日食의 현상이 심했던 시간은 18시 40분, 食分은 0.48이었다(渡邊敏夫 1979年 307面).

252) 金에서 閤門引進使 韓綱의 파견은 4월 19일(己卯)에 결정되었다.
· 『금사』 권6, 본기6, 世宗上, 大定 3년 4월, "己卯, 以[閤門]引進使韓綱爲橫賜高麗使".
· 『금사』 권61, 表3, 交聘表中, 大定 3년, "四月己卯, 以[閤門]引進使韓綱爲橫賜高麗使".

253) 이때 金光中이 西北面兵馬副使에 임명된 것은 의종 19년 3월 2일(辛亥)에 기록되어 있다.

[事]徐淳仍之, [高陳俊爲慶尙道按察使:慶尙道營主題名記].

八月[己未朔大盡,辛酉], 壬戌[4日], 王還宮.

癸亥[5日], 出御玄化寺.

甲申[26日], 移御天壽寺.

[某日, 左正言文克謙, 伏閤上疏言, 宦者白善淵, 專擅威福, 密與宮人無比爲醜行. 術人榮儀, 執左道, 取媚於上, 置百順館北兩宮, 私藏財貨, 以支祝釐齋醮之費.[254] 而與善淵, 管掌其務, 凡兩界兵馬·五道按察使, 陛辭之日, 必於兩宮, 置酒慰餞, 使各獻方物, 隨其貢奉多少, 以爲殿最. 至使家抽戶歛[~~戶斂~~], 以召民怨. □□□□□[~~知樞密院事~~·]左常侍[~~左散騎常侍~~]崔褒偁, 職掌樞要, 勢傾中外, 貪墨無厭, 不附己者, 必中傷之, 財累鉅萬. 請斬善淵·無比, 黜榮儀充牧子, 罷褒偁, 以謝一國. 疏中, 又及宮禁帷簿之事. 王大怒, 焚其疏. 褒偁詣闕, 請辨, 王召克謙對辨. 克謙言甚切至, 竟貶爲黃州判官. 初, 克謙草疏, 諫議□□[~~大夫~~]李知深·給事中朴育和·起居注尹鱗瞻等, 不肯連署. 及克謙見貶, 又視事自若. 時人誦宋人'並遊英俊顏何厚'之句, 以譏之:節要轉載].[255]

254) 祝釐는 天地神明 또는 부처에게 幸福·加護·祝福 등을 祈願하는 것이다. 또 釐가 幸福[禧]과 같은 뜻이므로 祝釐는 福을 祈禱하는 것을 가리킨다.

· 『史記』 권10, 孝文本紀第10, 14년 春, "上曰, … 今吾聞祠官祝釐, 皆歸福朕躬, 不爲百姓, 朕甚愧之".

255) 이와 관련된 기사로 다음이 있는데, ~~添字~~는 이에 의거하였다. 또 宋人의 '並遊英俊顏何厚'는 唐介(1010~1069)가 仁宗代에 監察御史로 宰相 文彥博(1006~1097)을 彈劾하다가 春州別駕로 左遷될 때 李師中이 지은 詩句이다.

· 열전12, 文克謙, "… 累遷左正言, 伏閤上䟽曰, '宦者白善淵, 專擅威福, 密與宮人無比, 爲醜行. 術人榮儀, 執左道, 取媚于上, 置百順·舘北兩宮. 私藏財貨, 以支祝釐齋醮之費, 而與善淵掌其務. 凡兩界兵馬·五道按察, 陛辭之日, 必於兩宮, 置酒慰餞, 令各獻方物, 隨其貢奉多少, 以爲殿最. 至使家抽戶斂, 以召民怨. 知樞密事[~~知樞密院事~~]崔褒偁, 職掌樞要, 勢傾中外, 貪黷無厭, 不附己者, 必中傷之, 財累鉅萬. 請斬善淵·無比, 黜榮儀充牧子, 罷褒偁, 以謝一國'. 又語及宮禁帷薄之事, 王大怒, 焚其䟽. 褒偁詣闕請辨, 王召克謙對辨. 克謙言甚切至, 遂貶黃州判官. 初, 克謙草䟽, 諫議□□[~~大夫~~]李知深·給事中朴育和·起居注尹鱗瞻等, 不肯署名. 及克謙見貶, 又視事自若, 時人誦, 並遊英俊, 顏何厚'之句, 以譏之. 克謙在黃州, 吏民愛慕政聲. 然有貴近挾宿憾, 構微過, 奏請免官. 王亦怒前事, 又貶晉州判官, 有司奏, "克謙直臣, 不宜連貶外官, 以防言路". 乃授閤門祗候, 遷殿中內給事".

· 열전38, 崔褒偁, "[崔褒偁] 尋知樞密院事·判三司事. 性强狠貪墨, 旣掌樞要, 勢傾中外, 有不附己者, 必中傷之, 子壻連結勢家, 無所顧忌. 左正言文克謙上䟽, 極言請罷黜, 不聽".

· 열전36, 榮儀, "後□[左]正言文克謙數儀罪, 請黜之, 充牧子, 不聽".

九月[己丑朔小盡,壬戌], 戊戌[10日], 移御玄化寺.

[某日, 同知樞密院事金永胤△[爲]知貢擧, 左承宣金諹△[爲]同知貢擧, 取進士:選擧1選場轉載].[256)]

[某日, 召寶城郡判官秦得文, 爲內侍. 得文, 始以胥吏進, 托宦寺, 得郡倅, 造竹床竹几竹篋以獻, 王悅召之, 諂事白善淵·王光就如僕隷:節要轉載].[257)]

[秋某月, □□[先是], 有島在麟·靜二州之境, 二州民嘗往來耕漁. 金人乘閒樵牧, 因多居焉, [西北面兵馬副使金光中]欲復地邀功, 擅發兵擊之, 火其廬舍, 仍置防戍屯田:列傳14金光中轉載].[258)]

冬十月戊午朔[大盡,癸亥], 賜李純佑等及第.[259)]

[庚申[3日], 立冬. 熒惑犯大微[太微]左執法:天文2轉載].

丙寅[9日], 地震.

壬申[15日], 移御仁智齋.

戊寅[21日], 移御館北宮.

[癸未[26日], 太白與歲星, 同度:天文2轉載].

甲申[27日], 王還宮, 設百座會, 令內外飯僧三萬.

十一月[戊子朔小盡,甲子], [丙申[9日], 雷:五行1雷震轉載].

庚子[13日], 設八關會, 幸法王寺.

壬寅[15日], 金遣大府監[太府監]耶律章來, 賀生辰.[260)]

· 『송사』 권316, 열전75, 唐介 ; 『河南邵氏聞見錄』권下 ; 『詩林廣記』後集8, 韓子蒼, 進退韻近體, 附李師中送唐介, "孤忠自許衆不與, 獨立敢言人所難, 去國一身輕似葉, 高名千古重於山, 並游英俊顏何厚, 未死奸諛骨已寒, 天爲吾君扶社稷, 肯敎夫子不生還".

256) 이는 지27, 선거1, 科目1, 選場에서 전재하였다.

257) 이와 같은 기사로 다음이 있다.

· 열전35, 宦者, 白善淵, "… 胥吏秦得文事二人, 如奴隷, 得拜寶城判官, 以竹造几案及篋, 獻之, 王悅, 召爲內侍".

258) 金光中이 拓境한 시기는 의종 19년 3월 2일에 의거하였다.

259) 이와 관련된 기사로 다음이 있다. 여기에서 李純祐는 世家篇과 그의 열전에는 李純佑로 달리 표기되어 있다(열전12, 李純佑, 『고려사절요』 권11에는李純祐). 또 이때 李純祐·蔡寶文 등이 급제하였다(『등과록』, 朴龍雲 1990년 ; 許興植 2005년).

· 지27, 선거1, 科目1, 選場, "[毅宗]十七年九月, 同知樞密院事金永胤知貢擧, 左承宣金諹同知貢擧, 取進士, □□□□□[十月戊午朔], 賜李純祐等二十八人·明經三人及第".

[○月食:天文2轉載].[261)]
[是月, 遣殿中少監金存夫如金, 謝賜橫賜, 禮賓少卿高處約, 賀正:追加].[262)]

十二月丁巳朔大盡,乙丑, 庚申4日, [小寒]. 移御興國寺.
丙寅10日, 移御仁智齋.
癸酉17日, 星隕, 聲如雷.
戊寅22日, 出御興王寺.
癸未27日, 移御天壽寺.
丙戌30日, 以崔褒偁△爲知門下省事, 金永胤△爲同知樞密院事·判三司事, 徐恭爲樞密院副使.[263)]

[是年, 次女安貞宮主, 適守司徒·咸寧伯璞:列傳4毅宗公主轉載].
[○南方盜賊大起, 至明年不息:追加].[264)]

甲申[毅宗]十八年, 金大定四年, [南宋隆興二年], [西曆1164年]

1164년 1월 26일(Gre2월 2일)에서 1165년 2월 12일(Gre2월 19일)까지, 13개월 384일

春正月丁亥朔小盡,丙寅, 辛卯5日, [立春]. 王還宮.

---

260) 太府監 耶律章은 『금사』에는 許王府長史 移剌天佛留로 되어 있는데, 耶律(Yeri)氏가 移剌(Yeri)氏로 달리 表記되었고, 天佛留는 初名(字)이거나 女眞語의 표기일 것으로 추측된다. 또 1192년(明昌3) 무렵에 耶律氏의 一部가 移剌氏로 표기되기도 하였다고 한다(吉野正史 2014年).
· 『금사』 권6, 본기6, 世宗上, 大定 3년 10월, "丙寅, 以許王府長史移剌天佛留爲高麗生日使".
· 『금사』 권61, 表3, 交聘表中, 大定 3년, "十月丙寅, 以許王府長史移剌天佛留爲高麗生日使".

261) 이날은 율리우스력의 1163년 12월 12일이고, 월식 현상이 심했던 때의 世界時는 13시 23분, 食分은 0.45이었다(渡邊敏夫 1979年 477面).

262) 이는 다음의 자료에 의거하였다.
· 『금사』 권61, 表3, 交聘表中, 大定 3년, "十二月乙酉, 高麗使殿中少監金存夫謝橫賜".
· 『금사』 권61, 表3, 交聘表中, 大定 4년, "正月, 高麗禮賓少卿高處約賀正旦".
· 『금사』 권6, 본기6, 世宗上, 大定 4년 1월, "丁亥朔, 高麗·夏遣使來賀".

263) 이때 徐恭은 樞密院副使兼太子賓客에 임명되었다(徐恭神道碑).

264) 이는 다음의 자료에 의거하였다.
· 「醴泉重修龍門寺記碑」, "又癸未·甲申年間, 南方盜賊大起, 設一萬僧齋, 以救賊難焉".

庚子14日, 燃燈, 王如奉恩寺.

○白虹貫日.

[癸丑27日, 熒惑犯房上相:天文2轉載].

[某日, 以許勢脩~~許勢修~~爲慶尙道按察使:慶尙道營主題名記].[265]

二月丙辰朔大盡,丁卯, 乙丑10日, 王微行, 移御安和寺.

癸酉18日, 移御興王寺.

丁丑22日, [春分]. 移御興國寺.

庚辰25日, 移御館北宮.

壬午27日, 移御興國寺.

[是月, 遣秘書少監崔孝溫, 獻方物, 朝散大夫·衛尉少卿鄭孝侢, 賀萬春節:追加].[266]

三月丙戌朔小盡,戊辰, 辛卯6日, 還宮.

辛丑16日, 出御玄化寺.

壬寅17日, 遣借內殿崇班趙冬曦·借右侍禁朴光通如宋, 獻鍮銅器, 報徐德榮之來也.

丙午21日, 將移御仁智齋, 法泉寺住持覺倪,[267] 睿宗宮人之子, 備酒饌, 迎駕於獺嶺院, 王吟賞風月, 與諸學士, 唱和未已. [大將軍鄭仲夫以下諸將, 疲困憤惋, 始有不軌之心:節要轉載]. 王被酒, 徑入歸法寺. 日已暮, 侍從失王所之, 夜半乃還.

[→鄭仲夫, 累轉上將軍~~大將軍~~. 時, 王荒淫, 不恤政事, 遊幸無度, 每至佳境, 輒駐輦, 吟賞風月. 毅宗十八年, 王移御仁智齋, 法泉寺僧覺倪, 迎駕于獺嶺院. 王與諸學士, 唱和未已, 仲夫以下諸將, 疲困憤惋, 始有不軌之心:列傳41鄭仲夫轉載].[268]

---

265) 許世脩는 『고려사』에는 같은 글자[同音異字]인 許勢修로 되어 있다.

266) 이는 다음의 자료에 의거하였다. 또 崔孝溫은 溟州人이며, 門下侍郎平章事 崔濡(1072~1140)의 아들로 禮部郞中에 이르렀다(崔珙墓誌銘).

- 『금사』 권61, 表3, 交聘表中, 大定 4년, "三月丙戌朔, 高麗遣秘書少監崔孝溫進奉使, 朝散大夫·衛尉少卿鄭孝侢賀萬春節".
- 『금사』 권6, 본기6, 世宗上, 大定 4년 3월, "丙戌朔, 萬春節, 高麗·夏遣使來賀".
- 열전10, 金富儀, "後內侍崔孝溫如金, 韓昉子汝嘉問曰, '吾父嘗言高麗人金富儀, 異人也, 今無恙乎?'. 聞其卒, 嗟歎久之".

267) 이 자료에서 나타난 睿宗 宮人의 아들 覺倪는 열전3, 宗室1에 수록되어 있지 않다.

268) 이 기사에서 上將軍은 大將軍의 오류일 것이다. 곧 鄭仲夫는 1170년(의종24) 4월 28일 大將軍으로 在職하였고, 쿠데타가 일어난 8월 30일 이후에 上將軍으로 승진하였던 것 같다.

夏四月乙卯朔大盡,己巳, 丁巳3日, 移御玄化寺.

丙寅12日, 王還宮.

己卯25日, 親禘大廟~~太廟~~, 赦.

[○熒惑犯房第二星:天文2轉載].

[某日, 以樞密院知奏事李公升爲刑部尙書. 公升於禘日, 遽奏祀事已辦, 王入廟庭, 執禮, 奏未辦. 王大怒, 欲加重責, 賴右承宣李聃營救, 但罷知奏. 先是, 王於館北宮, 作窟室築臺, 飾以金玉, 窮極侈麗. 一日與宦者善淵·光就等, 置酒, 召公升·金諹·李聃, 縱飮, 王醉入幕, 命左右唱和:節要轉載].

[→王親禘太廟, 公升遽奏祀事已辦, 王入廟庭, 則未辦. 王大怒, 欲加重責, 賴右承宣李聃營救, 遷刑部尙書. 先是, 王於館北宮, 作窟室築臺, 飾以金玉, 極侈麗. 與宦者白善淵·王光就等置酒, 召公升·諹·聃, 縱飮. 王醉入幕, 命左右唱和, 公升句云, "功名富貴盡驅, 花下之三盃". 至是見斥, 人以爲詩讖:列傳12李公升轉載].

[是月, 大府少卿~~太府少卿~~崔祐甫, □□□□□掌國子監試, 取金謀直等一百人:選擧2國子試額轉載].[269]

五月乙酉朔小盡,庚午, 丙戌2日, 移御興國寺.

丁酉13日, 移御仁智齋.

戊戌14日, 移御館北宮.

丙午22日, 還宮, 召知門下省事崔褎偁·承宣李聃, 宴于修文殿, 又宴于賞春亭, 酣飮達曙.

庚戌26日, 出御天壽寺.

[壬子28日, 大風, 時旱甚, 草木萎黃:五行3轉載].[270]

[→是夏, 久旱, 設法會于文明宮, 招禪師德素爲講主, 展講之初, 雨降, 沛然田野:追加].[271]

六月甲寅朔大盡,辛未, 日食, 太史不奏.[272]

---

269) 이때 安公著도 합격되었다고 한다(崔祐甫墓誌銘).

270) 金에서도 이달에 旱魃이 심하여 19일(癸卯) 이래 祈雨를 위한 여러 措置를 행하자 28일(壬午)에 비가 내렸다고 한다(『금사』 권6, 본기6, 世宗上, 大定 4년 5월 癸卯, 乙巳, 己酉, 壬子).

271) 이는 다음의 자료에 의거하였다.

· 「永同寧國寺圓覺國師塔碑」, "… 甲申毅宗18年, 夏久旱, 毅廟設說講會于文明宮, 詔師爲主, 展講之初時, 雨沛然田野, □□□□□□□□□□□□」 隨駕, 所以行在也, …".

○以金永夫爲中書侍郞同平章事[中書侍郞同中書門下平章事],[273] [知門下省事]崔襃偁爲尙書左僕射·參知政事, 金永胤△[爲]知樞密院事.

己未[6日], 移御仁智齋.

癸未[30日], 還宮.

秋七月[甲申朔大盡,壬申], 壬辰[9日] 詔曰, “[近聞百僚·庶士, 不肯夙夜, 瘝官竊祿, 實違委任責成之意, 有司, 其考勤怠, 以黜陟焉, 又:節要·選擧3考課轉載].[274] 民惟邦本, 本固邦寧, 比因公私土木之役, 民不聊生, 而況今宦寺等營造屋舍, 競爲奢麗, 有司, 其悉禁斷”.

甲午[11日], [立秋]. 移御安和寺.

丁未[24日], 還宮.

[某日, 以韓經爲慶尙道按察使:慶尙道營主題名記].

八月[甲寅朔[小盡,癸酉], 熒惑犯天江:天文2轉載].

辛酉[8日], 王微行, 移御安和寺.

庚辰[27日], 移御景福寺.

辛巳[28日], 盜竊大廟[太廟]祭器.

[是月丁卯[14日], [天安府管內靑陽縣]白月庵僧玄旭造成銀製香垸一口:追加].[275]

---

272) 이날 南宋에서는 일식을 陰雲으로 인해 볼 수가 없었다고 하고(『송사』 권52, 지5, 천문5, 月食), 金에서는 일식이 있었다(『금사』 권6, 본기6, 世宗上, 大定 4년 6월 甲寅, 권20, 지1, 天文, 日薄食煇珥雲氣). 또 이날(율리우스력의 1164년 6월 21일)의 일식은 金과 高麗는 관측이 될 수 있었으나 南宋은 中心食帶에서 벗어나 있었기에 관측될 수 없었다고 한다(渡邊敏夫 1979年 307面).

273) 中書侍郞同平章事는 中書侍郞同中書門下平章事로 하여야 옳게 될 것이다. 이때 金永夫는 太子太傅·中書侍郞同中書門下平章事·判兵部事에 임명되었다고 한다(金永夫墓誌銘).

274) 庶士는 지29, 선거3, 考課에는 庶司로 되어 있는데, 前者가 옳을 것이다. 곧 百僚에 對應되려면 各級 官廳의 胥吏를 가리키는 庶士가 더 적합할 것이다.

· 『國語韋氏解』 권5, 魯語下, “自庶士以下, 皆衣其夫[注, 庶士, 下士也, 下之庶人也]”.

· 『禮記注疏』, 附釋音禮記注疏, 祭法第23, “庶士·庶人無廟, 死曰鬼[孔穎達疏, 庶士, 府史之屬, 庶人, 平民也, 賤故無廟也]”.

275) 이는 다음의 자료에 의거하였는데(藤田亮策 1961年 ; 許興植 1984년 805面), 刻字할 때 어떤 착오가 있었던 것 같다. 이를 校定, 補完하면 아래와 같을 것이다.

· 「白月庵香垸銘」, “大定四年丁卯八月日白月庵香垸棟梁玄旭”.

· 校定, 「白月庵香垸銘」, “大定四年甲申八月丁卯日,白月庵香垸棟梁玄旭”.

九月癸未朔大盡,甲戌，丁亥5日，移御玄化寺.

乙未13日，移御志和齋，觀擊毬.

○□□□□□~~檢校右僕射~~·守司空梓卒.[276]

[某日，中書侍郞平章事李之茂△爲知貢擧，左承宣許洪材△爲同知貢擧，取進士:選擧1選場轉載].[277]

冬十月癸丑朔小盡,乙亥，賜金元禮等及第.[278]

丁巳5日，太白晝見.

丁卯15日，移御景福寺.

[戊辰16日，震人:五行1雷震轉載].

十一月壬午朔大盡,丙子，[戊子7日，大霧:五行3轉載].

庚寅9日，移御館北宮.

甲午13日，設八關會，幸法王寺.

○白虹圍日，南西北各有珥，如日相貫.

[丙辰~~丙申~~15日，月食，旣:天文2轉載].[279]

丁酉16日，移御淸州洞宮.

○金遣大府監~~太府監~~烏骨論守貞來，賀生辰.[280]

---

276) ~~添字~~는 王梓의 열전을 통해 보완한 것이다(열전3, 종실1, 顯宗, 平壤公基). 이날은 율리우스曆으로 1164년 9월 30일(그레고리曆 10월 7일)에 해당한다.

277) 이는 지27, 선거1, 科目1, 選場에서 전재하였다.

278) 이와 관련된 기사로 다음이 있는데, 이때 金元禮·高瑩中(高瑩中墓誌銘) 등이 급제하였다(朴龍雲 1990년 ; 許興植 2005년).

· 지27, 선거1, 科目1, 選場, "毅宗十八年九月，中書侍郞平章事李之茂知貢擧，左承宣許洪材同知貢擧，取進士，~~十月癸丑朔~~，賜金元禮等二十八人·明經三人及第".

279) 丙辰은 丙申의 오자이다. 또 이날 金에서도 皆旣月食이 있었다. 그리고 이날은 율리우스력의 1164년 11월 30일이고, 월식 현상이 심했던 때의 世界時는 13시 12분, 食分은 1.72이었다(渡邊敏夫 1979年 477面).

·『금사』 권20, 지1, 天文, 月五星淩犯及星變, "大定四年十一月丙申，月食，旣".

280) 太府監 烏骨論守貞은『금사』에는 太子少詹事 烏古論三合으로 되어 있으며, 그는 9월 29일(辛亥)에 파견이 결정되었다.

·『금사』 권6, 本紀6, 世宗上, 大定 4년 9월, "辛亥，以太子少詹事烏古論三合爲高麗生日使".

·『금사』 권61, 表3, 交聘表中, 大定 4년, "九月，以太子少詹事烏古論三合爲高麗生日使".

庚子[19日], 移御守司空任克忠第.

[癸卯[22日], 陰霧四塞, 行者失路. 太史奏, "五行志□[曰], 霧者, 衆邪之氣, 連日不解, 其國昏亂. 又曰, 霧起, 十步外不見人, 是謂晝昏. 占曰, 破國.[281] 王者, 出入起居, 不可無常. 今陛下, 處非其位, 任非其人, 明堂久曠而不居, 天災可懼而不省, 移徙無常, 號令不時, 故有此異". 王竟不悟:節要轉載].

[→陰霧四塞, 行者失路. 太史奏云, "霧者, 衆邪之氣, 連日不解, 其國昏亂. 又霧起昏亂, 十步外不見人, 是謂晝昏. 大關明堂者, 祖宗布政之所, 其制, 皆法天地陰陽. 故王者, 出入起居, 不可無常. 今陛下, 處非其位, 任非其人. 明堂久曠而不居, 天災可懼, 而不省, 移徙無常, 號令不時, 故有此異". 王竟不悟:五行3轉載].

丙午[25日], 移御館北宮.

閏[十一]月[壬子朔小盡,丙子], 戊午[7日], 移御[守司空]任克忠第.

甲子[13日], 移御景福寺.

乙亥[24日], 移御淨業院.

戊寅[27日], 還宮.

○遣[禮賓少卿]金莊如金, 謝賀生辰.[282]

[是月, 遣衛尉少卿高珍縝如金, 賀正:追加].[283]

---

281) 이상 3種의 구절은 『진서』와 『신당서』의 내용을 合成한 것이다. 또 이 기사에서 五行志 다음에 曰이 탈락되었는데, 이 기사를 전재했던 『朝鮮史略』 권7, 의종 18년 11월에는 曰이 추가되어 있다.
· 『晋書』 권12, 지2, 天文中, 雜氣, "凡白虹者, 百殃之本, 衆亂所基. 其霧者, 衆邪之氣, 陰來冒陽"(『隋書』 권21, 지16, 天文下, 雜氣도 同一하다).
· 『구당서』 권36, 지26, 五行3, 霧, "景龍二年八月甲戌[15日], 黃霧混濁, 不雨. 二年[三年]正月丁卯[10日], 黃霧四塞. 十一月甲寅[2日], 日入後混霧四塞, 經二日乃止, 占曰, 霧連日不解, 其國昏亂, … 天寶十四載冬三月, 常霧起昏暗, 十步外不見人, 是謂晝昏, 占曰, 有破國".

282) 禮賓少卿 金莊은 12월에 金에 들어가 謝禮하였다.
· 『금사』 권61, 表3, 大定 4년, "十二月, 高麗禮賓少卿金莊謝賜生日".

283) 이는 다음의 자료에 의거하였다. 이들 賀正旦使는 世宗에게 歸國人事[朝辭]를 할 때, 前年에 고려가 金의 鴨綠江 堡壘[堡戍]를 불태웠던 것에 대해 詰問을 받았다고 한다.
· 『금사』 권61, 표3, 交聘表中, 大定 5년, "正月辛亥朔, 高麗衛尉少卿高珍縝賀正旦".
· 『금사』 권6, 본기6, 世宗上, 大定 5년 1월, "丁亥朔, 高麗·夏遣使來賀".
· 『금사』 권208, 열전95, 外夷1, 高麗, "[大定]五年正月, 世宗因正旦使朝辭, 諭之曰, 邊境小小不虞, 爾主使然邪, 疆吏爲之邪. 若果疆吏爲之, 爾主亦當懲戒之也".

十二月辛巳朔大盡,丁丑, [癸未3日, 太白守羽林:天文2轉載].
丁亥7日, 移御館北宮.
庚子20日, 出御景福寺.
壬寅22日, 以參知政事崔褒偁△爲判兵部事·太子太傅, 金永胤爲吏部尙書·樞密院使, 徐恭爲兵部尙書·同知樞密院事, 守司空任克忠爲太子太保.
[○流星出東井, 入軍市:天文2轉載].

[是年, 以散員申甫純爲別將:追加].[284]
[○以守宮署令兪克諧爲隘守鎭將:追加].[285]
[增補].[286]

乙酉[毅宗]十九年, 金大定五年, [南宋乾道元年], [西曆1165年]

1165년 2월 13일(Gre2월 20일)에서 1166년 2월 2일(Gre2월 9일)까지, 355일

春正月辛亥朔小盡,戊寅, [雨水]. 王還宮.
庚申10日, 出御玄化寺.
辛酉11日, 還宮, 設無遮大會.
乙丑15日, 燃燈, 王如奉恩寺.
庚午20日, 出御玄化寺.
癸酉23日, 還宮.
丙子26日, 出御甑山寺, 右正言趙文貴諫, 不聽.
丁丑27日, 移御普賢院.
戊寅28日, 幸慈孝寺.
[某日, 以韓賴弼爲慶尙道按察使:慶尙道營主題名記].
[是月朔, 南宋改元乾道:追加].

---

284) 이는 「申甫純墓誌銘」에 의거하였다.
285) 이는 「兪克諧墓誌銘」에 의거하였다.
286) 이해에 고려가 金의 鴨綠江 堡壘[堡戍]를 불태웠다고 한다.
·『금사』 권208, 열전95, 外夷1, 高麗, "大定四年, 鴨綠江堡戍頗被侵越焚毁".

二月庚辰朔大盡,己卯, 辛巳2日, 還宮.

乙酉6日, 出御敬天寺.

丙戌7日, 移御興天寺.

戊子9日, 還御敬天寺.

己丑10日, 還宮.

乙未16日, 出御洪圓寺.

丁酉18日, [淸明]. 移御天和寺.

庚子21日, 以蔡仁爲鷹揚軍上將軍·攝兵部尙書充東宮侍衛, 姜文俊爲殿中監·興威衛攝上將軍·太子右淸道率府率, 鄭元寧爲龍虎軍大將軍兼太子右監門率府率, 梁淑爲大太府卿·神虎衛大將軍兼太子右衛率府率.[287]

甲辰25日, 移御洪圓寺.

丙午27日, 移御天和寺.

[是月, 遣殿中少監陳力昇如金, 獻方物, 秘書少監元頤冲, 賀萬春節:追加].[288]

三月庚戌朔小盡庚辰, 移御景福寺.

辛亥2日, 金大夫營主, 遣銳卒七十餘人, 攻麟·靜二州境內之島, 執防守靜州別將元尙等十六人, 以歸. [島, 去麟·靜州七八千步, 二州民, 嘗往來耕漁樵蘇. 金人乘間樵牧, 因多居焉. 癸未毅宗17年秋, 給事中金光中爲兵馬副使, 欲復地邀功, 擅發兵擊之, 火其廬舍, 仍置防戍屯田. 及毅宗18年12月金莊如金, 金主世宗讓莊曰, "邊境稍不虞, 爾主使然耶, 邊吏爲之耶. 若果邊吏爲之, 則爾主亦當懲之". 莊還奏之, 王乃還其島, 命撤防戍. 西北面兵馬副使·刑部侍郞尹鱗瞻等, 恥削土, 猶不從命. 故金將來侵, 鱗瞻懼, 與義州判官趙冬曦, 密謀, 遂移牒大夫營, 請還俘獲, 翼日~~壬子~~3日穀雨, 乃還之, 鱗瞻等, 秘不奏:節要轉載].

[→尹鱗瞻, 後以刑部侍郞, 出爲西北面兵馬副使. 麟·靜二州境有島, 金人多來居.

---

287) 鄭元寧은 全州 尙質縣 출신의 參知政事 鄭克溫의 父로서, 神虎衛大將軍兼太僕卿에 이르렀다고 한다(鄭克溫墓誌銘」; 열전14, 鄭克溫).

288) 이는 다음의 자료에 의거하였는데, 이때부터 종래에 고려의 賀聖節使가 金의 皇帝에게 私的으로 禮物을 바치던 관습이 폐지되었다고 한다.

· 『금사』 권61, 表3, 交聘表中, 大定 5년, "三月庚戌□朔, 高麗遣殿中少監陳力昇進奉使, 秘書少監元頤冲賀萬春節".

· 『금사』 권6, 본기6, 世宗上, 大定 5년 2월, "戊申29日, 萬春節, 宋·高麗·夏遣使來賀".

兵馬副使金光中擊逐之，置防戍，金主[世宗]詰讓．王命還其島，撤防戍，鱗瞻等恥削土，不從．金大夫營主遣銳卒七十餘人，攻其島，執防守別將元尙等十六人，以歸．鱗瞻懼，與義州判官趙冬曦密謀，移牒請還俘獲，翼日，還之，鱗瞻等秘不奏，國家知而詰之，鱗瞻畏罪彌縫，竟不報:列傳9尹鱗瞻轉載].

[→後金莊，奉使如金，金主[世宗]讓之曰，"近稍有邊警，爾主使然耶．若邊吏自爲，則固宜懲之". 莊還奏，王命歸其島，撤防戍:列傳14金光中轉載].

己未[10日]，移御洪圓寺.

辛酉[12日]，移御普賢院，天寒雨甚，衛卒凍死者九人.[289]

戊辰[19日]，還御洪圓寺.

庚午[21日]，移御敬天寺.

辛未[22日]，移御仁濟院.

夏四月[己卯朔大盡,辛巳]，庚辰[2日]，幸觀瀾寺.

[先是，吏部侍郎韓靖，別創佛宇於仁濟院中，號祝釐之所．內侍·侍郎金敦中，待制金敦時，重修觀瀾寺，亦以祝釐爲稱．王謂靖·敦中兄弟曰，"聞卿等歸福寡人，朕甚嘉之，將往見之". 靖及敦中等，以寺之北山童無草木，聚傍民，植松柏·杉檜·奇花·異草，築壇爲御室，飾以金碧，臺砌皆用怪石．至是，敦中，張宴於寺之西臺，帷帳器皿，珍羞，極華侈．王與宰輔·近臣歡洽，賜敦中·敦時·靖白金·羅絹·丹絲甚厚:節要轉載].

[→初，吏部侍郎韓靖，與李元膺構隙罷職．王別創佛宇于仁濟院，爲祝釐所，適元膺死，靖復職，尤勤祝釐．敦中與弟敦時，重修富軾所創觀瀾寺，亦以祝釐爲稱．王謂敦中·敦時·靖曰，"聞卿等歸福寡人，甚嘉之，朕將往見". 敦中等，又以寺之北山童無草木，聚旁近民，植松栢·杉檜·奇花·異草．築壇爲御室，飾以金碧，臺砌皆用怪石．一日，王幸寺，敦中等，設宴于寺之西臺，帷帳器皿甚華侈，饌羞極珍奇．王與宰輔·近臣歡洽，賜敦中·敦時白金各三錠,[290] 靖二錠，羅·絹各十匹，丹·絲各七十斤:列傳11金敦中轉載].[291]

---

289) 이 記事는 지7, 오행1, 水, 恒寒에도 수록되어 있다.

290) 近代以前의 社會에서 白金은 銀, 白銀의 다른 표기인 것 같다.

· 『여유당전서』 권25, 小學紺珠, 五之類, "五金者, 鑛採之品也. 黃金曰金, 白金曰銀, 赤金曰銅, 青金曰鉛, 黑金曰鐵, 此之謂五金也. 五金之目, 見'漢書'註[注, 貪貨志顏師古注]".

291) 고려시대의 정(錠)의 무게가 어느 정도인지는 알 수 없으나 조선초기에는 1정=16량이었다고 한

[○又禮成江人，嘗賂白善淵·王肅恭·榮儀，請以禮成爲縣，善淵等勸王，遊幸於江．江人斂[斂]民白銀三百餘斤，多爲奇技淫巧．王亦欲觀水戲，命內侍朴懷俊等，以五十餘舟，皆掛綵帆，載樂伎·綵棚及漁獵之具，張戲於前．有一人作鬼戲，含火吐之，誤焚一船．王大噱:節要轉載].[292]

壬午[4日]，還御仁濟院．

甲申[6日]，內侍左·右番，爭獻珍玩．時，番多紈袴子弟，因宦者，以聖旨，多索公私珍玩·書畵等物．又結綵棚，載以雜伎，作異國人貢獻之狀，獻靑紅盖二柄·駿馬二匹．左番皆儒士，不慣雜戲，其所貢獻，百不當一．恥不及，借人駿馬五匹，以獻．王皆納之，賜左番白銀十斤·丹絲六十五斤，右番白銀十斤·丹絲九十五斤．其後，左番不能償馬之直，日被徵債，時人笑之．

乙酉[7日]，移御景福寺．

戊子[10日]，移御奉靈寺，卽鄭諴祝釐之所．諴饗王供辦，過仁濟·觀瀾遠甚，王醉自吹笙，因問知音者，左右以及第李鴻升對，卽召至前，命吹笙笛，遂欣然．以爲相見之晩，命屬內侍．

庚寅[12日]，還御景福寺．

[甲午[16日]，月食:天文2轉載].[293]

戊申[30日]，王泛舟板積窯池，與宦者白善淵·王光就·內侍朴懷俊·劉莊等，置酒張樂，遂登水樓，召[參知政事]崔褎偁·[同知密直司事]徐恭等同飮．又召禮成江篙工漁者，陳水戲以觀，賜物有差．夜二鼓，還館北宮，扈從官迷路，僵仆相續．

五月[己酉朔小盡,壬午]，庚戌[2日]，移御景福寺．

乙卯[7日]，雨雹.[294]

辛酉[13日]，以李之茂爲門下侍郞同中書門下平章事，[參知政事]崔褎偁爲中書侍郞同中

다(李宗峯 2016년 151面).

· 『태종실록』 권2, 1년 10월 庚辰[25日]，"… 召前典書尹璵還．璵爲安東採訪使，採銀于春陽縣，上以天寒未克事召之．璵納銀十錠，錠十六兩".

292) 이와 같은 기사가 열전35, 宦者, 白善淵에도 수록되어 있는데, 白銀은 白金으로 달리 표기되어 있다(盧明鎬 等編 2016년 298面).

293) 이날 宋에서도 월식이 예측되었으나 구름으로 보이지 않았다고 한다(『송사』 권52, 지5, 천문5, 月食). 이날은 율리우스력의 1165년 5월 27일이고, 월식 현상이 심했던 때의 世界時는 12시 33분, 食分은 1.00이었다(渡邊敏夫 1979年 477面).

294) 이와 같은 기사가 지7, 五行1, 水, 雨雹에도 수록되어 있다.

書門下平章事, 金永胤爲尙書左僕射, 徐恭△[爲]知樞密院事, 金諹爲樞密院副使, [[太府少卿]崔祐甫爲刑部侍郞·知制誥:追加].[295]

甲子[16日], 移御玄化寺.

[是月, 右常侍~~右散騎常侍~~徐淳, □□□□□[掌國子監試], 取詩賦金滕等十五人, 十韻詩九十人, 明經五人:選擧2國子試額轉載].[296]

六月[戊寅朔大盡,癸未], 甲午[17日], 慮囚.

癸卯[26日], 移御□□[閤門]祗候任孝誠第.

[丁未[30日], 大雨, 漂民家六十餘, 溺死者多:五行1水潦·節要轉載].[297]

秋七月[戊申朔小盡,甲申], 庚戌[3日], 移御□[守]司空任克忠第.

庚申[13日], 移御普賢院.

八月[丁丑朔大盡,乙酉], 癸未[7日], 移御玄化寺.

丁亥[11日], 移御景福寺.

癸巳[17日], 還御玄化寺.

[戊戌[22日], 月犯諸侯南第一星:天文2轉載].

[九月[丁未朔大盡,丙戌], 己未[13日], 震雷, 雨雹:五行1雷震轉載].

冬十月[丁丑朔小盡,丁亥], 乙酉[9日], [小雪]. 移御普濟寺.

十一月[丙午朔大盡,戊子], 壬子[7日], 移御館北宮.

戊午[13日], 移御興國寺.

己未[14日], 還宮, 設八關會, 幸法王寺.

庚申[15日], 出御普濟寺.

---

295) 이는 「崔祐甫墓誌銘」에 의거하였다.

296) 이때 田元均도 選拔되었다(田元均墓誌銘).

297) 이날 일본의 교토[京都]에서 흐리다가 오전 11시 이후에 비가 조금 내렸다고 한다(『山槐記』, 長寬 3년 6월, "卅日丁未, 天陰, 午刻小雨").

○金遣少府監<u>完顔章</u>來，賀生辰.[298)]

甲子[19日]，王還宮，卽幸興國寺.

丙寅[21日]，移御普濟寺.

庚午[25日]，潛行，移御景福寺.

[是月，遣吏部尙書<u>李知深</u>·中書舍人<u>尹敦信</u>[~~尹惇信~~]如金，賀尊號，衛尉少卿王輔，謝賜生日. 又遣太府少卿<u>李世儀</u>如金，賀正:追加].[299)]

十二月[丙子朔大盡,己丑]，丁丑[2日]，移御館北宮.

丁酉[22日]，還宮.

乙巳[30日]，以[中書侍郎平章事]崔褒偁△[爲]守太保·判尙書吏部事，金永胤△[爲]知門下省事·判尙書兵部事·太子少傅，[守司空]任克忠爲太子少師，[知樞密院事]徐恭△[爲]判三司事，[樞密院副使]金諹爲禮部尙書，李公升爲樞密院副使·太子賓客，[左承宣]許洪材爲國子祭酒·左諫議大夫，[[刑部侍郎]<u>崔祐甫</u>爲工部侍郎·知制誥:追加].[300)]

[是年，以[□□郎中·三司判官]李文著爲安西大都護府副使:追加].[301)]

[○以[前義州分道兵馬判官]李應璋爲東北面兵馬分臺御史:追加].[302)]

[○安東府管內龍壽寺僧<u>雲美</u>，增築佛宇·寮舍·庖廚等九十餘間:追加].[303)]

[○禪師<u>祖膺</u>之弟子大師<u>資嚴</u>，以<u>膺</u>之所施私財，造營甫州龍門寺道場·僧房·廚

---

298) 金에서 大宗正丞 完顔章은 10월 5일(辛巳)에 파견이 결정되었다. 당시 金의 宗室은 姓氏인 完顔氏를 생략하고 이름만을 기재하였다.
- 『금사』 권6, 본기6, 世宗上, 大定 5년 10월, "辛巳，以大宗正丞<u>章</u>爲高麗生日使".
- 『금사』 권61, 表3, 大定 5년 10월, "以大宗正<u>丞</u>章爲高麗生日使".

299) 이는 다음의 자료에 의거하였다.
- 『금사』 권61, 표3, 交聘表中, 大定 5년, "十二月，高麗遣吏部尙書<u>李知深</u>·中書舍人<u>尹敦信</u>如金，賀尊號，衛尉少卿<u>王輔</u>，謝賜生日".
- 『금사』 권6, 본기6, 世宗上, 大定 5년 12월 己丑[14日], "高麗遣使賀尊號".
- 『금사』 권6, 본기6, 世宗上, 大定 6년 1월, "丙午朔，宋·高麗·夏遣使來賀".
- 『금사』 권61, 표3, 交聘表中, 大定 6년, "正月丙午朔，高麗太府少卿<u>李世儀</u>賀正旦".

300) 이는 「崔祐甫墓誌銘」에 의거하였다.

301) 이는 「李文著墓誌銘」에 의거하였다.

302) 이는 다음의 자료에 의거하였다.
- 「李應璋墓誌銘」, "乙酉年出使東藩爲兵馬□□□□□□[~~分臺御史,翌年出刺黃州牧~~]".

303) 이는 「安東龍頭山龍壽寺開刱記」에 의거하였다.

庫等舍, 又備置佛盤·幡幢·机案·香爐·燈釭等一切法具. 仍受勅旨曰, 勤勞修葺, 宜以門徒法孫相繼住之, 勿令廢絶:追加].[304)]

[增補].[305)]

丙戌[毅宗]二十年, 金大定六年, [南宋乾道二年], [西曆1166年]

1166년 2월 3일(Gre2월 10일)에서 1167년 1월 22일(Gre1월 29일)까지, 354일

春正月丙午朔小盡,庚寅, 己未14日, 燃燈, 王如奉恩寺.
庚午25日, 出御玄化寺.
[某日, 以趙華爲慶尙道按察使:慶尙道營主題名記].

二月乙亥朔小盡,辛卯, 癸未9日, 幸普濟寺, 燃燈一萬於羅漢殿.
戊子14日, 還御玄化寺.
[是月, 遣國子司業趙仁貴如金, 獻方物, 秘書少監李福基等, 賀萬春節:追加].[306)]

三月甲辰朔大盡,壬辰, 乙巳2日, 幸金身寺, 設齋.

---

304) 이는 다음의 자료에 의거하였다.
· 「醴泉重修龍門寺記碑」, "… 禪師祖膺, 擇門弟幹事者大師資嚴主之, 給稻租三百石, 嚴師自乙酉歲毅宗19年, 承命來住以膺師所施私財, 以爲資粮搆道場堂三間·僧房廚庫九十三所, 乃至佛盤·幡幢·机桉·香爐·燈釭及一切受用釜鏕·童海·足灌·盆甖, 莫不備具, 越乙酉年, 降勅旨勤勞修葺, 宜以門徒法孫相繼住之, 勿令廢絶 …".

305) 이해에 金의 世宗 完顔烏祿이 고려의 使臣이 궁궐에 도착하여 사사로이 물건을 가져와서[夾帶], 私獻[私進]하는 것을 典禮에 어긋난다고 폐지하게 하였다.
· 『금사』 권38, 지19, 예11, 朝辭儀, "舊高麗使至闕, 皆有私進禮, 大定五年, 上以宋·夏使皆無此禮, 而小國獨有之, 不可, 遂命罷之".
· 『금사』 권208, 열전95, 外夷1, 高麗, "大定五年初, 高麗使者別有私進禮物, 以爲常. 是歲, 萬春節, 上以使者私進, 不應典禮, 詔罷之".

306) 이는 다음의 자료에 의거하였다.
· 『금사』 권61, 表3, 交聘表中, 大定 6년, "三月甲辰朔, 高麗國子司業趙仁貴進奉使, 秘書少監李福基等賀萬春節".
· 『금사』 권6, 본기6, 世宗上, 大定 6년 2월, "壬寅28日, 萬春節, 宋·高麗·夏遣使來賀".

夏四月甲戌朔小盡,癸巳, [辛巳8日, 前中書侍郞平章事金永錫卒, 年七十八:追加].307)

[○白善淵准王行年, 鑄銅佛四十軀, 畫觀音四十幀, 以佛生日, 點燈祝釐於別院. 王乘夜微行, 觀之:節要轉載].308)

甲申11日, 王與僧覺倪, 夜宴於聖壽院, 乃覺倪所創也.

戊子15日, [小滿]. 召覺倪, 翫月賦詩.

甲午21日, 移御館北別宮, 嘗奪迎恩館北人家, 增加修營, 以爲別宮.

丁酉24日, 門下侍郞平章事崔子英卒, 輟朝三日.309)

辛丑28日, 王宴于淸寧齋, 卽玄化寺東嶺東橫新營別館也, 夜五鼓, 乃還.

[五月癸卯朔小盡,甲午, 某日, 知門下省事金永胤△爲知貢擧, 禮部尙書徐淳△爲同知貢擧, 取進士:選擧1選場轉載].310)

六月壬申朔大盡,乙未, 癸酉2日, 王如奉恩寺.

壬午11日, 御玄化寺長興院.

○賜朴紹等及第.311)

秋七月壬寅朔小盡,丙申, 甲辰3日, [立秋]. 移御淸寧齋.

戊申7日, 移御普濟寺.

己酉8日, 金橫賜使·尙書右司郞中移剌道移剌道來, 王還宮迎詔, 仍宴來使, 幸普濟寺.312)

---

307) 이는 「金永錫墓誌銘」에 의거하였는데, 이날은 율리우스曆으로 1166년 5월 9일(그레고리曆 5월 16일)에 해당한다.

308) 이와 같은 기사가 열전35, 宦者, 白善淵에도 수록되어 있다.

309) 崔子英은 1161년(의종15) 7월 21일에 逝去한 그의 사위인 太府少卿 林景軾의 墓誌銘에 의하면, 이 시기 이전에 守司徒·門下侍郞平章事·判吏部事였다고 한다(林景軾墓誌銘). 이날은 율리우스曆으로 1166년 5월 25일(그레고리曆 6월 1일)에 해당한다.

310) 이는 지27, 선거1, 科目1, 選場에서 전재하였다.

311) 이와 관련된 기사로 다음이 있다. 이때 朴紹·金瑞廷(同進士, 沃溝郡夫人宋氏準戶口)·金振鐸(金振鐸墓誌銘) 등이 급제하였다(朴龍雲 1990년 ; 許興植 2005년).

· 지27, 선거1, 科目1, 選場, "毅宗二十年五月, 知門下省事金永胤知貢擧, 禮部尙書徐淳同知貢擧, 取進士, 六月壬午, 賜朴紹等三十人及第".

312) 移剌道[이자도]는 移剌道[이랄도]의 오자이며, 그는 4월 25일(戊戌) 尙書右司郞中으로 橫賜高麗使에 임명되었다.

· 『금사』 권6, 본기6, 世宗上, 大定 6년 4월, "戊戌, 以尙書右司郞中移剌道爲橫賜高麗使".

乙卯[14日], 王自普濟寺, 至闕門, 設帳微行, 入御修文殿.

翌日[丙辰15日], 亦從帳中, 還御普濟寺, 自後, 凡遊幸, 皆設帳於道.

[某日, [工部侍郎]崔祐甫爲刑部侍郎·東北面兵馬副使,[313] 金光敍爲慶尙道按察使, 尹平壽爲全羅道按察副使:慶尙道營主題名記].[314]

[是月, 知陜州事·試殿中內給事李世侯開板'大毗盧遮那成佛經等一代聖教中無上一乘諸經所說一切陁羅尼':追加].[315]

八月[辛未朔大盡,丁酉], 丁丑[7日], 移御念賢寺.

甲申[14日], 移御景福寺.

九月[辛丑朔大盡,戊戌], 庚戌[10日], 移御館北別宮.

壬戌[22日], 移御普濟寺.

[癸未[~~癸亥~~23日?], 風雨·雷電, 震人及馬五行1雷震轉載].[316]

甲子[24日], 還館北別宮.

[戊辰[28日], 震:五行1雷震轉載].

冬十月[辛未朔大盡,己亥], 庚辰[10日], 還御壽昌宮.

戊子[18日], 出御普濟寺.

壬辰[22日], 移御星北洞別宮, 本侍郎金敦時私第也.

丙申[26日], 還御館北別宮.

· 『금사』 권61, 표3, 交聘表中, 大定 6년, "四月戊戌, 以尙書右司郎中移剌道爲橫賜高麗使".

313) 이는 다음의 자료에 의거하였다.

· 「崔祐甫墓誌銘」, "丙戌秋, 復拜刑部□□[侍郎], 再受東藩之寄, 明年復命".

314) 尹平壽의 임명은 의종 21년 1월 5일(甲辰)에 의거하여 유추하였다.

315) 이는 『大毗盧遮那成佛經等一代聖教中無上一乘諸經所說一切陁羅尼』의 末尾刊記에 의거하였다. 이는 腹藏遺物로서 出版年度인 丙戌은 同伴된 자료에 의거하여 1166년(의종20)으로 比定하였다고 한다(海印寺 所藏, 南權熙 2002년 307~313面 ; 南權熙 2005年).

· 刊記, "特爲」 主上壽筭增延,國土」 太平,」 法界有識含靈,共證菩」 提,三途苦輪,離苦得樂」 之願,命工彫刻梵字陁羅」 尼一副,印施無窮者.」 歲在丙戌七月日記」 知陜州事·文林郎·試殿中內給事李世陜」". 여기에서 李世陜은 李世侯의 오자일 가능성이 있다.

316) 이달에는 癸未가 없고, 癸卯(3일), 丁未(7일), 癸丑(13일), 己未(19일), 癸亥(23일) 등이 있는데, 같은 氣象[雷震]을 보인 戊辰(28일)과 가까운 癸亥(23일)일 가능성이 있다.

戊戌[28日], 飯僧三萬於毬庭.

庚子[30日], 設百座會于修文殿, 幸歸法寺, 遂如玄化寺, 幸僧性文房.

十一月[辛丑朔小盡,庚子], 癸卯[3日], 夜, 宴淸寧齋, 寵宦李榮, 鳩聚錦繡金銀花·眞香·犀角·馬騾·羔羊·鳧鴈等奇玩之物, 陳列左右, 以迎大駕. 王命侍從將卒, 射, 上將軍康勇中的, 賜羅一匹·綃三匹. 張女樂酣飮, 至四鼓, 還性文房.

丙午[6日], [大雪]. 幸歸法寺普光院, 夜半乃還.

癸丑[13日], 設八關會, 幸法王寺.

丁巳[17日], 還御壽昌宮.

○金大府監[太府監]耶律成正來, 賀生辰.[317)]

庚申[20日], 宴金使于大觀殿.

[是月, 遣禮賓少卿崔椿如金, 謝賜生日, 衛尉少卿金資用謝橫賜. 又遣司宰少卿潘咸有如金, 賀正:追加].[318)]

十二月[庚午朔大盡,辛丑], 癸酉[4日], 移御館北宮.

[是年, 以[前臨陂縣尉]金閔甫爲內弓箭庫判官:追加].[319)]

[○是時, 庾資諒年十六, 資諒與儒家子弟, 約爲契. 欲倂引武人吳光陟·文章弼, 衆皆不肯. 資諒曰, "交遊中, 文·武俱備可矣. 若拒之, 後必有悔", 衆從之. 未幾[毅宗24年], 鄭仲夫作亂, 同契者, 賴光陟·章弼營救, 皆免:列傳12庾資諒轉載].[320)]

---

317) 太府監 耶律成正은 『금사』에는 尙書兵部侍郎 移剌按答으로 되어 있고, 그의 파견은 10월 9일(己卯)에 결정되었다.
 · 『금사』 권6, 본기6, 世宗上, 大定 6년 10월, "己卯, 以尙書兵部侍郎移剌按答爲高麗生日使".
 · 『금사』 권61, 表3, 大定 6년, "十月己卯, 以尙書兵部侍郎移剌按答爲高麗生日使".

318) 이는 다음의 자료에 의거하였다.
 · 『금사』 권61, 표3, 交聘表中, 大定 6년, "十二月戊戌[25日], 高麗禮賓少卿崔椿謝賜生日, 衛尉少卿金資用謝橫賜".
 · 『금사』 권6, 본기6, 世宗上, 大定 7년 1월, "庚子朔, 宋·高麗·夏遣使來賀".
 · 『금사』 권61, 표3, 交聘表中, 大定 7년 1월, "庚子朔, 高麗司宰少卿潘咸有賀正旦".

319) 이는 「金閔甫墓誌銘」에 의거하였다.

320) 이와 같은 자료로 다음이 있다(蔡雄錫教授의 教示).
 · 『동국이상국집』 권36, "方毅廟時, 山東寢盛, 公年十六, 與貴門子弟約爲交契, 公欲引虎官御牽龍行首吳光陟·李光挺等與焉, 衆莫肯之. 公挺然議曰, '雖私遊中, 文虎俱備, 亦得矣, 何有不

丁亥[毅宗]二十一年, 金大定七年, [南宋乾道三年], [西曆1167年]

1167년 1월 23일(Gre1월 30일)에서 1168년 2월 10일(Gre2월 17일)까지, 13개월 384일

春正月庚子朔大盡,壬寅, 甲辰5日, 全羅州路按察副使尹平壽, 獻銀八十斤. 平壽割民膏血, 以要恩寵, 時議鄙之.

癸丑14日, 燃燈, 王如奉恩寺,[321] 夜還, 右承宣金敦中馬,[322] 突觸騎士矢房, 矢落輦傍. 王驚愕, 以爲流矢, 疾馳還宮, 宮城戒嚴.

[→敦中拜左承宣. 燈夕, 王如奉恩寺, 夜還, 至觀風樓. 敦中馬素不調, 聞鉦鼓聲益驚, 突觸一騎士矢房, 矢躍出, 落輦傍. 敦中不遑自首, 王驚愕, 以爲流矢. 以儀衛繖扇擁輦, 疾馳還宮, 宮城戒嚴:列傳11金敦中轉載].

甲寅15日, 命有司, 榜于市曰, "有能告賊者, 勿論有無職, 東班東班正郎, 西班將軍, 隨自願除授. 公私賤隷, 亦許參職, 幷給銀二百斤, 女則給銀三百斤". 王猶慮未得, 又命懸黃金十五斤·銀甁二百口於街衢, 購捕.[323]

乙卯16日, 屯府兵于闕庭, 以備不測. 自是, 選取勇力者, 號內巡檢, 分爲兩番, 常著紫衣, 持弓劒, 分立仗外, 不避雨雪, 夜則巡警達曙.[324]

[某日, 王以不得賊, 詔責宰樞. 於是, 逮捕絡繹, 疑大寧侯暻家僮羅彥·有成·黃益等, 鞫問深刻, 彥等誣服. 諸王·宰樞·百僚·耆老詣闕, 賀得罪人. 斬羅彥·有成·黃益及有成妻. 又以禁衛不謹, 流牽龍巡檢指諭十四人于田里:節要轉載].[325]

丙辰17日, 諫官伏閤, 言事五日, 王從之.

可乎? 後必有悔矣', 衆咸以爲然. 於是使之參焉. 未幾庚寅亂, 文臣幾蕩盡, 凡入交契者皆得免, 以吳·李二將營救甚力故也. 此公之自少, 已有知幾之量也".

321) 이날(14일)은 燃燈會의 小會로서 帝王이 太祖의 御眞이 봉안되어 있는 奉恩寺에 행차하는 奉恩行香을 거행하는 날이다(『보한집』권상).

322) 金敦中의 열전에는 左承宣으로 되어 있으나(열전11, 金富軾, 敦中 ; 『고려사절요』 권11) 右承宣의 오자로 추측된다. 이는 이해의 3월 21일(己未) 右承宣으로 나타나고, 이 시기에 左承宣은 許洪材로 추측된다. 또 이날의 사정은 그의 열전과 『고려사절요』의 서술이 보다 구체적이다.

323) 正郞은 5品이상의 가리키고(→의종 17년 4월 15일), 參職은 參上職, 常參職의 略稱으로 추측된다.

324) 이 기사는 지36, 兵2, 宿衛에도 수록되어 있다.

325) 이 기사는 열전3, 仁宗王子, 大寧侯暻, 열전11, 金富軾, 敦中에도 수록되어 있다. 또 이때 禁軍 출신의 隊正 崔世輔는 南海縣에 유배되었다고 한다.

· 열전13, 崔世輔, "毅宗時, 以禁軍, 充隊正. 丁亥流矢之變, 以世輔在側, 疑之, 流南海. 後武人得志, 召復舊職".

[戊午[19日], 日暈, 有珥. 上有戴氣:天文1轉載].

[庚申[21日], 又日暈有珥, 東北有背氣:天文1轉載].[326)]

[某日, 以張思祐爲慶尙道按察使:慶尙道營主題名記].

二月[庚午朔小盡,癸卯], 癸未[14日], 幸神衆院.

壬辰[23日], [春分]. 移御館北宮.

[是月, 遣尙書戶部侍郞柳德用如金, 賀萬春節:追加].[327)]

三月己亥朔[小盡,甲辰], 王如靈通寺.

己未[21日], 王冒雨, 幸長興院, 與覺倪夜飮, 命右承宣金敦中, 賦詩.

辛酉[23日], 王微行, 至金身窟, 設羅漢齋, 還玄化寺, 與[同知樞密院事?]李公升·[左承宣]許洪村[許洪材]·覺倪等,[328)] 泛舟衆美亭南池, 酣飮極歡. 先是, 淸寧齋南麓, 構丁字閣, 扁曰衆美亭, 亭之南澗, 築土石貯水, 岸上作茅亭, 鳧鴈·蘆葦, 宛如江湖之狀. 泛舟其中, 令小僮, 棹歌漁唱, 以恣遊觀之樂. 初作亭, 役卒私齎糧, 一卒貧甚, 不能自給. 役徒共分飯一匙, 食之. 一日, 其妻具食來餉, 且曰, "宜召所親共之". 卒曰, "家貧, 何以備辦, 將私於人, 而得之乎? 豈竊人所有乎?". 妻曰, "貌醜, 誰與私? 性拙, 安能盜? 但剪髮買來耳", 因示其首. 卒嗚咽, 不能食, 聞者悲之.

壬戌[24日], 幸歸法寺東嶺, 與侍臣置酒.

癸亥[25日], [穀雨]. 白氣貫日.

夏四月戊辰朔[大盡,乙巳], 日食.[329)]

乙亥[8日], 移御普賢院.

326) 여러 판본의 『고려사』에서 지1, 천문1의 十一年은 二十一年에서 二字가 탈락된 것이다(東亞大學 2011년 13책 214面).

327) 이는 다음의 자료에 의거하였다.
- 『금사』 권61, 表3, 交聘表中, 大定 7년 3월, "己亥朔, 高麗尙書戶部侍郞柳德用賀萬春節".
- 『금사』 권6, 본기6, 世宗上, 大定 7년 3월, "己亥朔, 萬春節, 宋·高麗·夏遣使來賀".

328) 여러 판본의 『고려사』에서 許洪村으로 되어 있으나 許洪材의 오자일 것이다.

329) 이날 金과 일본에서도 일식이 있었다. 이날은 율리우스력의 1167년 4월 21일이고, 개경에서 일식 현상이 심했던 시간은 15시 13분, 食分은 0.22이었다(渡邊敏夫 1979年 307面).
- 『금사』 권6, 본기6, 世宗上, 大定 7년 4월 戊辰朔, 권20, 지1, 天文, 日薄食煇珥雲氣.
- 『山槐記』, 仁安 2년 4월, "一日戊辰, 天晴, 日蝕, 未剋正現".

戊寅[11日], [立夏]. 以河淸節, 幸萬春亭, 宴宰樞·侍臣於延興殿. 大樂署·管絃坊, 爭備綵棚·樽花·獻仙桃·抛毬樂等, 聲伎之戲. 又泛舟亭南浦, 沿流上下, 相與唱和, 至夜乃罷. 亭在板積窯, 初, 因窯亭而營之, 內有殿曰延興, 南有澗, 盤回左右, 植松竹花草, 其間, 又有茅亭·草樓凡七, 有額者四, 曰靈德亭·壽御堂·鮮碧齋·玉竿亭, 橋曰錦花, 門曰水德. 其御船, 飾以錦繡, 假錦爲帆, 以爲流連之樂. 窮奢極麗, 勞民費財, 凡三年而成. [皆朴懷俊·劉莊·白善淵, 從臾而爲之也:節要轉載].[330)]

[史臣曰, "爲國之要, 在於節用而愛民. 毅宗多作池臺, 傷財勞民, 常與嬖倖, 耽樂是從, 不恤國政, 宰相臺諫, 無一人言者, 終致巨濟之遜, 宜矣":節要轉載].

庚辰[13日], 移御長興院, 賦詩, 命詞臣和進.

壬午[15日], 王弟僧冲曦, 享王於淸寧齋, 召覺倪及侍臣同飮, 晩泛舟衆美亭南池, 遊賞至夜. [冲曦, 卽玄曦也:節要轉載].

癸未[16日], 又宴于淸寧齋, 賦詩, 令群臣和進.

丙戌[19日], 移御館北宮.

丁亥[20日], 隕霜.[331)]

癸巳[26日], [小滿]. 幸承宣李聃別墅.

[是月頃, 試大司成金敦中, □□□□□[掌國子監試], 取閔湜等:選擧2國子試額轉載].[332)]

五月戊戌朔[小盡,丙午], 幸臨津縣, 宿江邊僧舍.

翌日[己亥2日], 與宰樞[參知政事?]金永胤·[知門下省事?]徐恭·[樞密院使]李公升·崔溫·承宣李聃·許洪材·金敦中等, 泛舟南江中流, 遡沿, 竟日爲樂. 司諫林宗植·侍御[侍御史]高子思, 乘晩, 被召赴宴. 至夜半, 移御普賢院, 侍從不及, 子思醉, 不得行.

[史臣曰, "人主一身, 繫乎社稷生靈, 臺諫之職, 在於繩愆糾謬. 王雖乘危履險, 自

---

330) 이 기사의 縮約으로 다음이 있는데, 그 중에서 流連之樂은『맹자』, 梁惠王章句下에 수록된 구절로서 晏子가 齊 景公의 물음에 대해 답한 것으로 遊樂에 빠져 歸還을 忘却한 것을 가리킨다.
· 열전35, 宦者, 白善淵, "又於萬春亭, 構延興殿·靈德亭·壽樂堂·鮮碧齋·玉竿亭, 沿澗植松竹花草. 王每汎舟南浦, 爲流連之樂, 皆善淵·懷俊·劉莊等, 從臾而成之也".

331) 이와 같은 기사가 지7, 五行1, 水, 霜에도 수록되어 있다.

332) 이때 金敦中이 주관했던 國子監試는『고려사』에는 1167년(의종21)에 실시된 것으로 되어 있다. 다음의 자료에는 李勝章이 戊子(의종22, 1168)의 봄[春] 김돈중의 문하에서 2등으로 급제하였다고 한다.
·「李勝章墓誌銘」, "洎戊子春, 從試大司成金公敦中門下擢第二人進士, 金公雖喜隷門生, 猶不以魁擧爲恨, 及是年秋, 公捷出身及第, 然後喜, 見顔間曰, 吾擧得人, 可見於此".

輕其身, 宗植等, 旣不能諫, 又從而宴樂沈湎, 以失法從之儀, 甚可鄙也":節要轉載].

壬寅[5日], 移御李聃別墅.

戊申[11日], [芒種]. 移御普賢院.

己酉[12日], 幸慈孝寺.

癸丑[16日], 幸長湍縣應德亭, 舟中結綵棚, 載女樂雜戲, 泛江中流, 凡十九艘, 皆飾以綵帛. 與左右倖臣宴樂, 至五更, 乃登西岸, 張候, 置燭其上, 命左右射, 無中者. 內侍盧永醇曰, "待聖人中的, 然後, 臣等中之". 王射之, 卽中燭, 左右呼萬歲. [承宣]李聃從而中之, 賜綾羅絹. 留二日, 觀水戲.

丁巳[20日], 自應德亭, 秉燭乘舟, 盛張衆樂, 過皇樂亭, 置酒, 夜至普賢院.

辛酉[24日], 幸萬春亭, 置酒, 夜入李聃別墅.

壬戌[25日], 入御安和寺.

丙寅[29日晦], 還館北宮.

六月[丁卯朔小盡,丁未], 戊辰[2日], 王如奉恩寺, 遂幸李聃別墅.

庚午[4日], 移御玄化寺. 先是, 王聞城東沙川龍淵寺南, 有石壁數仞, 削立臨川, 曰虎巖, 流水停滀, 樹木蓊蔚. 命內侍李唐柱·裴衎等, 搆亭其側, 名延福. 奇花·異木, 列植<u>四隅</u>,[333] 以水淺不可舟, 築堤爲湖. 其地白沙, 水勢强悍, 雨則輒毁, 隨毁隨補, 晝夜不息, 人甚苦之. 是日, 與宰相·侍臣, 宴于亭上, 極歡乃罷.

庚辰[14日], 還御館北宮.

秋七月[丙申朔大盡,戊申], 丁酉[2日], 幸歸法寺, 遂御玄化寺, 馳馬至獺嶺茶院, 從臣皆莫及. [王獨倚院柱, 謂侍者曰, "鄭襲明若在, 吾豈得至此":節要轉載].

[某日, 以<u>朴庭堯</u>爲慶尙道按察使:慶尙道營主題名記].[334]

[閏七月丙寅朔[小盡,戊申]:追加].

---

333) 四隅에 대한 설명으로 다음이 있다.
· 『여유당전서』 권25, 小學紺珠, 四之類, "四隅者, 室中之廉角也. 西南曰奧[注, 深隱處], 西北曰屋漏[漏隱也], 東北曰宧[人之所頤養], 東南曰窔[明暗交], 此之謂四隅也. 四隅之目, 見'爾雅'[釋宮文]".

334) 朴庭堯의 경우 고려시대에 定宗의 이름인 堯를 사용할 수 없었을 것이다.

八月[乙未朔大盡,己酉], 戊申[14日], 移御歸法寺.

[庚戌[16日], 寒露. 月食:天文2轉載].[335]

己未[25日], 幸南京.

甲子[30日], 駕至加頓院, 廣州備儀衛樂部以迎, 仍獻馬二匹·肩輿一具·陽傘三柄.

[是月, 梨樹, 華:五行1轉載].

九月乙丑□[朔大盡,庚戌], 入御南京, 留守官備禮迎駕, 獻陽傘二柄·馬二匹·牛一頭, 是夜, 命內侍及重房, 射侯, 中者, 賜綾絹.[336]

己巳[5日], 幸三角山僧伽·文殊·藏義等寺.

庚午[6日], 宴群臣于延興殿,[337] 賜馬人一匹. 是日, 發南京.

癸酉[9日], 至坡平縣江, 宴群臣于舟中, 侍臣皆醉失儀, 樞密院使李公升, 倒載駕前.

乙亥[11日], 王還京都, 赦二罪以下, 詔,

□一. 加名山·大川爵號.

□一. 內外八十以上篤癈疾·鰥寡·孤獨·孝順·節義·孝弟·力田者, 皆賜物.

[□一. 太祖苗裔, 許初職:選擧3祖宗苗裔轉載].

[□一. 歷代功臣之後, 皆許初職:選擧3功臣子孫轉載].

□一. 南幸隨駕軍將及睿令兩殿侍衛員將·侍學公子, 皆加職.[338]

[□一. 蠲南京·廣州今年稅租輸役, 其餘州縣, 半之:食貨3恩免之制轉載].

[○中外, 推恩有差. 是行也, 廣州掌書記金鏐, 聚斂[斂]于民, 貿易珍玩器皿, 重賂宦者. 於是, 白善淵·王肅恭等, 薦鏐, 屬內侍:節要轉載].[339]

[是月頃, 國子進士史謙光·國子學生史柔直印成'般若心經':追加].[340]

---

335) 이날 일본의 교토에서 월식이 있었다고 한다. 이날은 율리우스력의 1167년 9월 30일이고, 월식 현상이 심했던 때의 世界時는 14시 5분, 食分은 0.57이였다(渡邊敏夫 1979年 477面).

· 『師守記』, 康永 4년 8월 14일(乙丑), "… 仁安二年八月十六日, 月蝕, 九分".

336) 乙丑에 朔이 탈락되었다.

337) 延世大學本과 東亞大學本에는 廷興殿으로 되어 있으나 오자일 것이다.

338) 이 기사에서 睿令兩殿은 睿·仁兩殿, 곧 睿宗과 仁宗의 두 帝王을 指稱하는 것으로 이해하여야 한다는 견해가 있으나(東亞大學 1982년 2책 395面), 睿(帝王)와 令(皇太子)의 兩殿을 가리키는 것으로 추측된다.

339) 이와 같은 기사가 열전35, 宦者, 白善淵에도 수록되어 있는데, 金鏐(김류)는 金龗(김롱)으로 되어 있다(盧明鎬 等編 2016년 301面).

340) 이는 海印寺 法寶殿과 大寂光殿의 불상의 腹藏에 봉안된 『般若心經』의 願文에 의거하였다.

冬十月乙未朔大盡,辛亥, 己亥5日, 出御龍興寺.
丙午12日, 移御興王寺.

十一月乙丑朔小盡,壬子, 戊辰4日, 移御幸生院.
○遣禮賓少卿崔偎如金, 謝賀生辰, 報前年耶律成正之來也.
庚辰16日, 金遣少府監李衛國來, 賀生辰.341)
[是月, 又遣司宰少卿金起如金, 賀正:追加].342)

[十二月甲午朔大盡,癸丑:追加].

[是年, 刑部侍郎·知制誥崔祐甫爲判小府監事·知制誥:追加].343)
[○以內弓箭庫判官金閔甫爲景靈殿判官:追加].344)

戊子[毅宗]二十二年, 金大定八年, [南宋乾道四年], [西曆1168年]

1168년 2월 11일(Gre2월 18일)에서 1169년 1월 29일(Gre2월 5일)까지, 354일

春正月甲子朔大盡,甲寅, 王御館北宮受賀, 賦詩, 示儒臣.

史褘는 1159년(의종13) 2월 文公裕의 묘지명을 찬한 史偉의 다른 표기일 것이다(崔鉛植 2014年 ; 郭丞勳 2021년 120面).
· 『般若波羅蜜多心經』, 卷末願文[朱書], "伏爲先伯父尙書工部侍郎史褘史偉,」 往生西方,見」 佛聞法之願, 印成. 時丁亥九月日,」 奉三寶弟子國子進士史謙光誌]"(法寶殿).
· 『般若波羅蜜多心經』, 卷末願文[墨書], "特爲親父母無病長生之」 願,印成.丁亥九月日誌,」 弟子國子學生史柔直」"(大寂光殿).
· 「文公裕墓誌銘」, "檢校太子太保·承務郎·行試尙書工部侍郎·知制誥·賜紫金魚袋史偉撰".

341) 金에서 少府監 李衛國은 9월 17일(辛巳)에 파견이 결정되었다.
· 『금사』 권6, 본기6, 世宗上, 大定 7년 9월, "辛巳, 以都水監李衛國爲高麗生日使".

342) 이는 다음의 자료에 의거하였다.
· 『금사』 권61, 표3, 交聘表中, 大定 7년, "十二月壬戌29日, 高麗禮賓少卿崔偎賜謝生日使".
· 『금사』 권6, 본기6, 世宗上, 大定 8년 1월, "甲子朔, 宋·高麗·夏遣使來賀".
· 『금사』 권61, 표3, 交聘表中, 大定 8년, "正月甲子朔, 高麗司宰少卿金起賀正旦".

343) 이는 「崔祐甫墓誌銘」에 의거하였다.

344) 이는 「金閔甫墓誌銘」에 의거하였다.

丁丑[14日], 燃燈, 王如奉恩寺.

戊寅[15日], 宴群臣徹夜, 至翌日[己卯16日]日中, 乃罷.

庚辰[17日], 移御興王寺.

甲申[21日], 移御猫串江書齋.[345]

丙戌[23日], 還宮.

己丑[26日], 以江陽伯瑊之女, 爲太子妃.

癸巳[30日], 王以夢中所製詩, 示群臣, 其末聯云, "布政仁恩洽, 三韓致大平[太平]". 臣僚稱賀.

[某日, 以金必端爲慶尙道按察使:慶尙道營主題名記].

二月[甲午朔小盡,乙卯], 乙未[2日], 飯僧一千于宣慶殿.

辛丑[8日], 移御館北宮.

丁未[14日], 進江陽伯瑊爲侯.[346]

[○月食, 密雲不見:天文2轉載].[347]

[是月, 遣尙書戶部侍郞金光利如金, 獻方物, 朝散大夫·秘書少監趙湜, 賀萬春節:追加].[348]

三月[癸亥朔小盡,丙辰], 辛未[9日], 移御慶明宮.

丁丑[15日], 幸西京, 時, 王母弟翼陽·平凉二侯, 頗得衆心, 王疑有變, 移御以避之.

庚辰[18日], 駕至平州崇壽院西亭, 召宰輔·侍臣行酒, 泛小舟于南溪, 泝流遊賞, 至晡乃罷.

壬午[20日], 住蹕[駐蹕]黃州洞仙驛, 宴于碧波亭, 又泛舟南溪, 至夜宴樂, 賜樂工及雜戲人, 白金三斤.[349]

---

345) 여러 판본의 『고려사』에서 猫串江의 猫가 다른 글자로 組版되어 있다.

346) 이 기사는 열전3, 肅宗王子, 太原公侾에도 수록되어 있다.

347) 이날 宋에서는 皆既月食이었고(『송사』 권52, 지5, 천문5, 月食), 일본의 교토에서도 皆既月食이었다고 한다. 이날은 율리우스력의 1168년 3월 25일이고, 월식 현상이 심했던 때의 世界時는 10시 42분, 食分은 1.80이었다(渡邊敏夫 1979年 477面).

348) 이는 다음의 자료에 의거하였다.

- 『금사』 권61, 表3, 交聘表中, 大定 8년 3월, "己亥朔, 高麗尙書戶部侍郞金光利進奉使, 朝散大夫·秘書少監趙湜, 賀萬春節".
- 『금사』 권6, 본기6, 世宗上, 大定 8년 3월, "癸亥朔, 萬春節, 宋·高麗·夏遣使來賀".

乙酉[23日], 至西京.

丙戌[24日], 謁太祖眞□□□[于感眞]殿.

丁亥[25日], 飯僧于內殿.

戊子[26日], 御觀風殿, 下敎曰[~~下詔曰~~],[350] "朕聞鎬京萬世不衰之地, 後之王者, 臨御于此, 頒下新敎[詔], 則國風淸明, 小民安泰. 朕卽政以來, 萬機實繁, 未暇巡御, 今以日官所奏, 來幸此都, 將欲革舊鼎新, 復興王化. 採古聖勸戒之遺訓, 及當時救弊之事務, 頒布新令.

一. 奉順陰陽. 近來, 發號施令, 反乖陰陽, 以是, 寒燠失序, 民物不安. 自今以後, 賞以春夏, 刑以秋冬, 凡所行事, 一依月令.

一. 崇重佛事. 時當末季, 佛法漸衰. 凡祖宗時開創裨補寺社, 及古來定行法席寺院, 與別祈恩寺社. 如有殘弊, 主掌官隨卽修葺.

一. 歸敬沙門. 近來僧徒, 貪生謀利, 比比皆是, 今欲激濁揚淸, 以救其弊. 其有淸高僧徒, 遁迹山林者, 所在官搜訪薦奏.

一. 保護三寶. 其佛舍珍寶·米麪·雜物, 近因內侍院及諸司奏取費用, 僧徒嘆怨. 自今憲臺遍令曉諭禁斷.

一. 遵尙仙風. 昔新羅, 仙風大行. 由是, 龍天歡悅, 民物安寧. 故祖宗以來, 崇尙其風, 久矣. 近來, 兩京八關之會, 日減舊格, 遺風漸衰. 自今八關會, 預擇兩班家產饒足者, 定爲仙家, 依行古風, 致使人天咸悅.

一. 救恤民物. 國家特立東·西大悲院及濟危寶, 以救窮民. 然近來, 任是官者, 率非其人, 故或有饑饉不能存者, 疾病無所依附者, 未能收集救恤. 於寡人愛民之心, 何如哉. 自今吏部, 擇能堪其任者, 委之, 使憲臺, 糾察能否, 以爲勸懲.

[□ᅳ. 化民成俗, 必由學校. 自祖宗以來, 於外官, 差遣文師一員, 又有儒臣爲守, 則兼管勾學事, 以勸學. 近聞任是職者, 但以謀利爲先, 勸學之方, 略不留意, 志學之士, 無由聞達, 朕甚憫焉. 如有各官文師及管勾學事者, 勸學育才, 以副朕意, 則

---

349) 住驛은 駐驛의 오자인데, 『고려사절요』 권11에는 옳게 되어 있다. 또 이와 관련된 자료도 찾아진다.

· 『신증동국여지승람』 권41, 黃州牧, 古跡, "古洞仙驛, 今移鳳山. 高麗毅王二十二年, 駐驛黃州洞仙驛, 宴于碧波亭, 又泛舟南溪, 至夜宴樂, 賜樂工·雜戲人白金".

350) 延世大學本과 東亞大學本에는 下敎田으로 되어 있으나 오자이고, 下敎曰은 下詔曰로 고쳐야 옳게 될 것이다. 이 詔書의 일부분을 수록하고 있는 기사에서도 詔로 되어 있다.

· 지28, 선거2, 學校, "毅宗二十二年三月, 詔曰, 化民成俗, 必由學校, …".

· 지29, 선거3, 薦擧, "毅宗二十二年三月, 詔曰, "近世薦擧路絶, …".

兩界兵馬使, 各道按察使, 注名馳報. 朕將不待政滿, 隨卽擢用:選擧2學校轉載].

[□乛. 近世薦擧路絶, 賢不肖混淆. 其文筆可以華國者, 兩府宰樞·臺省·侍臣·諸司·知制誥及留守官, 各上書奏薦:選擧3薦擧轉載].

[□乛. 昔, <u>周王</u>卑服, 卽康功, <u>漢帝</u>, 器不<u>雕鏤</u>, 朕切慕焉. 近見, 內外公私, 奢侈成風, 衣服必用錦繡, 器皿必用金玉, 甚乖寡人節儉之意. 自今, 內外所司, 痛行禁斷":刑法2禁令轉載].[351]

○<u>敎下</u>[~~詔下~~], 百官庭賀. 是日, 宴宰樞·近臣於淸遠樓, 相與唱和爲樂.

[某日, [參知政事?]金永胤△[爲]知貢擧, 金光中△[爲]同知貢擧, 取張令才等二十七人·明經四人:選擧1選場轉載].[352]

夏四月[壬辰朔大盡,丁巳], 癸巳[2日], 幸興福寺, 泛龍船於南浦, 宴宰樞·近臣.

丁酉[6日], 幸洪福寺, 又宴于多景樓, 賜水戱人白金二斤.

己亥[8日], 宣旨曰, "西都乃祖宗巡御之地, 自經乙卯[仁宗13年]之亂, 國家多事, 累年未得巡御. 今欲舊染汚俗, 咸與惟新, 亦將延基保業, 乃幸是都. 迎駕時, 有所違誤, 爲有司所拘執者, 公徒·私杖以下, 贖銅徵瓦, 並皆放除. 又乙卯年[仁宗13年], 緣坐配南界者, 亦令放還, 諸領府及三衛軍, 迎駕有勞者, 給大倉·典廨庫米人一碩".

---

351) 이 구절은 다음의 자료에서 따온 것이다(蔡雄錫 2009년 435面).
- 『尙書注疏』 권15, 無逸第17, "文王卑服, 卽康功田功".
- 『후한서』 권10上, 皇后紀10上, 鄧皇后紀, "… 彫鏤翫弄之物, 皆絶不作. 離宮·別宮, 儲峙米, 糒薪炭, 悉令省之".
- 『皇王大紀』 권65, 三王紀, 敬王, 26년, "器不彫鏤, 宮室不觀, 舟車不飾, …".

352) 이는 지27, 선거1, 科目1, 選場에서 전재하였다. 이때 張令才·李勝章(李勝章墓誌銘)·崔孝思(崔孝思墓誌銘, 崔坦으로 改名) 등이 급제하였다(朴龍雲 1990년 ; 許興植 2005년).
이때 급제한 崔孝思는 金永胤의 門下에서 급제하였다고 하는데, 金永胤이 1163년(의종17) 9월(同知貢擧), 1166년(의종20) 5월과 1168년(의종22) 3월(知貢擧) 등의 3차에 걸쳐 과거를 주관하였기에 어느 시기에 及第하였는지를 판가름하기가 어려웠다(金龍善 2006年 譯注篇 513面). 그렇지만 관련된 자료를 면밀히 살펴보면 급제시기를 알 수 있다.
- 「崔孝思墓誌銘」, "於金相國<u>永胤</u>門下登科, 例補中和縣, 周有飛蝗入境, 公巡祈告, 忽大雨, 其災卽息, 以課最入調敬德宮錄事. 明王八年, 分遣察訪使, 行問州郡前後守令政績, 公登第一. 由是, 驟遷都校署令兼軍府叅謀".

이 자료에서 明王八年은 刻字 또는 判讀에서 발생한 明王九年의 오류일 것이다. 곧 崔孝思가 급제한 후 中和縣令(혹은 縣尉)에 임명되어 境內에 날아 들어온 메뚜기를 물리친 功績에 의해 敬德宮錄事에 임명되었고, 1178년(명종8) 1월에 파견된 察訪使가 1169년 이래('限十年以前')의 考課 評定[殿最]을 시행할 때 1등으로 보고되었다고 한 점을 보아 그의 급제 시기는 1168년(의종22)임을 알 수 있다.

庚子9日, 宴群臣於長樂殿. [是時, 尹鱗瞻作君臣大宴致語:追加].353)
壬寅11日, 以河清節, 又宴於長樂殿.
甲辰13日, 幸永明寺, 泛舟于大同江.
乙巳14日, 御浮碧樓, 觀神騎軍弄馬戱, 賜白金二斤.
丙午15日, 又御浮碧樓, 觀水戱, 賜白金·布物, 宴宰樞·侍臣于舟中, 夜分乃罷.
[是月頃, 鄭肅忠, □□□□□掌國子監試, 取王光純等:選擧2國子試額轉載].

[五月壬戌朔小盡,戊午:追加].

[六月辛卯朔小盡,己未:追加].

[秋七月庚申朔大盡,庚申, 某日, 以蘇良遇爲慶尙道按察使:慶尙道營主題名記].

[八月庚寅朔小盡,辛酉:追加].
[增補].354)

[九月己未朔小盡,壬戌:追加].

秋□□~~某月~~, 至□□~~開京~~自西京. [先是, 還駕駐平州, 以禪師德素爲大禪師:追加].355)

[冬十月戊子朔大盡,癸亥, 丙午19日, 雷電:五行1雷震轉載].

冬十一月戊午朔大盡,甲子, 甲戌17日, 金遣翰林待制完顔靖來, 賀生辰.356)

---

353) 이는『東人之文四六』권8, 西都君臣大宴致語, 戊子四月九日에 의거하였다.
354) 이달의 16일(己未, 高麗曆과 同一) 교토[京都]에서 月食이 예측되었으나 이루어지지 않았던 것 같다.
· 『師守記』, 康永 4년 8월 10일, 駒遣當月蝕例, "仁安三年八月十六日有駒牽, 上卿以上參入, 今夜可有月蝕之由, 曆道申之, 而不正現".
355) 이는「永同寧國寺圓覺國師塔碑」에 의거하였다.
356) 金에서 翰林待制 完顔靖은 10월 7일(乙未)에 파견이 결정되었다.
· 『금사』권6, 본기6, 世宗上, 大定 8년 10월 乙未, "以翰林待制靖爲高麗生日使".
· 『금사』권61, 表3, 大定 8년 10월, "乙未, 以翰林待制兼同修國史宗室靖爲高麗生日使".

丁丑[20日]，耽羅安撫使趙冬曦入覲．耽羅險遠,[357] 攻戰所不及，壤地膏腴，經費所出．先是，貢賦不煩，民樂其業，近者，官吏不法，賊首良守等謀叛，逐守宰．王命冬曦，持節宣諭，賊等自降，斬良守等二人及其黨五人，餘皆賜穀帛，以撫之．

是月，遣禮賓少卿徐諴如金，謝賀生辰．[又遣司宰少卿陳玄光如金，賀正:追加].[358]

[十二月[戊子朔大盡,乙丑]，丁未[20日]，月犯角星:天文2轉載].

[是年，[判小府監事·知制誥]崔祐甫爲判小府監事·知工部事:追加].[359]

[○以[隊正]金純爲攝校尉:追加].[360]

[仁同人 張東翼 校注，增補].

---

357) 耽羅에의 왕래가 험준하고 멀다는 것[險遠，險阻遙遠]은 조선 후기의 여러 기록을 통해 유추할 수 있다. 그중에서 가장 잘 기술된 것은 金春澤(1670~1717)의 見聞記이다(『北軒集』 권14，涉海錄).

· 『圃巖集』 권13，耽羅候風記，"항海，不候風不航，適耽羅者，候于寶吉島[甫吉島]．耽羅而陸者，候于禾北浦．戊申[英祖4年]，余入海赴謫，留寶吉三日乃發，到中洋風輒止，舟不得前．命擢夫盡力刺船，望禾北在莽蒼間，擧火相報，夜已黑風且逆，不敢入港口．迆邐隨風循州城西下，黎明得泊岸．己酉[7年]冬，蒙恩內移時，沍寒無順風，留城中四十日，出禾北，又十餘日．始以翌年正月登船．日向午，風頭甚駛，掛席過火脫[海中石峯]，視日可昏，到寶吉外島．會暮，逆浪大至，舟左右搖仄，柁子環船尾，呼號祈祝．進退皆失勢，遂回入楸島寄宿．夜聞婦女號啕聲，問之，云島中丈夫，往前島斫柴暮歸，舟爲風所覆，數十人皆溺死，其地卽余舟避風回過之所，爲之慄然體寒．翌日由內洋，又一日，達康津，追思往來所經歷，皆危途也．… 況行販走賈，蔦目營營，不擇險而赴者乎？耽羅在海中，最險遠．爲官者多武進，而間有文吏，亦非時選．故士大夫非遷謫，則罕至矣".

· 『北軒集』 권3，李僉使子翼，領移轉粟入海十餘船，皆安泊，此已奇矣．

· 『北軒集』 권3，船未發者三月，今朝忽聞發去，及走登[朝天館]南樓，望焉．

358) 이는 다음의 자료에 의거하였다. 이때 徐諴는 『고려사』에서 謝賜生日使로 되어 있으므로，a는 b와 같이 고쳐야 할 것이다[校正事由].

· a 『금사』 권61，표3，交聘表中，大定 9년，"正月戊午朔，高麗司宰少卿陳玄光，禮賓少卿徐諴等賀正旦".

· b 『금사』 권61，표3，交聘表中，大定 9년，"正月戊午朔，高麗司宰少卿陳玄光□□□[賀正旦]，禮賓少卿徐諴等賀正旦[謝賜生日]".

· c 『금사』 권6，본기6，世宗上，大定 9년 1월，"戊午朔，宋·高麗·夏遣使來賀".

359) 이는 「崔祐甫墓誌銘」에 의거하였다.

360) 이는 「金純墓誌銘」에 의거하였다.

『高麗史』卷十九 世家卷十九

[輔國崇祿大夫·議政府左贊成·知集賢殿經筵春秋館成均事·世子賓客·臣金宗瑞奉敎撰]
正憲大夫·工曹判書·集賢殿大提學·知經筵春秋館事兼成均大司成·臣鄭麟趾奉敎修

毅宗 三

己丑[毅宗]二十三年, 金大定九年, [南宋乾道五年], [西曆1169年]

1169년 1월 30일(Gre2월 6일)에서 1170년 1월 18일(Gre1월 25일)까지, 354일

春正月戊午朔[大盡,丙寅], 王受朝賀, 代製臣僚賀正表, 宣示宰樞·近侍·國學文臣. 於是, 禁內六官文臣等奉表, 賀御製, 王喜賜酒果, 以行頭直翰林院田致儒, 屬內侍. 大學官又率六管學生, 與中朝制科者, 各上表稱賀, 賜酒酺.

辛未[14日], 燃燈, 王如奉恩寺.

丁丑[20日], 設消灾道場於宣慶殿.

[○月食角大星:天文2轉載].

己卯[22日], 醮二十八宿, 又醮北斗.

甲申[27日], 設二十七位醮於奉元殿, 天帝釋道場於修文殿七日.

乙酉[28日], 移御楊堤洞離宮.

丁亥[30日], 幸奉香里離宮,[1)] 宴群臣, 仍賜宋商及日本國所進玩物.

[某日, 以□□[少卿]李文著爲慶尙道按察使:慶尙道營主題名記].

二月[戊子朔小盡,丁卯], 乙未[8日], 幸喜美亭, 醮十一曜·二十八宿於內殿.

戊戌[11日], 宴群臣.

庚子[13日], 夜, 移御選地書齋.

[辛丑[14日], 月食:天文2轉載].[2)]

---

1) 奉香里는 開京의 東部[城東]에 소속된 奉香坊 △△里(自然里名) 또는 奉香坊 第△里(編戶里名)의 略稱일 가능성이 있다(지10, 지리1, 王京開城府, 朴龍雲 1996년). 이곳에 거주했던 사람으로 1202년(신종5)까지의 李奎報와 1210년(희종6)의 戶部侍郎 盧琯 등이 찾아진다(『동국이상국집』 권23, 止止軒記, 권24, 天開洞記 ; 盧琯妻鄭氏墓誌銘).

丁未[20日]，幸念賢寺.

己酉[22日]，移御順和齋. 醮十一曜·南北斗·二十八宿·十二宮神於修文殿.

癸丑[26日]，移御館北宮.

乙卯[28日]，設三界醮. 時，齋醮之費寖繁，都祭·都齋二庫，未支其用. 又立館北·奉香·泉洞三宮，各置員僚，徵求諸道，轉輸三宮者，絡繹於道，民皆愁嘆. 內侍劉邦義·秦得文·李竦·金應和·金存偉·鄭仲壺·希胤·魏綽然等，深結宦寺，約爲兄弟，以剝民媚主爲事. 創寺繪佛，設齋祝聖. 又制別貢，金銀·鍮銅·器皿山積. 由是得幸，不次除官，任言責者，皆阿上意，無一直諫者.

[是月，遣秘書少監金利誠如金，賀萬春節，朝散大夫·衛尉少卿崔㥠爲進奉使: 追加].[3)]

三月[丁巳朔大盡,戊辰]，己未[3日]，王以巡御西都，親製疏文，設羅漢齋于山呼亭.

辛酉[5日]，醮太一·十一曜·南北斗·十二宮神於內殿.

乙丑[9日]，幸西京.

戊辰[12日]，駐蹕平州，泛舟崇壽院南池，夜宴扈從臣僚.

乙亥[19日]，至西京.[4)]

己卯[23日]，幸永明寺，泛龍船於大同江，置酒，遂御浮碧樓.

庚辰[24日]，幸九梯宮.

壬午[26日]，自永明寺泛舟，至洪福寺，遂幸仁王寺.

癸未[27日]，幸八景亭，觀水戲.

乙酉[29日]，發西京.

---

2) 이날 宋에서는 월식이 예측되었으나 구름으로 인해 보이지 않았다고 하고(『송사』 권52, 지5, 천문5, 月食), 일본의 京都에서 15일(壬寅) 월식이 있었다고 한다. 또 이날(14일)은 율리우스력의 1169년 3월 14일이고, 월식 현상이 심했던 때의 世界時는 20시 30분, 食分은 0.59이었다(渡邊敏夫 1979年 477面).

3) 이는 다음의 자료에 의거하였다.
· 『금사』 권61, 表3, 交聘表中, 大定 9년 3월, "丁巳朔, 高麗秘書少監金利誠如金賀萬春節, 朝散大夫·衛尉少卿崔㥠爲進奉使".
· 『금사』 권6, 본기6, 世宗上, 大定 8년 3월, "丁巳朔, 萬春節, 宋·高麗·夏遣使來賀".

4) 이때 西京留守官의 官員들이 毅宗에게 珍膳을 풍성하게 하려고 노력하였으나 兵部員外郞·留守判官 李文鐸은 그냥 바라보고만 있었다고 한다.
· 「李文鐸墓誌銘」, "遷兵部員外郞, □□□□[出西京留守]判官, 毅宗再幸西都, 同寮竝以饋獻媚上, 公獨無饋獻".

[某日, 以攝校尉金純爲校尉:追加].[5]

夏四月丁亥朔小盡,己巳, 辛卯5日, 雩, 自正月不雨, 至于是月.[6]

庚子14日, 駕至溳江龍瑞亭, 乘舟置酒.

癸卯17日, 還京都, 赦二罪以下. 詔,

□一. 加所歷名山·大川神祇號.

□一. 鰥寡·孤獨·篤癈疾及義夫·節婦·孝子·順孫, 並賜物.

□一. 扈從文武員吏, 加次第同正職. 其餘雜類, 賜物有差.

[□一. 太祖內外苗裔, 敍用:選擧3祖宗苗裔轉載].

[□一. 三韓壁上功臣子孫, 許初職:選擧3功臣子孫轉載].

[□一. 所歷州·府·郡·縣貢稅輸役, 許令全放, 公私息利, 亦皆減除:食貨3恩免之制轉載].

[某日, 參知政事?許洪材△爲知貢擧, 金于藩金于蕃△爲同知貢擧, 取李翼忠等二十九人:選擧1選場轉載].[7]

[是月頃, 金敦時, □□□□□掌國子監試, 取林廷等:選擧2國子試額轉載].[8]

五月丙辰朔大盡,庚午, [壬戌7日, 流星出翼, 入河鼓大星, 大如炬, 尾長五尺許:天文2轉載].

乙丑10日, 出御普賢院.

己巳14日, 移御慈孝寺.

辛未16日, 幸皇樂亭, 遂幸長湍.

乙酉30日, 還館北宮.

---

5) 이는 「金純墓誌銘」에 의거하였다.

6) 南宋에서는 여름과 가을에 浙東에서 旱魃이 심하였고, 그중에서 盱眙·淮陰(現 江蘇省 淮安市 盱眙縣, 淮陰縣)에서 더욱 심하였다고 한다(『송사』 권66, 지19, 오행4).

7) 이는 지27, 선거1, 科目1, 選場에서 전재하였는데, 金于藩은 金于蕃의 오자일 것이다. 곧 「閔瑛墓誌銘」과 「崔允儀墓誌銘」의 撰者는 모두 後者로 기록되어 있다.

8) 이때 李瑞林(1154?~1213)이 17歲로 司馬試에 合格하였던 것 같다, 李瑞林의 정확한 나이는 기록되어 있지 않고 墓誌의 銘에 耳順에 달했다고 하는데, 그가 17세 때인 1170년(의종24)에는 국자감시가 시행되지 않았다(「李瑞林墓誌銘」, "… 銘曰, 位正郎, 年耳順").

六月丙戌朔[小盡,辛未]，王如奉恩寺.

乙未[10日]，宴宰樞·侍臣于延福亭，移御玄化寺.

秋七月乙卯朔[小盡,壬申]，幸歸法寺，移御安和寺.

辛酉[7日]，將幸碧岑亭，御史臺伏閤，論離宮行幸之繁，與按察·察訪枉法之事，皆不聽.

丙寅[12日]，移御尙書右丞金光中第.

○金遣橫賜使·符寶郎徒單懷貞來，賜羊二千.［有一羊四角，樞密□[院]使李公升，以爲瑞獸，表賀. 時人，嘲爲四角承宣:節要轉載］.[9)]

［某日，以李子先爲慶尙道按察使:慶尙道營主題名記］.

八月甲寅朔[~~甲申朔~~大盡,癸酉]，日食.[10)]

己亥[16日]，移御普賢院.

［九月甲寅朔[小盡,甲戌]:追加］.

［十月癸未朔[大盡,乙亥]:追加］.

十一月[癸丑朔小盡,丙子]，甲戌[22日]，金遣大府監[~~太府監~~]馬貴忠來，賀生辰.[11)]

庚辰[28日]，宴金使于仁恩館.

---

9) 金에서 徒單懷貞의 파견은 5월 1일(丙辰)에 결정되었다. 이에서 使臣의 姓氏인 徒單[tudan]은 金代의 女眞族을 구성하는 중요한 部族의 하나인데, 후일 姓氏로 바뀌었다(部族名에서 由來된 複姓).
· 『금사』 권6, 본기6, 世宗上, 大定 9년 5월, "丙辰朔, 以符寶郎徒單懷貞爲橫賜高麗使".
· 『금사』 권61, 表3, 交聘表中, 大定 9년 5월, "以符寶郎徒單懷貞爲橫賜高麗使".

10) 甲寅朔은 甲申朔의 오자인데, 지1, 천문1과 『고려사절요』 권11에는 옳게 되어 있다. 이날 宋에서도 翼星에 일식이 豫告되었으나 구름[雰]으로 인해 보이지 않았다고 하며, 金에서는 비가 내려서 보이지 않았다고 한다(『송사』 권52, 지5, 천문5, 日食 ; 『금사』 권6, 본기6, 世宗上, 大定 9년 8월 甲申, 권20, 지1, 天文, 日薄食煇珥雲氣). 이날은 율리우스력의 1169년 8월 24일이고, 開京에서 일식 현상이 심했던 시간은 11시 38분, 食分은 0.51이었다(渡邊敏夫 1979年 307面).

11) 金에서 馬貴忠의 파견은 9월 1일(甲寅)에 결정되었다.
· 『금사』 권6, 본기6, 世宗上, 大定 9년 9월, "甲寅朔, … 提點司天臺馬貴忠爲高麗生日使".
· 『금사』 권61, 表3, 交聘表中, 大定 9년, "九月丙辰[3日], 以提點司天臺馬貴忠爲高麗生日使".

[是月, 義州移牒金大夫營, 王孫誕生, 欲遣使告奏:追加].[12)]
[○遣太府少卿裴衍如金, 謝賜生日, 司宰少卿李世美, 謝橫賜:追加].[13)]
[○又遣禮賓少卿陳升如金, 賀正:追加].[14)]

十二月壬午朔[大盡,丁丑], 中書侍郎平章事金永胤卒.[15)]
[某日, 中書侍郎平章事崔褎偁, 以病致仕:節要轉載].
庚子[19日], 王還館北宮. 以許洪林[許洪材]爲中書侍郎平章事·判尙書吏部事, 李光縉△[爲]試兵部尙書, 尹鱗瞻爲右諫議大夫, 金起莘爲侍御史·知製誥, 朴允恭爲殿中侍御史.

[是年, [李公升]上箋[士表]請老, 遂以參知政事·判工部事致仕:列傳12李公升轉載].[16)]
[○以[前知靈光郡事]吳元卿爲權知式目都監錄事:追加].[17)]

庚寅[毅宗]二十四年, 金大定十年, [南宋乾道六年], [西曆1170年]

1170년 1월 19일(Gre1월 26일)에서 1171년 2월 6일(Gre2월 13일)까지, 13개월 384일

春正月壬子朔[大盡,戊寅], 王受賀於大觀殿, 親製臣僚賀表, 宣示群臣, 表曰, "三陽應序, 萬物惟新, 玉殿春回, 龍顔慶洽. 體一元而敷惠, 歛[斂]諸福以大和,[18)] 是大人

---

12) 이는 다음의 자료에 의거하였다. 당시 고려의 義州와 金의 大夫營은 兩國間 國境接觸의 窓口였고, 그 후 來遠軍와 寧德城이 이를 代身하였다(→의종 19년 3월 辛亥[2日], 고종 3년 9월 戊子[8日], 4년 1월 甲申[6日]).
· 『금사』 권61, 표3, 交聘表中, 大定 9년, "十二月戊戌[17日], 高麗邊報稱王晛, 誕得繼孫, 欲遣使奏告".
13) 이는 다음의 자료에 의거하였다.
· 『금사』 권61, 표3, 交聘表中, 大定 9년, "十二月庚戌[29日], 高麗太府少卿裴衍謝賜生日, 司宰少卿李世美謝橫賜".
14) 이는 다음의 자료에 의거하였다.
· 『금사』 권6, 본기6, 世宗上, 大定 10년 1월, "壬子朔, 宋·高麗·夏遣使來賀".
· 『금사』 권61, 표3, 交聘表中, 大定 10년 1월, "壬子朔, 高麗禮賓少卿陳升賀正旦".
15) 이날은 율리우스曆으로 1169년 12월 20일(그레고리曆 12월 27일)에 해당한다.
16) 上箋은 上表로 고쳐야 옳게 될 것이다.
17) 이는 「吳元卿墓誌銘」, "至於己丑年權點式目錄事"에 의거하였다.
18) 여러 판본의 『고려사』에서 歛으로 되어 있으나 斂으로 해야 옳게 된다(東亞大學 2008년 7책

道長之初，乃陽德氣萌之始．恭惟陛下，重高之聖哲，[19] 疊舜之聰明，百福是叢，新又新而不息，天齡更固，月復月以無期．仁洽道豊，微一物不獲其所，修文偃武，實萬世無疆之休．適當交泰之時，益篤方來之慶，擁神休於北闕，保國壽於南山．玉帛爭來，萬邦預駿奔之列，梯航畢集，四方無後至之人．受賀良辰，倍鍾純嘏，況今以萬機之暇，修三接之勤，樂與詞臣，垂文章四六之盛作，天臨密席，講詩書經史之妙文．自北使上壽而致辭，日域獻寶而稱帝，常有天神之密助，每加福慶以川增，開不世之新祥，接王者之一統．臣鄰歸美，史册有光，生民已來，今日無對．臣等，遭逢盛世，涵泳明時，仰瞻萬乘之威，趨詣北辰之所．六樂九奏，雖一比簡子之遊，萬歲三呼，胡不祝漢皇之壽．百官表賀．是日，御奉元殿，講書益稷”．[20]

[癸亥[12日]，廣平公源卒，年八十八:追加]．[21]

丙寅[15日]，燃燈，王如奉恩寺．

己卯[28日]，王如靈通寺，設華嚴會，親製佛疏，宣示文臣，百官表賀．

[某日，以梁文瑩爲慶尙道按察使，朴純嘏爲西海道按察使:慶尙道營主題名記]．[22]

辛巳[30日]，還宮，命諸王，結綵幕於廣化門左右廊．管絃房·大樂署結綵棚，陳百戲，迎駕，皆飾以金銀·珠玉·錦繡·羅綺·珊瑚·玳瑁，奇巧奢麗，前古無比．國子學官率學生，獻歌謠．王駐輦觀樂，至三更，乃入闕．承宣[左承宣]金敦中·[右承宣?]盧永醇·[右副承宣]林宗植，饗王于奉元殿，王歡甚，達曉而罷．

○大原公俸卒．[23]

二月[壬午朔大盡,己卯]，甲申[3日]，狼星見于南極，西海道按廉使[~~按察使~~]朴純嘏，以爲老人

300面）．

19) 重高는『고려사절요』권11에는 重堯로 되어 있으나『의종실록』에서는 定宗의 御諱를 避하여 前者로 되어 있었을 것이다．

20) 益稷은『尙書』의 篇名(今文에는 皐陶謨에 合綴)으로 禹王을 輔佐하여 治水에 功을 세운 伯益과 后稷을 함께 稱하는 말이다．

21) 이는「廣平公王源廟誌銘」에 의거하였는데，이날은 율리우스曆으로 1170년 1월 20일(그레고리曆 2월 6일)에 해당한다．

22) 朴純嘏의 임명은 是年 2월 3일(甲申)에 의거하였다．

23) 太原公 俸(肅宗의 5子)는 그의 廟誌銘에 1161년(의종15) 4월 10일(壬子)에 逝去하였다고 되어 있다(大原公王俸廟誌銘)．그런데 이 기사와 그의 열전에는 1170년(의종24)에 서거하였다고 되어 있지만(열전3，宗室1，肅宗)，當代의 기록이 더 옳을 것이다．그러므로 이 기사는 이달 12일(癸亥)에 逝去한 廣平公 源(文宗의 子인 朝鮮公 燾의 子)의 逝去를(廣平公王源廟誌銘) 잘못 기록한 것으로 추측되므로“是月，廣平公源卒”의 오류일 가능성이 있다．

星，馳驛以聞.[24)]

壬辰11日，以中書侍郎平章事許洪材·知門下省事崔溫△爲判中軍兵馬事，同知樞密院事徐醇·樞密院副使李光縉爲中軍兵馬使.

甲辰23日，幸延福亭，召中書侍郎平章事許洪村許洪材·知御史臺事李復基·起居注韓賴等，泛舟宴樂，竟日，遂御和平齋.

辛亥30日，王如靈通寺.

[是月，遣衛尉少卿崔佐崔詵進奉使，尙書禮部侍郞崔光陟吳光陟等賀萬春節:追加].[25)]

三月壬子朔小盡,庚辰，乙卯4日，移御延福亭.

丁巳6日，王欲遊西江，夢有一婦人，立門告曰，"王若遊西江，必待五月"，王覺而乃止.

庚申9日 與中書侍郎平章事許洪材·知御史臺事李復基·起居注韓賴·左承宣金敦中等，泛舟曲宴.

壬戌11日，亦如之.

乙丑14日，又宴于舟中，夜半，幸玄化寺，道遇大雨，馳馬而至.

己巳18日，遣知門下省事崔溫，祭西京老人堂，右副承宣林宗植，祭老人星于海州床山，凡內外有老人堂，皆遣使，祭之.[26)]

---

24) 2월의 기사는 壬辰(11일)，甲辰(23일)，甲申(3일)，辛亥(30일)의 순서로 되어 있는데，甲申(3일)을 앞으로 移動하였다. 甲申의 내용이 狼星(큰개자리의 시리우스星)의 出現이므로 지2，天文2，星變과 『고려사절요』 권11에도 날짜[日辰]가 기록되어 있다. 이처럼 기사의 순서가 바뀐 것은 『고려사』의 編纂 또는 組版 과정에서 발생한 오류일 것이다. 또 이 시기에는 按察使의 改稱이 없었으므로 按廉使는 按察使의 오자일 것이다.

25) 이는 다음의 자료에 의거하였다. 이 기사에서 崔佐은 崔詵일 가능성이 있다. 이는 같은 해 9월에 武臣政變으로 인해 毅宗이 廢位되고 明宗이 擁立되었을 때，金[北朝]에 들어가는 修製는 모두 崔詵이 지었다는 것에서 類推할 수 있다(『동국이상국집』 권7，上崔樞密詵). 또 그가 띠고 있는 衛尉少卿(從4品)은 借職으로 推定되는데，이는 崔詵이 1178년(명종8) 1월 22일(丁巳) 工部郎中(정5품)으로 在職，1180년(명종10) 6월 29일(庚戌) 이후 右司諫(정6품)으로 罷免，1181년(명종11) 6월[季夏] 16일[載生魄] 文林郎·試禮賓少卿(從4品)·知制誥(安東龍斗山龍壽寺開刱記，天理大學 所藏，徐守鏞 1992년→의종 즉위년 秋某月의 脚注)로 在職하였음을 통해 알 수 있다.

· 『금사』 권61，表3，交聘表中，大定 10년 3월，"壬子朔，高麗衛尉少卿崔佐崔詵進奉使，尙書禮部侍郞崔光陟吳光陟等賀萬春節". 여기에서 최광척은 오광척의 오자일 것이다.

· 『금사』 권6，본기6，世宗上，大定 10년 3월，"壬子朔，萬春節，宋·高麗·夏遣使來賀".

26) 이러한 老人星을 祭禮하던 祭壇(南極星祠堂，老人星壇，老人堂)은 조선시대의 漢城府 屯地山，善山府 竹林寺，文義縣 九龍山 등에도 있었던 것 같다.

· 『세종실록』 권148，지리지，漢城府，"… 老人星壇·圓壇·靈星壇·風雲雷雨壇[注，皆在崇禮門

[某日，以閤門祗候文克謙爲殿中內給事．克謙既貶爲黃州判官，未幾，坐微過免，王猶怒前事，復斥爲晋州判官，或奏曰，克謙直臣，不宜連貶外州，以防言路．王不得已，乃有是除.:節要轉載].

[→克謙在黃州，吏民愛慕政聲．然有貴近挾宿憾，構微過，奏請免官．王亦怒前事，又貶晋州判官，有司奏，"克謙直臣，不宜連貶外官，以防言路"．乃授閤門祇候，遷殿中內給事:列傳12文克謙轉載].

夏四月辛巳朔大盡,辛巳，親醮老人星于內殿．

甲申4日，忠州牧副使崔光鈞奏，"前月二十八日己卯，祭老人星于文義縣竹杖寺，其夕壽星見，至三獻，乃沒"．王大喜，百官稱賀．

壬辰12日，幸延福亭，宴侍臣于舟中，夜半乃罷．

丙申16日，禁內六官文臣表賀壽星再見，賜酒果．

乙巳25日，以壽星再見，命太子醮于福源宮，中書侍郎平章事許洪材醮于賞春亭，左承宣金敦中祭于忠州竹杖寺．王欲親醮老人星，命判禮賓省事金于蕃·郎中陳力升，構堂於眞觀寺南麓．又立別恩祈所，造金銀花及金玉器皿．

戊申28日，幸和平齋．[時，王遊幸無時，每至佳境，輒駐蹕，與近倖文臣，觴詠忘返，扈從將士，疲困生嗔，大將軍鄭仲夫出旋，牽龍行首·散員李義方·李高，從之，密語仲夫曰，"今日，文臣得意醉飽，武臣皆飢困，是可忍乎?" 仲夫曾有燃鬚之憾，遂構兇謀:節要轉載].

[→毅宗二十四年，王幸和平齋，又與近幸文臣，觴詠忘返，扈從將士飢甚．大將軍鄭仲夫出旋，牽龍行首·散員李義方·李高，從之，密語仲夫曰，"文臣得意醉飽，武臣皆飢困，是可忍乎?"．仲夫曾有燃鬚之憾，乃曰，"然"．遂構兇謀:列傳41鄭仲夫轉載].

五月辛亥朔小盡,壬午，宴文臣于和平齋，唱和至夜，命內侍黃文莊，執筆以書，群臣稱贊聖德，謂之大平太平好文之主．

戊辰18日，幸延福亭，夜，泛舟宴侍臣．

外屯地山]".

· 『세종실록』 권150, 지리지, 善山都護府, "竹林寺, 在府城內西隅[注, 古者, 以南極老人星照臨之地, 每年春秋, 遣使行祭, 今有祭星壇".

· 『신증동국여지승람』 권15, 忠淸道 文義縣 山川, "九龍山, 在縣西十二里, 山頂有老人星殿古基, 其畫像至今猶存. 又見懷仁縣".

庚午[20日], 亦如之.

丁丑[27日], 移御念賢寺. [乘輿將發, 與[中書侍郎平章事]許洪材·李復基·韓賴等, 置酒舟中. 君臣皆沈醉, 夜分忘歸, ~~衛士深怨韓·李.~~ 金敦中前, 白王曰, "自朝至夜, 扈從軍卒, 皆飢倦, 王何樂之甚? 且夜晦冥, 有何觀覽, 久留此耶?". 王不悅, 命駕而行, 已向曉矣:節要轉載].[27)]

閏[五]月[庚辰朔大盡,壬午], 辛巳[2日], 王如奉恩寺, 還御延福亭, 夜宴侍臣.

癸未[4日], 命內侍·殿中監金闡, 設宴于延福亭, 與宰樞·承宣·臺諫, 乘舟酣宴, 徹夜不止.

翼日[甲申5日], 群臣皆大醉, 插花滿帽, 倒載而退.

丁亥[8日], 王還宮, 以壽星再見, 將受賀也.

庚寅[11日], 御大觀殿, 受朝賀, 仍宴文武常參官以上. 王親製樂章五首, 命工歌之, 結綵棚, 陳百戲, 至夜乃罷, 賜赴宴官馬各一匹. 是夜, 又與[起居注]韓賴·[知御史臺事]李復基, 曲宴便殿, 特賜紅鞓·犀帶, 以示寵異.

壬辰[13日], 幸延福亭, 群臣皆占所見之物, 爲嘉瑞. 蓬艾三莖, 生於亭, 以爲瑞草. 內侍黃文莊見水鳥, 指爲玄鶴, 作詩讚之. 王稱嘆良久, 乃自製詩, 以和之. 思欲直拜正言, 以爲年少, 改爲國子博士·直翰林院.

丙申[17日], 王孫生, 王喜欲遣使告于金, 卽命同文院移牒, 以待金國指揮. 金主[世宗]聞之曰, "彼國誕得繼孫, 良爲慶事, 欲申告謝, 已識忠勤, 不煩遠遣使來". 事遂寢.

丙午[27日], 曲宴于舟中.

六月庚戌朔[小盡,癸未], [大暑]. 延福亭南川堤決, 命復塞之.

戊午[9日], 詔曰, "軍卒力竭, 不能堤防, 宜發丁坊里, 築之. 開水門四五所, 創亭堤上, 植以奇花·異木".

癸酉[24日], 移御普賢院.

[夏某月, 郎將申甫純, 赴東北面防戍:追加].[28)]

---

27) 添字는 열전11, 金富軾, 敦中에 의거하였다.

28) 이는「申甫純墓誌銘」에 의거하였다.

秋七月己卯朔(小盡,甲申), 日食.[29)]

庚辰(2日), [處暑]. 與(中書侍郎平章事)許洪材·李復基·韓賴等, 泛舟于普賢院南溪, 置酒唱和.

壬午(4日), 又曲宴.

甲申(6日), 李復基私獻服玩及酒肉脯果, 夜, 王泛舟, 宴宰樞·侍臣, 顧謂復基曰, “愛君之忠, 誰復如卿”.

乙酉(7日), 亦如之.

甲午(16日), 以(中書侍郎平章事)許洪材爲門下侍郎同平章事(門下侍郎同中書門下平章事), 崔溫△(爲)參知政事, 李光縉△(爲)同知樞密院事, 梁純精爲樞密院副使. 左遷知樞密院事徐淳爲尙書左僕射·判秘書省事. 淳, 質直無華, 不求媚左右, 爲李復基所短故也.

○夜泛舟, 與洪材及諸侍臣, 曲宴.

[某日, 以徐諏爲慶尙道按察使:慶尙道營主題名記].

八月戊申朔(大盡,乙酉), 延福亭南川堤又決, 大發卒塞之, 怨咨盈路.

戊午(11日), 幸東江書齋.

○水州民耕田, 得金一錠, 長二寸許, 頭尾雙尖, 狀如龜. 知州事吳錄之取以馳獻, 王以示左右. 左右呼萬歲曰, “天降金龜, 聖德之應”. 群臣皆賀.

[甲子(17日), 判小府監事·知工部事崔祐甫卒, 年六十六:追加].[30)]

丙子(29日), 王自延福亭, 如興王寺. [時, 王荒滛(~~荒淫~~), 不恤政事, (~~左副~~)承宣林宗植·起居注韓賴, 又無遠度, 怙寵傲物, 蔑視武士, 衆怒益甚. 是日, (大將軍)鄭仲夫謂(牽龍行首·散員)李義方·李高曰, “今則吾事可擧, 然王若便還宮, 可且隱忍, 如又移幸普賢院, 無失此機”:節要轉載].[31)]

丁丑(30日),[32)] 王將幸普賢院, 至五門(~~午門~~)前,[33)] 召侍臣行酒, 酒酣, 顧左右曰, “壯

---

29) 이날(율리우스력의 1170년 8월 14일)의 일식은 고려와 일본은 中心食帶에서 벗어나 있었기에 관측될 수 없었다(渡邊敏夫 1979年 307面).

30) 이는 「崔祐甫墓誌銘」에 의거하였는데, 이날은 율리우스曆으로 1170년 9월 28일(그레고리曆 10월 5일)에 해당한다.

31) ~~添字~~는 열전41, 鄭仲夫에 의거하였다.

32) 이날은 율리우스曆으로 1170년 10월 11일(그레고리曆 10월 18일)에 해당한다.

33) 이 기사에서 五門은 特定의 門을 擧名하지 않아 그 名稱을 알 수 없으나 宮城의 門을 가리키는 것 같다. 前近代에 中原의 宮城은 皐·庫·雉·應·路의 五門으로 되어 있고, 諸侯의 公館은 庫·

哉, 此地, 可以練肄兵法". 命武臣, 爲五兵手搏戲~~五兵手搏戲~~. [蓋知武臣觖望, 欲因以厚賜慰之也. 起居注韓賴, 恐武臣見寵, 遂懷猜忌. 大將軍李紹膺, ~~雖武人, 貌瘦力羸~~, 與一人相搏, 紹膺不勝而走. 韓賴遽前, 批其頰, 卽墜階下. 王與群臣, 撫掌大笑, 林宗植·李復基, 亦罵紹膺. 於是, 鄭仲夫·金光美·梁肅·大將軍?陳俊等, 失色相目, 仲夫厲聲, 詰賴曰, "紹膺雖武夫, 官爲三品, 何辱之甚". 王執仲夫手, 慰解之. 李高拔刃, 目仲夫, 仲夫止之:節要轉載].[34]

至昏, 駕近普賢院, 牽龍行首·散員李高與李義方先行, 矯旨集巡檢軍. 王纔入院門, 群臣將退, 高等殺林宗植·李復基·韓賴, 凡扈從文官及大小臣僚·宦寺, 皆遇害. 又殺在京文臣五十餘人.

[→李高等手殺宗植·復基于門. 左承宣金敦中知亂作, 在途佯醉, 墮馬而逃. 韓賴依所親宦官, 潛入內, 匿御床下. 王大驚, 使宦者王光就禁之. 仲夫曰, "禍根韓賴, 尙在王側, 請出誅之". 內侍裴允才亦入奏, 賴挽王衣不出, 高又拔刃脅之, 乃出, 卽殺之. 指諭金錫才謂義方曰, "高敢於御前, 拔刃耶?". 義方瞋目叱之, 錫才不復言. 於是, 承宣李世通·內侍李唐柱·御史雜端金起莘·閤門祇候柳益謙·司天監金子期·太史令許子端等, 凡扈從文官及太小臣僚·宦寺, 皆遇害, 積尸如山:節要轉載].[35]

[○初, 鄭~~仲夫~~·李~~義方等~~約曰, "吾曹袒右, 去幞頭, 否者, 皆殺之". 故武人, 不去幞

雉·路의 三門으로 되어 있다고 한다(竹內照夫 1993年 490面). 여기에서 五門은 宮城의 正門인 午門의 오자일 가능성이 있다.

· 『周禮注疏』 권7, 天官, 閽人, 掌守王宮之中門之禁, [注, 中門於外, 內爲中, 若今宮闕門. 鄭司農云, '王有五門, 外曰皐門, 二曰雉門, 三曰庫門, 四曰應門, 五曰路門. 路門, 一曰畢門·玄謂·雉門, 三門也, …".

· 『小學紺珠』 권9, 制度類, 五門, "皐·雉·庫·應·路. [注, 路門一, '周禮'注, 王有五門, 曰畢門, 明堂位注, 魯有庫·雉·路三門歟]".

34) 添字는 열전41, 鄭仲夫에 의거하였다. 또 李紹膺은 1180년(명종10) 7월 27일 逝去할 때 70歲 以上이면서 停年退職[致仕]을 하지 않았다고 한 점을 보아 이때 60歲를 넘긴 將軍이었던 것 같다.

35) 添字는 열전41, 鄭仲夫에 의거하였다. 柳益謙과 관련된 기사로 다음이 있다. 또 1477년(성종8) 3월[暮春, 春暮]에 普賢院을 관람했던 兪好仁(1445~1494)의 소견도 찾아진다.

· 열전14, 閔令謨, "令謨妻裴氏娣, 爲閤門祇候柳益謙妻, 令謨微時, 益謙已居顯秩. 有相者, 相裴氏兄弟曰, 兄當享富貴, 弟則薄命. 娣以其夫通顯, 不以爲然. 後益謙死於鄭仲夫之亂, 令謨果登冢宰, 益謙妻寒窘, 常資兄以生".

· 『濡谿集』 권7, 遊松都錄(1477년 4월), "… 過臨津, 行數十里, 屛翳猶未解, 幾不可當. 到普賢院, 但數間巋乎獨存, 卑湫不可庥, 少西得村舍, 遲霽乃行. 院前有小灘, 淸淺可揭, 諺稱沉朝廷. 庚癸之間, 武夫失意, 醸禍於燃鬚, 蓄憤於溺殿, 至使輦轂之下, 干戈蜂起, 而滿朝簪佩, 盡爲魚腹之物, 尤可慘哉"(『續東文選』 권21 소수).

· 『休翁集』 권3, 海東樂府, 朝廷沈[注, 湖名, 在松京城外十里許, 蓋取名朝士之死所也].

頭者，亦多被殺，唯承宣盧永醇，本兵家子，且與武臣相善，故免.[36] 王大懼，欲慰安其意，賜劒諸將，武臣益驕横．先是，童謠云，“何處是普賢刹，隨此畫同刀殺”．或告鄭~~仲夫~~·李~~義方~~曰，“金敦中先認知而逃”，鄭李仲夫等驚曰，“若敦中入城，奉太子，令閉城門固拒，奏捕亂首，則事甚危矣，如之何?”．義方曰，“若爾，我不南投江海，~~卌~~北投丹狄，以避之”．遂遣疾足者，抵京刺探．其人夜入城，至敦中家候之，寂無人聲，問承宣所在，答以扈駕不還，其人回報．鄭·李~~仲夫~~·~~義方等~~喜曰，“事已濟矣”．乃留其黨，守行宮．~~高·義方·紹膺等,~~ 選驍勇，直走京城，到~~至~~街衢所，殺別監金守藏等，便入闕，執樞密院副使梁純精·司天監陰仲寅·大府少卿~~太府少卿~~朴甫均·監察御史崔東軾·內侍祗候金光等，內直員僚，皆殺之．○殿中內給事文克謙，直省中，聞亂逃匿，有兵，跡而獲之．克謙曰，“我前正言文克謙也，上若從吾言，豈有今日之亂乎? 願以利劒決之”．兵異之，擒致諸將前，諸將曰，“□□~~此大~~，吾輩素聞名者，勿殺”．囚于宮城:節要轉載].[37]

[○牽龍行首·散員李高·義方等率巡檢軍，夜抵太子宮，殺行宮別監金居實·員外郞李仁甫等．又入泉洞宅，殺別常員十餘人．使人呼於道曰，“凡戴文冠者，雖至胥吏，俾無遺種”．卒伍蜂起，搜殺中書侍郞平章事·判吏部事致仕崔褎偁，門下侍郞平章事·判吏部事許洪材，同知樞密院事徐醇，知樞密院事崔溫，尙書右丞金敦時，國子監大司成李知深，秘書監金光中，吏部侍郞尹敦信~~尹惇信~~，衛尉少卿趙文貴，大府少卿~~太府少卿~~崔允諝，侍郞趙文振，內侍少卿陳玄光，侍御史朴允恭，兵部郞中康處約，都省郞中康處均，奉御田致儒，祗候裴縉，裴衍等五十餘人:節要轉載].[38]

[○王益懼，召仲夫，謀弭亂．仲夫唯唯不對，王卽拜牽龍行首·散員李高·李義方，爲鷹揚·龍虎軍中郞將，其餘武人，上將軍例加守司空·僕射，大將軍加上將軍．以義方兄將軍?俊儀爲承宣:節要轉載].[39]

---

36) 盧永醇에 관한 기사는 그의 열전에도 수록되어 있다.
· 열전13, 盧永醇永淳，“鄭仲夫之亂，扈從臣僚多遇害，承宣盧永淳永醇本兵家子，且與武臣相善，故免”.

37) 文克謙에 관한 내용은 열전12, 文克謙에도 수록되었는데, ~~添字~~는 이에 의거하였다.

38) 이와 같은 기사가 열전41, 鄭仲夫에도 수록되어 있는데, 衛尉少卿趙文貴는 尉衛少卿趙文貴로 글자가 轉倒되어 있다(盧明鎬 等編 2016년 305面). 또 尹敦信은 兵部侍郞 尹惇信(尹彦頤의 子)으로 추측되며, 이때 그의 姪 太府主簿 宗諤(尹鱗瞻의 子)도 피살되었다(열전9, 尹瓘, 彦頤, 鱗瞻). 또 裴縉은 故左散騎常侍 裴景誠의 長子이며, 中書侍郞平章事 徐恭의 妻男으로 추측된다(徐恭神道碑, 이에는 刑部郞中·知閣門事 裴晋으로 표기되어 있는데, 裴景誠의 묘지명에도 同一하다).

39) 이와 같은 기사가 열전41, 鄭仲夫에도 수록되어 있는데, 이때 首謀 중의 1人인 大將軍 鄭仲夫

[→李義方, 全州人. 毅宗末, 以散員爲牽龍行首, 與[大將軍]鄭仲夫·[牽龍行首·散員]李高等作亂, 王懼, 卽拜義方<u>鷹揚龍虎軍</u>[~~龍虎軍~~]中郞將, 兄俊儀爲承宣:列傳41李義方轉載].[40]

○[上將軍]鄭仲夫等以王還宮.

[史臣兪升旦曰, "元首股肱, 一體相須. 故古先哲王, 視文武如左右手, 無有彼此輕重, 所以君明於上, 而臣和於朝, 叛亂之禍, 無自而作矣. 毅宗之初政, 規模有可觀者, 誠得忠正之人, 而輔之, 則必有善政, 可稱於後世矣. 不幸柔佞佻躁之徒, 布列左右, 傾資財於齋醮, 移宵旰於酒色, 吟風詠月, 以代都兪, 而漸積武夫之怒, 禍將至矣. 毅宗命戱兵手, 欲因厚賜, 以慰觖望, 王之心, 固有度矣. 而韓賴等, 慮武夫之見寵, 遽生忌愎之心, 遂使烈炎崐岡, 玉石無分, 卒致乘輿播遷, 不獲令終, 可勝痛哉":節要轉載].

九月戊寅朔[小盡,丙戌], 晡時, 王入康安殿. [[宦官]王光就謀聚儕輩, 討仲夫等, 韓淑泄謀:節要轉載], 仲夫等又索隨駕內侍十餘人·宦官十人, 殺之. 王坐修文殿, 飮酒自若, 使伶官奏樂, 夜半乃寢. [鷹揚軍中郞將]李高·蔡元欲弑王, 梁淑止之. 巡檢軍穿破窓壁, 竊內帑珍寶. 仲夫逼王, 遷于軍器監, <u>太子</u>于迎恩館.

<u>己卯</u>[2日], 王單騎, 遜于巨濟縣, <u>放太子</u>于珍島縣.[41]

[→<u>乙卯</u>[~~己卯~~], 放王于巨濟縣, 太子于珍島縣, 殺[~~幼少~~]太孫. 王之愛姬無比, 逃匿靑郊驛. □[鄭]仲夫等欲殺之, 太后固請乃免, 從王而行:節要轉載].[42]

[→毅宗南行, 於馬上嘆曰, "朕若早從□[文]克謙言, 安有是辱":列傳12文克謙轉載].

[○[左承宣]金敦中遁入紺嶽山, 仲夫挾宿怨, 購之甚急, 敦中密使從者入京, 候家安否, 從者利重賞, 遂以告. 殺之於沙川邊, 敦中臨死嘆曰, "吾不黨韓·李, [~~實無罪~~]. 但

는 上將軍에 임명되었을 것이다. 또 이때 반란에 참여하여 立身한 인물로 다음이 있다.

· 열전41, 鄭仲夫, 李光挺, "<u>李光挺</u>, 起自行伍, <u>仲夫</u>之廢毅宗, <u>光挺</u>與其謀. 由是, 拜大將軍".

· 열전41, 李義旼, "<u>鄭仲夫</u>之亂, [別將李]<u>義旼</u>所殺居多, 拜中郞將".

· 열전41, 曹元正, "<u>曹元正</u>, 玉工之子, 母及祖母, 皆官妓也. 初限職七品, <u>鄭仲夫</u>之亂, 助<u>李義方</u>, 遂歷郞將·將軍".

· 열전41, 曹元正, <u>石隣</u>[~~石麟~~], "<u>隣</u>[~~麟~~], 本微賤, 世居倉傍, 拾米以生. 補禁軍, 庚寅亂, 從<u>李義方</u>, 除郞將". ~~添字~~와 같이 고쳐야 옳게 될 것이다(→明宗 4년 10월 某日의 脚注).

40) 이때 李高는 鷹揚軍中郞將에, 李義方은 龍虎軍中郞將에 각각 임명되었으므로 ~~添字~~와 같이 고쳐야 옳게 될 것이다.

41) 이때 太子의 迎恩館에의 幽閉와 珍島縣으로의 追放은 열전3, 毅宗王子, 孝靈太子祈에도 수록되어 있다.

42) 乙卯는 이달에 없으므로 己卯의 오자일 것이고, ~~添字~~는 열전41, 鄭仲夫에 의거하였다.

流矢之變，禍延無辜，今日之及，宜矣”:節要轉載].[43]

[○兵部侍郎趙冬曦，曾相延基地于西海道，聞變，將往東界，擧兵討賊，至鐵嶺，猛虎當道，不得過，追騎及而捕之．仲夫等議，冬曦素有平耽羅之功，將流遠地，守者遽殺之，投尸于水．又殺內侍·少卿崔偎，流少卿崔倖·員外郎崔禎．仲夫等，欲撤所殺文臣家，大將軍?陳俊止之曰，“吾輩所嫉怨者，李復基·韓賴等四五人，今殺無辜，亦已甚矣，若盡撤其家，其妻子將何寄生?”．義方等不聽，遂縱兵毁之．是後，武人習以爲常，若有讎怨者，輒毁其家:節要轉載].[44]

[史臣金良鏡曰，“王之爲太子也，仁宗臨薨，謂之曰，‘治國，須聽鄭襲明之言’．襲明，本自正直，加以付托之重，進盡忠言，裨補闕漏．金存中·鄭諴等，日夜譖而去之，王乃代以存中．自是，佞倖日進，忠讜日退，王益縱恣，淫于逸豫，盤遊無度，始以擊毬，昵仲夫，臺諫言之，而不聽，終以詞章，狎韓賴，武夫憤怨而不悟，卒之，韓賴召亂，而身死於仲夫之手，朝臣盡殲，蓋其所好，終始有異，而其致亂則一也．故人主所好，不可不愼也”:節要轉載].

是日，仲夫·義方·高等領兵，迎王弟翼陽公晧卽位．明宗三年八月，東北面兵馬使金甫當遣人奉王，出居雞林，十月庚申□朔，將軍李義旼弑王于坤元寺北淵上．壽四十七，在位二十五年，遜位三年，謚曰莊孝，廟號毅宗，陵曰禧陵，高宗四十年，加謚剛果．

史臣金良鏡贊曰，“昔唐後唐明宗時，大理少卿康澄上疏，言時事曰，‘爲國家者，有不足懼者五，深可畏者六．三辰失行不足懼，天象變見不足懼，小人訛言不足懼，山崩川渴不足懼，水旱虫蝗不足懼．賢士藏匿深可畏，□□□□□□□~~四民遷業深可畏~~，廉恥道喪深可畏，上下相徇深可畏，毁譽亂眞深可畏，直言不聞深可畏’．歐陽公歐陽脩記此言曰，‘凡爲國家者，可不戒哉．[45] 有是哉，斯言也’．夫王崇奉佛法，敬信神祇，

43) 이 기사는 열전11, 金富軾, 敦中에도 수록되어 있는데, ~~添字~~는 이에 의거하였다.

44) 이 기사는 열전41, 정중부에도 수록되어 있으나 자구에 출입이 있다. 또 이때 陳俊과 관련된 기사로 다음이 있다.
- 열전13, 陳俊, “庚癸之亂, 文臣家, 賴俊全活者甚多, 時人謂, 有陰德, 後必昌. 孫湜·澕·溫皆登第, 有文名”.
- 『東人之文五七』 권8, 陳司諫澕一十八首, “澕, 淸州麗陽籍, 父光脩, 官至侍郞, 祖俊, 本戊寅, 起行伍, 至平章, 庚癸之亂, 李義方等殺間訊, 欲孥及之. 俊曰, ‘文臣自以嬌肆就戮, 固有罪矣, 然使家無噍類, 不已甚乎’. 勸勿殺, 賴多全活者. 至孫澕, 兄弟三人, 皆登科”.

45) 大理少卿 康澄의 上疏는 932년(長興3) 10월 24일(壬申)에 이루어졌는데, 『고려사』의 편찬 과정에서 한 구절이 탈락되었던 것 같다.

別立經色·威儀色·祈恩色·大醮色，齋醮之費，徵歛[斂]無度，區區事佛事神. 而姦諛，若李復基·林宗植·韓賴爲左右，憸壬，若鄭諴·王光就·白子端爲內宦，阿曲，若榮儀·金子幾[金子期]爲術士. 所幸嬖妾無比，主於內，希意導志，更相妖媚. 利口紛騰，讜言踈絶，變生輦轂之閒，而卒莫之知也. 此豈懼其所不懼，不畏其所畏之然耶. 且禍亂之初，無一人效死，尤可嘆也".[46]

［毅宗在位年間］

[○毅宗時，以耽羅郡爲縣令官:地理2轉載].

[○命內殿崇班李寧，內閣繪事，悉主之:列傳35李寧轉載].[47]

[○[毅宗17年9月以後]，[卜者·內侍榮]儀，以逆民之後，限其職. 王嘉祝釐之功，令有司，據遠近戶籍，政案注脚，改錄施行:列傳36榮儀轉載].

[○命追悼前代忠臣義士，求訪其子孫，許初職:追加].[48]

[○王弟翼陽侯昕奉命，往竹州凝石寺，燒香而還:追加].[49]

· 『구오대사』 권43, 唐書19, 明宗紀9, 長興 3년 10월, "壬申，大理少卿康澄上疏曰，'臣聞安危得失，治亂興亡，誠不繫於天時，固非由於地理. 童謠非禍福之本，妖祥豈隆替之源. 故雊雉升鼎而桑谷生朝，不能止殷宗之盛. 神馬長嘶而玉龜告兆，不能延晋祚之長. 是知國家有不足惧者五，有深可畏者六. 陰陽不調不足惧，三辰失行不足懼，小人訛言不足懼，山崩川涸不足懼，蟊賊傷稼不足懼，此不足懼者五也. 賢人藏匿深可畏，四民遷業深可畏，上下相狥深可畏，廉耻道消深可畏，毁譽亂眞深可畏，直言蔑聞深可畏，此深可畏者六也.' … 優詔奬之".

· 『신오대사』 권6, 唐本紀6, 明宗 長興 4년 末尾인 歐陽脩의 史論의 일부인 "當是時，大理少卿康澄上疏，言時事，其言曰，爲國者，有不足懼者五，有深可畏者六. 三辰失行不足懼，天象變見不足懼，小人訛言不足懼，山崩川竭不足懼，水旱蟲蝗不足懼也，賢士藏匿深可畏，四民遷業深可畏，上下相狥深可畏，廉耻道消深可畏，毁譽亂眞深可畏，直言不聞深可畏也. … 然澄之言，豈止一時之病，凡爲國者，可不戒哉".

46) 金子幾는 1170년(의종24) 8월 30일(丁丑) 武臣들의 쿠데타가 일어났을 때 被殺된 司天監 金子期의 다른 표기일 것이다(金昌賢 1992년).

47) 原文에는 "及毅宗時，內閣繪事，悉主之"로 되어 있다.

48) 이는 다음의 자료에 의거하였는데, 오준(吳偆)은 1126년 2월 李資謙의 叛亂 때에 仁宗을 보위하다가 피살된 將軍 吳挺臣의 孫이다(→인종 4년 2월 27일).

· 「吳偆墓誌銘」, "… 及毅廟在有追悼前烈，求訪子孫□[焉?]，公[吳偆]於拔流，特下制命，充隊散之職，不數年，門蔭借卽眞，歲在庚寅，…"(金龍善 2016년).

49) 이는 다음의 자료에 의거하였다.

· 『신증동국여지승람』 권8, 竹山縣，佛宇，"凝石寺，在栍峴西. 高麗明宗在潛邸時，以燒香使至此寺. 寺僧夢，太祖賜明宗一牙笏，幷有詩曰，'授爾一牙笏，法師不離侍. 居年九九九，享位七七二'. 明宗未解其意，其後卽祚，在位二十八年，爲崔忠獻所廢，其應不差".

明宗 一

明宗·光孝·□□[皇明]大王,[1] 諱晧, 字之旦, 舊諱昕.[2] 仁宗第三子, 毅宗母弟, 仁宗九年辛亥十月庚辰[17日]生, 毅宗二年□□□[十一月], 封翼陽侯.

二十四年九月己卯[2日], [上將軍]鄭仲夫等逐毅宗, 領兵迎王, 卽位于大觀殿. 前王信圖讖之說, 忌諸弟. 王之在潛邸也, 典籤崔汝諧, 嘗夢太祖授笏於王, 王受而坐龍床, 汝諧與百官陳賀, 覺而奇之, 以告王. 王曰, "愼勿復言, 此大事也, 上聞之, 必害我矣".[3] 至是, 果驗.

[○[上將軍]鄭仲夫等殺嬖宦白子端·王光就·倖臣榮儀·劉方義等, 梟首于市, 其他宦寺及怙寵驕恣者, 戮之幾盡. 初, 前王構三私第, 曰館北宅, 曰泉洞宅, 曰藿井洞宅, 聚歛[聚斂]財賄, 以鉅萬計. 至是, 仲夫·李義方·李高, 皆分占焉:節要轉載].[4]

○王御修文殿, [承宣]李俊儀·[上將軍]鄭仲夫·[龍虎軍中郎將]李義方·[鷹揚軍中郎將]李高侍從, 釋[殿中內給事]文克謙, 命書批目, 以任克忠爲中書侍郎平章事, 鄭仲夫·盧永醇·梁淑△△[並爲]參知政事,[5] [前刑部尙書]韓就爲樞密院使, 尹鱗瞻△[爲]知樞密院事, 金成美爲僕射, 金闡爲樞密院副使, 李俊儀爲左承宣·給事中, 文克謙爲右承宣·御史中丞, 李紹膺爲左散騎常侍, 李高爲□[攝]大將軍·衛尉卿, 李義方爲□[攝]大將軍·殿中監,[6] 高·義方皆

---

1) 이에서 明宗은 廟號이고, 光孝大王은 諡號인데, 이는 1202년(신종5) 윤12월에 明宗의 陵[智陵]이 마련될 때 붙여진 것이다. 그런데 명종은 1253년(고종40) 10월 3일(戊申) 皇明이 덧붙여졌으나, 이 기사에 반영되어 있지 않다.

2) 明宗의 初名인 昕을 避諱하여 禮泉郡의 土姓인 昕氏가 權氏로 改姓하였다고 하지만, 여러 見解가 있다(→신종 1년 5월 2일).

3) 이 기사는 열전14, 崔汝諧에도 수록되어 있다.

4) 이와 관련된 기사로 다음이 있는데, 『고려사』에서 倖臣도 幸臣과 거의 같은 의미로 사용된 것 같다.
· 열전36, 嬖幸1, 榮儀, "… 鄭仲夫之亂, [榮儀] 與嬖宦白子端·王光就, 倖臣劉方義等被殺, 梟首于市".
· 『獨斷』권上, "幸者宜幸也, 世俗謂幸爲僥倖, 車駕所至, 民臣被其德澤, 以爲僥倖, 故曰幸也".
· 『후한서』 권7, 孝桓帝紀第7, "贊曰, 桓自宗支, 越躋天祿. 政移五倖, 刑淫三獄", "注, 倖, 佞也, 淫, 濫也. 五倖, 卽上五邪也, 三獄謂李固·杜喬·李雲·杜衆·成瑨·劉質也". "五邪謂單超·徐璜·左悺·唐衡·具瑗也".

5) 이후 鄭仲夫는 곧 中書侍郎平章事를 거쳐 門下侍郎平章事가 되었고, 10월 4일(庚戌) 一等功臣에 책봉되어 10월 4일 功臣閣에 圖形되었던 것 같다(→是年 10월 4일).
· 열전41, 鄭仲夫, "明宗旣立, 以仲夫□[爲]叅知政事, 尋進中書侍郎平章事, 又加門下平章□[事], □□[十月], 策功爲第一, 圖形閣上". 여기에서 添字를 追加하여야 쉽사리 理解할 수 있을 것이다.

兼執奏, 奇卓成[奇卓誠]爲□[知]御史臺事,[7] 蔡元爲將軍, [盧卓儒爲龍虎軍郞將:追加].[8] 其餘武夫, 超資越序, 職兼華要者, 不可勝數.

[○是時, [考功員外郞]庾應圭爲內侍·工部郞中:追加].[9]

[○義方等旣白王, 以克謙爲[右]承宣, 文臣若李公升等, 多賴以免, 武官亦倚之, 多咨訪故事. 故尋兼龍虎軍大將軍:節要轉載].

[→明宗卽位, 授諸臣職, 釋克謙, 使書批目, 李義方白王, 拜克謙右承宣·御史中丞. 文臣若李公升等, 多賴以免, 武官亦倚之, 多咨訪故事. 尋兼龍虎軍大將軍, 至爲宰相, 猶兼上將軍. 克謙有女在室, 義方弟隣娶之, 由是, 癸巳之亂, 一族皆免:列傳12文克謙轉載].

[○諸武臣會重房, 悉召文臣之遺者, 李高欲盡殺之, [鄭]仲夫止之. 有軍士, 至兵部郞中陳允升家, 紿曰, "有旨, 先詣闕者, 拜承宣". 允升出, 軍士殺之, 抱以大石. 先是, 以壽星見, 創祠于眞觀寺南, 允升董役, 凡軍卒輸石, 必枰[秤]而納之,[10] 故及:節要轉載].

[→時諸武臣會重房, 悉召文臣之遺者, [李]高欲盡殺之, [鄭]仲夫止之. 先是, 創壽星祠, 兵部郞中陳允升督役, 凡軍卒輸石, 必枰[秤]而納之, 軍卒怨. 至是, 有軍士至允升家, 紿曰, "有旨, 先詣闕者, 拜承宣". 允升出, 軍士殺之, 抱以大石:列傳41鄭仲夫轉載].

[○鄭仲夫之亂, 文臣皆被害, 諸將素服惟淸德望, 戒軍士勿入其第, 以至期功之親, 俱免禍. 有刑部尙書韓就者, 湍州人也, 工術數, 能言人禍福, 亦以智保全, 官至中書侍郞平章事:列傳12崔惟淸轉載].

[○[秘書監]金光中, 嘗愛驅使朴光升, 與衣食畜之, 請於人補隊校. 鄭仲夫之亂, 光升引光中匿人家, 密告害之:列傳14金光中轉載].[11]

---

6) 李義方이 1173년(명종3) 10월 衛尉卿·興威衛攝大將軍에 임명된 점을 보아, 이때 李高와 함께 攝大將軍에 임명되었을 것이다.

7) 奇卓成은 『고려사』世家篇에는 奇卓成으로, 열전13과 『고려사절요』에는 奇卓誠으로 되어 있는데, 후자가 옳을 것이다. 또 御史臺事는 知御史臺事의 잘못일 것이다[脫字].

8) 盧卓儒(前承宣 盧永醇의 子)는 그의 墓誌銘에 의거하였다.

9) 이는 「庾應圭墓誌銘」에 의거하였다.

10) 㮶字와 같이 고쳐야 옳게 될 것이다(孫曉 等編 2014年 3869面).

11) 叛奴 朴光升은 後日 金蔕(金光中의 子)에 의해 被殺되었다고 한다. 또 이때 金光中은 左諫議大夫·秘書監으로 재직하고 있었고, 그의 부인 李氏(左僕射·參知政事 李軾의 女)는 1182년(명종12)10월 14일에 서거하였다고 한다(70세, 金光中妻李氏墓誌銘, 國立民俗博物館 所藏).

[○鄭仲夫之亂, 閤門祗候宋許, 以不忤人, 免害:列傳14宋許轉載].

[○鄭仲夫之亂, 閤殿中侍御史王珪乞告覲母故免.:列傳14王珪轉載].

[○鄭仲夫之亂, 武人多劫奪人財, 隊正·厚德殿牽龍杜景升獨不離殿門, 秋毫無犯:列傳13杜景升轉載].[12)]

[○鄭仲夫之亂, 內外文臣, 逃竄無所容, □忠州人感□□□判官李知命惠政, 護之, 知命獨免:列傳12李知命轉載].

[○鄭仲夫之亂, 祝髮以避, 亂定歸俗:列傳15李仁老轉載].

[○鄭仲夫之亂, 闔門漕禍, 椿脫身僅免:列傳15林椿轉載].

癸未6日, 群臣詣大觀殿, 賀卽位.

冬十月丁未朔大盡,丁亥, 庚戌4日, 大赦. 以門下侍郞平章事鄭仲夫·攝大將軍李義方·攝大將軍李高爲壁上功臣, 圖形閣上, 參知政事梁淑·將軍蔡元次之, 加朝臣爵一級.[13)]

○召還金貽永·李綽升·鄭敍等, 皆復職田, 以晝雞·流矢之事, 流竄者, 皆令赴京. [○鄭仲夫, 以西海道郡縣, 屬其鄕海州, 義方以外鄕金溝, 爲縣令官:節要轉載].[14)]

○遣內侍·工部郞中庾應圭, 齎表如金,[15)] 前王表曰, "臣久纏疾恙, 漸致衰羸, 襟

· 열전14, 金光中, 蒨, "後光中子蒨, 爲順安縣令, 會裴純碩徵兵, 蒨鍊軍以應. 聞光升爲祭告使來, 先遣人捕光升父于蔚州, 又執光升, 俱至順安. 令父子相見, 先殺其父, 謂光升曰, '哀汝父乎?' 光升曰'然'. 蒨曰, '愛父一也, 柰何背恩, 殺吾父乎?' 光升無以對. 遂斷其臂, 置軍中, 巡歷數縣, 然後殺之".

12) 厚德殿은 仁宗妃 恭睿太后 任氏(毅宗의 母)의 殿閣이다(열전1, 后妃1, 恭睿太后).

13) 이와 관련된 기사로 다음이 있는데, 添字를 추가하여야 옳게 될 것이다.

· 열전41, 鄭仲夫, "明宗旣立, 以上將軍鄭仲夫叅知政事, 尋進中書侍郞平章事, 又加門下侍郞平章事, 策功爲第一, 圖形閣上".

· 열전41, 李義方, "明宗立, 授攝大將軍·殿中監兼執奏, 册爲壁上功臣, 圖形閣上".

14) 이와 같은 기사로 다음이 있다.

· 지11, 지리2, 金溝縣, "毅宗二十四年, 以李義方外鄕, 陞爲縣令官".

· 열전41, 鄭仲夫, "鄭仲夫, 以西海道郡縣, 屬貫鄕海州, 義方陞外鄕金溝爲縣令".

15) 이때 고려사신 庾應圭가 金의 境內에 들어가니, 世宗이 婆娑路(九連城, 義州에서 鴨綠江을 건너 30餘里에 위치, 現 遼寧省 丹東市 振安區 九連城鎭 九連城村)에 命하여 들이지 말게 하고 有司를 시켜 審問하게 하였다고 한다. 이어서 불러 親見하고 廢立에 대해서 下問하자, 前王의 身病을 이유로 삼으니, 丞相 良弼·右丞 孟浩 등이 使臣을 파견하여 査問하게 한 후 新王의 책봉을 건의하였다고 한다(열전12, 庾應圭).

· 「庾應圭墓誌銘」, "□庚寅歲, 今□上由蕃邸卽王位, 復召入爲內侍, 拜□工部郞中, 餘如故. 是時, 朝廷議遣□使告奏北朝, □公聞使才莫如名賢君, 迺受命, 往聘□禮合事成".

그런데 庾應圭의 告奏에 관한 『금사』의 기록은 다음과 같이 月次가 다르게 되어 있음으로 附加

靈以之昏荒, 氣力以之消沮, 醫攻熨而莫效, 藥瞑眩而不瘳, 豎居膏肓, 天奪魂魄以之. 祗服前人之訓言, 率先列國之貢藝, 而乃民政堆案, 而或廢於剖決, 國賓踵門, 而或失於將迎. 爲邦之道旣隳, 事主之儀多闕, 今則, 伏在床枕, 幾委體支, 仰繄覆露之私, 深念播菑之業. 臣昔逮事臣父先國王, 嘗屬臣云, 苟有遞代, 必先弟及. 今臣有元子泓, 少而無慧, 長且多愆, 未堪主鬯以展勤, 矧復奉藩而受職. 竊見臣弟晧, 忠順之德, 夙勤於君親, 睦恭之心, 無懈於朝夕. 載嘉淑行之如始, 益體理命之有徵, 乃於某月某日, 以臣弟臣晧, 權守軍國事務. 敢玆上聞, 冀照下懇".

○新王表曰, "覆燾之仁, 靡私於一物, 聖神之德, 均視於萬邦, 恪布忱辭, 冒于洪造. 伏見, 臣兄國王臣晛, 久尊周室, 樂率漢藩, 緣感疾於中身, 遂抱羸於積稔. 十全不能措其手, 一丸豈復效其靈. 沈緜寖深, 頓仆是懼, 頃因脫釋於重負, 始欲保守於餘年. 蓋由承禀臣先國王臣晛遺屬, 以臣忝爲同母之親, 可付先訪之業, 於某月某日, 令臣權守軍國事務. 而臣避之無計, 受亦誠難, 將籲呼以上聞, 顧跋涉之愈遠. 又黎庶不可以無主, 保釐不可以闕人, 勉副群情, 假司分寄. 戰兢之抱, 莫敢遑寧, 危懍之懷, 幾至殞越. 敢具事實, 以達宸嚴".

[某日, 以校尉金純爲攝散員:追加].[16]

[□□是月], 金遣大宗正丞耶律紇來, 賀生辰. 紇至境, 邊吏以前王讓位, 却之.[17]

說明이 필요할 것이다.

· 『금사』 권61, 表3, 交聘表中, 大定 11년, "正月壬辰17日, 高麗王晧報, 稱前王久病, 昏耗不治, 以母弟晧權攝國事. 四月丁卯, 權軍國事王晧上表, 并以兄晛表, 求封".

· 『금사』 권6, 본기6, 世宗上, 大定 11년 4월 癸亥, "高麗國王晛弟晧, 廢其主自立, 詐稱讓國, 遣使以表來上".

· 『금사』 권208, 열전95, 外夷1, 高麗, "大定十一年三月, 王晧以讓國來奏告, 詔婆速路勿受, 有司移文詳問. 高麗告曰, '前王久病, 昏耄不治, 以母弟晧權攝國事'. 上曰, '讓國大事也, 何以不先陳請'. 詔有司再詳問. 高麗乃以王晛讓國表來, 大略稱先臣楷遺訓傳位於弟, 又言其子有罪不可立之意. 上疑之, 以問宰執, 丞相紇石烈良弼奏曰, '此不可信. 晛止一子, 往年生孫, 嘗有表自陳生孫之喜, 一也. 晧嘗作亂, 晛囚之, 二也. 今晛不遣使, 晧乃遣使, 三也. 朝廷賜晛生日使, 晧不轉達於晛, 乃稱未敢奉受, 四也. 是晧簒兄誣請於天子, 安可忍也'. 右丞孟浩曰, '當詢彼國士民, 果皆推服, 即當遣使封册'. 上曰, '封一國之君詢於民衆, 此與除拜猛安·謀克何異?'. 乃却其使者, 而以詔書詳問王晛, 吏部侍郞靖爲宣問王晛使". 이 기사가 1171년(大定11) 3월에 기록되어 있는데, 이는 庾應圭가 12월에 金에 入境하여 다음 해(大定12) 3월 世宗을 謁見하였음을 말해 주는 것이다.

16) 이는 「金純墓誌銘」에 의거하였다.

17) 金에서 耶律紇는 10월 3일(己酉)에 파견이 결정되었고, 11월 3일(己卯) 고려의 國境에 도착하였던 것 같다. 이에 대해 耶律紇의 도착이 『고려사』에서는 4일(庚戌) 다음에 收錄되어 있다. 그렇다면 耶律紇에 관한 기사 앞에 是月이 탈락되었을 것이다.

[十一月丁丑朔小盡,丁丑:追加].

[十二月丙午朔大盡,己丑, 某日, 以攝散員金純爲散員:追加].[18]

[是年, 以權知式目都監錄事吳元卿爲權知都兵馬□□錄事:追加].[19]

[○以□□少卿李文著爲內侍, 仍轉吏部侍郞:追加].[20]

[○以前西京留守判官李文鐸爲左司諫·知制誥:追加].[21]

[○以前朔方道監倉使咸有一爲內侍, 仍轉兵部郞中:追加].[22]

[○以樞密院堂後官崔讜爲右正言·知制誥:追加].[23]

[○以閤門祗候崔均爲戶部員外郞, 屬內侍, 尋遷禮部郞中兼太子文學, 賜金紫:列傳12崔均轉載].

[○以前開城府使張忠義爲內侍:追加].[24]

[○以前翼陽府錄事柳公權爲內侍:追加].[25]

[○以金鳳毛爲內侍:追加].[26]

[○以田元均爲內侍:追加].[27]

[○以尹宗諹爲秘書省校書郞:追加].[28]

[○以將軍?朴純弼爲左中禁指諭:列傳13朴純弼轉載].

· 『금사』 권6, 본기6, 世宗上, 大定 10년 10월, "己酉, 以大宗正丞紏爲高麗生日使".

· 『금사』 권61, 表3, 交聘表中, 大定 10년, "十月己酉, 以大宗正丞紏爲高麗生日使. 十一月己卯, 高麗翼陽公晧, 廢晛自立, 不肯接受賜王晛生日使. 王晧稱兄晛讓國, 求封册. 詔遣使詳問".

· 『금사』 권208, 열전95, 外夷1, 高麗, "大定十年, 王晛弟翼陽公晧廢晛, 自立. 十月, 賜生日使大宗正丞紏至界上, 高麗邊吏稱前王已讓位, 不肯受使者".

18) 이는 「金純墓誌銘」에 의거하였다.

19) 이는 「吳元卿墓誌銘」, "庚寅年, 移權知都兵馬"에 의거하였다.

20) 이는 「李文著墓誌銘」에 의거하였다.

21) 이는 「李文鐸墓誌銘」에 의거하였다.

22) 이는 「咸有一墓誌銘」에 의거하였다.

23) 이는 「崔讜墓誌銘」에 의거하였다.

24) 이는 「張忠義墓誌銘」에 의거하였다.

25) 이는 「柳公權墓誌銘」에 의거하였다.

26) 이는 「金鳳毛墓誌銘」에 의거하였다.

27) 이는 「田元均墓誌銘」에 의거하였다.

28) 이는 「尹宗諹墓誌銘」에 의거하였다.

[○以[隊正]吳僖爲攝校尉:追加].[29)]

[○以[右中禁]金元義爲隊正:追加].[30)]

[○賜僧統宗璘法號曰佐世:追加].[31)]

[○以[首座]靈炤爲僧統, 賜綵綾官誥:追加].[32)]

[○以[重大師]智偁爲三重大師:追加].[33)]

[○命內侍鄭仲壺掌禪選. 是時, 僧志謙登科:追加].[34)]

[是年頃, 王尊宿德舊德, 以崔惟淸爲中書侍郎平章事:追加].[35)]

辛卯[明宗]元年, 金大定十一年, [南宋乾道七年], [西曆1171年]

1171년 2월 7일(Gre2월 14일)에서 1172년 1월 26일(Gre2월 2일)까지, 354일

春正月[丙子朔大盡,庚寅], [某日], 元子璹, 冠.

[某日, 大將軍韓順·將軍韓恭·申大輿[譽]·史直哉·車仲規等, 相與言, "李義方·李高等, 擅殺朝臣, 害及忠良, 非義也". [攝大將軍李]義方等聞之, 執而殺之, 惟仲規, 以義方素親, 流之. ○[李]高, 有非望之志, 陰結惡小[惡少]及法雲寺僧修惠·開國寺僧玄素等,[36)] 日夜宴飮, 因謂曰, "大事若成, 汝輩皆登峻班", 遂作僞制. 及元子冠[太子加元服],

29) 이는 「吳僖墓誌銘」에 의거하였다.

30) 이는 「金元義墓誌銘」에 의거하였다.

31) 이는 「龍仁瑞峯寺玄悟國師塔碑」에 의거하였다.

32) 이는 「靈通寺住持·正覺僧統靈炤墓誌銘」에 의거하였다.

33) 이는 「靈通寺住持·僧統智偁墓誌銘」에 의거하였다.

34) 이는 『동국이상국집』 권35, 故華藏寺住持·王師定印大禪師追封靜覺國師塔碑銘에 의거하였다.

35) 이는 다음의 기사에 의거하였는데, 1175년(명종5)에 이루어진 李公升의 등용과 같은 사례일 것이다.

- 열전12, 崔惟淸, "明宗立, 以惟淸, 宿德舊望, 拜中書侍郎平章事".

36) 惡小는 惡少가 正字이고, 惡少年의 略稱이지만, 中原의 史書에서도 兩者가 並用되었다. 또 이는 品行이 나쁜 젊은 無賴輩를 가리킨다.

- 『荀子』 권1, 修身篇第2, "端愨順弟, 則可謂善少者矣, … 偸儒憚事, 無廉恥而嗜乎飮食, 則可謂惡少者矣".
- 『자치통감』 권21, 漢紀13, 武帝太初 1년(BC104), "於是天子大怒, … 而欲侯寵姬李氏[注, 師古曰, 欲封其兄弟], 乃拜李夫人兄廣利爲貳師將軍, 發屬國六千騎及郡國惡少年數萬人, 以往伐宛[西域宛國][注, 師古曰, 惡少年, 謂無行義者], …". 여기에서 無行義者는 '仁義를 行하지 못하

王將宴于麗正宮, 高爲宣花使, 當<u>預</u>[興]宴, 陰令玄素, 招致<u>惡小</u>[惡少]于法雲寺修惠房, 斬馬饗之. 使各袖刃, 隱于墻屛間, 將作亂. 有校尉金大用之子, 爲高驅使, 聞其謀, 以告大用. 大用與內侍·將軍蔡元善, 遂往告之. 義方素惡高逼已, 至是, 亦知其謀, 與元候, 高等至宮門外, 卽以鐵鎚, 擊殺之. 令巡檢軍, 分捕其母及黨與, 皆誅之. 其父, 嘗以高不肖, 不以爲子, 故免死配流:節要轉載].[37)]

[某日, 以朴晉爲慶尙道按察使:慶尙道營主題名記].

[是月, <u>大僕卿</u>[~~太僕卿~~]柳德林, □□□□□[掌國子監試], 取詩賦李希祐等十三人, 十韻詩李世卿等七十六人, 明經八人:選擧2國子試額轉載].

[二月丙午朔[小盡, 辛卯]:追加].

[三月乙亥朔[大盡, 壬辰]:追加].

[夏四月[乙巳朔大盡, 癸巳], 某日, [內侍·將軍]蔡元陰謀盡殺朝臣, 事泄, [攝大將軍李]義方又忌元, 遂殺于朝, 幷捕門客<u>群小</u>[~~群少~~], 皆殺之:節要轉載].[38)]

五月[乙亥朔小盡, 甲午], 甲申[10日], 設消災道場于宣慶殿五日.

己丑[15日], [工部郞中]庾應圭還自金. [應圭, 初入境, 帝[世宗]詔婆娑路不納, 令有司移文, 詳問. 應圭曰, "前王久病, 昏耄不治, 以母弟晧, 權攝國事". 帝曰, "讓國大事也, 何以不先陳請", 詔有司, 再詳問. 應圭至, 帝[世宗]覽表曰, "爾國雖小, 亦知君臣之義, 兄弟之序, 乃何廢兄簒位? 造飾虛辭, 欺罔上國, 合行天誅, 以懲其罪". 應圭對曰, "前王不幸有疾, 子亦不慧, 故遵父王遺命, 讓位于弟耳, 小國安敢欺罔天子, 陪臣雖就湯鑊斧鉞之誅, 更無異辭", 竟不屈. 帝猶疑之, 遂:節要轉載]帝迴詔, 不允前王讓位曰, "卿襲封二紀, 作屛一邦, 近者, 屢愆信使之期, 徒有郵書之報, 向深憂乎變故, 今始閱于封章, 稱疾疹之淹延, 懼保釐之曠闕, 述其父命之遺囑, 欲以弟及而相傳, 付之伊人, 攝以國事. 卿言雖順, 朕意未孚, 續遣使駙, 往詢厥事". [以詔授應圭, 應圭奏曰, "陪臣, 所獻二表也, 新王表, 今無回詔, 使於四方, 不辱君命, 臣之職也". 因不食, 具服立庭, 向闕待命, 晝夜不移, 三日. 館伴以聞. 帝屢

는 者'로 읽는 것이 좋을 것이다[讀].

37) 이와 같은 기사가 열전41, 李義方에도 수록되어 있으나 자구에 출입이 있다.

38) 添字는 열전41, 李義方에 의거하였다.

使勸食, 猶不食, 從者, 夜, 密進水漿. 應圭厲聲叱曰, "汝亦人耳, 何行詐之甚耶". 及五日, 形容甚枯, 氣息將絶, 力不能立, 數至僵仆.[39] 帝憐其忠誠, 遣大臣慰諭曰, "爾國雖小, 有臣若此, 已寢問罪之議, 欲降依允之詔, 汝且就食, 毋以傷生". 應圭曰, "宸眷雖厚, 臣不受回詔, 何敢食, 受詔之日, 乃臣續命之秋", 不食七日. 帝益憐之, 授回詔, 賜御饌幣帛, 厚慰而送之. ○及還以功, 擢授軍器監兼太子中舍人, 賜金紫. 宰相又請錄應圭子孫, 以勸後來, 從之:節要轉載].

[→應圭入境, 帝詔婆娑路不納, 令有司移文詳問. 應圭對曰, "前王久病, 昏耗不治, 以母弟晧, 權攝國事". 帝曰, "讓國大事也, 何以不先陳請". 詔有司再詳問. 應圭至, 帝覽表曰, "爾國雖小, 亦知君臣之義·兄弟之序, 乃何廢兄簒位, 造飾虛辭, 欺罔上國. 宜行天討, 以懲其罪". 應圭對曰, "前王不幸有疾, 子亦不慧, 故遵先父王遺命, 讓位于弟耳. 小國安敢欺罔天子, 陪臣雖就湯鑊鈇鉞之誅, 更無異辭", 不屈. 帝猶疑之, 以問宰執.丞相良弼奏曰, "此不可信. 晛止一子, 往年生孫, 嘗有表自陳生孫之喜, 一也. 晧嘗作亂, 晛囚之, 二也. 今晛不遣使, 晧乃遣使, 三也. 朝廷遣晛生日使, 晧不轉達於晛, 乃稱未敢奉受, 四也. 是必晧簒兄, 誣請於天子, 安可忍也". 右丞孟浩曰, "當詢彼國士民, 果皆推服, 卽遣使册命. 帝曰, 封一國之君, 詢於民衆, 此與除拜猛安·謀克, 何異. 其遣使, 以詔書, 詳問王晛". 遂以不允前王讓位回詔, 授應圭. 應圭奏, "陪臣所獻二表也. 新王之表, 何無回詔也. 使於四方, 不辱君命, 臣之職也. 臣今辱命, 罪不容死, 與其生還本國, 寧隕身上國, 聞於天下". 因不食, 具服立庭, 向闕待命. 晝夜不移三日, 館伴以聞, 帝屢使勸食, 猶不食. 從者夜密進水漿, 應圭叱之曰, "汝亦人耳, 何行詐之甚邪". 及五日, 形容枯槁, 氣息將絶, 力不能立, 數至僵仆. 帝憐其忠誠, 遣大臣慰諭曰, "爾國雖小, 有臣若此, 已寢問罪之議. 將降詔依允, 汝且就食, 毋傷生". 應圭曰, "宸眷雖厚, 臣不受回詔, 何敢食乎. 受詔之日, 乃臣續命之辰". 不食七日. 帝益憐之. 授回詔, 賜御饌幣帛, 厚慰而送之. ○及還以功, 擢軍器監兼太子中舍人, 賜金紫, 宰相又請錄應圭子孫, 以勸後來, 從之. ○後金人每使介往來, 必問安否:列傳12庾應圭轉載].

辛卯17日, 賜林遂等及第.[40]

---

39) 僵仆는 延世大學本에는 僵什으로 되어 있으나 오자일 것이다.

40) 이와 관련된 기사로 다음이 있다.

- 지27, 선거1, 科目1, 選場, "明宗元年五月, 政堂文學韓就知貢擧, 右諫議□□大夫金莘尹同知貢擧, 取進士, □□辛卯, 賜林遂等二十八人·明經四人及第".

六月甲辰朔[大盡,乙未], 王如奉恩寺.[41]

戊午[15日], 王受菩薩戒于大觀殿.

[某日, 以[權知都兵馬錄事兼選軍錄事]吳元卿爲都兵馬□□[~~錄事~~]:追加].[42]

秋七月[甲戌朔小盡,丙申], 辛巳[8日], 設消災道場于大觀殿三日.

[某日, 分楊廣忠淸州道爲二道, 慶尙晋陜州道爲二道:節要轉載].

[→以楊廣忠淸州道, 分爲楊廣·忠淸州兩道, 慶尙晋州道爲慶尙·晋陜州兩道, 春州道仍舊:地理志轉載].[43]

癸未[10日], 金□[~~遣~~]詢問使[吏部侍郎]完顏靖等來.[44]

[→金遣使□[~~來~~], 問王卽位之故, 命[禮部郞中崔均]爲接伴使. 金使屢致詰, 隨問辨解, 無差舛, 金使服其敏給:列傳12崔均轉載].

---

41) 이 구절은 金誠一(1538~1593)의 宗家(慶尙北道 安東市 西後面 金溪里 856)에 소장된 『고려사절요』 권12에는 "王如奉恩寺. 自是, 數幸寺院"으로 되어 있다고 한다(盧明鎬 2015년).

42) 이는 「吳元卿墓誌銘」에 의거하였다.

43) 이는 다음의 기사에 依據하였는데, 八年은 元年의 오자일 것이다. 또 春州道는 이때 처음으로 命名된 것은 아니었다(→의종 10년 10월 16일).
- 지10, 지리1, 楊廣道, "明宗元年, 分爲二道".
- 1l11, 지리2, 慶尙道, "明宗元年, 分爲慶尙·晋陜州兩道".
- 지12, 지리3, 交州道, "明宗八年[~~元年~~], 始稱春州道, 後稱東州道".

44) 金에서 完顏靖은 5월 17일(辛卯) 파견이 결정되었는데, 靖이 고려에 도착하니 王晧(明宗)가 王晛(毅宗)은 다른 곳으로 거처를 옮겼고 病이 심해 능히 皇帝의 명을 받을 수 없다고 하였다. 또 멀리 떨어져 있어 使臣이 쉽사리 갈 수가 없어 王晛(毅宗)의 表로써 아뢰게 하였는데, 그 表의 내용은 대체로 以前의 表와 같았다고 한다. 또 이때 內侍 朴仁碩이 先排使에 임명되어 국경에서 金의 詢問使(宣問使)를 안내하였다고 한다.
- 『금사』 권6, 본기6, 世宗上, 大定 11년 5월, "辛卯, 詔遣吏部侍郞靖使高麗問故".
- 『금사』 권61, 表3, 交聘表中, 大定 11년 5월, "以遣尙書吏部侍郞宗室靖爲宣問高麗王晛使. 靖至高麗, 晧稱晛避位出居他所, 病加無損, 不能就位拜命, 往復險遠, 非使者所宜往, 內以王晛表附奏. 其表大概與前表同".
- 『금사』 권88, 열전26, 紇石烈良弼, "高麗國王王晛表讓國於其弟晧, 上[世宗]疑之, 以問宰相[左丞相]良弼. 良弼策以爲讓國非王晛本心. 其後, 趙位寵求以四十州來附, 其表果言王晧殺其兄晛, 如良弼策, 語在高麗傳中".
- 『금사』 권208, 열전95, 外夷1, 高麗, "吏部侍郞靖爲宣問王晛使. 晧實簒國, 囚晛於海島. 靖至高麗, 晧稱王晛已避位出居他所, 病加無損, 不能就位拜命, 往復險遠, 非使者所宜往. 靖竟不得見晛, 乃以詔授晧, 轉取晛表附奏, 其言與前表大概相同. 靖還, 上問大臣, 皆曰, 晛表如此, 可遂封之. 丞相[紇石烈]良弼·平章政事守道曰, 待晧祈請未晩也".
- 「朴仁碩墓誌銘」, "方主上之初在宥也, 北朝遣宣問使欲察是非, 公以內侍充先排使, 往逆之行, 至西都遲疑不欲詣京師. 公倍道詣闕承密旨, 還諭之, 迺首途, 使還稱旨, 除都校署令".

甲申11日, 設拂塵宴.

丙戌13日, 設初參宴, 靖皆不赴.

己丑16日, 王迎詔于大觀殿, 乃賜前王詔也, 詔曰, "卿撫有爾邦, 踐修世美, 及當玆歲, 付上封章, 告厥疾已曠於保釐, 謂其子不能於負荷, 述前人之遺囑, 讓母弟而相傳, 尙憂未出於誠心, 是用往頒於詔問, 使騑來復, 奏牘宜詳".

<u>壬辰</u>~~癸巳~~20日, 中書侍郎同中書門下平章事徐恭卒, [年七十一. 輟朝三日, 謚貞□~~䓀~~:追加].[45)][恭, 有膽略, 善騎射, 六爲兩界兵馬使, 士卒樂附. 及爲宰相, 志益謙遜, 深疾文吏驕慠, 禮遇武人故, 庚寅之亂, 重房令巡檢軍二十人, 環衛其第, 不及於禍:節要轉載].

[某日, 以李𦶜爲慶尙道按察使:慶尙道營主題名記].

八月癸卯朔小盡,丁酉, 甲辰2日, 完顔靖辭, 宴于大觀殿. 靖之初詢問也, 王稱前王已避位, 出居他所, 病加無損, 不能就位拜命. 路又險遠, 非使者所宜往. 靖以故, 不得見前王, 王乃具前王表, 以附,

丁未5日, 靖行.

九月壬申朔大盡,戊戌, 癸未12日, 以僧德素爲王師.

戊子17日, 左諫議□□~~大夫~~金莘尹·右諫議□□~~大夫~~金甫當·左散騎常侍李紹膺·左司諫李應招·<u>右正言</u>崔讜等上疏,[46)] 以爲, 前朝宰相門下侍郎平章事崔允儀·諫議□□~~大夫~~李元膺·御史中丞吳中正等, 署宦官鄭諴告身. 西海□道按察使<u>朴純古</u>,[47)] 妄奏老人星見,

---

45) 徐恭의 神道碑에는 7월 20일에 逝去하였다고 한다. 이해의 6월이 庚辰朔이고 大盡이므로, 7월은 甲戌朔이며 20일은 癸巳가 분명하다. 그러므로 『고려사』의 내용은 날짜[日辰] 정리에서 실패한 것임을 알 수 있다. 또 이날은 율리우스曆으로 1171년 8월 22일(그레고리曆 8월 29일)에 해당한다.

· 「徐恭神道碑」, "今歲在辛卯七月二十日遇疾卒".

46) 이때 崔讜은 右正言·知制誥였다(崔讜墓誌銘).

47) 朴純古(高兆基의 壻)는 의종 24년 2월 3일(甲申)에는 朴純嘏(박순하)로 달리 표기되어 있는데, 『고려사절요』에는 兩者가 모두 後者로 되어 있다. 그렇지만 그의 父인 朴正明의 墓誌銘에 朴純古로 되어 있고(朴正明墓誌銘), 壻로 추정되는 崔孝思의 묘지명에 泉府少卿 朴純古로 되어 있다. 後者에서 泉府는 山海·池澤의 貢稅를 徵收하여 宮廷에서 필요한 服飾·寶貨 등을 供給하는 少府寺의 別稱인 것 같다(蔡雄錫教授의 教示).

· 『동국이상국집』後集권12, <u>崔宗藩</u>謝<u>判小府事</u>~~判少府寺事~~表, "云云, 秩視月卿, 署稱泉府, 循涯未副, 聞命若驚. …".

· 『周禮注疏』 권15, 地官, "泉府, 掌以市之征布·斂市貨之不讐·貨之滯於民用者, 以其價買之, …".

· 『한서』 권24하, 식화지4하, 末尾, "贊曰, 易稱'裒多益寡, 稱物平施', 書'云楙遷有無, 周有泉府

知水州事吳錄之, 妄獻金龜之瑞, 請皆禁錮子孫. 且承宣, 王之喉舌, 但出納惟允, 可也, 今[左承宣·給事中]李俊儀·[右承宣·御史中丞]文克謙, 職兼臺省, 居中用事, 請解兼官, 王從之. 唯俊儀·克謙之事, 不允.

翼日[己丑18日], 諫官伏閤力爭, 俊儀因醉, 使巡檢軍陵辱之. 王聞之, 召俊儀慰解, 囚諫官于隍城.

庚寅[19], 左遷[左諫議大夫]金莘尹△[爲]判大府事[~~判太府寺事~~], [右諫議大夫]金甫當爲工部侍郎, [左司諫]李應招爲禮部員外郎, [右正言]崔讜爲殿中內給. 改李俊儀爲衛尉少卿, 文克謙爲大府少卿[~~太府少卿~~].

[→左諫議□□[大夫]金莘尹等上疏, 以爲承宣, 王之喉舌, 但出納惟允可也. 今李俊儀·文克謙, 職兼臺省, 居中用事, 請解兼官, 不允. 翌日[己丑18日] 諫官伏閤力爭, 改俊儀爲衛尉少卿, 克謙爲大府少卿[~~太府少卿~~]:列傳12文克謙轉載].

[→明宗初, 爲□[右]正言, 論事忤貴倖, 落職, 尋起爲吏部員外郞:列傳12崔讜轉載].

辛卯[20], 日有黑子, 大如桃.

冬十月[壬寅朔小盡,己亥], 甲辰[3日], 設百高座于宣慶殿, 讀仁王經.[48]

乙巳[4日], 飯僧三萬.

○平章事任奎卒.[49]

壬子[11日], 夜, 宮闕災, 諸寺僧徒及府衛軍人, 詣闕將救火, [參知政事]鄭仲夫·[左承宣]李

之官[師古曰, 司徒之屬官也, 掌以市之征布, 斂市之售·貨之滯於人用者, 以其價買之], …".

48) 百高座는 『고려사절요』 권12에 高字가 脫落되어 百座로 되어 있다. 또 이때 僧統 宗璘이 內殿에 초빙되어 百座會(百座高會)에 참석하였던 것 같다.

· 「龍仁瑞峯寺玄悟國師塔碑」, "辛卯年秋, 召至內殿, 賜滿繡袈裟一領, 至冬百座會, 俾師□□□□□□□□□□".

49) 平章事 任奎는 姓氏와 官職을 통해 볼 때, 前年 9월 2일(己卯) 中書侍郎平章事에 임명된 任克忠의 改名일 것이다. 또 후대의 기록에 의하면 任奎는 任元厚의 子로서 及第出身으로 門下侍郎平章事에 이르렀다고 한다. 이날은 율리우스曆으로 1171년 11월 3일(그레고리曆 11월 10일)에 해당한다. 또 그의 詩文으로 다음이 찾아지는데, b에서는 官職이 기록되어 있다.

· 열전8, 林懿, 元厚, "… 子克忠·克正·溥·濡·沆. 克忠, 擢第, 累官至中書侍郎平章事. 風姿魁偉, 有器識".

· 『신증동국여지승람』 권31, 長興都護府, 人物, "任奎, [門下侍中任]元厚之子, 擢進士第, 官至門下侍郎平章事. 外戚之賢無出其右".

· a 『동문선』 권12, 任奎, 得病告暫往江村還京馬上, 過延福亭 ; 권19, 任奎, 江村夜興.

· b 『三韓詩龜鑑』卷上, 平章任奎, 江村夜興 ; 卷中, 平章任奎, 得病告暫往江村還京馬上, 過延福亭.

俊儀等入直, 攝大將軍李義方兄弟恐有變, 走入于內, 閉紫城門, 不納諸救火者, 故殿宇悉火. 王出山呼亭, 痛哭.[50)] [軍器監兼太子中舍人庾應圭詣景靈殿, 抱五室祖眞, 以出, 又至中書省, 出國印:節要轉載].[51)]

癸丑12日, 移御壽昌宮.

[甲寅13日, 遣使備禮册德素爲王師:追加].[52)]

[丙辰15日, 歲星犯天樽:天文2轉載].

丁巳16日, [小雪]. 以王生日爲乾興節.

戊午17日, 日有黑子, 大如桃.

是歲~~十一月辛未朔~~大盡,庚子, [某日], 遣告奏使·禮部侍郞張翼明·都部署□使黃公遇如金.[53)]

[甲戌4日, 大會道俗群臣, 拜禮王師德素. 是日, 設百座會, 行香:追加].[54)]

[是月, 遣使如金, 賀正:追加].[55)]

[十二月辛丑朔小盡,辛丑, 某日, 以散員金純爲攝別將:追加].[56)]

---

50) 이와 같은 기사가 지7, 五行1, 火, 火災에도 수록되어 있다.

51) 이때 都校署令 朴仁碩이 歷代 帝王의 日錄과 黃金·白銀 등의 物品을 거두어 山呼亭으로 옮겼다고 한다.
- 「朴仁碩墓誌銘」, "辛卯冬, 有周榭之災, 擧朝蒼黃計無所出, 公收歷代日錄及黃白等物, 置山呼亭, 不言其功, 人莫有知之者. 轉試司宰注簿".

52) 이는 德素의 王師 册封 儀式을 가리킨다.
- 「永同寧國寺圓覺國師塔碑」, "甲寅遣□□□□上□□等, 備禮奉崇".

53) 是歲는 '十一月辛未朔'으로 고쳐야 옳게 될 것이다. 이는 張翼明이 12월 27일(丁卯) 金에 도착하였음을 통해 알 수 있다. 또 都部署는 都部署使로 해야 옳게 될 것이다.
- 『금사』 권61, 表3, 交聘表中, 大定 11년, "十二月丁卯, 權高麗國事王晧告奏使·尙書禮部侍郞張益明, 以王晧表求封".
- 『금사』 권208, 열전95, 外夷1, 高麗, "大定11年十二月, 晧遣其禮部侍郞張翼明等請封".

54) 이는 다음의 자료에 의거하였다.
- 「永同寧國寺圓覺國師塔碑」, "十一月甲戌, 大會道俗群臣, 陳師禮起, 此日設百座會, 至行香時, 上先就師之, 便恭敬致禮, 而後上殿".

55) 이는 다음의 자료에 의거하였다.
- 『금사』 권7, 본기7, 世宗中, 大定 12년 1월, "庚午朔, 宋·高麗·夏遣使來賀".
- 『금사』 권61, 表3, 交聘表中, 大定 12년 1월, "庚午朔, 高麗使賀正旦".

56) 이는「金純墓誌銘」에 의거하였다.

[是年, 金移牒徵詰□□□[~~廢立事~~], 使者絡繹. [同文院錄事王]世慶撰詞命, 甚稱旨, 王嘉之, 除監門衛錄事:列傳12王世慶轉載].[57)]

[○定太子胎藏地於甫州龍門寺門外峯頭, 又設祝聖壽法會於此寺, 置福田五員, 各弟子每日粥飯二味, 晝讀金光明經, 夜念觀音, 爲恒規. 給近州縣亡寺田三十頃幷安東府甫州十小寺臧獲各二口及近州寺租稅七百石, 分貸村民, 歲取息, 以爲道場衆料. 尋陞安東府管內甫州爲基陽縣令官:追加].[58)]

[○以[吏部侍郞]李文著爲尙書左丞·太子□□:追加].[59)]

[○以任忠贇爲試閤門祗候:追加].[60)]

[○以[耽羅縣令]崔陟卿爲詹事府主簿:列傳12崔陟卿轉載].

[○以晋光仁爲寫經院判官:追加].[61)]

[○以[攝校尉]吳倖爲攝散員:追加].[62)]

---

57) 原文에는 "明宗立, 金移牒徵詰, 使者絡繹. 世慶撰詞命, 甚稱旨, 王嘉之, 除監門錄事"로 되어 있다.

58) 이는 다음의 자료에 의거하였다.

· 「醴泉重修龍門寺記碑」, "… 歲在辛卯[明宗1年], 陰陽官卜定今皇太子胎藏地於寺門外左臂峯頭, 於寺設祝聖壽法會, 約福田五員, 各弟子每日粥飯二味, 晝讀金光明經, 夜念觀音, 爲恒規, 據朝旨納近州縣亡寺田三十頃幷安東府甫州十小寺臧獲各二口及近州寺租稅七百石, 分貸村民, 歲取息, 以爲道場衆料, … 大禪師[祖膺]謂靈異頗多, 想有前緣, 仰亦儲皇胎藏所, 乃奏請奉, 改號昌期寺, 先是甫州在安東管內, 因胎藏改爲基陽縣令官".

· 지11, 지리2, 安東府, 基陽縣, "本新羅水酒縣, 景德王, 改爲醴泉郡. 高麗初, 更名甫州. 顯宗九年來屬. 明宗二年[元年]藏太子胎, 改今名, 陞爲縣令官". 여기에서 明宗二年은 上記의 資料 辛卯年(명종1)과 비교해 볼 때, 『고려사』의 編年方式인 踰年稱元法을 따르면 明宗元年의 誤謬일 가능성이 있다.

59) 이는 「李文著墓誌銘」에 의거하였다.

60) 이는 「任忠贇墓誌銘」에 의거하였다.

61) 이는 「晋光仁墓誌銘」에 의거하였다.

62) 이는 「吳倖墓誌銘」에 의거하였다.

壬辰[明宗]二年，金大定十二年,[63] [南宋乾道八年], [西曆1172年]

1172년 1월 27일(Gre2월 3일)에서 1173년 1월 15일(Gre1월 22일)까지, 355일

春正月庚午朔[大盡,壬寅], 謁景靈殿.

庚辰[11日], 以[門下侍郎平章事]鄭仲夫爲西北面兵馬判事·行營兵馬兼中軍兵馬判事[~~判西北面兵馬·行營兵馬兼中軍兵馬事~~],[64) 樞密院副使?]金闡爲西北面兵馬使·行營兼中軍兵馬使, [中書侍郎平章事]尹鱗瞻爲東北面兵馬判事·行營兵馬兼中軍兵馬判事[~~判東北面兵馬·行營兵馬兼中軍兵馬事~~], 陳俊爲東北面兵馬使·行營兼中軍兵馬使.

[○以李應璋爲楊廣忠淸道按察使, 李景伯爲慶尙道按察使:慶尙道營主題名記].[65]

[是月, 斷俗寺住持·三重大師淵湛建大鑑國師坦然塔碑, 大師懷亮·僧處端刻字:追加].[66]

二月[庚子朔小盡,癸卯], [丁未[8日], 中書侍郞同中書門下平章事金永夫卒, 年七十七. 輟朝三日, 謚英簡:追加].[67]

己酉[10日], [禮部侍郎]張翼明·[都府署使]黃公遇還自金, 勑曰, "卿逖居侯土, 望重邦人. 固常公耳以爲心, 適會友于之遘疾, 累封章而敷奏, 述遜讓之由來, 攝位從宜, 投誠有請. 意欲承家而保國, 義當垂詔以加恩, 肆因使价之還, 姑用兪音之布, 續當遣使册命".

---

63) 『慶尙道營主題名記』에는 이해(대정12, 壬辰)에 金의 年號[大定]를 처음으로 使用하였다고 하는데("是年, 始行金年號"), 실제는 다음과 같이 大定 4년(의종18, 1164)의 사례가 찾아진다(黃壽永 1961년).

· 「白月庵靑銅銀入絲香垸」, "大定四年丁卯[甲申]八月日白月庵香垸棟樑玄旭". 여기에서 大定四年은 干支가 甲申이므로 ~~添字~~와 같이 고쳐야 옳게 될 것이다. 大定年間(1161~1189)에는 丁卯年이 없다.

64) 이때 鄭仲夫의 兵馬에 대한 兼職은 그의 열전에는 西北面兵馬判行營兵馬兼中軍兵馬判事로, 『고려사절요』 권12에는 判西北面兵馬事로 표기되어 있으나 ~~添字~~와 같이 고쳐야 옳게 될 것이다.

65) 李應璋은 그의 墓誌銘에 의거하였다.

66) 이는 「山淸斷俗寺大鑑國師塔碑」에 의거하였다.

· 『秋江集』 권5, 智異山日課(1487년), "丁未[成宗18年]九月二十七日癸亥, 發晋州餘沙等村, 赴斷俗寺, 洞口有廣濟巖門四大字, 銘在石面, 不知何人所書. 入巖門里許, 有斷俗寺, 隷人之家, 柹林竹樹成一村落, 中有大伽藍, 扁其門曰智異山斷俗寺, 門前有皎然[~~坦然~~]禪師碑銘, 平章事李之茂撰, 大金大定十二年壬辰正月日立, …". 여기에서 南孝溫이 어떠한 事由로 坦然을 皎然으로 改書하였는지는 알 수 없으나 父祖의 名字를 避諱하였을[私諱, 私家之諱]일 가능성이 있다.

67) 이는 「金永夫墓誌銘」에 의거하였는데, 이날은 율리우스曆으로 1172년 3월 4일(그레고리曆 3월 11일)에 해당한다.

癸丑[14日], 燃燈, 王如奉恩寺.

○有司請依太祖舊制, 以二月望, 燃燈. 王重違其請, 從之. 明年, 復用上元.

[是月, 遣尙書戶部侍郎金黃裕等如金, 賀萬春節, 衛尉少卿蔡祥正, 獻方物:追加].[68)]

三月己巳朔[大盡,甲辰], 王如靈通寺, 謁世祖·太祖·仁宗眞.

乙亥[7日], 移御大明宮.

辛巳[13日], 遣尙書右丞[左丞]李文著·侍郎崔誧如金, 賀上尊號.[69)]

[是月, 判衛尉□[寺]事高子思, □□□□□[掌國子監試], 取金光祖等一百十五人:選擧2國子試額轉載].[70)]

[春某月, 以金鳳毛爲大丘縣尉:追加].[71)]

[夏四月[己亥朔大盡,乙巳], 是月, 大師性林·大匠暢交等改修忠州崇善寺金堂:追加].[72)]

---

68) 이는 다음의 자료에 의거하였다. 이때 金에서 世宗 完顔烏祿에게 尊號를 올린 것은 前年(大定 11) 11월 23일(癸巳)이었는데(『금사』 권6, 본기6, 世宗上, 大定 11년 11월 癸巳), 위의 자료에서 이해 3월에 尊號를 올린 것을 하례한 사신은 衛尉少卿 蔡祥正이었다고 한다. 그러나 4월 29일(丁卯) 李文著·崔誧 등이 다시 하례를 드렸다는 점이 納得하기 어렵다. 아마도 이때의 蔡祥正은 例年의 사례와 같이[添字] 節日使와 함께 도착하였던 進奉使일 가능성이 높다.

· 『금사』 권7, 본기7, 世宗中, 大定 12년 3월, "己巳朔, 萬春節, 宋·高麗·夏遣使來賀".

· 『금사』 권61, 表3, 交聘表中, 大定 12년 3월, "己巳朔, 權高麗國王晧遣尙書戶部侍郎金黃裕等賀萬春節, 衛尉少卿蔡祥正賀加上尊號[進奉使]".

69) 李文著·崔誧는 4월 29일(丁卯) 世宗을 謁見하고 尊號를 받음을 賀禮하였다고 한다. 또 尙書右丞은 尙書左丞의 오자로 추측되는데, 이는 李文著가 前年(명종1) 尙書左丞에 임명되었음을 통해 알 수 있다(李文著墓誌銘).

· 『금사』 권7, 본기7, 世宗中, 大定 12년 4월, "丁卯, 宋·高麗遣使賀尊號".

· 『금사』 권61, 表3, 交聘表中, 大定 12년 4월, "丁卯, 高麗戶部尙書李□[文]著·國子祭酒崔誧賀尊號".

· 「李文著墓誌銘」, "今上卽位壬辰[明宗2年], 以□□□[賀尊號]使□□[如金]□□□對之, 能增重國本, …".

70) 이때 金光祖(前郭州判官 金有臣의 子)는 詩賦 分科에서 1等으로 합격하였다고 한다.

· 「金有臣妻李氏墓誌銘」, "有男光祖, 年若干, 以詩賦, 試於國子監, 升名狀頭".

71) 이는 「金鳳毛墓誌銘」에 의거하였다.

72) 이는 다음의 자료에 의거하였다.

· 「忠州崇善寺址銘文瓦」, "大定十二年壬寅[壬辰]四月日□□□監役,副都監·大師性林·大匠暢交□□□□□□□□□金堂改盖"(洪榮義 2020년).

夏五月[己巳朔小盡,丙午]，壬申[4日]，金遣太府監·上輕車都尉<u>烏古論仲榮</u>·翰林直學士張享來，册王.[73]

壬午[14日]，王出昇平門，迎詔，受册于大觀殿．册曰，“崇德象賢，若稽于古，承家開國，以正其功．粤惟表海之舊封，未艾如川之多祚．所從來遠，雖子孫勿替其傳，惟不于常，有兄弟相及之道．世將于是享德，人亦宜無閒言．爰契師虞，往敷天寵．咨爾晧，遠大以爲任，賢明而自將，地處彼邦之懿親，才雄爾衆之令望．緊乃祖乃父，實維藩維垣，前烈用弘，嗣賢不乏．盖根深則枝茂，積厚者流光，餘慶曷歸，汝躬是在．屬友于之疾，其殆不瘳，推公耳之心，自爲克讓，申以敷奏，達于聽聞．是用成斯美於天倫，代厥後于先正．今遣使，命爾爲開府儀同三司·高麗國王，永爲藩輔．於戲，社稷既有所受，德業莫或不勤，律乃邦民，謹爾侯度．禍福惟人所召，切戒于<u>淫佚</u>[淫佚]驕邪，夙夜畏天之威，庶可以安寧長久．罔曰不克，惟既厥心，往哉惟休，無替朕命”．

○又詔曰，“朕位乎天地之中，託于侯王之上．凡來咨來茹，皆釐爾成，于維藩維垣，固懷以德．卿令圖經遠，雅望得民，以介弟之懿親，篤前人之餘烈．恭承友讓，迓續世封，宜膺蕃錫之恩，永對榮懷之慶．今差某官某等，往彼册命，仍賜卿衣帶·鞍馬·匹<u>叚</u>[段]等物，具如別錄，至可領也．九旒冕一頂·九章服一副·玉圭一面·玉册一副·金印一面，<u>駝紐</u>象輅一·馬四匹．別賜衣五對·細衣著二百匹<u>叚</u>[段]·細弓一張·鵰翎大箭二十八隻·鞍轡二匹·散馬七匹”.[74]

丁亥[19日]，宴金使于大觀殿．[是時，以前年宮闕燒盡，無迎接處所，蒼黃營葺<u>大觀殿</u>及延慶宮:追加].[75]

---

73) 金에서 烏古論仲榮의 파견은 3월 9일(丁丑)에 결정되었다고 한다. 이에서 宿直將軍은 武散階가 아니라 宮闕을 守禦하는 左·右宿直將軍이며, 烏古論仲榮은 『금사』에서 찾아지지 않음을 보아 烏古論思列의 字일 가능성이 있다. 또 烏古論仲榮에서 烏古論은 部族(후일 姓氏로 바뀜)에서 由來된 複姓으로 金代의 女眞族을 구성하는 중요한 部族의 하나이다.

· 『금사』 권7, 본기7, 世宗中, 大定 12년 3월, “詔遣宿直將軍<u>烏古論思列</u>，册封<u>王晧</u>爲高麗國王”.

· 『금사』 권61, 表3, 交聘表中, 大定 12년 3월, “丁丑，宿直將軍<u>烏古論思列</u>·尙書右司員外郎<u>張享</u>爲封册<u>王晧</u>使”.

· 『금사』 권208, 열전95, 外夷1, 高麗, “[大定]十二年三月，遂賜封册”.

74) 駝紐는 印章 또는 어떤 모형을 손잡이를 駱駝[橐駝]形으로 제작한 것이다.

· 『山堂考索』前集권46, 禮器門, 寶璽類, “漢舊儀曰，諸侯王印，黃金橐駝紐，文曰璽”.

75) 이는 다음의 자료에 의거하였다. 여기에서 ~~添字~~는 추측하여 추가한 글자이며, 이는 前年(명종1) 10월 11일 불탄 宮闕을 급히 復舊한 것을 가리킨다. 그렇지만 이때 康安殿·大觀殿이 복구되었다는 기록도 있다(→명종 26년 8월 25일).

辛卯[23日], 雨雹.[76)]

六月戊戌朔[大盡,丁未], 王如奉恩寺.

丙午[9日], 以梁淑爲中書侍郎平章事, 韓就△[爲]守司空·參知政事, [中書侍郎平章事]崔惟淸爲集賢殿大學士·判禮部事, 並仍令致仕.[77)]

[癸丑[16日], 月食:天文2轉載].[78)]

壬戌[25日], 王受菩薩戒.[79)]

○左承宣[·衛尉少卿]李俊儀奏, 諸州任內五十三縣, 各置監務[80)]. 安東任內甫州, 以太子胎藏, 陞爲縣令, 固城縣加置尉一員. 王命群臣議之, 以俊儀勢位旣重, 性且猜險, 莫敢是非.[81)]

[某日, 西北面兵馬使·大將軍宋有仁, 乞解, 以金吾衛大將軍于學儒, 代之. 自

· 「尹東輔墓誌銘」, "及辛卯歲[明宗1年]□□梁宮闕煨燼, 會□□[壬辰]大金封册使節臨境, 國朝接迎無處所, □□□□, 倉[蒼]黃營葺大觀殿及□[延]慶宮. 公以宮闕都監錄事, 恪恭趨事, 不日成之".

76) 이와 같은 기사가 지7, 五行1, 水, 雨雹에도 수록되어 있다.

77) 崔惟淸은 1161년(의종15) 12월 27일에 中書侍郎平章事로 致仕하였다가 明宗이 즉위한 후 다시 등용되어 中書侍郎平章事에 임명되었으나 이때 재차로 致仕하였다(崔惟淸墓誌銘 ; 光陽玉龍寺先覺國師證聖慧燈塔碑).

78) 이날은 율리우스曆의 1172년 7월 8일인데, 이때 南宋과 일본의 교토에서 前日인 15일(壬子) 일식이 예측되었다고 한다. 그중에서 월식 현상이 심했던 때인 15일(壬子, 7월 7일)의 世界時는 11시 22분, 食分은 1.51이었다(渡邊敏夫 1979年 477面).

79) 고려의 帝王은 6월 15일에 菩薩戒를 받는 것이 慣例이므로, 이 기사의 壬戌(25일)은 壬子(15일)의 오자일 가능성이 있다.

80) 이때 監務가 설치된 지역을 『고려사』지리지에서 수합하면 다음과 같다(金東洙 1989년).
· [是年, 置楊廣道抱州·峯城·衿州·金浦·守安·唐城·振威·喬桐·竹州·龍駒·燕山·木州·燕岐·懷德·扶餘·石城·大興·結城·溫水·安城, 慶尙道興海·章山·永州·平海·咸安·昌寧·河東·泗州·草溪·居昌·龍宮·開寧·報令·咸昌·永同·豊山·基州·興州, 全羅道任實·務安·潭陽·谷城·樂安·南平·珍原·長城·咸豐·道康·玉果, 交州道平康監務. 又降慶尙道咸陽郡爲縣, 置監務:地理志轉載].
이에서 지11, 지리2, 永州에는 "明宗二年, 置監務, 後陞爲知州事"로 되어 있는데, 知州事官으로 승격한 것은 1234년(고종21) 이전으로 추측된다. 이는 『영천선생안』에 처음으로 1234년의 知州事 陳龍甲과 判官 權昌南이 기록되어 있는 것을 통해 알 수 있다.
한편 『경상도지리지』에는 龍宮·咸昌·報令·永同·開寧 등의 5縣은 1181년(명종11, 大定辛丑)에, 草溪縣은 1285년(충렬왕11)에, 泗川縣(泗州)은 1011년(현종2)에, 咸安은 1143년(인종21)에 각각 監務가 설치되었다고 되어 있으나 오류일 것이다(尙州道, 尙州牧官, "明宗時, 大定辛丑[明宗11年], 以龍宮·咸昌·報令·永同·開寧等五縣, 各置監務", 龍宮縣, "明宗時, 大定辛丑, 升爲監務, 其升降事跡未詳").

81) 이와 관련된 기사로 다음이 있다.
· 지11, 지리2, 基陽縣, "明宗二年, 藏太子胎, 改今名, 陞爲縣令官".

庚寅[毅宗24年之]後，北人橫恣，昌州人殺其守愛妓，置之衙門，成州人議滅三登縣，有不從者，殺至數十人，鐵州人議殺其長，格鬪而死．有仁不能制，懼害及己，稱疾乞代．學儒亦不能制:節要轉載]．[82]

秋七月[戊辰朔小盡,戊申]，甲戌[7日]，賜張聞慶等及第．[83]

乙亥[8日]，[立秋]．王以宮闕災·虫食松葉·乾文屢變，下詔責躬，赦內外斬·絞以下．

[某日，以金義鱗爲慶尙道按察使:慶尙道營主題名記]．

八月[丁酉朔大盡,己酉]，癸丑[17日]，遣[檢校太尉金于蕃:追加]·大僕卿[~~太僕卿~~]金晅如金，謝封册．[84]

九月[丁卯朔小盡,庚戌]，乙酉[19日]，謁昌陵[世祖]．

[是月，取□□□[升補試]李鳴鶴等三十八人:選擧2升補試轉載]．

冬十月[丙申朔大盡,辛亥]，甲辰[9日]，移御壽昌宮．

[丁巳[22日]，太白經天:節要·天文2轉載]．

[庚申[25日]，亦如之[太白經天]:節要·天文2轉載]．

---

82) 이와 같은 기사가 열전41, 鄭仲夫, 宋有仁도 수록되어 있다. 또 이 시기 이후에도 成州의 地方勢力[豪黨]은 계속 不法을 저지르다가 西北界의 行臺監察御史[分臺]로 부임한 尹承解에 의해 誅殺되었다.

· 「尹承解墓誌銘」, "旋擢監察御史, 出爲西北道分臺. 先是, 成州豪黨擅殺官妓. 前後奉使者, 初欲窮理其狀, 延及平民, 無不械縛, 闔郡騷擾, 未幾, 置而不問. 由是, 常爲貨賂之藪. 公入州, 鞫按詳審, 得首謀與手殺者, 誅之, 餘悉不理, 一州安之, 內外俱慶".

83) 이와 관련된 기사로 다음이 있다. 이에서 韓彦國은 韓楹의 改名이고, 金闡은 樞密院使·吏部尙書·翰林學士承旨에 이르렀다고 한다(朴仁碩墓誌銘).

· 지27, 선거1, 科目1, 選場, "[明宗]二年七月, 同知樞密院事金闡知貢擧, 右諫議□□[大夫]韓彦國同知貢擧, 取進士, [~~甲戌~~], 賜張聞慶等二十九人及第".

· 「崔惟淸墓誌銘」, "門□士韓楹, 在牓中年最少, □果驟進□數十年, □貢春□[場], 率門生, 諸□□門下奉□壽□作詩, □贈□其詩□□[輟]行來訪, □□□□□[我何榮喜見]門生門下生□[八]十殘年無□仕那知異□盡公□聞, 而讀和者, 无□[慮]數百人, □[朝]野歆艷".

84) 이는 다음의 자료에 의거하였는데, 그 시기는 10월 乙未 以前으로 되어 있다. 이달에는 기사가 3件이 있는데, a의 다음에 乙未와 壬子(17일)가 있지만, 이달에는 乙未가 없고 乙巳(10일), 丁未(12일)가 있다. 그러므로 고려의 사신은 丁未(12일) 이전에 世宗을 謁見하고 册封을 謝禮하였던 것 같다.

· a 『금사』 권7, 본기7, 世宗中, 大定 12년 10월, "某日, 高麗國王王晧遣使謝封册".

· b 『금사』 권61, 表3, 交聘表中, 大定 12년, "十月, 高麗檢校太尉金于蕃·太府少卿金瑄謝封册".

[是月甲寅[19日], 靈巖寺住持·重大師志文立先覺國師道詵塔碑:追加].[85]

十一月[丙寅朔小盡,壬子], 甲戌[9日], 幸普濟寺, [自此, 屢幸寺院:節要轉載].
[是月, 遣司宰少卿史正儒如金, 賀正:追加].[86]

十二月[乙未朔大盡,癸丑], 壬寅[8日], 金移牒, 問王生日.[87]
乙巳[11日], 設佛頂道場于明仁殿.
○遣衛尉卿蔡祥正如金, 進方物.
[丙寅[某日], 大雨雹:五行1雨雹轉載].[88]

[是年, 以[軍器監]庾應圭, 兼三司副使·太子少詹事:追加].[89]
[○以[楊廣忠淸道按察使]李應璋爲侍御史:追加].[90]
[○以崔証爲樞密院堂後官·權知閤門祗候:追加].[91]
[○以[前典廐丞兼都兵馬錄事]尹東輔爲權知閤門祗候:追加].[92]
[○以李勝章爲管城縣尉:追加].[93]
[○以盧□□爲隊正:追加].[94]
[○重創東京佛國寺毘盧殿·極樂殿:佛國寺古今創記].

---

85) 이는「光陽玉龍寺先覺國師證聖慧燈塔碑」의 碑文과 陰記에 의거하였다(崔惟淸 撰).
86) 이는 다음의 자료에 의거하였다.
· 『금사』 권7, 본기7, 世宗中, 大定 13년 1월, "乙丑朔, 宋·高麗·夏遣使來賀".
· 『금사』 권61, 表3, 交聘表中, 大定 13년 1월, "乙丑朔, 高麗國王王晧遣司宰少卿史正儒, 賀正旦".
87) 이에 관련된 金側의 記錄으로 다음이 있다.
· 『금사』 권208, 열전95, 外夷1, 高麗, "晧生日在正月十九日, 是歲[大定12年]十二月將盡, 未及遣使, 有司請至來歲擧行焉".
88) 이달에는 丙寅이 없다.
89) 이는「庾應圭墓誌銘」에 의거하였다.
90) 이는「李應璋墓誌銘」에 의거하였다.
91) 이는「崔証墓誌銘」에 의거하였다.
92) 이는「尹東輔墓誌銘」에 의거하였다.
93) 이는「李勝章墓誌銘」에 의거하였다.
94) 이는「盧□□墓誌銘」에 의거하였다.

癸巳[明宗]三年, 金大定十三年, [南宋乾道九年], [西曆1173年]

1173년 1월 16일(Gre1월 23일)에서 1174년 2월 3일(Gre2월 10일)까지, 13개월 384일

春正月乙丑朔[小盡,甲寅], 謁景靈殿.

辛未[7日], 百官賀人日, 賜人勝祿牌.[95]

戊寅[14日], 賀立春, 賜春幡子, 皆循舊例也.

○燃燈, 王如奉恩寺.

己丑[25日], 設帝釋道場于明仁殿.

閏[正]月[甲午朔大盡,甲寅], 庚子[7日], 遣禮賓少卿權光弼如金, 獻方物, 大府少卿[~~太府少卿~~]李應球, 賀萬春節.[96]

乙巳[12日], 設尊勝法會於內殿.

○以朴育和△[爲]守司空·左僕射.[97]

己酉[16日], 幸外帝釋院, 設羅漢齋.

[某日, 以金臣礪爲慶尙道按察使:慶尙道營主題名記].

[□□[~~是時~~], 以七道按察使·五道監倉使, 皆兼勸農使:節要·食貨2農桑轉載].[98]

二月[甲子朔小盡,乙卯], 甲戌[11日], 幸王輪寺, 飯僧.

戊子[25日], 幸妙通寺, 設摩利支天道場.

庚寅[27日], 移御大明宮.

---

95) 人勝祿牌는 天文曆[農曆]으로 1월 7일, 곧 人日에 녹패를 지급한다는 것에서 유래하였다. 古代의 荊楚의 풍속에 婦女들이 人日에 金箔으로 된 人形을 屛風에 붙이거나 頭髮에 裝飾하면 財產增殖[食貨]에 有利하다고 생각하였다고 한다. 이에서 人勝이라는 말이 생겼던 것 같다(『荊楚歲時記』, 正月七日爲人日, …).

96) 李應球는 明年(大定13) 3월 1일(癸巳) 世宗의 生日인 萬春節을 賀禮하였던 것 같다.
- 『금사』 권7, 본기7, 世宗中, 大定 13년 3월, "癸巳朔, 萬春節, 宋·高麗·夏遣使來賀".
- 『금사』 권61, 表3, 交聘表中, 大定 13년 3월, "癸巳朔, 高麗太府少卿李應球賀萬春節".

97) 朴育和는 竹州人으로 朴仁碩의 父이고, 朴犀(후일 朴文成으로 개명)의 祖父이다(『동국이상국집』 권19, 故戶部尙書檜谷居士朴公仁碩眞贊幷序 ; 尹龍爀 1991년 239面).

98) 이와 관련된 기사로 다음이 있다.
- 지31, 백관2, 外職, 勸農使, "明宗三年, 七道按察使[注, 慶尙州道·晋陜州道·全羅州道·忠淸州道·楊廣州道·西海道·春州道], 五道監倉使[注, 北界, 雲中道·興化道, 東界, 溟州道·朔方道·沿海道], 皆兼勸農使, 後別置勸農使".

辛卯[28日], 以仁考忌辰, 飯僧于樂賓亭.

三月癸巳朔[大盡,丙辰], 王如靈通寺.

己酉[17日], 慮囚.

[是月, 將作監廉信若, □□□□□[掌國子監試], 取詩賦金徵魏等二十八人, 十韻詩李滋祐等七十八人:選擧2國子試額轉載].

夏四月[癸亥朔小盡,丁巳], 乙丑[3日], [小滿]. 親禘大廟[~~太廟~~], 下旨[~~下詔~~]曰, "寡人以凉德, 因人推戴, 承襲祖宗遺業, 夙夜寅畏. 奉先思孝, 躬行禘禮, 致饗宗廟, 頗欲覃恩中外. 然近封元子, 當頒大澤, 以是, 先於禘祀, 拜三陵時, 執事陪奉及內外圜獄幽囚痛楚之類, 欲俾蒙澤. 其赦公徒·私杖以下及贖銅徵瓦, 並皆除之. 凡預禘禮拜三陵者, 亦賜物".

壬申[10日], 醮太一於內殿.

丙子[14日], 聚巫禱雨, 分遣近臣, 禱于群望. 是時, 自正月不雨, 川井皆渴, 禾麥枯槁, 疾疫並興, 人多餓死, 至有市人肉者, 又多火災, 人甚愁嘆.[99]

庚辰[18日], [芒種]. 兩府宰樞, 禱雨于普濟寺.

辛巳[19日], 命門下平章事[~~門下侍郞平章事~~]鄭仲夫·中書平章事[~~中書侍郞平章事~~]尹鱗瞻, 冊元子瑇爲王太子.[100]

丁亥[25日], 封王長女爲延禧宮公主, 次女爲壽安宮公主.[101]

[某日, 近臣上壽, 夜分未罷, 左右稍喧. 左副承宣文克謙諫曰, "前王之所以廢者, 可不戒哉?", 因勸王入內, □□[~~遂罷~~]. 右承宣李俊儀, 怒罵克謙:節要轉載].

[→一日, 近臣上壽, 夜分未罷, 左右稍喧. 克謙諫曰, "此前王之所以廢者, 可不戒哉?". 因勸王入內, 遂罷. 俊儀怒罵之:列傳12文克謙轉載].

---

99) 南宋에서는 潭州(現 湖南省 長沙市 一帶)에서 疫疾이 발생하였고, 湖北 江陵縣(現 湖北省 荊州市), 浙江 會稽縣(現 浙江省 紹興市)에서도 旱魃로 饑疫이 있었다고 한다(龔勝生 2015年).
· 『文忠集』 권78, 均州黃使君牧之墓碣, "乾道辛卯旱, 癸巳[乾道9年]疫, 拯饑療疾, 咸賴以濟".

100) 이 기사에서 門下平章事와 中書平章事는 각각 門下侍郞平章事, 中書侍郞平章事의 略稱이다. 그 중에서 尹鱗瞻은 다음 해 10월 5일 中書侍郞平章事임이 확인되고, 鄭仲夫는 이 시기의 前後에 參知政事를 거쳐 中書侍郞平章事에 임명되었고 門下□□[侍郞]平章事에 올랐다고 한다(열전41, 鄭仲夫).

101) 이 기사는 열전4, 明宗公主에도 수록되어 있다.

[→[明宗]三年, 封王女爲宮主, 近臣上壽, 夜分未罷. [攝大將軍·執奏李]義方携妓入重房, 與諸將縱飮, 喧噱擊鼓, 聲聞于內, 略無畏忌:列傳41李義方轉載].

[→[攝大將軍·執奏]李義方携妓入重房, 與諸將, 縱飮喧噱, 擊鼓聲聞于內, 略無畏忌:節要轉載].

戊子[26日], 移御壽昌宮.

○宰樞禱雨于神衆院.

[某日, [攝大將軍·執奏]李義方置平斗量都監, 斗升, 皆用槩, 犯者, 黥配于島. 未踰年, 復如初:節要轉載].[102)]

五月壬辰朔[大盡,戊午], 日食.[103)]

丙申[5日], 端午, 謁景靈殿.

甲辰[13日], 令文武三品, 抽祿設齋, 禱雨于普濟寺.

六月壬戌朔[大盡,己未], 王如奉恩寺.

甲申[23日], 宋遣徐德榮來.

戊子[27日], 賜崔時幸等及第.[104)]

秋七月[壬辰朔小盡,庚申], [辛丑[10日] 月犯建南第二星. 流星出河鼓, 入天棓:天文2轉載].

辛亥[20日], [白露]. 醮本命于明仁殿.[105)]

---

102) 이와 관련된 기사로 다음이 있다. 이에서 槩는 斗나 升에 穀物을 부어 넣고 그 위를 平平하게 밀어내는 평미래[平木, 量槪]를 가리킨다. 곧 用槪는 斗에 곡식을 부어 넣고 평미래질을 한다는 의미이다.

· 지31, 百官2, 平斗量都監, "明宗三年, 李義方奏置. 斗升, 皆用槩, 犯者配島, 未逾年復舊".

· 지39, 刑法2, 禁令, "執奏李義方置平斗量都監, 斗升, 皆用槩, 犯者, 黥配于島. 未踰年, 復如初".

· 『禮記』, 月令第6, 仲春之月, "日夜分, 則同度量, 均衡石, 角斗甬, 正權槪".

103) 이날 宋에서도 남쪽에 있는 별인 井宿[井, 東井]에 일식이 예고되었으나 구름[雰]으로 인해 보이지 않았다고 하며, 金에서는 일식이 있었다(『송사』 권52, 지5, 천문5, 日食 ; 『금사』 권7, 본기7, 世宗中, 大定 13년 5월 壬辰, 권20, 지1, 天文, 日薄食煇珥雲氣). 이날은 율리우스력의 1173년 6월 12일이고, 개경에서 일식 현상이 심했던 시간은 14시 22분, 食分은 0.87이었다(渡邊敏夫 1979年 307面).

104) 이와 관련된 기사로 다음이 있다.

· 지27, 선거1, 科目1, 選場, "[明宗]三年六月, [中書侍郎]平章事尹鱗瞻知貢擧, [左副承宣·]禮部侍郎文克謙同知貢擧, 取進士, [戊子], 賜崔時幸等三十二人及第".

[某日，以中書舍人李文鐸爲楊廣道按察使，崔光世爲慶尙道按察使．光世，既而有故，以金柱代之:慶尙道營主題名記].[106]

八月辛酉朔大盡,辛酉，乙亥15日，謁景靈殿.

[丙子16日，月暈:天文2轉載].

丁亥27日，移御大明宮.[107]

庚辰20日，東北面兵馬使·諫議大夫金甫當，起兵於東界.[108] [甫當，有膽氣，門下侍郎平章事鄭仲夫·攝大將軍·執奏李義方等忌之．甫當:節要轉載]，欲討鄭仲夫·李義方，復立前王毅宗．[與錄事李敬直及張純錫謀，以純錫及柳寅俊爲南路兵馬使，裴允材爲西海道兵馬使，使發兵，乃與:節要轉載]東北面知兵馬事韓彦國，擧兵應之．使張純錫·~~柳寅俊~~等，至巨濟，奉前王，出居雞林.[109]

[○門下侍郎平章事鄭仲夫·攝大將軍·執奏李義方聞之，使將軍李義旼·散員朴存威,[110] 領兵趣南路，又遣兵於西海路，以圖之．○義旼，慶州人，身長八尺，膂力絶人，與兄二人，橫於鄕曲，爲人患，按廉使按察使金子陽收掠栲問,[111] 二兄瘐死獄中，獨義旼不死．子陽選補京軍，携妻負戴，到京，會暮夜，城門已閉，投宿城南．夢有長梯，自城門至闕，歷梯而登，覺而異之．善手搏，毅宗愛之．庚寅之亂，別將李義旼所殺，居多:節要轉載].[112]

---

105) 明宗은 1131년(仁宗9, 辛亥) 10월 17일 誕生하였기에 辛亥는 그의 本命이 된 날이다(→의종 즉위년 12월 12일의 脚注).

106) 李文鐸은 그의 墓誌銘에 의거하였다. 또 崔光世의 경우 原文에는 "秋冬等秋冬番崔光世故, 金柱"로 되어 있는데, 이때의 故는 逝去를 의미하는 것 같다.

107) 8월의 기사는 乙亥(15일), 丁亥(27일), 庚辰(20일)으로 구성되어 있는데, 순서가 바뀌었거나 아니면 丁亥는 丁丑(17일)의 오자일 것이다.

108) 이날은 율리우스曆으로 1173년 9월 28일(그레고리曆 10월 5일)에 해당한다.

109) 『익재난고』 권9상, 忠憲王世家에 의하면, 金甫當의 관직이 諫議大夫(정4품)가 아니라 太僕卿(종3품)으로 되어 있고, 이때 全州牧使 裴純祐와 함께 모의하여 거병하였다고 한다. 또 裴允材는 故左散騎常侍 裴景誠의 孫, 刑部郞中·知閤門事 裴縉(혹은 裴晋)의 子, 中書侍郞同中書門下平章事 徐恭의 妻姪인 內侍·尙舍直長 裴允材일 것이다(徐恭神道碑). 그리고 添字는 열전41, 李義旼에 의거하였다.

110) 散員 朴存威는 열전41, 鄭仲夫에는 朴存蕆로, 열전13, 杜景升에는 朴存偉로 되어 있으나 前者가 옳을 것이다(→열전13, 趙位寵, 열전41, 李義旼 ; 東亞大學 2006년 22책 284面).

111) 慶尙道按廉使 金子陽은 1151년(의종5, 辛未) 慶尙道秋冬番[秋冬等]按察使 金子陽으로 추측된다(→의종 5년 6월 某日). 또 按廉使는 按察使의 別稱으로 추측되는데, 이 시기의 전후에 職名의 改定은 없었다.

九月辛卯朔小盡,壬戌，丁酉7日，[霜降]．捕殺知東北面兵馬事韓彥國．

癸卯13日，安北都護府執送甫當等，攝大將軍·執奏李義方殺之於市，凡文臣，一切誅戮.113)

[→安北都護府執東北面兵馬使金甫當·錄事李敬直等，送于京．李義方在迎恩館，訊鞫，殺之於市．初甫當之謀擧兵也，內侍陳義光·裴允材知之.114) 甫當臨死，誣曰，"凡其文臣，孰不與謀"．於是，一切誅戮，或投江水．○一卒執縛宰相尹鱗瞻，次縛庾應圭，應圭厲聲叱曰，"汝賤卒，敢辱宰相與郎官乎?"，卒不敢近．應圭往見諸將曰，"亘古以來，未聞無禮義而能保國家者也．且古法，刑不上大夫，公等有志正國，宜法古先，奈何使賤卒縛辱大臣，況尹公有將略，國有大事，捨此不可．又多殺無辜，必有殃禍"．諸將曰，"庚寅之事，微公告奏，吾屬葅醢矣"．乃迎坐而禮之，遂解鱗瞻縛．○時，文士戮且盡，中外洶洶，莫保朝夕．郎將金富謂仲夫·義方曰，"天意未可知，人心不可測，恃力不揆義，獮薙衣冠，世寧少金甫當乎? 吾輩有子女者，悉令通昏婚文·吏，以安其心，可久之道也"．衆從之，自是，禍稍止:節要轉載].115)

[○歲星入大微太微右掖門:天文2轉載].

112) 이와 같은 기사가 열전41, 李義旼에도 수록되어 있으나 그중에서 瘐死(유사, 獄中死亡)가 瘦死(수사, 餓死)로 되어 있다.
· 『한서』 권8, 宣帝紀第8, 地節 4년 9월, "… 今繫者，或以掠辜若飢寒瘐死獄中[蘇林曰，瘐，病也．囚徒病，律名爲瘐，如淳曰，律，囚以飢寒而死曰瘐，師古曰，瘐，病，是也．此言囚或以掠笞及飢寒及疾病而死，如說非也]，何用心逆人道也".

113) 이때 試司宰主簿 朴仁碩은 北原(現 江原道 原州市)으로 가서 前御史 權敦禮와 함께 山水를 즐기다가 誣告를 받아 延昌郡(現 京畿道 安城市 竹山面)에 流配되었던 것 같다. 또 李奎報는 이때 서울에서 軍人들이 일어나자 관료들이 도망을 가서 숨지 않는 사람이 없었다고 한다.
· 『동국이상국집』 권356, 尹承解墓誌銘, "癸巳歲，輦下兵起，衣冠搢紳，無不逃竄".
朴仁碩은 1173년(명종3)의 武臣에 의한 文臣虐殺을 전후에 原州로 피신하여 있었던 것 같다(文喆永 2014년).
· 「朴仁碩墓誌銘」, "… 而國步多艱，議官殆盡，遂拋弃棄官爵，遠竄于南荒，聞北原民俗頗淳古，宜於人，迺往卜居，與前御史權不華權敦禮，窮山水之遊．…".
· 「李勝章墓誌銘」, "癸巳，擾攘，列郡皆殲令長，以償宿冤．公獨□遺愛，爲下民推載，獲免斯厄".

114) 이 구절을 통해 볼 때 金甫當의 擧兵을 帝王의 側近인 內侍 2人이 이미 알고 있었다고 한다. 이는 擧事 以前에 京鄕 사이에 어떤 연결이 있었음을 알려 준다. 또 擧兵의 謀議가 6월에 이루어졌을 가능성이 있다는 흔적으로 다음의 자료를 주목한 견해도 있으나 文脈을 통해 볼 때 '六月'은 '八月'의 誤字일 가능성이 있다(許仁旭 2015년b).
· 表2, 年表2, 明宗, "三年六月六丹，金甫當等啚反正，至巨濟奉毅宗，出居雞林府．九月，鄭仲夫等殺文臣殆盡．十月，李義旼弑毅宗".

115) 이 기사의 일부는 열전41, 鄭仲夫에도 수록되어 있는데, 添字는 이에 의거하였다. 또 郎將 金富는 金就礪의 父이며, 禮部侍郎에 이르렀다고 한다(열전16, 金就礪).

[○尹鱗瞻進中書侍郞平章事, 出爲東北面兵馬判事·行營兵馬兼中軍兵馬判事~~判東北面兵馬·行營兵馬兼中軍兵馬事~~.[116] 金甫當起兵, 李義方疑鱗瞻與知其謀, 又以爲當時文臣之長, 將逮捕害之, 使巡檢軍, 執縛鱗瞻, 賴庾應圭獲免. 尋兼上將軍, 參署重房議事, 加守太師:列傳9尹鱗瞻轉載].

[○至癸巳年. □權?臣肆惡尤甚, 侯□戚閥少□無□類, 公崔惟淸之子孫雖曰□誅, □□~~以至~~朞□□□~~功之親~~, 无一人遇□□~~慘禍~~?, 盖賴公之德也:追加].[117]

[○明宗三年, 攝大將軍·執奏李義方等, 搜殺文士, □李公升匿佛日寺, 有邀功者擒, 詣義方. 公升嘗卜延福亭之基, 遂興大役, 人多怨之, 以故義方欲殺之, 賴門生文克謙免:列傳12李公升轉載].

[○□□~~先是~~, 前南京留守王珪娶門下侍郞平章事李之茂女, 之茂子世延, 以金甫當妹壻, 死於其亂. 攝大將軍李義方欲幷害珪, 因其妻索之, 匿仲夫家獲免. 時, 仲夫女孀居, 見珪悅而通焉, 珪遂棄舊室:列傳14王珪轉載].

[○興郊道館驛使金永固, 後爲龜州甲仗, 金甫當起兵敗, 永固逮繫寧州獄, 當死. 興郊吏民詣處置使, 涕泣請貸, 使不忍誅, 械送于京. □右承宣李俊儀, 素與永固善, 營救得免. 然第宅已沒官, 妻子飢寒, 無所托, 興郊吏又斂米帛, 厚遺之:列傳15金仁鏡轉載].

[乙巳15日, 月犯昴星:天文2轉載].

[庚戌20日, 鎭星逆行, 入天溷:天文2轉載].

[某日, 將軍李義旼等至慶州, 有人遮, 說曰, "前王來此, 非州人意, 乃由純錫·寅俊等爾, 今見其徒, 不過數百, 皆烏合之衆, 去其魁, 則餘悉潰走, 請少留, 吾歸圖之, 第願勿加罪州人耳". 義旼曰, "我在, 勿憂也". 其人遂入州, 謀諸衆曰, "純錫輩, 非今王所遣, 殺之何害?". 夜, 以兵圍而攻之, 斬數百人, ~~列其首於路之左右, 以待義旼~~. 丁巳27日, 幽前王于客舍, 使人守之:節要轉載].[118]

丁巳27日, 雞林人幽前王于客舍, 使人守之.

[○流星出河, 入柳:天文2轉載].

---

116) ~~添字~~와 같이 고쳐야 옳게 될 것이다.

117) 이는 「崔惟淸墓誌銘」에 의거하였는데, ~~添字~~는 다음의 기사에 의거하여 類推하였다.

· 열전12, 崔惟淸, "鄭仲夫之亂, 文臣皆被害, 諸將素服惟淸德望, 戒軍士勿入其第, 以至期功之親, 俱免禍".

118) ~~添字~~는 열전41, 李義旼에 의거하였다.

冬十月庚申朔[大盡,癸亥], [將軍]李義旼出前王, 至坤元寺北淵上, 獻酒數盃, 遂弑之.[119)]

[→[雞林人,] 冬十月庚申朔, 乃引義旼等入城. 出前王, 至坤元寺北淵上, 獻酒數盃. 義旼拉脊骨, 應手有聲, 便大笑. [散員]朴存威裹以褥, 合兩釜, 投[之]淵中, 忽有旋風卒[大]起, 塵沙飛揚, 人皆呼譟而散. 寺僧有善泅者, 取釜棄屍, 屍出水涘有日, 魚鼈烏鳶, 不敢傷. 前副戶長弼仁等, 密具棺, 奉瘞水濱:節要轉載].

○初, 前王宴金使, 使見左承宣金敦中, 問於執禮曰, "彼晳而長者, 貴而甚文, 其名爲誰". 苔[答]曰, "名敦中, 相國金富軾之子, 中魁第者也". 金使曰, "果信矣". 王聞之, 使請[請使]曰,[120)] "寡人之壽幾何?". 金使曰, "國王之壽, 久不可數, 今滿庭老少之臣盡逝然後, 王有臨川之患矣". 王自計必壽, 不復問臨川之患, 及庚癸之亂, 老少文臣皆被害, 而王亦遇淵上之變, 其言果驗.

[某日[辛酉2日?], [攝大將軍·執奏]李義方, 以其從兄郎將李椿夫及[郎將]杜景升, 爲南路宣諭使. 椿夫性酷, 多殺邑宰, 景升從容謂曰, "受命之日, 以謂[爲]方鎭構逆, 州郡響應, 禍亂連結, 恐難底定, 今賴公威靈, 殲厥巨魁, 先聲所曁, 束手請命, 誅戮已多, 請自今皆寬之, 脫有反狀, 情迹昭著, 然後誅之". 椿夫從之, 南方悅服. 椿夫謂景升曰, "始, 以公爲庸怯, 今乃知公寬大謹愼, 能濟大事, 向非公策, 豈特橫逆未息, 亦使我陷於不義?". 因結爲刎頸交:節要轉載].[121)]

[→東北面兵馬使金甫當起兵, 南方皆響應, 義方以其從兄郎將李椿夫及景升, 爲南路宣諭使. 椿夫性暴虐, 多殺邑宰. 景升從容謂曰, "受命之日, 以爲方鎭構逆, 州郡響應, 禍亂連結, 恐難底定, 今賴公威靈, 巨魁已殲, 先聲所至, 束手請命. 誅戮旣多, 請自今皆寬之, 脫有反狀, 情迹昭著, 然後誅之". 椿夫從之, 南方悅服. 使還, 椿夫謂景升曰, "始, 以公爲庸怯, 乃今知公寬厚謹愼, 能濟大事. 向非公策, 豈惟叛逆未息, 亦使僕陷於不義"?. 因結爲刎頸交:列傳13杜景升轉載].

冬十月,[122)] 壬戌[3日], 制, "自三京·四都護·八牧, 以至郡縣·館驛之任, 並用武人".

---

119) 이와 관련된 기사로 다음이 있다.
· 지18, 禮6, 國恤, "庚申□[辦], 李義旼弑毅宗于雞林".

120) 使請은 請使로 고쳐야 옳게 될 것이고, 이 시기는 金敦中이 左承宣으로 在職하던 1170년(의종 24) 1월 이후일 것이다.

121) 謂는 爲로 고쳐야 옳게 될 것이고, 열전13, 杜景升에는 後者로 되어 있다. 이는 『고려사』를 乙亥字로 組版할 때 採字(혹은 集字)를 잘못한 사례이다.

122) 10월의 기사 중에서 冬十月庚申朔과 冬十月壬戌은 冬十月이 重出된 것이다. 이는 『고려사』 世家篇이 세련되게 편집되지 못한 결과로 인해 발생한 것이지만, 『고려사절요』 권12에서도 고쳐지지 못했다.

[○是時, 令文恭允撰 '新定排班圖', 而行內外各司交差文武班制:追加].[123]

戊寅19日, 設消災道場于崇文殿.

乙酉26日, 移御壽昌宮.

[某日, 以攝大將軍·執奏李義方爲衛尉卿·興威衛攝大將軍·知兵部事:節要轉載].[124]

十一月庚寅朔小盡,甲子, 丁酉8日, 遣內侍·禮部郎中崔均如金, 賀正.[125]

己亥10日, 以册太子赦.

癸卯14日, 設八關會, 幸法王寺.

[十二月己未朔大盡,乙丑, 庚辰22日, 赤祲, 見于東方, 日官奏, 赤氣移時, 下有叛民:五行1轉載].

[某日, 以郎將申甫純爲刑部員外郞:追加].[126]

[冬某月, 畢忠淸道定山縣新豊維鳩驛公館. 是時, 請工施壁彩, 工當時妙手朴某, 畫一白衣着笠乘馬者正言文克謙, 於寢宇西壁間. 緣山路信轡徐驅, 物色凄然, 其童僕相携持轉行:追加].[127]

[是年, 以將軍李義旼爲大將軍:列傳41李義旼轉載].[128]

---

123) 이때 이루어진 文武交差法[交差文武班]의 제정은 다음의 자료에 의거하였다. 여기에서 文恭允은 이 시기에 인사행정[銓注]을 담당했던 文克謙을 指稱할 가능성이 있다.
- 『帝王韻紀』 권下, 本朝君王世系年代, "令文恭允撰'新定排班圖', 而內外各司交差文·武云云".

124) 이 기사는 열전41, 李義方에도 수록되어 있다.

125) 崔均은 다음 해 正旦에 賀禮하였던 것 같다. 이때 崔均은 禮部郎中兼太子文學이었으나 『금사』에는 吏部侍郎으로 되어 있는 것은 借職으로 인한 결과이다.
- 『금사』 권7, 본기7, 世宗中, 大定 14년 1월, "己丑朔, 宋·高麗·夏遣使來賀".
- 『금사』 권61, 表3, 交聘表中, 大定 14년 1월, "己丑朔, 高麗遣尙書吏部侍郎崔均等賀正旦".

126) 이는 「申甫純墓誌銘」에 의거하였다.

127) 이는 다음의 자료에 의거하였는데, 後世에 이 기사를 인용한 자료도 있으나 誤字가 있다(『善養亭集』 권1, 次維鳩驛壁上畫詩幷序).
- 『보한집』권하, "毅王近聲色好遊豫, 文忠肅公克謙, 時爲正言, 上疏切諫之, 不從. 及庚寅秋, 武臣構亂 乘輿南遷. 癸巳冬, 定山縣維鳩驛, 新修公館畢, 請工施壁彩, 工當時妙手, 姓朴亡名今其驛, 吏具言事實. 寢宇西壁間, 畫一白衣着笠乘馬者, 緣山路信轡徐驅. 物色凄然, 其童僕相携持轉行. 人見之, 皆不知是何圖".

128) 原文에는 "將軍李義旼, 自以爲功, 拜大將軍"으로 되어 있다.

[○以侍御史李應璋爲春州道按察使:追加].[129]

[○以大丘縣尉金鳳毛爲內侍:追加].[130]

[○以國朝多亂, 大禪師祖膺發願設三萬僧齋, 又別置輪大藏二座及堂三間, 作七日法會, 聚學者三百餘人, 請開泰寺僧統穎縚講演以落之, 以救國難焉:追加].[131]

甲午[明宗]四年, 金大定十四年, [南宋淳熙元年], [西曆1174年]

1174년 2월 4일(Gre2월 11일)에서 1175년 1월 24일(Gre1월 31일)까지, 355일

春正月[己丑朔小盡,丙寅, 白霧:五行2轉載].

丁酉9日, 燃燈, 王如奉恩寺.

[某日, 歸法寺僧百餘人, 犯城北門, 殺宣諭僧錄彥宣. 攝大將軍李義方率兵千餘, 擊殺數十僧, 餘皆散去, 兵卒亦多死傷者:節要轉載].

[□□~~翌日~~, 重光·弘護·歸法·弘化諸寺僧二千餘人, 集城東門. 門閉, 乃燒城外人家, 欲延燒崇仁門, 入殺義方兄弟. 義方知之, 徵集府兵, 逐之, 斬僧百餘, 府兵亦多死者. 乃令府兵, 分守城門, 禁僧出入. ~~義方又~~遣府兵, 破毁重光·弘護·歸法·龍興·妙智·福興等寺. 右承宣李俊儀止之, 義方怒曰, “若從爾言, 事不成矣”. 遂焚其寺, 取貨財·器皿以歸. 僧徒要擊於路, 還奪之, 府兵死者甚衆. 俊儀罵義方曰, “汝有三大惡, 放君而弑之, 取其第宅·姬妾, 一也. 脅奸太后女弟, 二也. 專擅國政, 三也”. 義方大怒, 拔劍欲殺之. 左副承宣文克謙止之曰, “以弟殺兄, 惡莫大焉, 何面目見人乎?, 若吾言不可聽, 請先殺我”. 義方與克謙相善, 且其弟隣之外舅~~爲克謙女壻~~,[132] 故從其言. 俊儀走出西門, 義方引劍, 割其胸而臥. 門下侍郞平章事鄭仲夫曰, “兄弟鬪於宮中, 何理耶?”. 欲執俊儀殺之. 仲夫妻聞之, 使人謂曰, “義方兄弟之事, 於卿何

---

129) 이는 「李應璋墓誌銘」에 의거하였다.

130) 이는 「金鳳毛墓誌銘」에 의거하였다.

131) 이는 다음의 자료에 의거하였다.

· 「醴泉重修龍門寺記碑」, “… 癸巳年, 國朝多亂, 大禪師發願設三萬僧齋, 又別置輪大藏二座及堂三間, 作七日法會, 聚學者三百餘人, 請開泰寺僧統穎縚講演以落之, 以救國難焉 …”.

132) 完顏琉은 ~~添字는~~ 열전41, 李義方에 의거하였는데, 外舅는 妻의 父(丈人)을 가리킨다.

· 『爾雅注疏』 권3, 釋親第4, 妻黨, “此一節別妻之親黨也. … ‘禮記’, 妻父曰外舅, 謂我舅者, 吾謂之甥[注, 謂我舅者, 吾謂之甥, 則亦宜乎? 壻謂甥]”.

有?". 由是, 俊儀得免, 然交舊莫敢往見, 門客亦散, 俊儀往謝義方, 義方亦潛往謝之:節要轉載].

[某日, 以田臣永爲慶尙道按察使, 旣而有故, 以玄利候玄利厚?代之, 郞將·刑部員外郞申甫純爲興化道監稅使監倉使:慶尙道營主題名記].[133)]

[是月, 金遣閤門引進使大洞來, 賀生辰:追加].[134)]

[○遣尙書刑部侍郞車仁揆如金, 獻方物:追加].[135)]

[是月頃, 以將軍杜景升爲西北面兵馬副使, 戍昌州:列傳13杜景升轉載].[136)]

[是月朔, 南宋改元淳熙:追加].

二月戊午朔大盡,丁卯, 丁亥30日, 王如靈通寺.

[是月, 遣尙書戶部侍郞金練光等如金, 賀萬春節:追加].[137)]

[是月頃, 以大將軍·執奏李義方爲左承宣:列傳41李義方轉載].[138)]

三月戊子朔小盡,戊辰, 己丑2日, 以左承宣李義方女爲太子妃.[139)]

[→太子納李義方女爲妃:節要轉載].

癸卯16日, 幸法王寺.

---

133) 玄利候는 이해의 10월 趙位寵의 반란에 저항하였던 延州人 玄德秀의 弟인 宣旨別監·龍虎軍將軍 玄利厚로 추측된다(열전12, 玄德秀). 또 申甫純은 다음의 자료에 의거하였는데, 監稅使는 監倉使의 別稱으로 추측된다.

· 「申甫純墓誌銘」, "甲午春, 奉監稅使出宰興化道".

134) 이는 다음의 자료에 의거하였다.

· 『금사』 권61, 표3, 交聘表中, 大定 13년 11월, "甲子5日, 以閤門引進使大洞爲高麗生日使".

· 『금사』 권7, 본기7, 世宗中, 大定 13년 11월, "… 閤門引進使大洞爲高麗生日使".

135) 이는 다음의 자료에 의거하였다.

· 『금사』 권61, 表3, 交聘表中, 大定 14년 2월, "丙戌29日, 高麗遣尙書刑部侍郞車仁揆進奉".

136) 이는 다음의 기사를 전재하여 적절히 變造한 것이다.

· 열전13, 杜景升, "景升以功, 拜將軍, 出爲西北面兵馬副使, 戍昌州".

137) 이는 다음의 자료에 의거하였다.

· 『금사』 권7, 본기7, 世宗中, 大定 14년 3월, "戊子朔, 萬春節, 宋·高麗·夏遣使來賀".

· 『금사』 권61, 表3, 交聘表中, 大定 14년 3월, "戊子朔, 高麗尙書戶部侍郞金練光等賀萬春節".

138) 原文에는 "義方拜左承宣, 納其女爲太子妃"로 되어 있다.

139) 이때 太子妃가 된 李義方의 딸은 李義方이 鄭仲夫에 의해 被殺된 1174년(명종4) 12월 18일 이후 宮中에서 逐出되었으나 後日 思平王后로 追尊되었던 것 같다(열전1, 康宗妃, 思平王后李氏).

夏四月[丁巳朔小盡,己巳], [壬申[16日], 月食:天文2轉載].[140)]

乙酉[29日晦], [芒種]. 幸妙通寺.

五月[丙戌朔大盡,庚午], 丁酉[12日], 王命□□[牽龍?]指諭于光胤·白任至·行首李冠夫·宋群秀[~~宋君秀~~]·慶大升·牽龍車若松等打毬, 賜綾絹, 有差.[141)]

辛丑[16日], 幸王輪寺.

[某日, 制, "左蘇白岳山, 右蘇白馬山, 北蘇箕達山, 置延基宮闕造成官":節要·百官志2三蘇造成都監轉載].[142)]

六月丙辰朔[大盡,辛未], [小暑]. 王如奉恩寺.

乙丑[10日], 金橫宣使完顔琉來.[143)]

庚午[15日], 王受菩薩戒.

丙子[21日], 宴金使於大觀殿.

---

140) 이날 宋에서는 월식이 예측되었으나 구름으로 인해 보이지 않았다고 하고(『송사』 권52, 지5, 천문5, 月食), 일본의 교토에서도 월식이 있었다고 한다. 이날은 율리우스력의 1174년 5월 18일이고, 월식 현상이 심했던 때의 世界時는 11시 25분, 食分은 0.27이었다(渡邊敏夫 1979年 477面).

141) 宋群秀는 명종 8년 1월 22일에는 宋君秀(宋有仁의 子)로 나오고, 또 權門의 子라고 한 것을 보아 後者가 옳을 것이다.

142) 이러한 延基宮闕造成官에 의해 名山에 王朝의 延基를 위한 각종 施設, 裝置, 石標 등이 설치되었을 가능성이 있다.

· 『青泉集』 권4, 李相國葬禮時壙中石標記, "故左丞相致仕·奉朝賀·鶩谷李公之墓, 在豊德府東十五里禾谷之右崗, 配貞敬夫人洪氏墓在左崗, 兩塋距百餘武[步]. 今上[英祖]十七年辛酉月在卯, 將行祔禮, 子侍郎公環山而泣曰, '孤不肖訔于眡窆, 罔筮吉凶, …', 甲辰, 命工啓域, 土正黃, 鑿之二尺餘, 瑀然有石與鏊響, 排土而諦視, 石色純黑, 高五寸, 體圓圓徑三寸, 頭頂及尻皆平削, 坐不欹. 環其腰刻成四區, 方廣如一, 上下畫鏤妙甚, 跟爲四隅, 東西削方一寸, 南北圜如剖鍾者, 各寸有半. 是石也坐而指南, 與本山主案龍虎, 無毫髮差爽. 衆大驩曰磁石也, 是能引銕, 即呼大碗盛水, 以寸稈貫針帖水上, 從碗傍挈石而睨之, 針無不嚮轉以應. … [申]維翰在衆賓之末座中, 有石工辨物者, 言自古東方人不解治磁石, 石性麤頑, 非東砂可礱, 此其琢磨古朴而精巧, 意新羅事唐時, 中華人所爲. 維翰進曰, 毋妄語, 名山福地, 世爭欲輦金而沽之, 使當時一露耳目, 爽鳩氏已先獲矣. 三韓以來, 必有異僧之嘿通神解者, 如義相·道詵之流, 削石而指南, 以秘午向之兆, 待今千百年, 而得李侍郎手闢然後石出, 而與歲運合. 於乎, 是豈容人力而得之耶, 丞相德業誌文, 在侍郎孝思, 詩所謂永錫爾類, 山不騫石不磨, 請以觀於百世. 僉曰然, 是爲記".

143) 『금사』에는 4월 19일(乙亥) 勸農副使 完顔蒲涅을 橫賜高麗使로 삼았다고 되어 있다.

· 『금사』 권7, 본기7, 世宗中, 大定 14년 4월, "乙亥, 以勸農副使完顔蒲涅爲橫賜高麗使".

· 『금사』 권61, 表3, 交聘中, 大定 14년 4월, "乙亥, 勸農副使完顔蒲涅爲橫賜高麗使".

秋七月丙戌朔小盡,壬申, 庚寅5日, 遣給事中皮瑩文如金, 賀萬春節, 中郎將宋勝夫, 進方物, 都官員外郎魯璋, 謝橫宣, 左司員外郎趙永仁, 賀正.[144]

[某日, 以車仲圭爲西北面兵馬使, 大將軍李儀位東北面兵馬使, 李璋爲慶尙道按察使:慶尙道營主題名記].[145]

八月乙卯朔大盡,癸酉, 丁巳3日, 刑官奏, "重刑減死, 分配諸島".

○宋歸我漂風人張和等五人.

乙丑11日, 幸王輪寺.

九月乙酉朔大盡,甲戌, 癸巳9日, 以重九, 宴樞密·重房于和平宮.

己酉25日, 西京留守趙位寵起兵, 謀討門下侍郎平章事鄭仲夫·李義方, 檄召東·北兩界諸城[曰, "側聞, 上京重房議曰, '近, 北界諸城, 率多桀驁, 宜往攻討', 兵已大發, 其可安坐, 自就誅戮, 宜各糾合兵馬, 速赴西京". 於是, 岊嶺以北四十餘城, 皆應之. 獨延州都領玄覃胤及子德秀, 謂州軍將曰, "昔契丹蕭遜寧侵我, 列城竝降, 而獨我州屹然固守, 功載王府. 今, 位寵包藏禍心, 旅拒王命, 天地所不容, 苟懷忠義, 可忍從命" 遂與州將, 向闕羅拜, 連呼萬歲, 乃閉城固守:節要轉載].[146]

[→明宗四年, 趙位寵起兵, 西都諸城響應. 王以殿中監庾應圭素有名望, 命宣諭諸城, 諸城稍稍效順, 拜工部侍郎:列傳12庾應圭轉載].

[己卯某日, 大風飛沙石, 二日:五行3轉載].[147]

[□□是月, 西京留守趙位寵起兵, 分道將軍朴存偉朴存威·李彦功等, 爲位寵所執. 時將軍·西北面兵馬副使杜景升戍, 旋至香山洞通路驛, 遇西兵, 與戰敗之. 景升至撫州館, 方晝食, 西兵千餘人突至. 景升開館門, 西兵爭入, 景升射一人, 卽仆地, 西兵敗走. 景升謂士卒曰, 賊在前, 不可從舊路. 乃由徑, 夜行至一寺解鞍. 與僧問路, 僧指之, 景升日夜兼行, 八日而至京:列傳13杜景升轉載].[148]

---

144) 명종 4년 7월 5일(庚寅)에 이루어진 節日使 皮瑩文, 進奉使 宋勝夫, 謝賜橫宣使 魯璋, 賀正使 趙永仁 등의 파견은 시기가 적절하지 아니하며, 『금사』와도 調應되지 않는다. 『고려사』와 《全史》의 편찬에서 어떤 착오가 있었을 것이다.

145) 車仲圭는 是年 10월 5일에, 李儀는 열전12, 崔均에 의거하였다(→是年 10월 某日의 脚注).

146) 이와 같은 기사가 열전13, 趙位寵에도 수록되어 있고, 玄德秀와 관련된 내용은 열전12, 玄德秀에도 수록되어 있다.

147) 이달(9월, 大盡)에는 己卯가 없고, 8월(大盡) 25일과 10월(小盡) 25일이 己卯이다.

冬十月乙卯朔小盡,乙亥，[某日，位寵遣人，牒延州曰，“今北界四十餘城軍馬，已會于此，獨爾城不至．將擧銳兵問罪，愼勿聽二三人語，宜秣馬興師，速赴西都”．是日，城中推□玄德秀，權行兵馬臺事權行兵馬分臺事．德秀遣州將彦通等三十餘人，擒西使殺之．位寵又牒云，“今發兵者，將以救北藩列城也，列城兵，已至淸川江，獨爾城不至，將發兵，往攻滅之”．於是，州人頗洶洶，或有欲應位寵者，德秀詐爲孟州將吏書，密令城外村民，投城中曰，“上京兵十領，已踰鐵嶺，自東界，將擣西都，凡州鎭爲位寵詿誤者，不可輕發兵，其各堅守，以待之．城中人信之，無二心．德秀與州副使崔博文·判官安之彦·金公裕等，分兵屯守諸門:節要轉載].[149]

己未5日，遣中書侍郞平章事尹鱗瞻，率三軍，以擊位寵．[又遣內侍·禮部郞中崔均，爲東北路都指揮使，往諭諸城:節要轉載]．[均，歷抵登·和等數十城，回至寶龍驛:列傳12崔均轉載]．

[→趙位寵起兵，王命鱗瞻爲元帥，率三軍擊之:列傳9尹鱗瞻轉載]．

○西北面兵馬使車仲圭趣延州，至雲畔驛．雲州人殺之．分臺監察御史林擢才·兵馬錄事李唐就等，至延州，語曰，“兵馬使旣死，吾等無所歸，懷印而來，求活於貴州”．於是，州人以宣旨別監·~~龍虎軍~~將軍玄利厚，△爲權行兵馬使事，利厚德秀弟也．以德秀△爲權監倉使事，以唐就，依前兵馬錄事，易置諸部署，嚴兵守之．是日，安北~~都護府~~都領姜遇文等三十四城都領，致書延州曰，“上京將發大兵，以討北藩諸城，諸城實無罪，故西京趙尙書，~~惻然~~欲救吾等，徵召軍馬，而獨貴城不至，其意何如，若有異謀不從者，當赤其族，宜率軍馬，赴西京，使無後悔”:節要轉載].[150]

丙寅12日，鱗瞻至岊嶺，兵敗而還．

[→元帥尹鱗瞻至岊嶺驛，會大風雪，西兵冒雪，從嶺而下，出不意，急擊大破之，鱗瞻欲冒入敵中，都知兵馬事都知兵馬使?鄭筠止之曰，“主將不宜自輕”，撾鱗瞻馬，潰圍突出，僅獲免，遂收軍而還:節要轉載].[151]

[戊辰14日，月食:天文2轉載].[152]

---

148) 朴存偉는 朴存威의 오자일 것이다(→명종 3년 8월 20일의 脚注).

149) 이 기사는 열전12, 玄德秀에 수록되어 있으나 자구에 출입이 있다. 또 權行兵馬臺事는 權行兵馬分臺事에서 分이 탈락된 것 같다.

150) 이 기사는 열전12, 玄德秀에 수록되어 있으나 자구에 출입이 있다. 添字는 이에 의거하였다.

151) 이와 같은 기사가 열전9, 尹瓘, 鱗瞻에도 수록되어 있으나 字句에 출입이 있는데, 添字는 이에 의거하였다.

152) 이날은 율리우스력의 1174년 11월 10일이고, 월식 현상이 심했던 때의 世界時는 17시 10분, 食

丙子22日, 設百高座于天敷殿, 講仁王經三日.

[某日, 遣中郎將李景伯, 權授禮部郞中崔均△爲禮部侍郞, 充兵馬副使, 與兵馬使·大將軍李儀合擊西兵. 均還至寶龍驛, 聞命, 謂景伯曰, "吾觀諸城, 與位寵連結, 皆懷二心, 敵兵若至, 向背未可知, 然君命可避乎?". 卽入和州營. 是夜, 敵將金朴升·趙冠等來攻, 郞將李琚開門納之, 均與兵馬使·大將軍李儀, □□□□分臺監察御史智仁挺, 被執. 均罵曰, "汝賊帥位寵, 起自行伍, 位至八座, 國恩莫大, 而乃忘恩背義, 擧兵搆逆, 天地神人所共憤. 其覆亡可立待也, 汝等助其凶惡, 拘執王人, 若官軍繼至, 則汝輩何逃". 均·儀及幕僚軍校, 皆遇害:節要轉載].[153]

[某日, 以將軍杜景升爲東路加發兵馬副使, 率兵五千餘人, 至孤山, 分軍爲三, 以左右翼急擊西兵, 大破之, 斬首千餘級. 比至宜州. 金朴升列車城門, 以拒之. 景升又選銳, 攻拔其城, 擒斬朴升, 傳首京城. 諸州鎭, 稍稍來歸, 前至孟州, 敵兵據險拒之, 與李義旼·石磷石麟等, 共擊破之, 斬首四百, 孟·德二州兵, 亦棄城走, 景升慰諭居民, 令各按堵:節要轉載].[154]

[→時, 元帥尹鱗瞻已出軍, 王以景升爲東路加發兵馬副使. 景升率兵五千餘人, 至孤山, 分軍爲三, 以左右翼, 急擊西兵, 大破之, 斬首千除級. 至宜州, 位寵將金

分은 0.45이었다(渡邊敏夫 1979年 477面).

153) 이때 崔均에 관한 기록으로 다음이 있다.

- 열전12, 崔均, "趙位寵起兵西京, 以均爲東北路都指揮使, 往諭諸城. 均歷抵登·和等數十城, 回至寶龍驛, 王遣李景伯, 權授均禮部侍郞, 充兵馬副使, 與兵馬使, 合擊西京. 均聞命, 謂景伯曰, '吾觀諸城, 皆與位寵連結, 懷二心, 敵兵若至, 向背未可知. 然君命可避乎?' 卽入和州營. 是夜, 位寵將金朴升·趙冠等來攻, 郞將李琚開門納之, 均與兵馬使·大將軍李儀, □□監察御史智仁挺被執. 均罵曰, '賊帥位寵, 起自行伍, 位至八座, 國恩莫大, 而乃忘恩背義, 擧兵構逆, 天地神人所共憤. 其覆亡可立待也, 汝等助其凶惡, 拘執王人, 若官軍繼至, 汝輩皆爲虀粉.' 罵不絶口, 均·儀及幕僚軍僚, 皆遇害. 均工草·隷, 文才·吏幹俱優, 未及大用, 人皆惜之. 贈禮部尙書, 後以子貴, 加贈尙書左僕射".
- 「崔甫淳墓誌銘」, "大定十四年甲午, 東蕃二十餘城跋扈飛揚, 於萬死中不顧死生, 奉承王命, 單騎獨往, 諭以禍福, 各令歸順. 定亂之後, 返於路次, 乃爲他賊所害. 惜乎, 爲國亡身者也. 本朝錄功, 追封□司徒".

154) 이때 石麟이 郞將(혹은 中郞將)으로 杜景升의 휘하에서 戰功을 세웠던 것 같다. 그는 石磷, 石隣으로 달리 표기되었지만 石麟의 오자일 것이다(열전41, 曹元正에는 石隣, 열전13, 杜景升과 『동국이상국집』 권34, 蔡順禧誄書에는 石麟으로 되어 있다). 또 이때 閤門祗候 尹東輔가 東界加發兵馬使의 麾下에 들어가 判官이 되었던 것으로 推測된다.

- 열전41, 曹元正, 石隣, "明宗時, 從杜景升, 討趙位寵, 有功, 累陞上將軍".
- 「尹東輔墓誌銘」, "曾西人跋扈 上命將討伐, 更遷東界加發兵馬使□助軍□, 卽辟公爲□□判官, 經略轅門, 所向…".

朴升, 列車城外禦之. 景升選銳, 攻拔其城, 擒朴升斬之, 傳首于京. 諸州鎭稍稍歸附. 定·長二州及宣德鎭, 欲投女眞 , 景升遣人撫安之. 女眞 千餘人, 到定州門外, 欲乘危鈔掠, 景升諭解之, 女眞 乃退. 景升至孟州, 西兵據險以拒. 與李義旼·石麟等, 擊破之, 斬四百級, 孟·德二州兵, 棄城走. 景升慰居民, 令按堵. 撫州堅拒不服, 雲中兵又至, 爲聲援, 景升分兵擊之, 雲中兵退, 撫州遂降. 時, 行營兵馬使及四摠管, 戰不利還京, 西兵遮路. 景升迎擊于大同江, 凡二十戰皆捷, 西兵大敗:列傳13杜景升轉載].

[→明年[明宗4年], 趙位寵起兵, [李]義方以[大將軍李]義旼爲征東大將軍·知兵馬事. 義旼將兵赴戰, 有流矢中目, 進軍鐵嶺, 四面鼓噪, 急擊大破之. 方攻漣州, 有興化道逆賊數千來, 屯北川救之. 義旼領兵出拒, 冒刃入其屯, 斬一騎將, 賊兵退. 是後, 賊聞義旼兵至, 輒奔遁不敢敵. 以功拜上將軍:列傳41李義旼轉載].

[某日, 雲州郞將□君禹,[155] 遣邊孟賫書, 諭延州曰, "西京差使員率四十餘城及諸寺院僧雜軍萬餘, 欲侵貴城, 宜愼思之, 其速赴召". 林擢才斬孟頭, 梟示城外, 俄而西兵來, 攻城, 擢才擊破之, 至暮, 西兵復屯城南, 諭之曰, "東北諸城擧兵, 欲正三韓, 獨爾城不應, 所以擧兵一萬來攻, 苟有人, 斬[玄]利厚兄弟, 擢[林]才·[李]唐就等, 開門出降, 將加厚賞, 不爾, 必屠之". [玄]德秀率軍出擊之, 西兵大潰:節要轉載].

[某日, 西兵向京都來, 屯京西權有路上, [大將軍·左承宣]李義方怒甚, 執西京人尙書尹仁美·大將軍金德臣·將軍金錫材等, 無貴賤, 悉誅之, 梟首于市. 領兵而出, 先遣崔淑等數十騎, 衝陣突擊, 殺數人, 諸軍乘之. 西兵驚亂, 大敗而走, 義方乘勝, 逐北, 至大同江. 位寵收散兵, 復守城, 義方屯兵城外, 留月餘, 苦寒不能戰, 復爲西兵所敗, 乃還:節要轉載].[156]

[某日, 官軍捕斬位寵子卿及將軍禹爲善, 傳首于京:節要轉載].

[→位寵先鋒至京西, [大將軍·左承宣李]義方擊敗之, 奔還至大同江, 收散卒, 復嬰城固守. 義方久屯城外, 位寵擊却之. 義方兵獲位寵子卿及將軍禹爲善, 斬之:列傳13趙位寵轉載].

十一月甲申朔[大盡,丙子], 日食.[157]

---

155) 雲州郞將 君禹는 姓氏가 탈락되었을 것이다.

156) 添字는 열전41, 李義方에 의거하였다.

157) 이날 宋에서도 尾宿[尾]에 일식이 예고되었으나 구름[露]으로 인해 보이지 않았다고 하며, 金

[某日, 西兵復圍延州數重, □[玄]德秀遣高勇之·李唐就等, 急擊大敗之, 擒殺甚衆, 復攻城, 德秀又出擊破之, 獲兵仗無算:節要轉載].

[→西兵遂趣京都. 至京西, 爲李義方所敗, 乃曰, "雖不能得志上都, 延州以小城, 久不下, 不可不討". 復趣延州, 圍數重. 德秀遣高勇之·唐就等, 急擊大敗之, 擒殺甚衆. 西兵復來攻, 德秀又出擊大破, 獲兵仗無筭:列傳12玄德秀轉載].

[丁未[23日], 玄化寺住持·僧統覺觀入寂, 年五十三. 觀累承寵命, 爲僧統, 歷住四名藍. 僧統沙門之峻秩, 凡宮嬪所誕, 不得爲之, 其道德非凡, 爲朝野尊敬, 故得爲之追加].[158]

庚戌[27日], 復命[中書侍郎平章事]尹鱗瞻爲元帥, [樞密院副使奇卓誠副之,[159] 知樞密院事陳俊爲左軍兵馬使, 同知樞密院事慶珍爲右軍兵馬使, 上將軍崔忠烈爲中軍兵馬使, 攝大將軍鄭筠△[爲]知兵馬事, 上將軍趙彦爲前軍兵馬使, 攝大軍將文章弼△[爲]知兵馬事, 上將軍李齊晃爲後軍兵馬使, 司宰卿河斯淸△[爲]知兵馬事:節要轉載], 率三軍, □[復]攻西京, [僧軍亦行:列傳9尹鱗瞻轉載].

[→明宗四年, [副]元帥奇卓誠擊趙位寵, 聞忠獻勇敢, 選補別抄都令[~~都領~~],[160] 以勞累遷攝將軍:列傳42崔忠獻轉載].

에서는 일식이 있었다(『송사』 권52, 지5, 천문5, 日食 ; 『금사』 권7, 본기7, 世宗中, 大定 14년 11월 甲申, 권20, 지1, 天文, 日薄食煇珥雲氣). 이날은 율리우스력의 1174년 11월 26일이고, 개경에서 일식 현상이 심했던 시간은 16시 42분, 食分은 0.93이었다(渡邊敏夫 1979年 307面).

158) 이는 다음의 자료에 의거하였다. 覺觀은 睿宗의 次妃인 淑妃 崔氏(大卿 崔湧의 女)의 所生인 것 같은데, 宮嬪 所生이라고 기록한 점이 특이하다. 또 異腹弟로 추정되는 승려 之印(字 覺老, 1101~1158, 後宮 殷氏의 子)·覺倪 등과 함께 宗室列傳에 登載되지 못하였다(廣智大禪師之印墓誌銘).

· 「玄化寺住持·僧統覺觀墓誌銘」, "師諱覺觀, 字致虛, 俗姓王氏, 王室之胤也, 某崔氏, … [年]三十三[毅宗7年]爲三重大師, 累承寵命, 尊爲僧統, 歷住四名藍. 僧統沙門之峻秩, 凡宮嬪所誕, 不得爲之, 師道德異常, 久爲朝野尊敬, 故得爲之".

159) 奇卓誠은 尹鱗瞻의 열전에 樞密院副使로 되어 있으나 그의 열전에는 參知政事로 副元帥에 임명되었다고 하지만(열전9, 尹瓘, 鱗瞻 ; 열전13, 奇卓誠), 사실이 아닐 것이다.

또 이때 참전한 軍官으로 1174년(명종4, 甲午)의 內廂·監察御史 尹宗諹(尹鱗瞻의 6子, 「尹宗諹墓誌銘」), 攝大將軍·知友軍兵馬事 白任至(白任至墓誌銘), 郞將·前軍兵馬判官 申甫純(申甫純墓誌銘), 龍虎軍郞將 盧卓儒(盧卓儒墓誌銘), 左軍兵馬判官·閤門祗候 吳□實(吳□實墓誌銘), 興威衛保勝散員 崔忠獻(崔忠獻墓誌銘), 攝散員 吳偦(吳偦墓誌銘), 校尉 金元義(金元義墓誌銘) 등이 찾아진다.

또 1175(명종5, 乙未)에는 行營兵馬錄事 金閱甫(金閱甫墓誌銘), 西北面寧州精勇郞將 宋子淸(宋子淸墓誌銘) 등이 찾아진다.

160) 添字와 같이 고쳐야 옳게 될 것이다.

[是月頃, 王師德素入寂:追加].161)

十二月甲寅朔大盡,丁丑, 乙卯2日, 詔曰, "朕德薄智微, 謬承祖宗積累之基, 臨莅三韓, 于今五載. 不能上答天意, 下撫民心, 災變未息, 恐懼難安. 思欲寬宥恩澤, 廣被中外, 可赦斬·絞二罪以下, 除刑付處, 庚寅明宗1年·癸巳3年配流者, 皆移免上京, 幷除贖銅徵瓦. 內外名山·大川神祇, 各加號. 賜征西軍卒, 米人一石. 宿衛軍人妻子在外者, 穀二人幷一石".162)

[某日, 東路加發兵馬副使杜景升還, 王曰, "卿以死許國, 使兇徒挫氣, 厥功不細, 然大憝尙存,163) 社稷之恥也, 卿其勉之". 仍命爲後軍摠管使:節要轉載].

[→東路加發兵馬副使杜景升還至平州, 王遣知奏事李光挺, 郊迎勞問. 及至, 王曰, "卿以死許國, 使兇徒挫氣, 功不細矣. 然大憝尙存, 社稷之恥也. 卿其勉之". 仍命爲後軍摠管使, 復遣之:列傳13杜景升轉載].164)

癸亥10日, 以李隣爲執奏.165)

辛未18日, 鄭筠密誘從軍僧宗昆等, 斬大將軍·左承宣李義方, 分捕其黨, 殺之, 僧徒遂聚普濟寺.

[→義方自納女東宮, 益擅威福, 濁亂朝政, 衆心憤怨. 鱗瞻將復討位寵, 治兵西郊, 僧徒亦從軍. 義方偶出宣義門外, 仲夫子筠密誘僧宗昆等, 托有求訴, 隨義方後, 伺隙斬之. 分捕俊儀兄弟及其黨高得元·柳允元等, 皆殺之. 僧徒以爲, "賊臣之女, 不可配東宮." 奏黜之:列傳41李義方轉載].

[→元帥尹鱗瞻帥諸將, 治兵西郊, 李義方自納女東宮, 益擅威福, 濁亂朝政, 衆心憤怨. 義方偶出宣義門外, 鄭筠密誘從軍僧宗昆等, 託有求訴, 隨義方後, 伺隙斬之, 分捕俊儀兄弟及其黨高得元·柳允元等, 皆殺之. 王慮軍中驚擾, 遣庾應圭諭之,

---

161) 이는 「永同寧國寺圓覺國師塔碑」에 의거하였다.

162) 石은 『고려사절요』 권12에는 碩으로 되어 있다(盧明鎬 等編 2016년 316面).

163) 大憝(대대)에 대한 설명으로 다음이 있다.

· 『자치통감』 권230, 唐紀46, 德宗興元 1년(784) 3월 壬辰21日, "… 初, 奉天圍旣解, 李楚琳遣使入貢, 上不得已除鳳翔節度使, 而心惡之. … 欲以渾瑊代楚琳鎭鳳翔, 陸贄上奏, 以爲, '楚琳殺帥助賊, 其罪固大, 但以乘輿未復, 大憝猶存[胡三省注, 書云, 元惡大憝. 憝, 亦惡也. 音, 徒對翻], 勤王之師悉在畿內, 急宜速告, 晷刻是爭".

164) 이 기사에서 後軍摠管使의 使는 잘못 들어간 글자로 추측된다[衍字].

165) 李隣(李成桂의 6代祖로 추정됨)은 李俊儀·義方의 弟이며 文克謙의 壻이다(열전12, 文克謙 ; 『목은문고』 권15, 李子春神道碑).

軍中皆疑文臣嗾僧徒爲變, 欲殺鱗瞻. 應圭還告仲夫, 遣人諭其意, 然後乃止. 僧徒以爲賊臣之女不可以配東宮, 奏黜義方女, 遂聚普濟寺, 不發:節要轉載].

[→元帥鱗瞻率諸將, 治兵西郊, 鈎密誘僧宗旵斬義方. 王慮軍中驚擾, 遣近臣庾應圭諭之, 軍中皆疑文臣嗾僧軍爲變, 欲殺鱗瞻. 應圭還告鄭仲夫, 遣人諭解, 乃止. 僧軍以爲義方女不宜配東宮, 請出之, 遂聚普濟寺, 不發:列傳9尹鱗瞻轉載].

[○鱗瞻等乃行, 位寵腹心在漣州, 鱗瞻謂諸將曰, "我聞, 招携者附于內, 伐叛者披其枝, 若我先攻西京, 則在漣州者招誘北人, 共爲掎角, 我腹背受敵, 非計之善也, 今漣州, 負恃西都而不虞我之至也, 宜先攻漣州, 漣州若下, 北州諸城, 必皆歸順, 然後率順而攻逆, 則意全力一, 篾不濟矣". 遂趣漣州:節要轉載].

[→鱗瞻等乃行. 位寵腹心在漣州, 鱗瞻謂諸將曰, "我聞, 招携者附于內, 伐叛者披其枝. 若我先攻西京, 則在漣州者招諭北人, 共爲掎角. 我腹背受敵, 非策之善也. 今漣州恃西都, 不虞我猝至, 宜先攻漣州. 漣州若下, 北州諸城, 必皆歸順. 然後率順攻逆, 則意全力一, 蔑不濟矣". 遂趣漣州:列傳9尹鱗瞻轉載].

壬申19日, 遣知奏事李光挺·左副承宣文克謙, 慰諭普濟寺僧徒.

戊寅25日, 中書侍郎平章事□□致仕崔惟清卒,[166] [年八十二, 謚文淑:追加].[167] [惟清, 昌原郡人, 平章事奭之子, 少孤嗜學, 經史子集, 靡不該通, 中第, 乃曰, "學優然後仕", 杜門讀書, 不求仕宦, 有薦擧者, 卽曰, "學未就", 固辭, 久之被薦, 直翰林院, 累官至平章事. 庚癸之亂, 文臣皆被害, 而諸將素服德望, 戒軍士, 勿入其第, 惟清朞功之親, 俱免於禍, 王卽位, 以宿德復相, 嘗撰李翰林集注及柳文事實, 王覽之嘉賞, 鏤板以傳, 性好浮屠, 日誦佛經:節要轉載].

壬午29日, 以門下侍郎平章事鄭仲夫爲門下侍中, 陳俊△爲參知政事, 慶珍△爲知門下省事,[168] 奇卓成奇卓誠△爲知樞密院事, 上將軍宋有仁爲樞密院副使·兵部尙書, 李光挺爲樞密院副使·御史大夫, [前東北面兵馬錄事吳元卿爲都校署令, 別將金純爲攝中郎將:追加].[169]

[○先是, 鄭仲夫見李高·蔡元見殺, 內懼, 欲辭位, 杜門不出. 義方兄弟携酒饌, 詣其家致款. 仲夫迎入, 以實告之, 義方等, 相與約誓, 結爲父子, 言甚切至, 仲夫安

---

166) 이날은 율리우스曆으로 1175년 1월 19일(그레고리曆 1월 26일)에 해당한다.

167) 이는 「崔惟清墓誌銘」에 의거하였다. 열전12, 崔惟清에는 享年이 '八十'으로 되어 있으나 二字가 탈락되었을 것이고, 시호는 墓誌銘에 淑文이라고 되어 있으나 刻字할 때 顚倒되었을 것이다.

168) 慶珍(慶大升의 父)은 中書侍郎平章事에 이르렀다고 하지만(열전13, 慶大升), 그의 壻인 金仲龜의 墓誌銘에 의하면 參知政事·上將軍으로 되어 있음을 보아 前者는 致仕職일 가능성이 있다.

169) 吳元卿과 金純은 「吳元卿墓誌銘」과 「金純墓誌銘」에 의거하였다.

之. 至是, 拜侍中, 廣植田園, 家僮門客, 依勢橫恣, 中外苦之:節要轉載].

[→又明年明宗4年, 門下侍郎平章事鄭仲夫拜門下侍中. 先是, 李義方惡李高·蔡元, 逼已殺之, 仲夫慮禍及己, 欲辭位, 杜門不出. 義方兄弟携酒, 詣其家致款, 仲夫迎入, 以實告之. 義方等相與約誓, 結爲父子, 言甚切至, 仲夫乃安. 仲夫子, 知兵馬事·上將軍筠, 密誘僧宗旵, 欲殺義方兄弟, 宗旵推筠爲謀主, 使親近於王, 出入後庭無忌, 遂拜承宣. 仲夫, 性本貪鄙, 殖貨無厭. 及爲侍中, 廣殖田園, 家僮門客, 依勢橫恣, 中外苦之:列傳41鄭仲夫轉載].

[○宋有仁, 初娶宋商徐德彦之妻, 貲財鉅萬, 睿宗朝, 賂宦者, 拜攝大將軍, 頗與文官交通往來, 武官常疾之, 及仲夫用事, 有仁自處孤危, 恐禍及己, 逐妻, 求娶仲夫女, 仲夫許之. 至是明宗4年, 驟登樞府, 大張禍福, 進退人物, 皆出其口:節要轉載].

[→宋有仁, 初娶宋商徐德彦之妻, 妻本賤者, 貲財巨萬, 以白金四十斤賂宦者, 求三品. 毅宗末, 轉大將軍, 頗與文官交通, 武官常疾之. 時, 仲夫用事, 有仁自知孤危, 恐禍及己, 逐其妻于海島, 求仲夫女爲妻. 有仁, 後明宗4年, 拜樞密院副使·兵部尙書, 驟登樞府, 大張禍福, 進退人物, 皆出其口:列傳41宋有仁轉載].

[乙未某日, 黃霧四塞:五行3轉載].170)

是月, 金遣使儀鸞局使曹士元來, 賀生辰.171)

[○是時, 以十二月初一日爲節日:追加].172)

---

170) 이달에는 乙未가 없다.

171) 이때 金의 使臣은 儀鸞局使從5品 曹士元이었고, 그는 11월 25일(戊申) 파견이 결정되었다. 또 明宗의 生辰은 10월 17일인데, 이때 自身의 生日을 吉日을 선택하여 任意로 指定하는 金의 영향력에 의해 節日을 12월 1일로 改定하였던 것 같다(→신종 3년 11월 辛巳29日). 당시 金의 지배층들은 자신의 生日[生朝]을 1월 1일[正旦], 1월 15일[上元, 元夕], 3월 3일[上巳], 5월 5일[重午, 重五, 端午], 7월 15일[中元], 10월 16일[下元] 등과 같은 吉日 중에서 선택하였다고 한다.

· 『금사』 권7, 본기7, 世宗中, 大定 14년 11월, "戊申25日, 以儀鸞局使曹士元爲高麗國生日使".

· 『금사』 권61, 表3, 交聘表中, 大定 14년 11월, "戊申, 以儀鸞局使曹士元爲高麗生日使".

· 『松漠紀聞』(『松漠記聞』)권상, "女眞舊絶小, 正朔所不及, 其民皆不知紀年, … 自兵興以後, 浸染華風, 酋長生朝, 皆自擇佳辰, 粘罕以正旦, 悟室以元夕, 烏槐馬以上巳, 其他如重午·七夕·重九·中秋·中·下元·四月, 今日皆然. 亦有用十一月旦者, 謂之周正. 金主生於七月七日, 以國忌用次日. 今朝廷遣賀使, 以正月至彼, 皆循契丹故事, 不欲使人兩至也".

· 『금사』 권12, 본기12, 章宗4, 泰和 8년 5월, "癸亥25日, 詔移天壽節於十月十五日".

172) 이는 다음의 기사에 에 의거하였다.

· 세가19, 신종 3년 11월, "辛巳29日, 金遣禮部侍郎劉公憲來, 賀生辰. 咸成節, 本在七月, 依前朝大定甲午年明宗4年例, 以十二月初一日爲節, 遂爲常例".

[是月頃, [前南京留守]王珪復職:列傳14王珪轉載].[173]

[是年, 以廉克髦爲三陟縣尉:追加].[174]

乙未[明宗]五年, 金大定十五年, [南宋淳熙二年], [西曆1175年]

1175년 1월 25일(Gre2월 1일)에서 1176년 2월 11일(Gre2월 18일)까지, 13개월 383일

春正月[甲申朔小盡,戊寅], 己丑[6日], [立春]. 以[參知政事]陳俊爲兵部尙書, [樞密院副使]宋有仁爲刑部尙書.

丁酉[14日], 移御延慶宮. 燃燈, 如奉恩寺.

[某日, 趙位寵遣兵, 攻燿德縣. 王遣殿中監庾應圭·給事中史正儒, 宣諭. 詔曰, "朕因臣民推戴, 丕承祖業, 奄登大寶, 于今六年, 賴文武臣隣協輔, 獲守祖宗三韓, 頃有賊臣, 擅專國政, 多行不義, 害及中外, 以致人心怨叛, 干戈發動, 至於無知小民, 殺傷尤多. 朕甚哀慟, 其賊臣, 已從卿等表奏, 擧義掃蕩, 卿等又奏降使宣諭, 嘉乃忠誠, 遣使宣諭, 體朕至意, 更勵忠誠". 應圭諭以君臣大義, 位寵卽上表, 請降. 應圭將還, 西京裨將李仁·白明等, 據應圭鞍, 辭頗不恭, 應圭罵之曰, "微卒, 何無禮於天使耶?". 應圭行至生陽驛, 正儒困且疾, 請留宿, 應圭曰, "幸脫虎口, 宜達曙行邁, 以避不測之變". 至高原洞仙兩驛. 正儒復固請留宿, 又不聽, 翌日入京, 位寵悔之, 果遣精騎, 追至洞仙驛不及, 不勝其忿, 斬其館吏而還:節要轉載].[175]

[→明年[明宗5年], 又與給事中史正儒, 往西京宣諭, 見位寵, 諭以君臣大義, 辭意慷慨, 位寵卽上表請降. 應圭將還, 西京裨將李仁·白明等, 送之, 據應圭鞍與語, 辭頗不恭. 應圭罵曰, "汝微卒, 何得無禮於天使耶?". 仁等拜謝. 行至生陽驛, 正儒困且疾, 請留宿. 應圭不聽曰, "幸脫虎口, 宜達曙亟行". 至高原·洞仙兩驛, 正儒

---

173) 이는 다음의 기사를 적절히 變改하였다.
· 열전14, 王珪, "[李]義方死, [王]珪復職, 奉使如金".

174) 이는 「廉克髦墓誌銘」에 의거하였다.

175) 이와 같은 기사가 열전13, 趙位寵에도 수록되어 있으나 자구에 출입이 있다. 또 이때 軍器監兼三司副使 庾應圭가 西北地域에 宣諭使로 파견된 것은 그의 墓誌銘에도 반영되어 있다.
· 「庾應圭墓誌銘」, "□[甲]午秋, 西都構□□北道□址, 合從締交, 以誅義方□爲名, 謀動干戈, □君素□令, 望爲人所敬, □□宣諭諸□, 諸城□稍□去亂, 納順君之力也".

復固請留宿, 又不聽, 翼日入京. 位寵果遣精騎, 追至洞仙驛, 不及, 憤怒斬其吏而還:列傳12庾應圭轉載].

[某日, 趙位寵使左營郞將徐俊明, 上表賀誅義方. 王拘留俊明於法雲寺:節要轉載].

[→西京留守趙位寵遣左營郞將徐俊明, 上表賀誅義方, 王留俊明於法靈寺~~法雲寺~~, 唯放校尉徐惟挺還:列傳13趙位寵轉載].[176]

[某日, 以孫應時爲慶尙道按察使:慶尙道營主題名記].

[是月頃, 後軍摠管杜景升踰鐵關, 從耀德·雲中路行, 所至風靡:列傳13杜景升轉載].

[□□□~~是月頃~~, 金遣高羅, 率兵來, 屯延州境, 城中皆懼. 高羅曰, "帝聞爾國列藩拒王命, 獨爾城不從, 久爲賊所逼, 勢甚危. 命予領兵爲援, 爾等勿疑". 玄覃胤素以恩信, 聞于金人, 至其陣以實告之. 高羅下淚曰, "帝所聞, 果信也. 有急, 吾當助之, 爾等宜勵忠義, 一心王室". 遂去:列傳12玄德秀轉載].

二月癸丑朔小盡,己卯, 移御壽昌宮.

辛巳29日晦, 內史洞宮災.[177]

[某日, 諸城兵復攻延州, □玄德秀擊, 敗之:節要轉載].

三月壬午朔大盡,庚辰, 王如靈通寺.

壬寅21日, 幸妙通寺.

[某日, 漣州以官軍攻圍, 請救於位寵. 位寵遣將救之, 官軍從間道擊之, 斬一千五百餘級, 虜二百二十餘人:節要轉載].[178]

[→上京兵, 圍漣州數月, 漣州請救於位寵. 位寵遣將救之, 上京兵, 從閒道擊之,[179] 斬千五百餘級, 虜二百五十餘人:列傳13趙位寵轉載].

夏四月壬子朔小盡,辛巳, [某日, 官軍遇西兵于莽院, 掩擊之, 斬七百餘級, 虜六十餘

176) 法靈寺는 이 기사에서만 찾아지는 점을 보아 法雲寺의 오류일 것이다.

177) 이와 같은 기사가 지7, 五行1, 火, 火災에도 수록되어 있다.

178) 이와 같은 기사가 열전9, 尹瓘, 鱗瞻에도 수록되어 있으나 자구에 출입이 있다.

179) 間道의 正字인 閒道는 틈사이의 길, 곧 샛길, 閑寂한 小路[捷徑, 閒徑, 間路]을 가리키는 것 같다.

· 『자치통감』 권4, 周紀4, 赧王 18년(BC297), "楚懷王亡歸. 秦人覺之, 遮楚道, 懷王從間道走趙[胡三省注, 間, 隙也, 從空隙之路, 而行也]".

人:節要轉載].[180)]

[→又[官軍]掩擊于莽園, 斬七百餘級, 虜六十餘人:列傳13趙位寵轉載].

丙寅[15日], 詔曰, “朕以涼德, 謬承丕緒, 智術寡昧, 刑政乖錯, 威輕德薄, 不能馭下. 上下人心, 日益頑鄙, 君臣名分, 亦有倒錯. 以致西北人民, 連謀不軌, 自庚寅·癸巳, 迄至于今, 殺傷滿野, 干戈不息, 感傷和氣, 天變屢見. 玆乃寡人, 否德所致, 焦心勞思, 不遑寧處. 書曰, ‘民惟邦本, 本固邦寧’.[181)] 安民之術, 最爲要務. 分憂列郡者, 不得任情賞罰, 侵漁百姓, 其或州吏, 割民利己, 憑公營私, 而官不能痛禁. 至於干托權勢, 殘害百姓, 流離失所, 凡內外官, 激濁揚淸, 守節奉公者褒賞, 否者科罪. 其外官, 按察使劾奏, 京官及按察使, 所司劾奏. 獄者, 人之大命, 書曰, ‘刑期無刑’,[182)] 故閱實原情, 究其終始, 庶無濫刑. 而由朕愚昧, 疑有寃枉, 朕心隱惻, 其爾刑官, 以慈折獄. 比來, 奔競成風, 刑政濫失, 不能開公門·杜私路, 廣進賢之道. 賞罰者, 人主操持之柄, 而近者, 權臣在朝, 威福出自私門, 亂常失序. 玆風不革, 有損國家, 自今以後, 如有此等事, 有司擧法論罪. 今者, 民俗偸薄, 而無禮義·廉恥·孝悌·忠信之心, 至於父母, 生不能奉養, 死不能追遠. 如有孝親·忠主·兄友·弟恭者, 無問貴賤, 旌別勸誘. 又華侈踰度, 宴飮過極, 其悉除之. 若金銀物飾, 畵佛像·法寶外, 亦不得施用. 天聽, 自我民聽, 天視, 自我民視, 人民乖離, 故災變頻. 仍庶欲以和致和, 獲天人助, 其人心和合之術, 果安在乎. 寡人, 獨智不能施設, 宜省臺·諸司, 各陳無隱”.

[○月食:天文2轉載].[183)]

丁卯[16日], 幸王輪寺.

壬申[21日], 醮于明仁殿.

乙亥[24日], [小滿]. 又醮.

丁丑[26日], 幸普濟寺.

五月辛巳□[朔小盡,壬午], 幸外帝釋院及九曜堂.[184)]

---

180) 이와 같은 기사가 열전9, 尹瓘, 鱗瞻에도 수록되어 있다.

181) 이 구절은 『尙書』 권3, 五子之歌第3, 夏書에서 인용한 것이다.

182) 이 구절은 『尙書說』 권1, 虞書, 皐陶謨를 위시하여 여러 곳에서 나오는 것이다.

183) 이날 宋에서는 旣月食[月偏食]이었다고 하며(『송사』 권52, 지5, 천문5, 月食), 일본의 교토에서는 皆旣月食[月全食]이었던 같다. 이날은 율리우스력의 1175년 5월 7일이고, 월식 현상이 심했던 때의 世界時는 18시 12분, 食分은 1.61이었다(渡邊敏夫 1979年 477面).

乙酉[5日], 端午, 謁景靈殿.

○龍罔縣[龍岡縣]民欲從位寵,[185] 及第楊元貴, 諭使不從. 王嘉之, 拜爲守宮丞, 屬諸內侍.

丙申[16日], 發前王喪, 百官玄冠·素服三日.[186]

壬寅[22日], 葬于城東, 命內侍十人護送, [陵曰禧, 謚莊孝, 廟號毅宗:節要轉載]. 位寵, 擧兵之時, 聲言義方弑君不葬之罪. 故奉葬禧陵, 而安其眞於海安寺, 以爲願堂.[187]

[某日, 將軍朴存威, 嘗使於雲中道, 每誇納釜之事. 至是, 雲州人應位寵, 斬之:節要轉載].[188]

六月[庚戌朔大盡,癸未], 辛亥[2日], 王如奉恩寺.

乙卯[6日], 幸現聖寺.

[某日, 後軍摠管杜景升, 以漣州久不下, 積土城, 外樹大砲, 攻城拔之, 又斬義州都領崔敬若及令猷·令英等. 於是, 西北諸城, 皆復迎降, 遂移師攻西京. [元帥]尹鱗瞻曰, "西京, 城險而固, 若以久勞之卒, 蟻附而攻, 非計也. 但久圍之, 無使出掠, 且復招懷, 開示生路, 則城中被劫者, 必謀出降, 若爾位寵, 乃一餓囚耳, 何能爲乎?". 乃於城東, 北築土山, 而戍之. 位寵食盡, 至啗人屍, 時出挑戰, 堅壁不出, 有擒獲者, 賜以衣食而遣之, 城中聞之, 縋城來附者, 甚衆:節要轉載].[189]

[→西兵入保漣州, [後軍摠管杜]景升積土城外, 列大砲, 攻拔之. 又斬義州都領崔敬若及令猷·令英等. 士卒入城, 爭取貨寶, 景升下令禁止之, 惟聽取釜鼎. 於是, 西北諸城, 皆迎降:列傳13杜景升轉載].

[某日, 以[尙書左丞]李文著爲衛尉卿·樞密院副使:追加].[190]

[是月, 刑部侍郎閔令謨, □□□□□[掌國子監試], 取詩賦承丘源等十二人, 十韻詩方

---

184) 辛巳에 朔이 탈락되었다.

185) 여러 판본의 『고려사』에서 龍罔縣으로 되어 있으나 龍岡縣의 오자이다.

186) 이 기사는 지18, 禮6, 國恤에도 수록되어 있다.

187) 이 기사는 지18, 禮6, 國恤에는 "壬寅, 葬于禧陵"으로 되어 있고, 禧陵은 失傳되어 현재 어디에 있는지를 알 수 없다.

188) 이와 같은 기사로 다음이 있고, 納釜之事는 1173년(명종3) 10월 1일 李義旼이 慶州 坤元寺 北淵에서 毅宗을 弑害할 때 朴存威가 협력했던 사실을 가리킨다.

· 열전13, 趙位寵, "將軍朴存威, 奉使在雲中道, 每誇納釜之事, 雲中人應位寵, 遂斬存威".

189) 이와 같은 기사가 열전9, 尹瓘, 鱗瞻에도 수록되어 있으나 자구에 출입이 있다.

190) 이는 「李文著墓誌銘」에 의거하였다.

希進等六十人:選擧2國子試額轉載].[191)]

秋七月庚辰朔小盡,甲申,[192)] [丙戌7日, 流星出虛, 入建:天文2轉載].[193)]

乙未16日, 幸神衆院.

乙巳26日, 禱雨.

戊申29日晦, 雨.

[某日, 趙位寵遣金存心·趙規, 如金, 奏李義方放弑之罪, 存心, 中道殺規, 來泊禮安江. 王命中使迎勞, 拜存心爲內侍·閤門祗候, 其率行軍將六十人, 職賞有差:節要轉載]. [位寵聞之, 殺存心妻子:列傳13趙位寵轉載].

[某日, 以工部侍郎庾應圭爲西北面兵馬副使, 李益爲慶尙道按察使:慶尙道營主題名記].[194)]

[是月, 定州移牒金曷懶路, 以西京留守趙位寵叛亂, 欲遣告奏使, 而義州路梗不通. 欲由定州入曷懶路:追加].[195)]

[○以行營兵馬錄事金閱甫爲試禮賓主簿:追加].[196)]

八月己酉朔大盡,乙酉, 宋都綱張鵬擧·謝敦禮·吳秉直·吳克忠等來.

甲寅6日, 刑官奏, "重刑減死, 分配遠島".

[某日, 以寧·延二州, 不附位寵, 固守其城, 除安北戶長魯文腴爲閤門祗候, 玄

---

191) 이와 관련된 기사로 다음이 있다.

· 열전14, 閔令謨, "及明宗卽位, 令謨以刑部侍郞, 掌南省試, 至放榜, 王見之, 與所夢者肖. 始有大用之志, 不次遷擢, 授樞密院副使".

192) 6월에는 乙未와 乙巳가 없고, 7월에 乙未(16일), 乙巳(26일)가 있으므로 乙未의 앞에 七月이 탈락되었을 것이다.

193) 宋에서는 7월 22일(辛丑) 新星[星孛]이 牧夫座, 武仙座, 天龍座의 사이에 출현하였다고 한다(席澤宗 2002年 39面).

· 『송사』 권56, 지9, 천문9, 彗孛, "淳熙二年七月辛丑22日, 有星孛于西北方, 當紫微垣外七公之上, 小如熒惑, 森然蓬孛, 至丙午27日始消".

194) 이는 다음의 자료에 의거하였다.

· 「庾應圭墓誌銘」, "以鎭邊□之命, 爲□北□界兵馬副使".

195) 이는 다음의 자료에 의거하였다.

· 『금사』 권61, 表3, 交聘表中, 大定 15년, "七月丙申17日, 曷懶路奏, '得高麗邊報, 以西京留守趙位寵作亂, 欲遣告奏, 而義州路梗不通. 欲由定州入曷懶路', 詔許之".

196) 이는 「金閱甫墓誌銘」에 의거하였다.

德秀父·延州都領覃胤爲將軍, 使居其鄉, 德秀爲內侍·閤門祗候, 安北都領姜遇文·宋子淸·文臣老, 職賞有差, 使皆居京. 蓋安北, 初附位寵, 而後背之也:節要轉載].
[○德秀上書, 請納祗候告身赴擧, 不許:列傳12玄德秀轉載].

己未[11日], 幸現聖寺, 又幸順天館, 祈福于天皇·地眞[地皇]兩祠.[197)]

甲子[16日], 設仁王道場于明仁殿三日.

戊辰[20日], 遣告奏使·借秘書丞朴紹如金.[198)]

[某日, 算業及第彭之緖, 譖承宣宋智仁·進士秦公緖, 陰與南賊石令史, 謀作亂. 王命內侍李存章·郞將車若松, 鞫之, 逮繫甚繁, 更命內侍尹民瞻·上將軍崔世輔按驗, 勿論眞僞, 皆流海島. 又閉城門, 大索陰謀者, 大府少卿~~大府少卿~~李商老, 被讒配海島. 百司雖知其冤, 然恐怖, 無敢言者, 數日不視事:節要轉載].[199)]

[是月, 趙位寵遣徐彦等如金, 進表, 欲以慈悲嶺以西, 鴨綠江以東四十餘城, 內

---

197) 이 기사는 『고려사절요』 권12에는 "幸順天館, 祈福于天皇·地眞兩祠"로 되어 있다. 여기에서 地眞은 地皇의 다른 表記 또는 誤字로 추측된다. 천황과 지황은 각각 天皇氏, 地皇氏를 가리키는 것 같은데, 모두 道敎에서 숭배하던 신이다.

· 『사기』 권6, 秦始皇本紀第6, "[秦始皇,] 二十六年, … 丞相[王]綰·御史大夫[馮]劫·廷尉[李]斯等皆曰, '昔者五帝, 地方千里, 其外侯服·夷服, 諸侯或朝或否, 天子不能制. 今陛下興義兵, 誅殘賊, 平定天下, 海內爲郡縣, 法令由一統, 自上古以來, 未嘗有, 五帝所不及. 臣等謹與博士議曰, 古有天皇, 有地皇, 有泰皇[人皇], 泰皇最貴, 臣等昧死, 上尊號, 王爲泰皇, 命爲制, 令爲詔, 天子自稱曰朕, 王曰, 去泰著皇, 采上古帝位號, 號曰皇帝, 他如議'. 制曰可".

· 『補史記』, 三皇本紀, "… 三皇, 謂天皇·地皇·仁皇爲三皇, 旣是開闢之初, 君臣之始圖緯所載, 不可全弃, 故兼序之. 天之初立, 有天皇氏十二頭, 澹泊無所施爲, 而俗自化, 木德王, 歲起攝提, 兄弟十二人, 立各一萬八千歲[注, 蓋天地初立, 神人首出行化, 故其年世長久也. 然言十二頭者, 非謂一人之身有十二頭, 蓋古質, 比之鳥獸頭數故也], …"(『史記』의 附錄에 收錄. 四庫全書本4右1行).

· 『여유당전서』 권25, 小學紺珠, 三之類, "三皇者, 太古之君也[注, 皇, 大也]. 一曰伏羲['禮緯'作虙戲], 二曰燧人[鑽木取火曰燧], 三曰神農, 此之謂三皇也. 三皇之名, 出'禮緯'['春秋緯'云伏羲, 女媧, 神農, 是三皇也. 又天皇, 地皇, 人皇, 亦'春秋緯'說]".

198) 이때 四門博士 高瑩中이 書狀官[書記官]으로 隨從하였고, 朴紹는 윤9월 13일(辛酉)에 告奏하였다.

· 「高瑩中墓誌銘」, "… 及西都西北路壅閼, 時遣使告奏大金國, 公以書記官, 乘危冒險, 從間道致命, 旣還有司奏, 以奉使稱□[旨], 祿[錄]其功, 遷大官署令兼直史館".

· 『금사』 권7, 본기7, 世宗中, 大定 15년 閏9월, "辛酉[13日], 高麗國王奏, 告趙位寵伏誅. 詔慰答之".

· 『금사』 권61, 表3, 交聘表中, 大定 15년 閏9월, "辛酉, 高麗國王王晧, 以平趙位寵之亂, 遣秘書少監朴紹奉表, 告奏".

199) 이 기사는 열전35, 方技, 李商老에도 수록되어 있는데, 宋智仁이 宋知仁으로 되어 있다(盧明鎬等編, 2016년 319面). 또 算業及第는 明算業에 급제한 인물을 가리킨다(東亞大學 2006년 27책 79面).

附:追加].[200]

[→位寵復遣徐彥等, 如金, 上表曰, "前王本非避讓, 大將軍鄭仲夫·郎將李義方弑之. 臣位寵請以岊嶺[慈悲嶺]以西至鴨綠江四十餘城內屬, 請兵助援".[201] 金主[世宗]執送彥等東京路都摠管府, 牒寧德城云, "西京留守趙位寵, 三次遣使九十六人, 齎告奏表文等事. 今勘得所遣人徐彥等狀稱, '大定十年[毅宗24年]八月, 前王遊普賢寺, 大將軍鄭仲夫·郎將李義方等, 執前王及子孫, 送海島, 立前王弟翼陽公爲王, 飾以因病讓位, 上表大朝. 大定十三年[明宗3年], 仲夫等遣人殺前王及子孫·官僚等. 大定十四年, 位寵上表請王誅仲夫等, 今年正月, 王下詔諭賊臣等已誅. 復有仲夫子筠, 殺義方等, 不告國王, 領兵三萬餘人, 攻西京相戰, 至今未決勝否. 今年六月, 位寵與北界四十餘城, 欲屬大朝, 遣義州都領崔敬若等, 齎牒婆速路摠管府公文. 至義州關門, 爲鄭白臣等所殺, 又筠等軍馬遮路. 以此, 遣大使金存心·趙規等, 各三十餘人, 泛海來奏, 不知消息節次. 再遣彥等, 其欲屬大朝及請兵問罪等事'. 委是端的欽奉帝命, 位寵陳乞事, 則非大國所容. 將彥等付彼國施行. 其彥等衣甲諸物, 差官交割":列傳13趙位寵轉載].

九月己卯□[朔大盡,丙戌], 岊嶺兵馬使·大將軍康漸, 與位寵戰, 敗績, 免其官.[202]

[某日, 官軍與西兵戰, 大敗之, 斬獲三千餘級, 取其要害鳳凰頭, 城之:節要轉載].[203]

[甲申[6日], 工部侍郎[兼三司副使·太子少詹事]庾應圭卒. 應圭, [門下侍郎]平章事弼之子, 性穎

---

200) 이는 다음의 자료에 의거하였다.

· 『금사』 권7, 본기7, 世宗中, 大定 15년 9월, "辛卯[13日], 高麗西京留守趙位寵叛其君, 請以慈悲嶺以西, 鴨綠江以東四十餘城, 內附. 不納".

· 『금사』 권61, 表3, 交聘表中, 大定 15년, "九月, 高麗西京留守趙位寵遣徐彥等進表, 欲以慈悲嶺以西, 鴨綠江以東四十餘城, 內附. 詔不許".

· 『금사』 권208, 열전95, 外夷1, 高麗, "[大定]十五年, 高麗西京留守趙位寵叛, 遣徐彥等九十六人上表曰, '前王本非避讓, 大將軍鄭冲夫·郎將李義方實弑之. 臣位寵請以慈悲嶺以西至鴨綠江四十餘城內屬, 請兵助援'.上曰, '王晧已加封册, 位寵輒敢稱兵爲亂, 且欲納土, 朕懷撫萬邦, 豈助叛臣爲虐'. 詔執徐彥等送高麗. 頃之, 王晧定趙位寵之亂, 遣使奏謝. 自位寵之亂, 晧所遣生日回謝·橫賜回謝·賀正旦·進奉·萬春節等使, 皆阻不通. 至是, 晧幷奏之. 詔答其意, 其合遣人使令節次入朝".

201) 岊嶺은 慈悲嶺의 別稱으로 平州 管內 洞州(瑞興, 현 황해북도 서흥군)와 西京(평양부)의 境界에 있는 험난한 고개[岳峙]이다(→공민왕 10년 10월 20일의 脚注).

202) 己卯에 朔이 탈락되었다.

203) 이와 같은 기사가 열전9, 尹瓘, 鱗瞻에도 수록되어 있으나 三千餘級이 三十餘級으로 되어 있다(盧明鎬 等編 2016년 319面).

悟, 美風儀, 時人謂之玉人. 善屬文, 再擧不第, 入補內侍, 操行貞固, 持議端方, 斷事若夙成然. 出倅南京, 政尙淸介, 一芥不取於人. 其妻因免乳得疾, 但菜羹而已, 有一衙吏, 密饋隻雉. 妻曰, “良人, 平生未嘗受人饋遺, 豈宜以我口腹, 累良人淸德耶”, 吏慚而退. 南人頌之, 嘗告奏于金, 金人高其使節, 每於使介往來, 必問安否. 卒, 年四十五:節要轉載].[204)]

辛卯13日, 移御景禧宮.

[己亥21日, 月犯東井:天文2轉載].

癸卯25日, 以信安伯珹女爲太子妃.[205)]

[閏九月己酉朔小盡,丙戌, 庚戌2日, 流星出天苑, 入羽林:天文2轉載].

[己巳21日, 太白犯南斗第五星:天文2轉載].

[壬申24日, 流星出奎, 入離宮:天文2轉載].

[癸酉25日, 流星出狼, 入奎:天文2轉載].

[丙子28日, 赤氣如火, 見于東南方, 變黑而滅:五行1轉載].

冬十月戊寅朔大盡,丁亥, 丙戌9日, 賜白龍夑等及第.[206)] 庚癸以來, 儒風不振, 擧子纔三百餘人.

[辛卯14日, 月掩畢·赤星:天文2轉載].

壬辰15日, 飯僧一萬於宮庭三日.

甲午17日, 移御壽昌宮.

[丙申19日, 流星出軒轅大星, 入大微[太微]五帝:天文2轉載].

己亥22日, 幸王輪寺.

[某日, 趙位寵遣徐彦等如金, 上表曰, “前王本非避讓, 大將軍鄭仲夫·郎將李義

---

204) 庾應圭의 逝去日과 兼職은 「庾應圭墓誌銘」에 의거하였다. 이날은 율리우스曆으로 1175년 9월 22일(그레고리曆 9월 29일)에 해당한다.

205) 李義方의 딸이 太子妃에서 逐出된 이후 다시 太子妃가 된 信安伯 珹의 딸은 後日 高宗을 낳은 康宗妃이다(열전1, 康宗妃, 元德太后柳氏).
· 열전3, 顯宗王子, 平壤公基, “珹封信安伯, 康宗爲太子, 納其女爲妃”.

206) 이와 관련된 기사로 다음이 있다. 郭陽宣은 그의 壻 柳光植의 墓誌銘에 의하면, 知樞密院事에 이르렀다고 한다.
· 지27, 선거1, 科目1, 選場, “[明宗]五年十月, 樞密□[院]副使閔令謨知貢擧, 諫議大夫郭陽宣同知貢擧, 取進士, [丙戌], 賜白龍夑等二十八人·明經三人及第”.

方弑之, 臣位寵, 請以慈悲嶺以西至鴨綠江四十餘城內屬, 請兵助援". 金主[世宗]執送彥等:節要轉載].[207)]

十一月[戊申朔大盡,戊子], 辛亥[4日], 朴紹還自金, 詔曰, "省所上表, 告奏事具悉. 使价來庭, 奏函伸懇, 戴賜封之恩, 造述有國之由來. 謂寇攘卒起於不虞, 致職貢少稽於入覲, 迄用平定, 孚于聽聞. 載嘉侯度之恭, 宜固世封之守".

壬子[5日], 有人, 誣告重房曰, "朝庭與南賊, 潛謀作亂". 是日, 流都校丞金允升等七人于島, 貶兵部尙書李允修爲巨濟縣令. 朝庭, 指文班也.

戊午[11日], 移御景禧宮.

[壬戌[15日]:比定], 設八關會. 時因西征, 衛卒乏少, 加發四百人, 號衛國抄猛班, 皆持劍戟, 環衛毬庭:節要·兵2宿衛轉載].[208)]

丙寅[19日], 移御壽昌宮.

[某日, [門下]侍中鄭仲夫修普濟寺, 設落成會, 請王臨幸. 有司諫止之. 仲夫陰令僧錄司, 奏請親幸, 具盛饌以進. 王不欲久留, 命宰樞·承宣·侍臣, 同時赴宴:節要轉載].

[→[明宗]五年□□□[十一月], [門下侍中鄭]仲夫重修普濟寺, 設落成會, 請王臨幸, 有司諫止之. 仲夫陰令僧錄司, 奏請親幸, 仲夫具盛饌以進. 王不欲從容留飮, 乃命兩府宰樞·承宣·諸司侍臣, 同時赴宴:列傳41鄭仲夫轉載].

[是月, 遣朝散大夫·禮賓少卿趙永仁如金, 謝賜生日:追加].[209)]

[○又遣尙書吏部侍郎李章如金, 賀正:追加].[210)]

---

207) 이 기사는 西京留守 趙位寵이 徐彥을 金에 보낸 時点(9월)을 기록한 것이 아니라 世宗이 徐彥을 逮捕하여 고려에 送還시킨 날짜를 기록한 것으로 추측된다.

208) 開京에서의 八關會는 大晦의 첫날인 14일의 小會日 行事[小會]와 15일의 大會日 行事[大會]로 나뉘어 열렸는데, 公式行事는 15일에 이루어졌다. 그래서 이날을 15일에 비정하였다.

209) 이는 다음의 자료에 의거하였다. 그런데 이때 파견되어 온 高麗生日使 阿典蒲魯虎가 明宗을 謁見하고 賀禮를 드린 것은 明年(명종6) 1월이어서 약간의 문제점이 없지 않다. 그렇지만 이 시기에 年例的인 金의 生日使가 고려에 도착하기 이전에 金에 謝賜生日使를 파견하였다.

· 『금사』 권61, 表3, 交聘表中, 大定 15년, "十二月丙午, 高麗遣朝散大夫·禮賓少卿趙永仁謝賜生日".

210) 이는 다음의 자료에 의거하였다.

· 『금사』 권7, 본기7, 世宗中, 大定 16년 1월, "戊申朔, 宋·高麗·夏遣使來賀".

· 『금사』 권61, 表3, 交聘表中, 大定 16년 1월, "戊申朔, 高麗尙書吏部侍郎李章賀正旦".

十二月[戊寅朔小盡,己丑], 癸未[6日], 太白晝見, 經天.

[○日有左右珥, 南北暈:天文1轉載].

[乙未[18日], 流星出稷五星南, 入天際:天文2轉載].

[某日, 賜[門下侍中]鄭仲夫几杖. 仲夫年已七十, 不欲去位. 郞中<u>張忠義</u>阿意,[211] 說之曰, “宰相賜几杖, 則雖七十, 不致仕”. 仲夫悅, 諷禮官, 依漢孔光故事, 賜之. 百僚詣門賀:節要轉載].

[→時[門下侍中鄭]仲夫年已七十, 不欲去<u>權位</u>, 郞中張忠義阿意, 說之曰, “宰相賜几杖, 則雖七十, 不致仕”. 仲夫悅, 諷禮官, 依漢孔光故事, 賜几杖. 國事皆關決, 時坐重房, 議人罪, 百僚詣門賀:列傳41鄭仲夫轉載].

[某日, 以[攝中郞將]金純爲中郞將:追加].[212]

[是年, 王尊舊德, 以[前參知政事致仕]李公升爲中書侍郞平章事:追加].[213]

[○置楊廣道陽城·楊根·德豊, 慶尙道英陽·高靈, 全羅道淳昌·富利監務. 又置楊廣道韓山監務, 兼鴻山監務, 置交州道漳州監務, 兼任僧嶺:地理志轉載].

[○毅宗次女安貞宮主, 與<u>殿前</u>□□[~~承旨~~]加榮通, 事覺, 流加榮于海島:列傳4毅宗公主轉載].[214]

[○以[郞將·前軍兵馬判官]申甫純爲龍虎軍中郞將, 仍兼詹事府指諭:追加].[215]

[○以[太府寺主簿]柳公權爲閤門祇候:追加].[216]

[○以[寧州精勇郞將]宋子淸爲中郞將:追加].[217]

[○賜三重大師<u>智偁</u>滿納袈裟一領:追加].[218]

---

211) 張忠義는 1180년(명종10) 1월 29일(壬午)에 逝去한 判禮賓省事·西京齋祭副使 張忠義(1109~1180)의 歷官과 비교해 볼 때 同一人으로 추정된다(張忠義墓誌銘).

212) 이는 「金純墓誌銘」에 의거하였다.

213) 이는 열전12, 李公升에 의거하였다.

214) 殿前은 掖庭局 소속의 借使職인 殿前承旨(正9品)를 指稱하는 것으로 추측된다.

215) 이는 「申甫純墓誌銘」에 의거하였다.

216) 이는 「柳公權墓誌銘」에 의거하였다.

217) 이는 「宋子淸墓誌銘」에 의거하였다.

218) 이는 「靈通寺住持·僧統智偁墓誌銘」에 의거하였다.

丙申[明宗]六年, 金大定十六年, [南宋淳熙三年], [西曆1176年]

1176년 2월 12일(Gre2월 19일)에서 1177년 1월 31일(Gre2월 7일)까지, 355일

春正月[丁未朔大盡,庚寅], [某日], 金遣大監[太府監]阿典溥等來, 賀生辰. 時, 軍旅西征, 慮客使覘我虛實, 發神騎抄猛班, 迎于道路.[219)]

[癸亥[17日], 月犯角星:天文2轉載].

[丁卯[21日], 雷雨, 震樹木:五行1雷震轉載].

己巳[23日], 宴金使.

○公州鳴鶴所民亡伊·亡所伊等, 嘯聚黨與, 自稱山行兵馬使, 攻陷公州.

[○流星出亢池, 入西咸, 大如木瓜, 長三尺許:天文2轉載].

[癸酉[27日], 雨黃土:五行3轉載].

甲戌[28日], 幸神衆院, 行香.

○遣[閤門]祗候蔡元富·郎將朴剛壽[朴康壽?]等, 宣諭南賊, 猶不從. 王引見群臣於便殿, 咨訪討賊之策.[220)]

[某日, 以林正植爲慶尙道按察使:慶尙道營主題名記].

二月[丁丑朔[小盡,辛卯], 夜, 赤祲, 見于西北方, 如烟焰, 南方亦如之:五行1轉載].

[戊寅[2日], 晡時, 赤氣, 如烟焰, 自西北, 彌亘四方:五行1轉載].

[癸未[7日], 夜, 赤氣, 又見西方, 狀如干楯, 長十五尺許:五行1轉載].

丁亥[11日], 召募壯士三千, 命大將軍丁黃載·將軍張博仁等, 將之, 以討南賊.[221)]

庚寅[14日], 移御景禧宮. 燃燈, 王如奉恩寺.

[癸巳[17日], 月犯歲星:天文2轉載].

甲午[18日], 金人以兵船十餘艘, 侵掠東海[東界]霜陰縣.[222)]

---

219) 大監은 太府監의, 阿典溥는 阿典蒲魯虎의 탈락된 글자일 것이다

· 『금사』 권7, 본기7, 世宗中, 大定 15년 11월, "戊辰, 以宿直將軍阿典蒲魯虎爲高麗生日使".

· 『금사』 권61, 表3, 交聘表中, 大定 15년 11월, "戊辰, 以宿直將軍阿典蒲魯虎爲高麗生日使".

220) 朴剛壽는 朴康壽(1115~1200)의 오자일 가능성이 있다(朴康壽墓誌銘).

221) 이 시기에 內侍 金鳳毛가 南賊의 討伐에 從軍하여 兵馬錄事 李隣定을 救出하였다고 한다.

· 「金鳳毛墓誌銘」, "明年, 復屬內侍, 時南郡草賊大起, 上命將討之, 公以近臣從軍, 及接戰, 賊以詭計急擊. 時兵馬錄事李隣定失馭仆地, 公卽下, 手引上已所乘馬, 隣定旣褫氣, 俄而復墮, 公因而下馬, 賊騎圍之甚急, 公暫騰而上, 拔劒奮擊, 賊皆辟易, 公之勇捷如此".

[乙未19日, 淸明. 流星出大微太微, 入明堂:天文2轉載].
戊戌22日, 設天帝釋道場于明仁殿.
[甲辰28日, 大霧:五行3轉載].
乙巳29日晦, 王如靈通寺.
[是月, 遣尙書戶部侍郞蔡順禧如金, 賀萬春節:追加].[223]
[是月頃, 以龍虎軍中郞將申甫純爲攝神虎衛將軍追加].[224]

三月丙午朔大盡,壬辰, 日食.[225]
[○夜, 有星, 見于東方, 色如血:天文2轉載].
[戊申3日, 震松嶽祠:五行1雷震轉載].[226]
[庚戌5日, 穀雨. 東海水, 黃濁三日, 變爲血色:五行1水變·節要轉載].
辛亥6日, 幸王輪寺, 設羅漢齋.
[癸丑8日, 西京江邊石, 自生火:五行2轉載].
[某日, 趙位寵使人, 詐爲居士服, 請兵於西北州鎭, 至靜州被執:節要轉載].[227]
[某日, 門下侍中鄭仲夫以病, 請免:節要轉載],[228] [不允:追加].
[某日, 麟州人康夫·祿升·鄭臣等, 殺防守防戍將軍蔡允和. 王遣內侍·祗候崔存, 往諭之. 未幾, □□夫等, 又殺義州分道尹光輔·防禦判官李彦升, 以應位寵. 位寵遣

---

222) 東海는 東界 또는 登州로 고쳐야 옳게 될 것이다.
223) 이는 다음의 자료에 의거하였다.
· 『금사』 권7, 본기7, 世宗中, 大定 16년 3월, "丙午朔, 日有食之. 是日, 萬春節, 改用明日, 宋·高麗·夏遣使來賀".
· 『금사』 권61, 表3, 交聘表中, 大定 16년, "三月丙午朔, 高麗尙書戶部侍郞蔡順禧賀萬春節".
224) 이는 「申甫純墓誌銘」에 의거하였다.
225) 이날 宋에서도 일식이 예고되었으나 구름[雰]으로 인해 보이지 않았다고 하며, 金에서는 일식이 있었다(『송사』 권52, 지5, 천문5, 日食 ; 『금사』 권7, 본기7, 世宗中, 大定 16년 3월 丙午, 권20, 지1, 天文, 日薄食煇珥雲氣). 이날은 율리우스력의 1176년 4월 11일이고, 개경에서 일식 현상이 심했던 시간은 15시 22분, 食分은 0.29이었다(渡邊敏夫 1979年 308面).
226) 일본에서는 3월 1일 京都의 法勝寺에서 落雷가 있었다고 한다(中央氣象臺 1941年 2冊 425面).
· 『玉葉』 권20, 安元 2년 3월, "一日丙午, 天晴, 巳刻許, 降雨雷鳴. 今日, 日蝕, 辛酉刻, 可正現云々, 朝間雖雨下, 臨期天晴, 蝕正現. 下人傳云, 今日雷落懸法勝寺九重塔, 出納等之輩, 兩三終其命云々".
· 『百練抄』第8, 安元 2년, "三月一日, 雷落法勝寺九重塔, 第九層, 下部二人震死, 御塔無事".
227) 이와 같은 기사가 열전13, 趙位寵에도 수록되어 있다.
228) 이와 같은 기사가 열전41, 鄭仲夫에도 수록되어 있으나 許諾을 받지 못했던 것 같다.

人，署諸城酋豪以僞官．麟州都領·□中郎將洪德，謀執其人~~位寵所遣大~~，以拒之，夫等袖刃，至德家，欲害之．德伏兵於門，斬之:節要轉載].[229]

[某日，~~趙~~位寵出城，與官軍戰，佯敗而還．官軍逐至龍興德部，位寵回軍擊之，官軍死者甚多:節要轉載].

乙卯10日，南賊執捉兵馬使奏，“與賊戰不利，士卒多亡，請募僧，以濟師”.[230]

[某日，散員同正崔察松，告守司空·左僕射宋有仁謀亂．案驗無實，黥察松配島，籍沒其家:節要轉載].

夏四月丙子朔小盡,癸巳，[丁亥12日，月犯氐星:天文2轉載].

[己丑14日，流星出天津，入天倉:天文2轉載].

[辛丑26日，夜，黑氣從西北，橫亘東南，廣如布．太史奏云，“不出三月，西京必敗”:節要·五行1黑眚黑祥轉載].

壬寅27日，親設五百羅漢齋於普濟寺，摩利支天道場于妙通寺.

五月乙巳朔小盡,甲午，丙午2日，親設帝釋齋于賢聖寺，舊名現聖，避毅宗嫌名，改之.

癸亥19日，行入閤禮，引見群臣，訪時政得失．坐便殿，引見群臣，謂之入閤禮.[231]

[乙丑21日，松嶽兩祠間大石，自折爲三:五行3轉載].[232]

六月甲戌□~~朔~~大盡,乙未，王如奉恩寺.[233]

---

229) 이와 같은 기사가 열전13, 趙位寵에도 수록되어 있는데, ~~添字~~는 이에 의거하였다.

230) 이와 관련된 기사로 다음이 있는데, ‘明宗五年’은 ‘明宗六年三月’로 고쳐야 옳게 될 것이다.

· 지35, 兵1, 五軍에는 “明宗五年~~明宗六年三月~~, 南賊執捉兵馬使奏, 與賊戰不利, 士卒多亡, 請募僧以濟師”.

231) 入閤에 대한 설명으로 다음이 있다.

·『자치통감』 권192, 唐紀8, 太宗貞觀 1년(627) 1월, “己亥, 制, ‘自今中書·門下及三品以上入閤議事, 皆命諫官隨之. 有失輒諫’[胡三省注, 程大昌曰, 唐西內太極殿, 卽朔望受朝之所, 蓋正殿也. 太極之北有兩儀殿, 卽常日視朝之所. 太極殿兩廡有東西二上閤, 則是兩閤皆有門可入, 已又可轉北而入兩儀也. 此太宗時入閤之制也. 至高宗以後, 多居東內, 御宣政前殿, 則謂之衙. 衙有仗, 御紫宸便殿, 則謂之入閤. 其不御宣政前殿而御紫宸也, 乃自正衙喚仗, 由閤門而入, 百官候朝于衙者, 因隨而入見, 謂之入閤]”.

232) 이 기사의 原文은 다음과 같이 구성되어 있다. 이에서 “三月乙卯, 三角山石頹”는 명종 7년에서 16년 사이에 이루어진 일이다. 그 기간 동안 3월에 乙卯가 있는 해는 7년, 8년, 10년, 11년, 14년 등이 있지만, 어느 해를 선택할 수가 없다.

· “明宗六年五月乙丑, 松嶽兩祠閒大石, 自折爲三. 三月乙卯, 三角山石頹. 十七年八月丁巳, 三角山國望峯石頹”.

[乙亥[2日], 流星出帝座, 入宦者:天文2轉載].

[丙子[3日], 流星出女湏, 入泣, 大如木瓜:天文2轉載].

丙戌[13日], 陞亡伊鄕鳴鶴所, 爲忠順縣.[234] 以內園丞梁守鐸爲令, 內侍金允實爲尉, 以撫之.

○[元帥]尹鱗瞻攻破西京, 擒位寵殺之, 遣人來, 告捷.

[某日, [元帥]尹鱗瞻攻西京通陽門, [後軍摠管]杜景升攻大同門, 破之. 城中大潰, 擒位寵斬之, 囚其黨十餘人, 餘皆慰撫. 居民按堵如故. 謁太祖眞殿, 函位寵首, 遣兵馬副使蔡祥正來, 告捷, 梟位寵首于市. 又送位寵妻孥及俘獲百餘人. 先是, 鱗瞻忽聞西京城上讙譟. 問之云, "城上人呼立龍, 而賀之". 鱗瞻曰, "位寵將死矣, 去人與頭, 豈可生乎?":節要轉載].[235]

[→[後軍摠管杜景升]遂移師, 攻西京連捷, 西人負固久不下. 軍中以漣州釜鼎爲爨器. 人便之曰, "公之計遠矣. 西兵夜出, 犯陣燒營門", 景升令曰, "旣火矣, 救之何益?". 因取物投之, 火益熾, 明如晝, 兵不敢入. 景升恩信素著, 西人多出城投降者. 遂與鱗瞻破西京, 擒位寵殺之:列傳13杜景升轉載].

[庚子[27日], 流星出壘壁, 入蒭蒿, 大如缶, 尾長十尺許:天文2轉載].

壬寅[29日], 遣樞密院副使李文著·大將軍宋慶寶, 往西京, 奬諭諸將.[236]

[是月, 國子祭酒崔汝諧, □□□□□[掌國子監試], 取詩賦李晋升等八人, 十韻詩鄭世俊等三十八人, 明經一人:選擧2國子試額轉載].[237]

---

233) 甲戌에 朔이 탈락되었다.

234) 이와 같은 기사로 다음이 있다.

· 지10, 지리1, 公州, "明宗六年, □[公]州鳴鶴所人亡伊, 嘯聚黨與, 攻陷本州, 朝廷陞其所爲忠順縣, 置令尉, 以撫之. 後降而復叛, 尋削之".

235) 이와 같은 기사가 열전9, 尹瓘, 鱗瞻 ; 열전13, 趙位寵에도 수록되어 있으나 자구에 출입이 있다.

· 열전9, 尹瓘, 鱗瞻, "六年, 鱗瞻, 攻西京通陽門, [杜]景升攻大同門, 破之. 城中大潰, 擒位寵殺之, 囚其黨十餘人, 餘皆撫慰, 居民按堵如故. 謁聖祖眞殿, 函位寵首, 遣兵馬副使蔡祥正告捷. 又送位寵妻孥及俘獲百餘人, 梟位寵首于市. 先是, 鱗瞻忽聞西兵讙噪城上, 問之云, '人呼立龍而賀之'. 鱗瞻曰, '位寵將死矣, 去人與頭, 豈可生乎?".

· 열전13, 趙位寵, "鱗瞻, 攻西京通陽門, 後軍摠管杜景升攻大同門破之, 城中大潰. 遂殺位寵, 函其首來獻, 梟于市, 又執送位寵妻孥".

236) 이때 李文著는 衛尉卿·樞密院副使였다(李文著墓誌銘).

237) 이와 관련된 기사로 다음이 있다. 이에서 不數年은 不數月로 고쳐야 옳게 될 것이고, 崔汝諧(1101~1186)가 國子監試를 주관한 1106년(명종6)은 76歲에 해당한다.

· 열전14, 崔汝諧, "乃拜[崔汝諧爲]左正言知制誥, 不數年[不數月], 歷侍御史·寶文閣待制, 年已七十矣. 奏曰, '吏部減籍臣年, 今實滿七十, 例當致仕'. 王曰, '吏部錯書, 天使然也, 勿復有言'. 驟遷諫

秋七月甲辰朔小盡,丙申，乙巳2日，元帥尹鱗瞻遣秘書少監庾世績，表賀平西．授世績少府監·直寶文閣.[238]

[己酉6日，月犯氐左星，太白·熒惑同舍東井:天文2轉載].

甲寅11日，加中書侍郎平章事尹鱗瞻△爲上柱國·監修國史.[239]

[某日，遣金吾衛將軍·吏部侍郎吳光陟，詔班師，加尹鱗瞻，推忠靖難匡國功臣·上柱國·監修國史．遣參知政事陳俊，迓勞諸將于金郊驛，復遣弟平涼侯旼，賜宴于馬川亭．諸將凱還，賜宴勞之:節要轉載].

[□□□是時雖西京平．餘兵尙在，復以大將軍杜景升爲西北面兵馬使，鎭永淸:列傳13杜景升轉載].

[乙丑22日，流星出騰蛇，入虛南星:天文2轉載].

[丙寅23日，日無光:天文1轉載].

[某日，初先是，左右倉斗槩不法，納米一石，贏至二斗，外吏因緣重歛斂，久爲民弊，近欲釐正．下制，“一石幷耗米，不過十七斗”．群小洶洶，至是，下制仍舊:食貨1租稅轉載].[240]

[某日，以宋正厚爲慶尙道按察使:慶尙道營主題名記].

八月[癸酉朔大盡,丁酉，流星，一出壘壁，入羽林，大如木瓜．一出天囷，入大陰，尾長三尺許:天文2轉載][241]

[丙子4日，太白犯軒轅:天文2轉載].

丁丑5日，將軍金光英路遇一旗頭來，揖馬前者，光英怒其不拜，捉囚于街衢．其

議大夫·國子祭酒，掌監試，士林竊笑”.

238) 趙位寵의 鎭壓에 閤門祗候·處置兵馬判官 尹東輔，臺諫 崔遇淸，散員 吳偆，內侍 鄭克溫 등도 參戰하였던 것 같다.
- 「尹東輔墓誌銘」，“… 經略轅門，所向□靡，行至縺州，嬰城自守．公積土成山，臨壓其□剋日□之．自是，諸城壁不庭者，率皆歸順”.
- 열전14，崔遇淸，“累歷臺諫．趙位寵起兵，遇淸以兵馬副使，從軍禦之．及還，擢國子祭酒·左諫議大夫”.
- 「吳偆墓誌銘」，“…至甲午歲，西都叛逆，上命□□□，□□公率?行伍，屢有折衝之效，超拜攝郞將，…”
- 열전14，鄭克溫，“克溫，初調良醞令同正，召入內侍，以征西功，授金吾衛散員”.

239) 이때 尹鱗瞻은 推忠靖難匡國功臣·上柱國·監修國史에 임명되었다(열전9，尹瓘，鱗瞻).

240) 이 기사에서 初는 先是로 바꾸면 더 적절할 것이다.

241) 癸酉에 朔이 탈락되었다.

黨群聚，擅放之，便至光英家，呼譟撞突．光英拔戟拒之，衆怒甚，光英懼，踰垣而避．其衆毁屋舍，乃去．

[辛巳9日，太白犯軒轅:天文2轉載].

[○赤氣如火，見于西南方，至夜，變黑而滅:五行1轉載].

[壬午10日，秋分．歲星守氐:天文2轉載].

辛卯19日，幸王輪寺，設羅漢齋．

[某日，諸領府軍人，揭匿名榜云，“門下侍中鄭仲夫及子承宣筠·女壻守司空·左僕射宋有仁，擅權橫恣，南賊之起，其源係此，若發軍征討，必先去此輩，然後可”．筠聞之，懼乞解職，累日不出:節要轉載].[242]

丁酉25日，[寒露]．以少卿朴挺義爲西京副留守．

己亥27日，賜秦幹公等及第．[243] [賜秦幹公等三十人·明經四人及第．故事，新及第許於街路張樂以爲榮，比因兵亂久廢．至是，復之:節要轉載].

[→新及第看榜，許於街路張樂，以爲榮觀，比因兵亂久廢，至是，復之:選擧2崇奬轉載].

九月[癸卯朔小盡,戊戌，熒惑犯軒轅:天文2轉載].[244]

[甲辰2日，虎入大明宮:五行2轉載].

乙巳3日，遣將軍朴純·刑部郎中朴仁澤，往諭南賊．

丙午4日，醮于毬庭．

[戊申6日，四方赤祲:五行1轉載].

辛亥9日，南賊攻陷禮山縣，殺監務．

[戊辰26,日 立冬．流星出畢，入天囷，尾長四尺許:天文2轉載].

[某日，將軍李永齡·別將高得時·隊正敦章等，爲李義方，謀報仇於鄭仲夫．事

242) 이와 같은 기사가 열전41, 鄭仲夫에도 수록되어 있으나 자구에 출입이 있다.

243) 이와 관련된 기사로 다음이 있다. 이때 秦幹公(李文鐸墓誌銘에는 秦獻衣로 표기됨)·新進士李瑞林(李瑞林墓誌銘)·許京(乙科4人)·尹威(丙科8人) 등이 급제하였다(『登科錄』;『前朝科擧事蹟』, 朴龍雲 1990년; 許興植 2005년).

· 지27, 선거1, 科目1, 選場, “明宗六年八月，禮部尙書·翰林學士李文鐸知貢擧，大太府卿韓文俊同知貢擧，取進士，己亥，賜秦幹公等三十人·明經四人及第”.

· 「李文鐸墓誌銘」，“遷禮部尙書·翰林學士，至丙□申知禮部貢擧，牓進士秦獻衣等三十四人爲及第，皆一時之選士□□.”

244) 癸卯에 朔이 탈락되었다.

泄，重房捕竄于遠島．永齡等，本義方門客也:節要轉載].

[→明宗六年，義方門客將軍李永齡·別將高得時·隊正敦章等，欲爲義方報仇，謀殺仲夫．事泄，重房捕永齡等，竄遠島:列傳41李義方轉載].

[某日，良醞令同正盧若純·主事同正韓受圖，詐爲中書侍郎平章事李公升，尙書右丞咸有一，內侍·郎將·將作少監獨孤孝等書,[245] 投亡伊，欲引與爲亂．亡伊執其使，送于安撫別監盧若冲．若冲收械押還，王命承宣文章弼鞫問，若純等曰，“今，弑君之賊，當途爲大官，吾輩不勝憤激，欲引外賊，與之誅翦，顧吾輩名微，恐或不從，以公升等，素有物望，故詐爲其書耳”．王聞而義之．重房奏請其罪，皆黥配遠島．若冲以若純之兄，亦坐黜:節要轉載]．[中書門下又奏有一罪，削內侍籍:列傳12咸有一轉載].

冬十月壬申朔大盡,己亥，[丙子5日，熒惑犯大微太微西蕃上將:天文2轉載].

壬午11日，親設齋于賢聖寺.

[癸巳22日，鎭星犯畢右股:天文2轉載].

[甲午23日，雷電，暴雨:五行雷震1轉載].

戊戌27日，[大雪]．設佛頂道場于內殿.

[辛丑30日，大霧:五行3轉載].

[是月，取□□□升補試皇甫沆等四十五人，明經三人:選擧2升補試轉載].

十二月~~十一月~~壬寅朔大盡,庚子，南賊首孫淸，自稱兵馬使.[246]

[○大霧:五行3轉載].

[庚戌9日，歲與熒惑，同舍于尾:天文2轉載].

壬子11日，遣將軍吳淑夫如金，賀正,[247] 將軍吳光陟·郎中尹宗誨，謝執送徐彦,

245) 尙書右丞은 咸有一의 열전에는 尙書左丞으로 되어 있으나 오자일 것이다(열전12, 咸有一；咸有一墓誌銘).

246) 여러 판본의 『고려사』에서 十二月로 되어 있으나 十一月의 오자이다(東亞大學 2008년 6책 535面).

247) 吳淑夫는 『고려사절요』 권12에는 吳叔夫로 되어 있는데, 前者일 가능성이 있다(盧明鎬 等編 2016년 322面). 또 吳淑夫는 다음 해 正旦에 賀禮하였던 것 같다.

· 『금사』 권7, 본기7, 世宗中, 大定 17년 1월, “壬寅朔, 宋·高麗·夏遣使來賀”.

· 『금사』 권61, 表3, 交聘表中, 大定 17년, “正月壬寅朔, 高麗遣尙書戶部侍郎吳淑夫賀正旦”.

仍進玉帶二腰. [又遣禮賓少卿王珪謝賜生日:追加].248)

[甲寅13日, 月犯畢星:天文2轉載].

丙辰15日, 設八關會, 幸法王寺.

戊午17日, 移御壽昌宮.

[甲子23日, 月犯亢星:天文2轉載].

[丙寅25日, 熒惑犯大微太微東蕃上將:天文2轉載].

十二月壬申朔大盡,辛丑, [甲戌3日, 日有兩珥:天文1轉載].

癸巳22日, 中書侍郞平章事尹鱗瞻卒,249) [年六十七, 謚文定, 官庀葬事:列傳9尹鱗瞻轉載]. [鱗瞻, 平章事彥頤之子, 爲人聰悟過人, 雖千百人, 一問姓名, 輒記不忘. 庚寅之後, 武臣用事, 鱗瞻每被掣肘, 脂韋自保而已. 及平西, 賞罰不中, 措置失宜, 致使西北降附之民屢叛, 物議少之:節要轉載].

[丁酉26日, 流星出三公, 入紫微, 大如缶, 尾長十五尺許:天文2轉載].

庚子29日, 遣大將軍鄭世猷·李夫爲處置兵馬使, 分左·右道, 往討南賊, 世猷等, 聚開國寺門前, 練兵, 閱月而後行.250)

[某日, 初, 西北諸城皆附位寵, 宣州鄕貢進士房瑞鸞, 謂其兄孝珍·得齡曰, "今, 位寵脅誘諸城土豪, 僞署官職, 令收兵赴西京, 我曹亦預其中, 吾婦翁尹仲瞻, 以兵馬判官, 在從兄鱗瞻麾下, 埇攻婦翁, 情所不忍, 況位寵所謀不軌, 終必自敗, 兄宜

---

248) 吳光陟·尹宗誨 등은 12월 29일(庚子) 金의 上京會寧府(現 黑龍江省 哈爾濱市 阿城區 城南 2km 位置)에 도착하였고, 明年(大定17) 正旦에 趙位寵의 內附를 거절한 것에 대해 사례하고 玉帶를 바쳤던 것 같다.

· 『금사』 권61, 表3, 交聘表中, 大定 16년, "十二月庚子29日, 高麗遣禮賓少卿王珪謝賜生日, 戶部尙書吳光陟·尙書工部侍郞尹崇誨尹宗誨等, 以不許趙位寵來附, 陳謝".

· 『금사』 권7, 본기7, 世宗中, 大定 17년 1월, "壬寅朔, 宋·高麗·夏遣使來賀. 高麗并表謝不納趙位寵. 丙午5日 有司奏, '高麗所進玉帶, 乃石似玉者'. 上曰, 小國無能辨識者, 誤以爲玉耳. 且人不易物, 惟德其物, 若復却之, 豈禮體耶".

· 『금사』 권208, 열전95, 外夷1, 高麗, "大定十七年, 賀正旦禮物, 玉帶乃石似玉者, 有司請移問. 上曰, '彼小國無能識者, 誤以爲玉耳, 不必移問'. 乃止. 十二月, 有司奏高麗下節押馬官順成例外將帶甲三過界. 上以使人所坐罪重, 但令發還本國而已". 여기에서 移問은 移文問의 省略일 것이다.

249) 이날은 율리우스曆으로 1177년 1월 23일(그레고리曆 1월 30일)에 해당한다.

250) 이 시기에 將軍 鄭克溫도 麾下軍卒을 거느리고 참전하여 大將軍에 승진하였다고 한다.

· 열전14, 鄭克溫, "累轉將軍, 得士卒心. 時國家討南賊, 克溫以所領軍赴之. 益訓鍊, 遇賊輒擊敗之, 俘獲居多. 入爲大將軍".

熟計". 孝珍等然之, 夜, 密誘州人曰, "位寵, 始以誅賊臣爲名, 故諸城響應, 稱兵詣闕, 及至郊圻, 兵始交鋒, 西人敗衄. 官軍追擊, 僵尸盈途, 雖欲收餘燼, 復謀旅拒, 氣勢已沮, 不可復振, 所恃者, 惟險固耳. 若王師, 一朝猝拔西京, 移軍臨之, 闔城必爲虀粉. 且位寵之志, 不止討賊, 若不改圖, 恐與同惡, 流醜後世. 今欲率先倡義, 去逆效順, 諸君亦有意乎?". 州人皆服, 有都領·郎將義儒, 受僞署, 爲將軍, 獨不可. 孝珍狙射斃之, 卽遣人告義州, 義州人亦殺僞酋景綽等以應. 俱遣人從間道, 賫賊首, 飛報行營. 諸城聞之, 皆罷兵. 事聞, 王嘉之, 賜孝珍爵散員, 瑞鸞以同正, 屬內侍, 得齡留本州, 爲戶長. 至是, 州人嫉孝珍獨受爵賞, 遂刹得齡及其母: 節要轉載].[251)]

[某日, 以中郞將金純爲攝將軍:追加].[252)]

[是年, 陞永同監務官爲縣令官, 置陽山縣令官, 又置沃野·利山監務, 以全羅道茂豊監務, 兼任朱溪:地理志轉載].[253)]

[○睿宗次女興慶公主卒:列傳4睿宗公主轉載].

[○西北面防戍將軍申甫純還, 至龍州北津, 有草賊三千人出, 相要擊, 勢不可當. 甫純挺身當面, 慰誨萬端, 城皆避去, 乃免:追加].[254)]

[○以樞密院副使李文著爲守司空·尙書右僕射:追加].[255)]

[○以御史中丞李應璋爲大中大夫·知詹事府事].[256)]

[○以都校署令吳元卿爲試供譯署令:追加].[257)]

[○以衛尉主簿金閱甫爲尙食直長:追加].[258)]

---

251) 이와 같은 기사가 열전13, 房瑞鸞에도 수록되어 있으나 자구에 출입이 있다.

252) 이는 「金純墓誌銘」에 의거하였다.

253) 이는 다음의 자료에 의거하였다.

· 지11, 지리2, 永同郡, "明宗二年, 置監務. 六年, 陞爲縣令".

· 지11, 지리2, 陽山縣, "明宗六年, 置縣令".

· 지11, 지리2, 利山縣, "明宗六年, 置監務".

254) 이는 다음의 자료에 의거하였다.

· 「申甫純墓誌銘」, "在丙申, 北界防戍還軍日, 於龍州北津, 有草賊三千人出, 相要擊, 勢不可當. 公挺身當面, 慰誨万湍萬端, 城皆避去, 乃免".

255) 이는 「李文著墓誌銘」에 의거하였다.

256) 이는 「李應璋墓誌銘」에 의거하였다.

257) 이는 「吳元卿墓誌銘」에 의거하였다.

258) 이는 「金閱甫墓誌銘」에 의거하였다.

[○以興威衛別將崔忠獻爲安東府副使:追加].[259]

丁酉[明宗]七年, 金大定十七年, [南宋淳熙四年], [西曆1177年]

1177년 2월 1일(Gre2월 8일)에서 1178년 1월 20일(Gre1월 27일)까지, 354일

春正月壬寅朔小盡,壬寅, 己酉8日, 亡伊·亡所伊來, 降. 賜廩粟, 命監察御史金德剛, 押送其鄕.

庚戌9日, 遣將軍丁守弼如金, 進方物.[260]

丙辰15日, 移御景禧宮. 燃燈, 王如奉恩寺.

丁巳16日, 曲宴, 賦詩示群臣.

戊午17日, 金遣兵部郞中耶律子元來, 賀生辰.[261]

○遣兵部侍郞崔光廷如金, 賀萬春節.[262]

[庚申19日, 赤氣如火, 見於東方, 又見於坤·乾二方:五行1轉載].

[癸亥22日, 流星出三公, 入七公, 大如缶, 尾長十尺許:天文2轉載].

乙丑24日, 宴金使.

[丙寅25日, 熒惑逆行, 入大微太微:天文2轉載].

己巳28日, 移御壽昌宮.

[某日, 以吳世功爲慶尙道按察使:慶尙道營主題名記].

[庚午29日晦, 驚蟄. 流星出軒轅, 入張, 大如梨, 尾長三尺許:天文2轉載].

---

259) 이는 「崔忠獻墓誌銘」에 의거하였다.

260) 丁守弼은 2월 29일(己亥)에 方物을 바쳤던 것 같다.
- 『금사』 권61, 表3, 交聘表中, 大定 17년, "二月 己亥, 高麗遣朝散大夫·尙書戶部侍郞丁守弼進奉".

261) 金에서 兵部郞中 耶律子元의 파견은 11월 23일(甲子)에 결정되었다. 당시 金에서 耶律[Yeri]氏의 일부가 移剌氏로 달리 표기하기도 하였다.
- 『금사』 권7, 본기7, 世宗中, 大定 16년 11월 甲子, "遣兵部郞中移剌子元爲高麗國生日使".
- 『금사』 권61, 表3, 交聘表中, 大定 16년, "十一月, 以尙書兵部郞中移剌子元爲高麗生日使".

262) 崔光廷은 『금사』에는 崔光遠으로 되어 있는데, 後者가 옳을 가능성이 있다.
- 『금사』 권7, 본기7, 世宗中, 大定 17년 3월, "辛丑朔, □□□萬春節, 宋·高麗·夏遣使來賀"
- 『금사』 권61, 表3, 交聘表中, 大定 17년, "三月辛丑朔, 高麗遣尙書工部侍郞崔光遠賀萬春節".

二月辛未朔大盡,癸卯,[263] [丙子6日, 月入畢左右股間. 又流星出房, 入天門, 尾長二尺許:天文2轉載].

丁丑7日, 全羅州道按察使奏, 彌勒山賊降.

[○大霧:五行3轉載].

庚辰10日, 亡伊等復叛, 寇伽耶寺.[264]

[壬午12日, 大霧二十餘日, 晝夜皆霧, 日月無光:節要轉載].

[某日, 興王寺僧, 上變□告, 僧統冲曦潛結僧徒, 謀簒逆. 逮捕鞫之, 知其誣, 釋之:節要轉載].[265]

甲申14日, 親設齋于神衆院.

戊子18日, 設帝釋道場于內殿.

己丑19日, 南賊寇黃驪縣, 又寇鎭州.

[壬辰22日, 赤氣見于四方:五行1轉載].

丁酉27日, 設佛頂道場于內殿.

己亥29日, 右道兵馬□使擒斬伽耶山賊首孫淸及其徒黨. [淸, 嘗自稱兵馬使:節要轉載].[266]

庚子30日, 王如靈通寺.

是月, 盜起西海道, 遣戶部員外郞朴紹, 發州縣兵, 討之.

[是月頃, 以攝神虎衛將軍申甫純神虎衛將軍追加].[267]

三月[辛丑朔小盡,甲辰, 日無光:天文1轉載].[268]

[某日, 生日回謝使王珪, 還自金, 珪, 門下侍郞平章事李之茂壻也. 之茂子世延, 以金甫當妹壻, 死於癸巳之亂. 李義方欲幷害珪, 囚其妻索之, 匿鄭仲夫家, 獲免. 時仲夫女孀居, 見珪, 悅而通焉. 珪遂棄舊妻, 及義方死, 復職. 至是, 使金. 先是,

263) 여러 판본의 『고려사』에서 三月로 되어 있으나 二月의 오자이다.

264) 伽倻寺는 현재의 忠淸南道 禮山郡 德山面 上伽里 伽倻山 伽倻谷에 있었지만, 조선왕조 후기에 南延君 李球의 墓所가 築造되었다고 한다(李殷昌 1963).

265) ~~添字~~는 열전3, 宗室1, 仁宗王子, 元敬國師冲曦에 의거하였는데, 이렇게 하여야만 옳게 된다.

266) 右道兵馬는 使字가 탈락되었는데[脫字], 『고려사절요』 권12에는 옳게 되어 있다.

267) 이는 「申甫純墓誌銘」에 의거하였다.

268) 日無光은 日食을 가리키는 현상은 아니었던 것 같다. 이날(율리우스曆의 1177년 4월 1일)의 일식은 북동아시아 3국이 中心食帶에서 벗어나 있었기에 관측될 수 없었다(渡邊敏夫 1979年 308面).

靜州中郞將金純富, 欲殺郞將用純, 用純逃至京. 及珪還入境, 純富等, 以珪爲權臣壻, 欲劫留爲質, 請誅用純, 因謂之曰, “公父子, 衣冠之族, 今背舊妻, 托婚權門, 以圖苟活, 名義已虧, 將何顔, 與士大夫, 共立於朝乎?”, 珪縮恧, 無以對, 賴義州分道□□[將軍?]王度, 諭解之, 乃脫歸:節要轉載].[269]

乙巳[5日], [將軍]吳光陟還自金言, “所進玉帶, 其一乃石乳, 非玉, 有司奏之, 帝[世宗]曰, 小國無辨識者, 誤以爲玉耳. 且‘人不易物, 惟德其物’,[270] 若復却之, 豈禮體耶?”. 王聞之慚懼, 遣郞中朴孝縉, 表謝乞罪.

[戊申[8日], 流星出右角, 入北斗杓·危星, 大如梨:天文2轉載].

[己酉[9日], 日月無光:天文1轉載].

[→大霧. 自二月壬午至是, 晝夜恒霧, 日月無光:五行3轉載].

辛亥[11日], 亡伊等焚弘慶院, 殺居僧十餘人, 逼令住持僧, 賫書赴京, 略云, “旣升[陞]我鄕爲縣,[271] 又置守以安撫, 旋復發兵來討, 收繫我母妻, 其意安在. 寧死於鋒刃下, 終不爲降虜, 必至王京, 然後已”.

丁巳[17日], 慮囚.

戊午[18日], 左道兵馬使擒賊首李光等十餘人.

庚申[20日], 幸妙通寺, 設摩利支天道場.

[是月, 太史奏, “熒惑自正月二十五日[丙寅], 從大微[太微]東大陽門入, 逆行於屛星南右執法, 臣等以爲, 熒惑常以十月·十一月, 朝大微[太微]天庭, 受制而出行列宿, 司無道之國, 罰失禮之臣. 又其常度, 當行於翼·軫北, 丈三尺許, 今失度, 入大微[太微], 留四十五日, 又從二月十二日, 至三月九日, 霧氣昏濁, 日月無光, 考諸舊占, 譴告不細, 固非祈禳小數, 所能消去, 當遵聖祖遺訓, 側身修德, 然後, 灾變可弭”:天文2轉載].

[春某月, 以[試供譯署令]吳元卿爲樞密院堂後官:追加].[272]

---

269) 이와 같은 기사가 열전14, 王珪에도 수록되어 있다.

270) 이 구절은 다음을 인용한 것 같다.
- 『서경』, 周書, 旅獒(僞古文), “… 人不易物, 惟德其物”.
- 『춘추좌씨전』傳, 僖公 5년 秋, “… 晋侯復假道於虞以伐虢, [虞]宮之奇諫曰, … [虞]公曰, ‘吾享祀豊絜, 神必據我’. 對曰, ‘臣聞之, 鬼神非人實親. 惟德是依. 故周書曰, 皇天無親, 惟德是輔’. 又曰, ‘黍稷非馨, 明德有馨’. 又曰, ‘民不易物, 惟德緊物, 如是, 則非德民不和, 神不享矣’. …”.

271) 升은 『고려사절요』 권12에는 陞으로 되어 있는데, 후자가 더 적합할 것이다.

272) 이는 「吳元卿墓誌銘」에 의거하였다.

夏四月[庚午朔大盡,乙巳], 某日, 義·靜二州叛, 遣直門下□□[省事]史正儒·禮部郎中林正植, 諭之. ○南賊陷牙州. 時, 清州牧內郡縣, 皆陷於賊, 唯淸堅守.

丁丑[8日], 重房奏, "東北兩界州鎭判官, 不許以武官補", 從之. 主是議者, 將軍洪仲邦也, 武官金敦義等六人, 伺仲邦出, 遮道號訴, 雜以惡語. 重房捕得之, 黥, 配于島.

[庚辰[11日], 月犯左角:天文2轉載].

壬午[13日], 安平公璥卒.[273] [璥, 性恬靜, 好學, 通方技,[274] 善書畫. 然好釋典, 效禪僧作偈, 而卒:節要轉載].

[→子璥, 封安平伯, 尙睿宗女興慶公主, 明宗七年卒. 性恬靜, 好學, 經藝方技, 無不該貫, 書畵亦妙. 然好釋典, 臨終, 效禪僧作偈. 卒年六十一:列傳3文宗王子朝鮮公燾轉載].

[丁亥[18日], 流星出東咸, 入天江:天文2轉載].

[辛卯[22日], 流星出大微[太微], 入軫, 大如梨, 尾長三尺許:天文2轉載].

[癸巳[24日], 震樹木:五行1雷震轉載].

[○檢校禮賓卿·御史中丞·知詹事府事李應璋卒, 年五十七:追加].[275]

丁酉[28日], 賜崔基靜等及第.[276]

---

273) 이날은 율리우스曆으로 1177년 5월 12일(그레고리曆 5월 19일)에 해당한다.

274) 方技는 方伎라고도 表記하며 醫·卜·星·相術 등을 가리키지만, 그 중에서 醫學을 가리키는 경우도 있다.

· 『辭源』, "古代指醫·卜·星·相之術".

· 『사기』 권105, 扁鵲·倉公列傳第45, "… 詔問, 故太倉臣意方伎所長, 及所能治病者, 有其書, 無有?, 皆安受學? 受學幾何歲? …".

· 『한서』 권30, 藝文志第10, 末尾, "… 方技者, 皆生生之具, 王官之一守也. 太古有岐伯·兪拊, 中世有扁鵲·泰和[注, 師古曰, 和, 秦醫名也], 皆論病以及國, 原診以知政. 漢興有倉公. 今其技術晻昧, 故論其書, 以序方技爲四種".

· 『자치통감』 권30, 漢紀22, 成帝河平 3년(BC26) 8월, "上以中秘書頗散亡[注, 師古曰, 言中, 以別外. 藝文志曰, 武帝建藏書之策. 劉歆曰, 外則有太常·太史·博士之藏, 內則有延閣·廣內·秘書之府], 使謁者陳農求遺書於天下. 詔光祿大夫劉向校經傳·諸子·賦詩, 步兵校尉任宏校兵書, 太史令尹咸校數術[師古曰, 數術, 占卜之書], 侍醫李柱國校方技[師古曰, 方技, 醫學之書也], 每一書已, 向輒條其篇目, 撮其指意, 錄而奏之[胡三省注, 已, 終也, 竟也. 師古曰, 撮, 總取也]".

275) 이는 「李應璋墓誌銘」에 의거하였는데, 이날은 율리우스曆으로 5월 23일(그레고리曆 5월 30일)에 해당한다.

276) 이와 관련된 기사로 다음이 있다. 이때 崔基靜·閔公珪 등이 급제하였는데(『登科錄』, 朴龍雲 1990년 ; 許興植 2005년), 崔基靜은 후일 崔洪胤(崔沖의 仍孫[7代孫])으로 改名하였던 것 같다.

[是月, □[左]諫議大夫崔遇淸, □□□□□[掌國子監試], 取詩賦朴敦章等十五人, 十韻詩金角章等六十八人, 明經三人:選擧2國子試額轉載].

五月庚子□[~~朔~~小盡,丙午], 遣宣旨使用別監, 審覈南賊制置左·右道兵馬使戰功多少.[277)]
[○熒惑入大微[~~太微~~], 出端門:天文2轉載].
辛亥[12日], 詔削忠順縣.
癸丑[14日], 大雨雹.
[→大雨雹, 暴風折大木:五行1雨雹轉載].
壬戌[23日], 趙位寵餘衆五百餘人作亂, 殺留守判官朴寧及其初請降者, 副留守朴挺義·司錄金得礪·書記李純正等, 潛竄獲免. 初, 王師之攻圍也, 踰城降者, 無慮千餘人, 及城陷, 丁壯皆逃匿. 厥後, 其降者, 以逃者爲叛, 妻略婦女, 攘奪財產, 故丁壯作亂, 致此變. 遣大將軍李景伯·[戶部]郎中朴紹, 往諭之.
[某日, 內侍·郎將兼兵部員外郎莊甫, 性剛正, 不阿權貴. 嘗面責內侍·將軍鄭存實, 接人驕傲. 重房聞之, 劾甫陵辱長官, 議欲貶巨濟縣令. 甫不勝憤怒, 詣樞密院, 謂院使·上將軍李光挺, 副使·上將軍崔忠烈曰, "竊聞公等欲貶甫海上, 甫有何罪耶?" 聲色俱厲, 光挺等怒, 卽配遠島, 陰使人, 擠於江中, 聞者惜之:節要轉載].[278)]

六月[己巳朔小盡,丁未], 庚午[2日], 王如奉恩寺.
辛巳[13日], 金橫宣使·大府監[~~太府監~~]徒單良臣來.[279)] 金使之來也, 國家疑西京餘孽, 梗道路, 託言軍旅之後沿路大疫, 從他路迎候, 仍遣戶部郎中朴紹·中郎將牙應時, 率官軍及神騎軍八十人, 往備不虞. 行至通德驛, 賊果猝出掩擊, 死者十八九, 紹亦遇害.[280)]

· 지27, 선거1, 科目1, 選場, "[明宗]七年四月, 樞密院副使文克謙知貢擧, 判大府事[判太府事]廉信若同知貢擧, 取進士, [~~丁酉~~], 賜崔基靜等三十五人·明經四人及第".
277) 庚子에 朔이 탈락되었는데, 지2, 천문2에는 기록되어 있다.
278) 이와 같은 기사가 열전41, 鄭仲夫, 李光挺에도 수록되어 있으나 자구에 출입이 있다.
279) 金에서 徒單良臣은 4월 19일(戊子)에 파견이 결정된 것 같고, 徒單良臣은 徒單烏者의 字인 것 같다.
· 『금사』 권7, 본기7, 世宗中, 大定 17년 4월, "戊子, 以滕王府長史徒單烏者爲橫賜高麗使".
· 『금사』 권61, 表3, 交聘表中, 大定 17년, "四月戊子, 以滕王府長史徒單烏者爲橫賜高麗使".
280) 이해에 실제로 疫疾이 있었는지는 알 수 없으나 南宋에서는 眞州(現 江蘇省 揚州市 儀征市 眞州鎭)를 위시한 各地에서 大疫이 있었다고 한다(龔勝生 2015年).

癸未[15日], 王受菩薩戒.

辛卯[23日], 震大廟[~~太廟~~].[281]

○南賊首亡伊遣人來, 請降.

甲午[26日], 慮囚.

[某日, 鎭星守天關:天文2轉載].[282]

[是月丙子[8日], 僧初通·康杜等造成昌寧縣龍興寺靑銅香垸一副, 入重八斤:追加].[283]

秋七月[戊戌朔大盡,戊申], 甲辰[7日], 官軍與西賊戰, 敗乃還.

[○赤氣見于東南方:五行1轉載].

丁未[10日], 王親製引咎責躬詞, 告謝于景靈殿太祖神御.

[戊申[11日], 流星出八穀, 入紫微, 大如梨, 尾長五尺許:天文2轉載].

庚戌[13日], 西賊首·郎將金旦請降, 下制曲赦, 仍遣中使, 往諭之.

[某日, 北路制置使[~~處置使~~]李景伯, 聞西北面兵馬使杜景升在永淸, 欲與議軍事, 遣五百餘騎邀之. 西賊金旦等, 設伏, 狙擊于驛路, 騎兵皆沒, 唯郞將高勇之等十餘人, 走免. 景升已就途, 聞變, 馳還入城. 賊追不及, 執電吏殺之:節要轉載].[284]

[→北路處置使李景伯, 欲與議軍事, 遣五百騎邀之, 西人設伏, 狙擊于路, 騎兵皆沒, 唯郞將高勇之等十餘人, 走免. [西北面兵馬使杜]景升已就途, 聞變, 馳還入城, 西人追不及, 執電吏殺之:列傳13杜景升轉載].

丁巳[20日], 南賊處置兵馬使鄭世猷等, 捕賊首亡伊·亡所伊等, 囚淸州獄, 遣人告捷.[285]

戊午[21日], 遣抄猛班行首李頔綽·金立成, 討西賊.

· 『송사』 권62, 지15, 오행1下, 水下, "淳熙四年, 眞州大疫".

· 『속자치통감장편』 권36, 太宗, 淳熙 5년 8월, "是月, 兵部員外郞田錫奏䟽曰, 臣伏聞, 去歲, 或霖潦作沴, 或癘疫爲灾. …".

281) 이와 같은 기사가 지7, 五行1, 水, 雷震에도 수록되어 있다.

282) 이 기사에서 날짜[日辰]가 탈락된 것이 特異하다.

283) 이는 密城郡管內 昌寧縣 龍興寺 靑銅香垸의 銘文에 의거하였다(表忠寺 所藏, 국보 제75호, 李浩官 1997년 274面 ; 文明大 1994년 3책 285面).

· 銘文, "大定十七年 丁酉六月日,法界生亡,共增菩提之願,以鑄成靑銅香垸一副,重八斤印, 棟梁道人孝初通·康杜等謹發至誠特造,隨喜者□文」". "昌寧北面龍興寺」".

284) 制置使는 處置使의 오자일 것이다.

285) 이때 神虎衛將軍 申甫純도 討伐에 참여하였던 것 같다(申甫純墓誌銘, "明年, 卽眞[~~爲將軍~~], 討南賊於忠州, 有能戡定").

[○流星出羽林, 入危, 大如梨, 尾長六尺許:天文2轉載].

[○有鸛, 群翔于市街:五行1轉載].

[己未[22日], [群鸛]又盤旋於毬庭:五行1轉載].

[某日, 罷判大府事[~~判太府寺事~~]廉信若. 先是, 信若口業田, 在峰城縣, 仲夫奪之, 既而還之. 至秋, 信若遣奴收穫, 仲夫家奴邀奪, 因與相鬪. 仲夫遣人捕信若奴, 付街衢獄殺之, 遂告重房劾之. 王不得已乃罷信若:節要轉載].[286)]

[某日, 以李後善爲慶尙道按察使:慶尙道營主題名記].

八月[戊辰朔小盡,己酉], 庚午[3日], 遣五軍別號[~~別抄~~?], 討西賊.[287)]

[某日, 以石鱗爲西北路知兵馬事. 時, 李景伯與杜景升不恊[~~協~~], 戰數不利, 召景伯還, 以石鱗代之. 以景升兼處置使:節要轉載].

[→[北路處置使李景伯]與[西北面兵馬使杜]景升不愜, 戰數不利. 召景伯還, 以石鱗代知西北路兵馬事, 景升兼處置使:列傳13杜景升轉載].

丙子[9日], 減死囚二十人, 配有人島.

丁丑[10日], 太史奏, "太白自七月五日[壬寅]至是, 常見".

[→:天文2轉載].

壬午[15日], 南路捉賊左道兵馬使梁翼京還, 翼京所至貪縱, 吏民不堪其苦, 咸謂害甚於賊.[○歲與熒惑, 同舍于尾, 累旬:天文2轉載].

乙酉[18日], 金使還. 時以西賊梗塞, 東涉臨津, 經由春州界, 行至定州, 乃出關. 春州副使崔忠弼托其供頓, 聚歛[~~聚斂~~]太甚, 坐罷.[288)]

[→金使將還, 西兵梗路不得過. [西北面兵馬使杜]景升募士卒, 掩擊殺之. 王嘉其功, 陞上將軍·知御史臺事:列傳13杜景升轉載].

丁亥[20日], [秋分]. 西北路, 斬賊魁金旦等五人首, 函送于京.

○中書侍郎平章事致仕韓就卒.[289)] [就, 工術數, 能預言人禍福. 庚寅之亂, 以智

286) 이와 같은 기사가 열전12, 廉信若에도 수록되어 있다.

287) 五軍別號는 五軍別抄의 오자일 가능성이 있다.

288) 이때의 형편을 보여주는 자료로 다음이 있다. 또 이때 金의 使臣團은 楊州 檜巖寺(現 京畿道 楊州郡 檜泉邑 檜巖里에 位置)에 들어가서 禮佛하고, 圓鏡國師의 筆蹟[手蹟]을 보고서 詩文을 지었다고 한다(『보한집』권하).

· 「崔讜墓誌銘」, "丁酉□[夏], 大金□[橫]宜使至, 西賊梗路道[道路], 公□[引]臨津路送行, 使還稱□[旨]者, 拜兵部侍郎·知制誥".

保全:節要轉載].

癸巳[26日], 幸外帝釋院, 設羅漢齋.

[○靜州倉中, 有青龍, 飛出騰空. 頃之倉灾:五行1龍蛇之孽轉載].

九月[丁酉朔大盡,庚戌], 辛丑[5日], 遣上將軍李義旼, 領八將軍, 討西北賊.[290)]

[→九月, ~~辛丑5日,~~ 遣上將軍李義旼領八將軍, 討西賊:節要轉載].

[○太白失道, 行心星南.

甲辰[8日], 太白犯尾:天文2轉載].

乙巳[9日], 移御安和寺.

[○月犯牽牛大星:天文2轉載].

[丙午[10日], 熒惑犯天江:天文2轉載].

[丁未[11日], [熒惑]移入箕度:天文2轉載].

戊申[12日], 慮囚.

甲寅[18日], 西賊, 自西京曇和寺, 移屯香山.

[→~~甲寅18日,~~ 西賊, 自西京曇和寺, 移屯香山:節要轉載].

[→[明宗]七年, 位寵餘兵復聚, 保香山, ~~上將軍李~~義旼領八將軍, 往擊之, 斬三百餘人, □□□□~~六年正月~~, 告捷:列傳41李義旼轉載].[291)]

[○歲與熒惑, 同舍于尾. 月犯畢西星:天文2轉載].

[戊午[22日], 霜降. 大霧:五行3轉載].

[癸亥[27日], 流星出天廩, 入天苑, 尾長三尺許:天文2轉載].

冬十月[丁卯朔小盡,辛亥], [庚午[4日], 大霧:五行3轉載].

[辛未[5日], 雷電:五行1雷震轉載].

壬申[6日], 幸王輪寺, 設羅漢齋.

[○宮闕都監及市廛三十八間火:五行1火災·節要轉載].

[辛巳[15日], 鎭星犯天關:天文2轉載].

---

289) 이날은 율리우스曆으로 1177년 9월 14일(그레고리曆 9월 21일)에 해당한다.

290) 이 시기에 神虎衛將軍 申甫純도 參戰하였던 것 같다(申甫純墓誌銘, "丁酉秋, 西賊遺種作, 梗於道路, 公領軍掃蕩").

291) 이와 같은 내용이 『고려사절요』 권12에도 수록되어 있으나 日辰이 없다. 5일(辛丑), 18일(甲寅)과 같이 『고려사절요』와 열전의 기사에 添字를 추가하면, 내용이 쉽게 이해될 수 있을 것이다.

丙戌[20日], 西賊首康畜等三人來降, 皆授校尉, 遣還, 諭降餘黨.

[辛卯[25日], 大雪, 雷電:五行1雨雪轉載].

甲午[28日], 設佛頂道場于明仁殿.

十一月[丙申朔大盡,壬子], [己亥[4日], 流星出畢, 入羽林, 大如缶, 尾長一丈許:天文2轉載].

丙午[11日], 遣郎將崔美如金, 謝橫宣,[292] 內侍·員外郎崔貞, 謝賀生辰, 禮部員外郎孫應時, 賀正.[293]

己酉[14日], 設八關會, 幸法王寺.

辛亥[16日], 還御壽昌宮.

壬子[17日], 西賊首曹忠來降.

[甲寅[19日], 流星, 一出天倉, 入羽林, 大如梨, 尾長三尺許. 一出柱, 入北極, 大如木瓜:天文2轉載].

丙辰[21日], 南賊制置[處置]·右道兵馬使李夫還, 夫馭軍嚴整, 所至按堵, 得士卒心, 屢戰皆捷, 故盜賊屏息.

[十二月[丙寅朔大盡,癸丑], 己巳[4日], 大霧, 咫尺不辨人物:五行3轉載].

[壬申[7日], 赤氣見南方, 太史奏, "下有伏兵":五行1轉載].[294]

[某日, 西北面兵馬使崔遇淸, 斬靜州都領純夫·郞將金崇. 純夫等屢謀逆, 國家姑息, 不討. 至是, 遇淸誘州人, 殺之. 王下詔褒之:節要轉載].

[→[左諫議大夫崔遇淸,] 尋出爲西北面兵馬使. 時, 靜州都領純夫·郞將金崇等, 屢謀逆, 朝廷姑息, 不卽討. 遇淸誘州人, 斬純夫等, 王下詔褒之, 超授判尉衛□[寺]事:列傳14 崔遇淸轉載].

[某日, 以[守司空·尙書右僕射]李文著爲銀靑光祿大夫·守司空, [樞密院堂後官]吳元卿爲權知閤門祗候:追加].[295]

---

292) 崔美는 12월 29일(甲午) 上京에서 橫賜를 謝禮하였던 것 같다(『금사』 권61, 表3, 交聘表中, 大定 17년 12월, "甲午, 遣禮賓少卿崔美謝橫賜").

293) 孫應時는 다음 해 正旦에 賀禮하였던 것 같다.
- 『금사』 권7, 본기7, 世宗中, 大定 18년 1월, "丙申朔, 宋·高麗·夏遣使來賀".
- 『금사』 권61, 表3, 交聘表中, 大定 17년, "正月丙申朔, 高麗遣尙書戶部侍郞孫應時賀正旦".

294) 일본의 京都에서는 11월 23일 赤氣가 있었다고 한다(中央氣象臺 1941年 2冊 687面).
- 『百練抄』第8, 高倉, 治承 1년 11월 12일, "近日, 有赤氣".

[是年，以國子祭酒崔汝諧爲樞密院使·左散騎常侍，□□汝諧謝表云，西垣備職，寔知此日之恩榮，北闕朝天，始信當年之夢感．因乞骸骨，時年七十七．特授政堂文學，仍令致仕:列傳14崔汝諧轉載]．

[○以衛尉少卿崔讜爲兵部侍郎·知制誥:追加]．[296]

[○以少府丞金閱甫爲試閤門祗候·全州牧判官:追加]．[297]

[○以內侍金鳳毛爲明福宮錄事:追加]．[298]

戊戌[明宗]八年，金大定十八年，[南宋淳熙五年]，[西曆1178年]

1178년 1월 21일(Gre1월 28일)에서 1179년 2월 8일(Gre2월 15일)까지，13개월 384일

春正月丙申朔大盡,甲寅，甲辰9日，[立春]．遣□借將軍盧卓儒如金，賀萬春節．[299]

丙午11日，遣兵部郞中崔孝球，進方物．[300]

己酉14日，燃燈，王如奉恩寺．

○金遣宿直將軍僕散懷忠來，賀生辰．[301]

---

295) 이는「李文著墓誌銘」；「吳元卿墓誌銘」에 의거하였다.

296) 이는「崔讜墓誌銘」에 의거하였다.

297) 이는「金閱甫墓誌銘」에 의거하였다.

298) 이는「金鳳毛墓誌銘」에 의거하였다.

299) 이해의 節日使에 대한 기록은 다음과 같다.

· a『금사』 권7, 본기7, 世宗中, 大定 18년 3월, "乙未朔, 萬春節, 宋·高麗·夏遣使來賀".

· b『금사』 권61, 表3, 交聘表中, 大定 18년, "三月乙未朔, 高麗尙書刑部侍郞李仁成盧卓儒等賀萬春節". 이에서 李仁成은 盧卓儒의 誤謬일 것이다.

· c「盧卓儒墓誌銘」, "… 轉左右衛保勝中郞將·借授將軍, 至戊戌歲明宗8年□□□□, 以賀萬春節日使入北□朝□, 還□□寵侍之益厚, 明年十二月□□尙書工部□□員外郞賜…".

이들 자료 중에서 b는 李仁成이, c은 盧卓儒가 節日使였던 것으로 되어 있어 차이가 있다. 그런데 당시의 節日使를『고려사』에는 大定 18년(명종8) 盧卓儒, 19년(명종9) 孫碩, 20년(명종10) 不明(記錄없음),『금사』에는 大定 18년(명종8) 李仁成, 19년(명종9) 盧卓儒, 20년(명종10) 孫碩으로 기록하고 있다. 추측하건대 圖表로 만들어진『금사』交聘表의 組版過程에서 錯誤가 있었던 것 같으므로, 記錄이 없는『고려사』의 大定 20년(명종10)의 節日使는 李仁成일 가능성이 높다[校正事由].

300) 崔孝球는 2월 28일(癸巳)에 方物을 바쳤던 것 같다.

·『금사』 권61, 表3, 交聘表中, 大定 18년, "二月癸巳, 高麗遣吏部侍郞崔孝球進奉".

301) 이 기사는 지19, 禮7, 賓禮에도 수록되어 있다. 또 金에서 僕散懷忠의 파견은 12월 3일(戊辰)

乙卯[20日], 親設齋于神衆院.

[丙辰[21日], 太白·歲星, 聚斗:天文2轉載].

丁巳[22日], 分遣察訪使, 工部郎中崔詵于興化道, 刑部員外郞崔孝著雲中道, 閣門[閤門]祗候林惟謙朔方道, 監察御史崔敦禮沿海溟州道, 秘書丞尹宗諹西海道, 千牛衛將軍吳光陟楊忠州道,[302] 郞將李文中晋陝州道, 侍御史宋端慶尙州道,[303] 將軍宋君秀全羅州道, 刑部侍郞李文中廣淸州道, 起居注皇甫倬春州道, 問民疾苦, 黜陟官吏及奉使者, 限十年以前, 追論殿最, 凡被劾者八百餘員.[304] 孝著, 以考覈不精, 免.[305] [全羅道宋君秀, 陞黜徇私, 然以權門子, 人無議者:節要轉載].[306]

戊午[23日], 宴金使.

[→己丑[戊午], 宴金使. 舊制, 中下節人, 於殿門外賜酒, 不許親參. 至是, 使臣請, 令赴宴後, 入殿庭拜謝, 從之:禮7賓禮轉載].[307]

에 결정되었다.

· 『금사』 권7, 본기7, 世宗中, 大定 17년 12월 戊辰, "以宿直將軍僕散懷忠爲高麗生日使".

· 『금사』 권61, 表3, 交聘表中, 大定 17년, "十二月戊辰, 以宿直將軍僕散懷忠爲高麗生日使".

302) 이때 吳光陟과 관련된 기사로 다음이 있다.

· 열전13, 慶大升, 吳光陟, "明宗欲授三品職, 光陟曰, '臣年少拜四品, 又兼吏部, 於臣足矣'. 遂辭, 出爲楊·忠州道察訪使. 時孫碩父爲水州使, 性貪鄙, 侵漁無厭, 百姓苦之. 碩懼, 就光陟求哀, 光陟不聽, 竟劾罷之. 碩由是, 與光陟有隙, 遂誘大升殺之".

303) 이때 宋端과 관련 기사로 다음이 있다. 이 내용은 이 시기(1178, 명종8)보다 30년 전인 1148년(의종2) 무렵에 尹承解가 관료생활의 초기에 水州判官으로 재직하면서 善政을 베푼 것을 이때의 水州(現 水原市)의 吏民들이 察訪使 宋端에게 전한 것으로 되어 있다. 그러나 이때 水州地域의 담당자는 吳光陟이었기에 묘지명을 찬한 李奎報의 記述에서 어떤 오류가 있었던 것 같다.

· 「尹承解墓誌銘」, "上嘗遣諫官宋端南方, 採訪十年來前後典郡者之政績優劣, 水州以公所理, 擧爲最, 凡三十年矣. 宋公曰, 朝旨以十年爲界, 此甚遼遠, 恐違詔條之意. 吏民曰, 天子所以遣使臣, 第求異政耳. 尹公遺愛至今未嘗去, 民心尙如前日, 故擧之, 豈論遠近耶. 皆伏地叩頭. 其請至痛切, 宋公頷而奏之. 上益嘉嘆, 有司亦不敢訾焉".

304) 이때 彈劾을 받은 자가 800餘人으로 되어 있으나 1181년(명종11) 9월 3일에는 탄핵을 받았다가 復職된 者가 990餘人으로 달리 기록되어 있어 차이가 있다. 이때의 考覈이 정밀하지 못해 재조사 가 이루어졌을 가능성이 있다(朴鍾進 2003年).

305) 이때 崔孝思(→崔坦), 安東副使 崔忠獻 등이 治績平定[考課]에서 一等으로, 三陟·松林縣尉 廉克髦가 優等으로 評定되었다고 한다(崔孝思墓誌銘 ; 崔忠獻墓誌銘 ; 廉克髦墓誌銘). 또 이때 察訪使로 임명된 尹宗諹의 墓誌銘에는, 그가 이 시기의 전후에 3차에 걸쳐 廉察使로 파견되었다고 한다.

· 「尹宗諹墓誌銘」, "前後, 凡三出爲廉□[察]使, 皆有威譽".

306) 以上의 道는 行政區域의 道[5道]가 아니라 軍事道 또는 巡行을 위해 구획한 道일 것이다. 그러므로 이해에 東北面地域을 沿海溟州道로 改稱하였다고 한 것은 사실이 아닐 것이다.

· 지12, 지리3, 東界, "至明宗八年, 稱沿海溟州道".

○興王寺僧, 告重房曰, "寺僧, 有與德水縣人謀作亂者, 散員高子章實知之". 重房逮捕僧及子章, 流于遠島, 陰遣人投之江中. 子章性甚暴戾, 聞者相慶.

己未24日, 設帝釋道場于明仁殿.

庚申25日, [雨水]. 西北路兵馬使·上將軍李義旼, 斬西賊三百餘人, 告捷.

[○日有南北珥:天文1轉載].308)

[某日, 以邵光賓爲慶尙道按察使, 權知閤門祗候吳元卿爲西北路監倉使:慶尙道營主題名記].309)

二月丙寅朔小盡,乙卯, 壬申7日, 設佛頂道場于內殿.

[○居昌縣亏居鄕民家, 僵梨自起, 枝葉復生:五行2轉載].

甲戌9日, 西京留守判官朴仁澤, 將赴任, 行至高原驛, 賊邀殺於路.

[某日, 樞密院使李光挺·同知院事崔忠烈·副使文克謙等, 奏曰, "燃燈, 舊用二月望, 近因聖考諱朔, 改用正月, 有乖先王之本意, 比來三光告異, 二氣不調, 恐或由此, 請於二月望, 縱不設會作樂, 悉令公私, 隨分燃燈", 從之:節要轉載].310)

[己卯14日, 月食:天文2轉載].311)

辛巳16日, 親醮魁罡.

三月乙未朔大盡,丙辰, 王如靈通寺.

[某日, 淸州人, 與州人係京籍而退居者, 構隙, 捕殺幾盡. 其黨之在京者聞之, 欲爲報仇, 矯旨募死士, 向淸州, 遣將軍韓慶頼, 追止之不及. 與州人戰不勝, 死者百餘人, 以不能禁制, 罷牧副使趙溫舒, 事審官·大將軍朴純弼·將軍慶大升:節要轉載].312)

己酉15日, 幸普濟寺, 設五百羅漢齋.

---

307) 己丑은 戊午의 오자일 것이다. 이달에는 己丑이 없고(24日이 己未임), 上記와 같이 世家篇의 기사에는 戊午로 되어 있다.

308) 이날 일본의 京都에서는 날씨가 흐렸다고 한다(『山槐記』, 治承 2년 1월, "廿五日庚申, 天陰").

309) 吳元卿은 다음의 자료에 의거하였다.
· 「吳元卿墓誌銘」, "戊戌年春, □爲北路監倉使".

310) 이 기사는 열전13, 崔忠烈에도 수록되어 있으나 字句의 順序가 바뀌어 있다.

311) 이날 宋에서는 월식이 예측되었으나 구름으로 인해 보이지 않았다고 한다(『송사』 권52, 지5, 천문5, 月食). 이날은 율리우스력의 1178년 3월 5일이고, 월식 현상이 심했던 때의 世界時는 19시 34분, 食分은 0.68이었다(渡邊敏夫 1979年 477面).

312) 이와 같은 기사가 열전13, 慶大升에도 수록되어 있다.

辛亥[17日], 慮囚, 宥諸道察訪使械送贓吏三十五人. 臺監·殿中侍御史晋光仁, 不能駁執, 御史臺劾奏, 竟原之.

[壬子[18日], 四方赤氣, 如火:五行1轉載].

[某日, 內侍·郎中崔貞, 免. 是時, 使金者, 傔從有額, 要市利者, 競就使家, 賂銀二三斤然後得行. 貞爲生日回謝使, [守司空·左僕射]宋有仁囑一奴, 令帶去. 貞以賂貨者已滿數, 不能補. 奴恃主勢, 遂行, 竟爲金人所檢括捕送. 貞還坐免:節要轉載].[313]

[→舊例, 宰相奉使如金[奉使如金], 其傔從有定額, 要市利者, 賂使銀數斤, 然後得行. 內侍·郎中崔貞爲生日回謝使, 有仁囑一奴令帶去. 時貞以貨得者已滿數, 不能補. 奴恃主勢遂行, 金人檢還之, 貞還坐免:列傳41宋有仁轉載].[314]

甲寅[20日], □[召]宰樞·文武三品以上, 會式目都監, 議處置西京.[315]

丙辰[22日], 御史臺奏, "內侍·茶房, 實踰定額. 制下, 削內侍林正植等十二員·茶房六員".

戊午[24日], 重房奏, "以大將軍張博仁·金淑, 分典左·右橋路, 凡道傍屋宅欄垣, 雖尺寸, 苟侵官路, 皆令復舊".

[壬戌[28日], 大風, 揚沙石:五行3轉載].

夏四月[乙丑朔小盡,丁巳], [甲戌[10日], 大風, 揚沙石:五行3轉載].

乙亥[11日], 西賊陷谷州,

丙子[12日], [立夏]. 陷遂安, 掠財穀·牛馬而去.

[戊寅[14日], 黃澗縣, 僵櫟自起:五行2轉載].

庚辰[16日], 幸王輪寺, 設羅漢齋. 雨雹.[316]

壬午[18日], 以大將軍金光軾爲西京制置使, 將軍朴順副之.

[○[慶尙道]利安縣, 僵樹自起:五行2轉載].

乙酉[21日], 禘于大廟[太廟].

○更定西京官制[及俸祿·公廨田, 有差:節要轉載].

---

313) 崔貞은 前年(1177, 명종7) 11월 11일 金에 파견되는 謝生日使로 결정되었다.

314) 고려가 金帝國에 파견한 사신은 賀登極使 2回를 제외하고 宰相이 없었으므로 添字와 같이 고쳐야 옳게 될 것이다(『금사』 권60~62, 表2~4, 交聘表, 張東翼 2004년b).

315) 添字가 추가되어야 할 것이다. 곧 『고려사절요』 권12에는 "召宰樞文武三品以上, 議處置西京"으로 되어 있어 主體가 明宗임을 알 수 있다.

316) 雨雹이 내린 것은 지7, 五行1, 水, 雨雹에도 수록되어 있다.

[→更定副留守一人正三品，判官二人五六品，司錄一人七品，書記一人八品，錄事四人，二□大差上京人．令史四人，書令史八人，記官十六人，書手二人，算士二人，印直二人，電吏二十五人．屬官，儀曹，令·丞各一人，文武交差，史二人，一□人差上京人，記事一人，記官三人，算士二人．禮儀司·正設院·八關寶·迎送□□~~都監~~，幷屬焉．戶曹員吏，與儀曹同，戶部·五部·司宰寺·貨泉務，幷屬焉．兵曹員吏，亦同上，兵部·軍器監·內廐司·左右營·監軍·四面，幷屬焉．寶曹員吏，亦同上，大府·小府·陳設司·綾羅店·圖畫院，幷屬焉．倉曹員吏，亦同上，<u>大倉</u>~~太倉~~·大官·良醞·塩店·迎仙店·咸和店，幷屬焉．工曹員吏，亦同上，雜材·營作院·都航司，幷屬焉．法曹司，法曹一人，記事一人，鏁匠二人．諸學院，文師一人，記事二人，算士一人，記官二人，書者二人．藥店，醫師一人，記事二人，醫生五人:百官2西京留守官轉載]．

[→更定西京公廨田，有差．留守官，公廨田五十結，紙位田二百七十二結三十七負七束．六曹，公廨田二十結，紙位田十五結．法曹司，公廨田十五結．諸學院，公廨田十五結，書籍位田五十結．文宣王，油香田十五結．先聖，油香田五十結[先聖卽箕子]．藥店，公廨田七結，僧錄司，公廨·紙位田各十五結:食貨1公廨田柴轉載]．

[○更定□□~~西京~~食祿，米一年納一萬三千一百三十六石，幷移納上京倉，轉米稅租，幷一萬三千一百三十六石十三斗三升，除六曹令·丞及別將·校尉·隊正，歲給祿六百二十石，燃燈·八關·齋祭·客使等，年內用度，都計四千三百二十一石二斗，及年內別齋祭等，不虞之備，一千五百石外，幷移納上京倉．留守員及法曹一員，歲給西京倉祿，都計三百二十石九升，幷以龍岡·咸從·成州祿位餘田，歲入三百五十石三斗一升，支給:食貨3西京官祿轉載]．

庚寅26日，發五領軍，往捕西賊．

[是月，兵部集武散官，試牋奏，以擬外補:選擧3選用守令轉載]．

五月甲午□~~朔~~大盡,戊午，禱雨．[317]

壬子19日，聚巫都省，又禱，

辛酉28日，[夏至]．再雩．

[是月，祇毗寺住持·三重大師<u>惠琚</u>，金山寺大師<u>仁美</u>等造成金山寺大殿香垸壹坐，重三十斤八兩:追加]．[318]

---

317) 甲午에 朔이 탈락되었다.

318) 이는 金山寺 大殿에 봉안되었던 青銅香垸의 銘文에 의거하였다(東京博物館 所藏,『法隆寺

六月甲子□朔小盡,己未，王如奉恩寺.319)

丁卯4日，賜陳光恂等及第.320) [御史臺奏，“舊制，新及第紅牌，降使就賜于家，迎待煩費，寒進之士，不克供辦. 自今，請於簾前賜牌”. 中書門下府省駁奏，“先王之制，必降賜于家者，將以榮耀里閭，使人欽慕歆羨勸學，況行之已久，仍舊便”，從之制可:節要·選擧2轉載].321)

[某日，御史臺劾，兵部銓注失當. 於是，判事參知政事·判兵部事閔令謨上章自列，中書門下及重房，反劾御史臺，合司乞罪. 王敦諭，皆令出視事:節要轉載].322)

己卯16日，罷察訪使所劾贓吏職，其政最者，皆陞資.

[辛卯28日，開國寺佛机上，有水流出，赤如血:五行1轉載].

[某日，西北路監倉使吳元卿爲知昇平郡使:追加].323)

閏[六]月癸巳朔小盡,己未，壬子20日，中書侍郎同中書門下平章事李光縉卒，[謚貞懿:列傳8李光縉轉載].324)

[七月壬戌朔大盡,庚申，處暑. 鎭星入東井:天文2轉載].

[甲申23日，流星出五車，入參，大如梨，尾長三尺許:天文2轉載].

[某日，以大學博士盧寶璵，爲蔚州防禦副使. 參知政事宋有仁以謂，“~~外官文武交差~~，已有成法，今~~見任~~蔚州判官亦文官~~文吏~~，不宜以寶璵竝除”，不署告身. 時又溟州

良訓補忘記』，當寺寶物金山寺香爐銘 ; 市島謙吉 1907年 426面 ; 張東翼 2004년a 769面 ; 文明大 1994년 3책 286面).

· 銘文，“大定十八年戊戌五月日,造金山寺大殿」彌勒前青銅香垸一,座臺具,都重三十斤」入銀八兩,棟梁祗毗寺住持·三重大師惠琚,」金山寺·大師仁美,京主人·郎將金令侯,」妻崔氏伊次加女納絲,殿前尙乘內承旨同正康信,鑄成高正」”.

319) 甲子에 朔이 탈락되었다.

320) 이와 관련된 기사로 다음이 있다. 이때 陳光恂·金沖(丙科, 金沖墓誌銘)·閔仁鈞(改名光均) 등이 급제하였다(『登科錄』, 朴龍雲 1990년 ; 許興植 2005년).

· 지27, 선거1, 科目1, 選場, “明宗八年六月，樞密院副使韓文俊知貢擧，右諫議大夫李應招同知貢擧，取進士，于冊，賜陳光恂等三十人·明經三人·恩賜四人及第”.

321) ~~添字~~는 지28, 선거2, 崇奬에서 달리 표기된 것이다.

322) 이와 같은 기사가 열전14, 閔令謨에도 수록되어 있다.

323) 이는 「吳元卿墓誌銘」에 의거하였다.

324) 李光縉은 中書侍郎同中書門下平章事[中書侍郎門下平章事]를 역임하였다고 한다(열전8, 李子淵, 光縉).

副使·管城縣令, 皆文官,~~文吏~~ 而吏部又以文臣~~文吏~~, 爲判官·尉, 省署已過. 寶璵引以爲例, 告有仁. 有仁怒. 然前已誤署, 勢不得自~~省中~~奏, 乃誘重房駁奏, 寶璵及溟州判官·管城尉, 皆不得赴:節要轉載].[325]

[某日, 門下侍中鄭仲夫家奴犯禁. 御史中丞宋詝·□□□殿中侍御史晋光仁, 縛問之. 仲夫怒, 欲殺詝等, 其子左承宣筠諫止之. 仲夫遂上奏, 欲罪之, 會旗頭祿尙, 告仲夫曰, “大將軍張博仁·前將軍趙存夫等, 期以暮夜, 犯公家”. 仲夫信之, 請繫詔獄, 王命內侍·將軍吳光陟等, 按問無狀, 又旗頭告同領旗頭八十人, 會飮酒家, 謀簒博仁於獄, 仲夫鞫之, 亦無驗, 竟竄博仁於海島, 餘悉流南裔. 又旗頭康實, 誣告樞密同知樞密院事崔忠烈如博仁. 仲夫復請按鞫. 由是, 連起數獄, 不暇治詝等. 王慮仲夫未快憤, 罷詝職, 左遷光仁△爲工部員外郞:節要轉載].[326]

[→門下侍中鄭仲夫, 家奴嘗犯禁, 服紫羅衫, 臺吏令所由脫之. 奴毆所由而走, 吏憤甚, 囑路人捕之. 翌日, □□~~御史~~中丞宋詝, □□□殿中侍御史晋光仁縛問之, 仲夫怒, 欲率兵士至臺, 殺詝等, 筠止之. 仲夫遂白王, 欲罪之, 會旗頭祿尙告仲夫曰, “大將軍張博仁·前將軍趙存夫等, 潛結失職輩, 期以暮夜, 犯公家.” 仲夫信之, 請繫詔獄, 王命內侍將軍吳光陟等按問, 無狀. 又旗頭告, “同領旗頭八十人會酒家, 飮謀出博仁於獄”. 仲夫潛遣家僮, 捕繫鞫問, 亦無驗. 竟竄博仁于海島, 餘悉流南裔. 又旗頭康實, 誣告樞密崔忠烈謀害仲夫, 仲夫請按鞫. 由是, 獄事連起, 不暇治詝等, 王慮仲夫憤未快, 罷詝職, 左遷光仁工部員外郞:列傳41鄭仲夫轉載].

[某日, 以于英弼爲慶尙道按察使:慶尙道營主題名記].

八月壬辰朔小盡,辛酉, 設消災道場于內殿.

[癸巳2日, 秋分. 熒惑入軒轅天文2轉載]

[乙未4日, 流星, 一出奎星, 入土司空, 大如木瓜. 一出內平, 入軒轅, 尾長一丈許. 一出星七星, 入張, 大如木瓜, 尾長七尺許. 一出闕五星~~闕丘星~~, 入弧, 尾長五尺

---

325) ~~添字~~는 열전41, 鄭仲夫, 宋有仁에 의거하였다. 또 外官의 文武交差法은 1170년(명종3) 10월 3일 무렵에 만들어진 '新定排班圖'를 遵用하였을 것이다.

326) 이와 관련된 기사로 다음이 있다.
- 열전14, 宋詝, “明宗八年, 宋詝爲御史中丞. 仲夫家奴犯禁, 詝捕治之, 仲夫怒, 遂罷其職”.
- 「晋光仁墓誌銘」, “… 擢爲權知監察御史, 歲餘卽□眞, 數月拜殿中侍御史, 居官無所廻避, 執正不掉. 太□抵權臣意, 因被誣奏, 貶授工部員外郞, 尋以臺司疏, □釋其事, 還本職, 並不行, 改吏部試員外郞”.

許. 一出相, 入常陳, 大如木瓜, 尾長十五尺許. 一出東井, 入五諸侯, 大如木瓜, 尾長五丈許. 一出翼指南, 入天際, 尾長一丈許. 又衆星, 流于四方, 不可勝數:天文2轉載].[327]

甲辰[13日], 減死囚二十人, 流之.

辛亥[20日], 信安侯□[琥]卒, 輟朝三日.[328]

[某日, 置別例祈恩都監, 從術僧致純之言也:節要轉載].[329]

[某日, [中部]廣德里,[330]舊有太后別宮, 比因火災, 不御. 左承宣鄭筠請賈爲私第, 太后命却其直, 而與之. 至是, 大興工役. 時, 王在壽昌宮, 侍太后疾, 其地拒宮不百步, 又於歲行, 爲太后忌方. 王深惡之, 欲止其役, 憚筠不果:節要轉載].

[→廣德里, 舊有太后別宮, 因火災, 不御. [左承宣鄭]筠請買爲私第. 太后命却其直, 與之, 筠大興工役, 營葺. 時, 王在壽昌宮, 侍太后疾, 其地距宮不百步, 又於歲行, 爲太后忌方, 王深惡之. 屢欲詔止其役, 憚筠不果:列傳41鄭仲夫轉載].

[庚申[29日晦], 冰:五行1恒寒轉載].

[是月, 取□□□[升補試]高得一等四十一人:選擧2升補試轉載].

九月[辛酉朔大盡,壬戌], [丁卯[7日], 月犯牽牛中星:天文2轉載].

[庚午[10日], 大風, 昇平門右角鴟尾頹:五行3轉載].

[癸酉[13日], 熒惑入大微[太微]:天文2轉載].

癸未[23日], 設藏經道場于明仁殿七日. [命參知政事宋有仁行香, [閤門]祗候崔永濡, 以贊引後至, 臺監御史欲劾之. 永濡請於侍御史安劉勃曰, "吾已乞參政[參知政事]得解,

---

327) 闕五星은 闕丘星의 오자로 추측된다(東亞大學 2011년 13책 249面).
- 『開元占經』 권70, 甘氏外官, 闕丘星占32, "甘氏曰, 闕丘二星, 在南河南, 元命苞[春秋緯元命苞]曰, '闕丘, 主滅除之官, 毁疏明恩, 以帝五常[注, [魏]宋均曰, 闕丘, 主闕墜丘之官也, 毁疏過於王, 歷則遷之於禮, 更立近, 明恩情, 所在諸星也]".

328) 이 기사는 열전3, 顯宗王子, 平壤公基에도 수록되어 있다. 이날은 율리우스曆으로 1178년 10월 3일(그레고리曆 10월 10일)에 해당한다.

329) 이와 관련된 기사로 다음이 있다. 이에서 癸卯는 1183년(명종13)에 해당하므로 癸巳(明宗3)의 오자일 것이다.
- 지31, 百官2, 別例祈恩都監, "明宗八年, 術僧致純言, '國家自庚寅至癸卯[癸巳], 然後患難稍弭, 宜令兩班祿俸二十石以上, 十石例出一斗, 用充齋祭之費, 以事祈禳, 則災亂可弭'. 宰相皆曰可, 遂置都監".

330) 廣德里는 開京의 中部에 소속된 廣德坊 □□里(自然里名) 또는 廣德坊 第□里(編戶里名)의 略稱일 가능성이 있다(지10, 지리1, 王京開城府, 朴龍雲 1996년).

願勿奏". 劉勃曰, "我未識參政[參知政事]意, 事須奏聞, 第君達于王, 寢之耳". 永濡托王弟僧冲曦, 以聞. 王曰, "此小過可赦, 其如參政怒何, 宜告參政". 劉勃後爲吏部郎中. 時, 吏部點初筮仕者姓名, 入奏, 號曰點奏. 於是, 入仕者, 皆賂白銀, 以爲贄, 競占下點曰, "某某皆自我出也", 唯劉勃毅然不點曰, "我無所知也, 世服其淸":節要轉載].[331]

[戊子[28日], 熒惑犯大微[太微]左執法:天文2轉載].

[○虎入京城:五行2轉載].

[乙未[某日], 大霧五日:五行3轉載].[332]

冬十月[辛卯朔[小盡,癸亥], 夜半, 密雲昏黑, 西北方, 隱隱光明燭地, 有人影, 竟夜滅:五行1轉載].

[壬辰[2日], 日珥:天文1轉載].

己酉[19日], 親祫于大廟[太廟], 告平西賊, 赦.

[某日, 以西賊魁光秀爲校尉, 金甫△[爲]攝校尉, 思進·軾·端·戒訓爲隊正. 初, 位寵餘衆復聚, 分爲三軍, 思進·軾·端爲中軍行首, 戒訓爲指諭, 金甫爲前軍行首, 光秀爲後軍行首, 散居嘉·渭·泰·漣·順等州山谷, 首尾行劫, 大爲民患, 嘗攻焚慈·肅二州, 又屠[西京]妙德·香山諸寺.[333] 朝廷遣兵討之, 屢戰失利, 大將軍朴齊儉爲兵馬使, 始至營, 與錄事金重甲謀, 部分諸校, 發興化·雲中道州鎭兵, 爲掩襲計. 賊依阻山林, 遷徙無常, 未易討. 又諸郡人多爲賊耳目, 軍中動靜, 輒先知, 戰始一合, 兵皆敗北. 官軍聞之, 氣沮, 逗留不進, 裁留五百人爲聲援, 引還. 賊乘勝, 攻破寧州之靈化寺, 驅僧爲兵, 遂攻漣州, 賊勢轉盛. 然, 其游寇日久, 村場無壁者, 旣劫掠無遺, 大城則皆堅守, 不可猝拔, 野無所獲, 漸就飢窘, 謀欲自降, 以延歲月. 會嘉州賊, 道遇昌州記事白公軾, 先陳納款之意. 齊儉聞之, 遣人招誘, 諸屯賊相率來降, 齊儉每見賊來, 輒拊循之曰, 汝等皆吾子也, 開倉賑之, 前後凡六百餘斛, 乃聽其所占, 分處龜漣等州, 使之安業, 其三軍行首, 皆給傳送京. 獨中軍行首進國不降, 率其黨百五十餘人, 欲投北蕃. 齊儉遣兵盡擒, 斬之, 龜州別將東方甫等十七

---

331) 點奏에 관한 내용은 지29, 선거3, 選法에도 수록되어 있다. 또 이 기사는 열전14, 安劉勃에도 수록되어 있는데, 그는 國子司業에 이르러 逝去하였다고 한다("官至國子司業, 卒").

332) 이달에는 乙未가 없다.

333) 여기에서 妙德은 西京의 妙德寺를, 香山은 妙香山을 각각 가리킨다.

人, 嘗與賊交關往來, 亦皆伏誅:節要轉載].[334]

[甲午[4日], 北方, 有氣如日:五行1轉載].

丙辰[26日], 設仁王百座道場於大觀殿, 令中外飯僧三萬.

[某日, 流星出卷舌, 入參, 尾長一丈:天文2轉載].

十一月[庚申朔[大盡,甲子], 南方, 天明有氣, 如火:五行1轉載].

[癸亥[4日], 夜, 又見于西南[天明有氣]:五行1轉載].

[甲子[5日], 冬至. 太白與歲星, 行牛星度. 太史奏云, "金·木合於一舍, 有蝗". 明年[明宗9年], 東·西北面果蝗:天文2轉載].

壬申[13日], 遣將軍奇世俊如金, 謝賀生辰,[335] 郞中金諒, 賀正.[336]

[○月食畢星:天文2轉載].

癸酉[14日], 設八關會, 幸法王寺.

[甲戌[15日], 八關大會, 遣內侍·大府少卿[太府少卿]鄭國儉, 賜花酒于省宰幕次. 時少晩, 參政[參知政事]宋有仁怒不受, 王遣承宣敦諭, 乃受. 國儉被劾削禁籍, 後附有仁, 復爲內侍:節要轉載].[337]

[丁丑[18日], 流星出胃, 入天囷, 大如木瓜. ○月犯軒轅右角:天文2轉載].

[○木稼:五行2轉載].

[癸未[24日], 流星出天矢西南, 入天際, 大如缶, 鎭星失道, 自七月入東井, 至丙戌[27日] 犯南轅西第一星:天文2轉載].

---

334) 이와 같은 기사가 열전13, 朴齊儉에도 수록되어 있다.

335) 奇世俊은 12월 29일(戊午) 金에서 生日을 下賜한 것에 대해 謝禮하였다.
- 『금사』 권61, 表3, 交聘表中, 大定 18년, "十二月戊午, 高麗禮賓少卿奇世□[俊]謝賜生日".

336) 金諒은 다음 해 正旦에 賀禮하였던 것 같다.
- 『금사』 권7, 본기7, 世宗中, 大定 19년 1월, "庚申朔, 宋·高麗·夏遣使來賀".
- 『금사』 권61, 表3, 交聘表中, 大定 19년, "正月庚申朔, 高麗遣刑部侍郎金節[金節]賀正旦". 여기에서 金諒이 金節로 달리 표기되어 있다.

337) 이날의 날짜[日辰] 比定은 八關會의 小會가 14일에, 大會가 15일에 각각 개최된 사례에 의거하였다. 또 이 기사와 같은 기록으로 다음이 있는데, 字句의 차이를 통해 여러 모습을 살필 수 있다.
- 열전13, 鄭國儉, "鄭國儉, 明宗時, 屬內侍, 爲大[太]府少卿. 八關會齋賜宰相花酒, 稽緩, 叅政宋有仁怒不受. 國儉以此被劾, 削禁籍, 後附有仁, 復爲內侍"".
- 열전41, 鄭仲夫, 宋有仁, "八關會, 王遣內侍·大[太]府少卿鄭國儉, 例賜花酒于省宰, 時少晩, 有仁怒不受. 王遣承宣敦諭, 乃受. 國儉被劾, 削內侍籍, 後附有仁, 復籍".

戊子[29日]，御便殿，引見東西兩界諸城上長[~~士戶長~~]·都領，[338] 賜上長[士戶長]匹段[~~匹段~~]，都領錦衣·金帶·馬一匹，傔人布十匹. 以平西之後，盜賊頻起，慮復搖動，有此賜. 識者，嘆其姑息.

[某日，門下侍中鄭仲夫致仕，以[參知政事]宋有仁爲門下侍郞平章事. 初，仲夫爲冢宰，居中書省，有仁以親嫌，未登相位，在樞密累年，以爲樞密侍從官，久處無益，唯尙書省可處，潛托內人以奏，卽拜[~~守司空~~]尙書□[左]僕射，及仲夫致仕，乃拜平章事. 時閔令謨先爲中書侍郞平章事，上以有仁，武臣使氣，又爲仲夫壻，心憚之，班令謨上，有仁固讓，亦以令謨爲門下侍郞平章事，班有仁上. 有仁嘗請壽德宮，而居之，棟宇壯麗，殆非人臣所居，富貴華侈，擬於王室:節要轉載].[339]

是月，金遣八將軍兵來，屯義州關外. [[西北面]兵馬使廉信若遣人詰之，答曰，"聞西京□□[留守]趙位寵請兵□[于]西宋，欲伐我，故屯兵以備之，非有他故也". 又詰曰，"位寵已誅，宋又阻大海，無路請兵，此皆虛說，請問告者名". 金將曰，"龍州人某". 信若使人往索，其人已逃，令諸城，物色求之，得於永淸縣，鞫之. 其人果服曰，"吾父常以國家密事，往告金人，多獲厚利，及其死，囑諸我，故我以此恐愒，邀彼厚賞耳". 遂斬其人，沒其母爲官婢:節要轉載].[340]

[○龍壽寺住持廓心立經律論藏及十三層石塔一座. 宣下茶香及詞疏於安，集僧七百餘，設大華嚴法會，慶讚藏經及石塔落成:追加].[341]

十二月[庚寅朔大盡,乙丑]，[己亥[10日]，月犯畢星:天文2轉載].

[庚戌[21日]，立春. 太史奏，"太白失度，火星入氐，鎭星自十一月，掩行東井南轅，漸至

---

338) 諸城의 上長은 어떠한 의미인지를 알 수 없으나 單位部隊의 指揮官인 都領보다 上位에 있음을 보아 여러 城郭의 首將으로 추측된다. 그런데 1228년(고종15) 9월 26일의 '淸塞鎭戶長', 1258년(고종45) 6월 14일의 "賜北界諸城戶長·郞將，各白銀一斤·皀羅[皀羅]二匹" 등을 통해 볼 때, 이 기사의 上長은 戶長 또는 上戶長(또는 首戶長)의 다른 표기로 추측된다. 이는 고려후기의 향리의 序列이 '上長[上戶長]·都領·詔文[詔文記官]'의 三班體制로 정비되어 가고 있던 과정을 보여주는 것 같고(고종 17년 8월 某日 洪州民亂의 脚注), 조선시대의 '首戶長·記官[詔文記官]·將校'의 三班體制의 前身인 것으로 추측된다(李勛相 1985년).

339) ~~添字~~는 열전41, 鄭仲夫, 宋有仁에 의거하였다.

340) 이와 같은 기사가 열전12, 廉信若에도 수록되어 있으나 字句에 出入이 있다.

341) 이는 다음의 자료에 의거하였다.

· 「龍頭山龍壽寺開刱記」, "… [龍壽寺僧~~雲美~~] 又奉先師之遺囑，立經律論藏及十三層靑石塔□[壹]座. 於是乎，弘願盡矣，能事畢矣. 乃以戊戌歲十一月，宣送茶香及慶讚詞疏，集淸衆七百□[餘]，設大華嚴會，以落成焉，是今上龍飛之九載，大金大定十八年也".

越. 星, 占云, '火入氐, 臣子亂'. 又云'火失度, 有兵喪', 宜修德消變":天文2轉載].[342)]

壬子23日, 親設仁王道場于明仁殿五日.

[某日, 攝將軍金純爲將軍:追加].[343)]

[是年, 尙書右丞咸有一請致仕, 依允. 仍令工部尙書致仕, 是時, 有一年七十四:追加].[344)]

[○以柳光植爲良醞令同正:追加].[345)]

[仁同人 張東翼 校注, 增補].

342) 이 句節은 特定의 典籍에서 확인되지 않는다.

343) 이는 「金純墓誌銘」에 의거하였다.

344) 이는 「咸有一墓誌銘」; 열전12, 咸有一에 의거하였다.

345) 이는 「柳光植墓誌銘」에 의거하였다.

『高麗史』卷二十 世家卷二十

[輔國崇祿大夫·議政府左贊成·知集賢殿經筵春秋館成均事·世子賓客·臣金宗瑞奉教撰]

正憲大夫·工曹判書·集賢殿大提學·知經筵春秋館事兼成均大司成·臣鄭麟趾奉教修

明宗 二

己亥[明宗]九年, 金大定十九年, [南宋淳熙六年], [西曆1179年]

1179년 2월 9일(Gre2월 16일)에서 1180년 1월 28일(Gre2월 4일)까지, 354일

春正月庚申朔小盡,丙寅, 放朝賀.

[癸亥4日, 南部里井水, 赤沸三日:五行1轉載].

甲子5日, 遣郎中李俊材如金, 進方物,[1] 將軍孫碩, 賀萬春節.[2]

[丁卯8日, 流星出翼, 入器府, 大如栝, 尾長四尺許:天文2轉載].

壬申13日, 燃燈, 王如奉恩寺.

[甲戌15日, 月食, 既:天文2轉載].[3]

丙子17日, 金遣大府大將軍·少府監左光慶來, 賀生辰.[4]

---

1) 李俊材는 『금사』에는 柳得仁으로 되어 있는데, 李俊材가 柳得仁으로 交替되었는지, 아니면 두 사람이 함께 파견되었지는 알 수 없다.

· 『금사』 권61, 表3, 交聘表中, 大定 19년, “二月丁巳29日, 高麗尙書吏部侍郎柳得仁進奉”.

2) 이와 관련된 기사로 다음이 있다. 이에서 盧卓儒는 前年(大定18)의 節日使였으므로, 『금사』의 편찬과정에서 어떤 착오가 있었던 것으로 추측된다(→명종 8년 1월 9일).

· 『금사』 권7, 본기7, 世宗中, 大定 19년 1월, “己未朔, 萬春節, 宋·高麗·夏遣使來賀”.

· 『금사』 권61, 表3, 交聘表中, 大定 19년, “三月己未朔, 高麗尙書戶部侍郎盧卓儒孫碩賀萬春節”.

3) 이날 宋과 金에서도 既月食[月偏食]이 이루어졌고(『송사』 권52, 지5, 천문5, 月食 ; 『금사』 권20, 지1, 天文, 月五星凌犯及星變), 일본의 교토에서는 皆既月食[月全食]이었다고 한다. 이날은 율리우스력의 1179년 2월 23일이고, 월식 현상이 심했던 때의 世界時는 11시 24분, 食分은 1.79이었다(渡邊敏夫 1979年 477面).

· 『山槐記』, 治承 3년 1월, “十五日甲戌, 陰晴不定, 月蝕, 虧初酉, 加時戌, 復末亥, 正現皆既”.

4) 이 기사의 大府大將軍·小府監에서 大府는 잘못 들어간 글자[衍字]로 추측된다. 『고려사절요』 권12에는 小府監으로 되어 있다. 左光慶은 前年 11월 27일(丙戌) 東上閤門使(正5品)로 高麗生日使에 임명되었으므로 그가 띠고 있는 大府大將軍·小府監(從5品)은 借職으로 適合하지 않다. 추측하건대 그의 借職은 □□大將軍·太府監(正4品)일 가능성이 있다(□□는 昭武·昭

戊寅[19日], 宴金使.
[癸未[24日], 日抱三珥, 色青白, 又赤:天文1轉載].[5)]
[某日, 以趙閻卿爲慶尙道按察使:慶尙道營主題名記].

二月[己丑朔大盡,丁卯], 辛卯[3日], 西賊復起.
[○鎭星犯東井:天文2轉載].
[○赤氣如火, 見于南方:五行1轉載].
壬辰[4日], 門下侍郞平章事奇卓成[奇卓誠]卒.[6)] [卓誠, 美容儀, 善射御, 毅宗好馳馬擊毬,故自將校擢爲牽龍, 常在王側, 善事權貴, 及執政, 貪財賣官, 由是, 賢者屛跡, 讒佞競進, 家臣高忠全·李仁齡, 皆姦黠貪鄙, 惡聲遠播. 廣平宮久廢無主, 卓誠欲請王, 居之, 其妻諫止之, 不聽, 居數月而死:節要轉載].[7)]
[甲午[6日], 月食畢大星:天文2轉載].
[丙申[8日], 流星出尾, 入龜, 大如梨:天文2轉載].
[丁酉[9日], 月犯井:天文2轉載].
[丙辰[28日], 日暈, 東有背氣, 內赤外黃:天文1轉載].
戊午[30日], 王如靈通寺.
[○神虎衛散員同正·行隊正某鑄成飯子一副, 入重貳拾伍斤:追加].[8)]

三月己未朔[大盡,戊辰], 始修宮闕.
辛酉[3日], 親醮于內殿.
[丁卯[9日], 小星百餘, 自東流西:天文2轉載].
戊寅[20日], [穀雨]. 慮囚.
[某日, 少卿鄭國儉, 捕水精峯賊, 囚于獄. 水精峯路幽險, 惡小[惡少]五六人, 常聚

毅·昭勇 중의 하나일 것이다). 또 『동문선』 권12에는 崔詵이 金의 使臣 左光祿에게 贈與한 詩文("金使左光祿得家書, 有生子之喜, 以詩爲賀, 大使見和復呈")이 있는데, 左光慶의 오자 또는 다른 표기일 것이다.
·『금사』 권61, 표3, 交聘表中, "十一月丙戌, 以東上閤門使左光慶爲賜高麗生日使".
5) 이날 일본의 교토에서 낮에는 맑았으나 밤에 흐리고 비가 내렸다고 한다.
·『山槐記』, 治承 3년 1월, "廿四日癸未, 天晴, 及晩天陰雨下".
6) 이날은 율리우스曆으로 1179년 3월 13일(그레고리曆 3월 20일)에 해당한다.
7) 이와 같은 기사가 열전13, 奇卓誠에도 수록되어 있다.
8) 이는 國立中央博物館에 所藏된 大定十九年銘飯子에 의거하였다(『韓國金石文集成』35책 55面).

其中，見婦人有姿色者，必劫亂之，至奪其衣物．國儉家在峯下，忽見一婦人盛飾，由峯路下，賊邀而劫執，從婢皆散，國儉不敢忍視，遣其壻李維城·崔謙，率家僮捕之，賊迎擊甚急，維城等力鬪，捕三人訊之，乃大將軍李富甥姪及權門子姪也，請謁交午，法官欲不治，刑部員外郞趙聞識獨抗議，鞫殺之，時議快之:節要轉載].

[→[少卿鄭]國儉家在水精峯下，峯路幽僻高險．<u>惡少</u>五六人，常聚其峯，見婦人有姿色者，必劫亂之，至奪其衣物．一日，國儉見一婦人盛飾著袈裟，由峯路下．袈裟，婦人盛飾，以緇帛爲之，所以蒙頭掩面者．賊邀而劫執，從婢皆散．國儉不能忍視，遣女壻內侍李維城，令同正崔謙，率家僮捕之，獲三人，囚大理．乃大將軍李富甥姪及權勢武官子姪也．請謁交午，法官欲不治，刑部員外郞趙聞識獨抗議，訊鞫杖殺．時議快之:列傳13鄭晏轉載].

[甲申[26日]，南原府民家，有牛生犢，兩頭兩耳:五行3轉載].

[戊子[30日]，市肆廊廡十餘楹，自頹:五行2轉載].

夏四月己丑朔[小盡,己巳]，千齡殿成．

壬辰[4日]，<u>隕霜</u>殺草.[9)]

[癸巳[5日]，日<u>有珥</u>，又有抱氣，長一丈，內赤外黃:天文1轉載].[10)]

[己亥[11日]，太白犯五諸侯:天文2轉載].

庚戌[22日]，西北面知兵馬事李富，患西賊遺種乘間復起，思欲盡誅之，聞其乏食，爲公牒，給諸賊屯曰，"以某日，受糧于所在某城"．仍密誘諸城曰，"若賊來入城，宜閉門，悉誅之"．於是，承牒捕誅者，凡五城，龜州所殺，至三百餘人．嘉州人引賊百餘人，入倉鎖門．賊脫出無計，洶踊曰，不意官家，見紿如此，吾寧自絶，豈可見制於人手．乃鑽燧燒倉，自焚而死，穀米無慮十萬斛，盡爲煨燼．獨牛方田等賊帥，覺之，復嘯聚爲賊．兵馬使奏，發諸城兵擊之，官軍失利，安北都護判官咸壽山戰死．於是，復濟師，屢戰乃滅之．[○蓮花院池水，赤:五行1轉載].

癸丑[25日]，幸外帝釋院.

丙辰[28日]，幸普濟寺.

[丁巳[29日晦]，流星出尾入<u>積率</u>[~~積卒~~]，大如桮:天文2轉載].[11)]

---

9) 이와 같은 기사가 지7, 五行1, 水, 霜에도 수록되어 있다.

10) 이날 일본의 京都에서 陰晴이 교차하였던 것 같다(『山槐記』, 治承 3년 4월, "五日癸巳, 陰晴不定").

五月[戊午朔大盡,庚午], 甲子[7日], 同知樞密院事于學儒卒. [學儒, 倜儻有氣槩, 久宿衛, 忠謹無他. 李高·義方等將作亂, 議主兵者, 皆曰, "在今舍于公, 復何人哉", 遂詣其家謀之. 學儒曰, "公之志大矣, 然吾父嘗戒曰, '武官見屈於文官, 久矣, 能無憤乎, 去之, 易如拉朽, 然文官見害, 禍及吾輩, 亦不旋踵, 汝宜愼之', 父雖沒, 言猶在耳, 死且不從". 及二李得志, 謀害之, 學儒懼, 求娶義方姊, 得免:節要轉載].[12)]

[乙丑[8日], 流星出天市西垣, 入尾, 大如梧, 尾長十尺許:天文2轉載].

[○龍化院池水, 赤如血:五行1轉載].

丙寅[9日], 以閔令謨△[爲]同中書侍郞平章事~~門下侍郞同中書門下平章事~~·判吏部事, 宋有仁△[爲]同中書侍郞平章事~~門下侍郞同中書門下平章事~~·判兵部事, 以左承宣·知兵部事鄭筠, 改爲知都省事.[13)] [筠, 久知兵部□[事], 掌奏西班~~掌注西班~~, 請謁紛如, 頗厭之, 屢求免, 不允. 筠, 單騎出天神寺, 以避之. 王遣內侍諭還, 使者絡繹, 筠乃還. 至是, 改除:節要轉載].[14)]

[→筠, 久知兵部□[事], 掌注西班, 請謁輻湊. 頗厭之, 屢求免, 不允. [明宗]九年, 筠, 單騎往天神寺, 以避之. 王命內侍·郞將柳得義諭還, 使者絡繹, 筠乃還, 改知都省事:列傳41鄭仲夫轉載].

[○日有三珥, 南北赤黑, 西方白, 又南西北, 有抱氣, 色白:天文1轉載].

[庚午[13日], 震宣義門:五行1雷震轉載].

甲戌[17日], 守司空·左僕射洪仲方卒.[15)] [仲方, 起行伍, 庚寅之亂, 以中郞將拜大將軍. 性謇直不阿, 每面折人過, 王器之, 人亦倚重. 時, 武散官檢校將軍以下散員同正以上, 聚議, 欲奪處東班權務官. 重房·臺省, 畏衆口, 莫敢誰何. 仲方獨曰, "自國家設官分職以來, 唯卿·監外, 武臣不兼文官, 庚寅年後, 吾儕得處臺省, 布列朝班, 校尉·隊正, 許著幞頭, 西班散職差任外官, 固非先王制也. 若又遽奪權務官, 其如東西定制, 何, 吾寧死不從", 議遂寢. 於是, 武散官群聚道路, 訴於執政, 一日, 遇仲方, 遮道慢罵. 仲方攘臂, 跋馬排突, 至重房曰, "吾今日幾死矣, 下之陵

---

11) 積率은 積卒[積卒星, 積卒陣]의 오자일 것이다(東亞大學 2011년 13책 249面).

12) 이와 같은 기사가 열전13, 于學儒에도 수록되어 있다.

13) 이 기사에서 同中書侍郞平章事는 門下侍郞同中書門下平章事로 고쳐야 옳게 된다. 이는 이때 閔令謨와 宋有仁이 門下侍郞同中書門下平章事(略稱 門下侍郞平章事)에 임명된 것인데, 이들의 열전과 後孫의 묘지명에서 확인된다(열전14, 閔令謨 ; 열전41, 宋有仁 ; 閔漬墓誌銘→명종 8년 11월 某日).

14) 여기에서 ~~添字~~와 같이 補完, 校正되어야 옳게 될 것이나(下記의 記事, 金昌賢 1998년 27面).

15) 이날은 율리우스曆으로 1179년 6월 23일(그레고리曆 6월 30일)에 해당한다.

上，至如是耶”．乃捕首謀者四五人，配島．時議尤重，及爲僕射，掌外官長吏之職，予奪好惡，惟意所恣，又有嬖妾，嗜利者附之，爭納賄賂:節要轉載].[16]

[癸未[26日]，流星出天倉，入八魁，大如栢，尾長七尺許:天文2轉載].

[乙酉[28日]，流星出天將軍，入胃，大如木瓜，尾長三尺許:天文2轉載].

丁亥[30日]，停修宮闕．

[是月，左副承宣李文中，□□□□□[掌國子監試]，取李陟高等八十一人:選擧2國子試額轉載].

[○衛尉主簿同正李公弼與崔氏造成飯子一口:追加].[17]

六月戊子朔[小盡,辛未]，王如奉恩寺．

辛卯[4日]，參知政事陳俊卒．[18] [俊，性質直，有勇力，嘗以大將軍[將軍]，戍北界，凡戍將，例不得著正角幞頭，獨俊著之，知兵馬事梁升庸，據法禁之，不得，劾罷之．庚癸之亂，文臣之家，賴俊全活者，甚多:節要轉載].[19]

[丙申[9日]，大雨，市邊樓橋·行讓門橋，漂流:五行1水潦轉載].

[戊戌[11日]，熒惑犯氐:天文2轉載].

壬寅[15日]，王受菩薩戒于明仁殿．

己酉[22日]，慮囚．

[庚戌[23日]，歲星犯壘壁陣，月犯畢左股，太白入行東井:天文2轉載].

[壬子[25日]，立秋．流星出天囷，入天廩，大如木瓜:天文2轉載].

[癸丑[26日]，月隔太白，三尺許:天文2轉載].

[丙辰[29日晦]，僧統宗璘入寂於京東歸法寺，年五十三，臘三十九．上聞之，輟朝三日，使近臣致祭:追加].[20]

---

16) 이와 같은 기사가 열전13, 洪仲方에도 수록되어 있다.

17) 이는 다음의 자료에 의거하였다(國立中央博物館 所藏, 蔡雄錫教授의 教示).

· 『韓國金石文集成』35책 51面, 大定十九年銘金口, “大定十九年己亥五月日，祝聖壽萬年，國內泰平，干戈永息，法界生□[死]共證，菩提結愿，四衆各證福壽，先亡父母，自他一時成佛道，□[施]主衛尉主夫[主簿]同正李公弼，□崔氏”.

18) 이날은 율리우스曆으로 7월 10일(그레고리曆 7월 17일)에 해당한다.

19) 이 기사에서 大將軍은 將軍의 오류일 것이고, 그 시기는 毅宗의 後半期일 것이다.

· 열전13, 陳俊, “陳俊，清州呂陽縣人，有勇力．起行伍積勞，拜□□衛將軍，戍北界．戍將，例不得著正角幞頭，獨俊著之．知兵馬事梁升庸禁之，不從劾罷之，起爲大將軍”.

20) 이는 「龍仁瑞峯寺玄悟國師塔碑」에 의거하였는데, 이날은 율리우스曆으로 8월 4일(그레고리

秋七月丁巳朔小盡,壬申，己未3日，左遷樞密院使文克謙，爲尙書左僕射,21) 樞密院副使韓文俊△爲判司宰寺事.22)

[→克謙·文俊，皆王所深重者，宋有仁嫉之. 先是，文俊以一武卒職事，抵書，囑有仁，又親自請之. 有仁怒曰，“公是樞機大臣，輒以私事，伺候執政之門，有虧公輔之望”. 克謙有服，不從法駕，有仁以爲失近臣之體，并劾奏之. 王重違其奏，且患黜非其罪，依違數日. 有仁再執愈堅，王命右承宣文章弼，至有仁家，密諭曰，“文俊之失體，宜可罪也，若克謙有服，其不扈從，蓋國典也，以此罪之，於禮何”. 有仁猶不奉詔，杜門數日. 克謙等密奏曰，“聖慈至渥，臣且萬死難報，儻或不允其請，臣等必有不測之患，望下其奏，以快其意”. 王不得已下制，貶之:節要轉載].23)

[甲子8日，流星出羽林，入敗臼，大如梨:天文2轉載].

[戊辰12日，靈通寺內，大蟻群聚，徑二尺餘，鬪三日，死者十八九:五行3轉載].

[壬申16日，遣殿中少監任忠贇·尙書戶部員外郞崔光裕·含慶殿錄事某等僧統宗璘殯所，追贈國師，謚曰玄悟:追加].24)

甲戌18日，太白經天，六日.

[丁丑21日，有氣如煙，生廣化門左鴟尾:五行2轉載].

曆 8월 11일)에 해당한다.

21) 文克謙의 열전에는 知樞密院事로서 守司空·左僕射에 左遷되었다고 되어 있지만, 이 기사의 내용이 옳을 것이다. 문극겸의 열전은 『명종실록』, 19년(實際는 20년) 9월 9일에 수록되어 있었을 문극겸의 卒記를 축약한 것으로 추측된다. 그 과정에서 年月을 잘못 정리하다가 歷官도 脫落시킬 수 있기 때문이다. 또 宰相의 昇進序列은 樞密院使→守司空·左右僕射→知門下省事 혹은 政堂文學 등의 順序이므로 樞密院使가 守司空·左僕射에 左遷되지 않을 것이고, 樞密副使의 下位에 있었던 左僕射에 左遷되었을 것이다(張東翼 2013년a).

· 열전12, 文克謙, “累陞知院事, 與宋有仁有隙, 左遷守司空·左僕射”.

22) 이 기사의 축약은 다음과 같다.

· 열전12, 韓文俊(韓惟忠의 子), “擢樞密院右承宣, 陞副使, 忤宋有仁, 降授判司宰寺事”.

23) 이와 같은 기사로 다음이 있다.

· 열전41, 鄭仲夫, 宋有仁, “同中書門下平章事判兵部事~~有仁, 尋爲門下侍郞同中書門下平章事·判兵部事~~. 樞密使文克謙·副使韓文俊俱名儒, 王倚重, 有仁疾之. 文俊嘗爲一卒, 抵書有仁求官, 又親請之. 有仁怒曰, “公樞機大臣, 敢以私事, 伺候執政之門, 有虧公輔之望.” 劾之. 會克謙有服, 不從法駕, 有仁以爲失近臣之體, 并劾奏之. 王重違其奏, 且以二人非罪, 依違數日. 有仁論執愈堅. 王命右承宣文章弼, 至其家, 密諭曰, “文俊則固可罪矣, 若有服不扈從, 國典也, 以此罪克謙, 柰禮何?” 有仁猶不奉詔, 杜門數日, 克謙等密奏曰, “聖慈至渥, 然不允, 則臣等必有不測之患, 願從所奏, 以快其心”. 王不得已下制, 並左遷. 宰相以下, 屛氣累足, 側目而視. 慶大升因衆怒, 遂誅之”. 이 기사는 添字와 같이 고쳐야 옳게 될 것이다.

24) 이는 「龍仁瑞峯寺玄悟國師塔碑」에 의거하였다.

[己卯[23日], 流星出天紀, 入紫微東蕃, 大如梧:天文2轉載].

庚辰[24日], 以廉信若爲吏部尙書.[25)]

壬午[26日], 設仁王道場于明仁殿十餘日, 以禳災變[月犯太白. "太史奏, 避正殿, 設仁王道場于明仁殿, 十日, 以禳灾變":天文2轉載].

[乙酉[29日晦], 大風傷穀:五行3·節要轉載].[26)]

[某日, 以陳士龍爲慶尙道按察使:慶尙道營主題名記].

[八月[丙戌朔大盡,癸酉], 庚寅[5日], 熒惑犯天江:天文2轉載].

[某日, 參知政事李光挺, 囚京市署令王寵夫. 光挺, 嘗以事請于寵夫, 不聽, 光挺誘至中書省, 面責苛切, 寵夫據義不屈. 光挺怒罵, 令曳下庭, 脫其衣冠, 囚之, 翌日乃釋:節要轉載].

[→[明宗]九年, [李]光挺△[爲]叅知政事. 嘗以事, 囑京市署令王寵夫, 寵夫不聽. 光挺遣電吏, 誘至中書省, 呵叱之. 寵夫據義不屈. 光挺怒罵, 曳下庭, 奪[脫]其衣冠, 囚之, 尋釋之:列傳41李光挺轉載].[27)]

九月[丙辰朔[小盡,甲戌], 流星出天倉, 入天庾, 大如木瓜, 尾長九尺許:天文2轉載].

[己未[4日], 大風雷雪, 泰定門右鴟尾頹:五行3轉載].

庚申[5日], 幸王輪寺.

[壬戌[7日], 流星出參旗, 入參左肩, 大如梧, 尾長五尺許:天文2轉載].

[丙寅[11日], 流星出五車, 入文昌, 大如梧, 色赤, 尾長六尺許:天文2轉載].

[丁卯[12日], 太白犯大微[太微]左執法:天文2轉載].

[戊辰[13日], 霜降. 有氣如煙, 生廣化門鴟尾:五行2轉載].

辛未[16日], 將軍慶大升誅[門下侍中]鄭仲夫·[門下侍郎平章事]宋有仁.

[→大升, 素憤仲夫所爲, 且其子筠, 潛圖尙公主. 王患之, 大升銳意討之, 畏有仁未得間, 及有仁斥文克謙·韓文俊, 大失人心, 朝臣皆側目. 大升謂所善勇士·牽龍許升曰, "我欲去兇徒, 汝肯從我, 事可成矣", 升諾之. 大升謀曰, "藏經會畢之

---

25) 廉信若의 열전에는 吏部尙書를 역임한 후 西北面兵馬使에 임명되었다고 되어 있는데, 잘못일 것이다(열전12, 廉信若).

26) 이 기사는 『고려사절요』12에는 날짜[日辰]가 없이 月末에 수록되어 있다.

27) 添字와 같이 고쳐야 옳게 될 것이다.

夜，宿衛士必皆困睡，吾伏死士三十餘人於和義門外，汝先殺鄭筠於內，以嘯聲爲約，則我發伏應之”．夜四鼓，升入筠直廬，殺之，卽長嘯，大升率死士，踰入宮墻，殺大將軍李景伯·指諭文公呂，所見輒殺，宮中呼譟，鋒刃交接．王驚愕，大升進御室外，大聲曰，“臣等衛社稷，請上無恐”．王出御宮門，召大升等，手賜巵酒以慰之．大升因請發禁軍，分捕仲夫及有仁父子，仲夫等聞變，逃匿民家，悉捕斬之，梟首于市，中外大悅．王呼大升等，問之曰，“今以筠承宣之任，欲授將軍”．大升曰，“臣不識字，非所敢望”．王曰，“非公則將誰可者，吏部侍郎吳光陟，如何?”．對曰，“承宣出納王命，非儒者不可．光陟雖少解文字，然武臣，恐似鄭筠”．王嘿然．於是，大升知光陟必拜承宣，惡之，大升族兄將軍孫碩，素與光陟有仇，誘大升幷殺之，遂分捕四家之黨，將軍金光英·指諭石和·龔連·中郎將宋得秀·奇世貞等，戮之．朝士詣闕而賀，大升曰，“弑君者尙在，焉用賀爲”．李義旼聞之，大懼．後，武官或宣言曰，“鄭侍中首唱大義，摧抑文臣，雪吾曹累年之憤，功莫大焉，今大升，一朝而尸四公，孰討之耶”．[28] 大升懼，招致死士百數十人，留養門下，號曰都房，以備之．未幾，辭職家居，然國有大事，必就闕決:節要轉載]．

[→大升，嘗憤鄭仲夫跋扈，謀欲討之，以其事艱大，隱忍未發．會仲夫子筠，潛圖尙公主，王患之．[29] 大升銳意討仲夫，畏其壻宋有仁，未得間，及有仁斥逐文克謙·韓文俊，大失人心，朝臣皆側目．牽龍許升有勇力，爲衆所服，筠愛之，升及隊正金光立·俊翼，又皆大升所善．○[明宗]九年[是時] 大升謂升曰，“我欲去兇徒，汝能從之，事可成矣”．升諾之．大升曰，“藏經會畢之夜，宿衛之士，必皆困睡．吾令死士三十餘人，伏和義門外，汝先殺鄭筠於內，以嘯聲爲約，則我發伏應之”．夜四鼓，升入筠直廬，殺之，遂發嘯，大升率死士，踰宮墻入，殺大將軍李景伯·指諭文公呂，所見輒殺．宮中呼噪，鋒刃交接，王驚愕，大升至寢殿外，大聲曰，“臣等衛社稷，請上無恐”．王出御宮門，召大升等，手賜巵酒，以慰之．大升因請發禁軍，分捕仲夫及有仁父子．仲夫等聞變，逃匿民家，悉捕斬之，梟首于市．王呼大升問曰，“欲以

28) 여기에서 四公은 前門下侍中 鄭仲夫, 左承宣·知都省事 筠의 父子, 門下侍郎平章事·判兵部事 宋有仁, 將軍 君秀의 부자를 가리키는 것으로 추측된다.

29) 이때 鄭筠(鄭仲夫의 子)에 관한 기사로 다음이 있다.

· 열전41, 鄭仲夫, “筠, 嘗誘尙書金貽永之女爲妻, 蹝弃舊妻, 縱欲無節. 將軍慶大升素憤仲夫所爲, 且筠潛圖尙公主, 王亦患之. 大升銳意討之, 旣殺筠, 因發禁軍, 分捕仲夫及有仁. 有仁子將軍群秀[君秀]·仲夫等聞變, 逃匿民舍, 悉捕斬之, 梟首于市, 中外大悅”. 여기에서 添字와 같이 고쳐야 옳게 될 것이다.

筠承宣之任授卿". 大升曰, "臣不識字, 非所敢望". 王曰, "非卿則誰可者. 吏部侍郎吳光陟何如?". 對曰, "承宣出納王命, 非儒者不可. 光陟雖稍知書, 然亦武臣, 恐似鄭筠". 王嘿然. 大升知光陟必拜承宣. 大升族兄將軍孫碩, 素與光陟有仇, 誘大升幷殺之, 遂分捕四家之黨, 將軍金光英, 指諭石和·襲連, 中郎將宋得秀·奇世貞等, 殺之. 朝士詣闕賀, 大升曰, "弑君者尙在, 焉用賀爲?". 李義旼聞之, 大懼. 武官或宣言曰, "鄭侍中首唱大義, 沮抑文士, 雪吾曹累年之憤, 以張武威, 功莫大焉. 今大升一朝而尸四公, 孰討之耶?". 大升懼, 招致死士百數十人, 留養門下, 以備之, 號都房. 爲長枕大被, 令輪日直宿, 或自共被, 以示誠款. 未幾, 辭職家居. 然國有大事, 必就關決:列傳13慶大升轉載].

[某日, 流中書省令史石球于海島. 球, 宋有仁家臣也, 欲爲有仁報仇, 造妖言以惑衆, 謀作亂, 事覺, 流之:節要轉載].

[→有仁家臣中書省令史石球欲爲報仇, 造妖言惑衆, 謀作亂, 事覺, 流于海島:列傳41宋有仁轉載].

[丙子21日, 流星出羽林, 入北落, 大如栖, 尾長三尺:天文2轉載].

[戊寅23日, 月犯軒轅左角:天文2轉載].

[己卯24日, 流星出相, 入大角:天文2轉載].

[庚辰25日, 月入大微太微, 犯右執法:天文2轉載].

[辛巳26日, □月犯大微太微東蕃上相:天文2轉載].

[○太史請光岩寺·大觀殿·內殿三處, 設消灾道場, 以禳之:天文2轉載].

甲申29日晦, 金牒, 告閔宗皇帝熙宗完顏亶廟諱亶字及同音字, 並令回避.

[是月, 恒霧. 太史奏請, 於光岩寺·大觀殿·內殿三處, 設消灾道場, 以禳之:五行3轉載].

[冬十月乙酉朔大盡,乙亥, 辛卯7日, 霧:五行3轉載].

[乙未11日, 雨雹, 雷電:五行1雨雹轉載].

[丙申12日, 霧四日:五行3轉載].

[丁酉13日, 月食畢大星:天文2轉載].

冬十一月乙卯朔小盡,丙子, [某日, 宰相參知政事?崔忠烈建議, 奏八關經費之弊, 乃言"百官果床, 與中禁軍衣飾, 尤爲無制, 請一切禁除", 從之:節要轉載].

[→□[崔]忠烈又建議, "八關會百官果床, 與中禁軍衣飾, 華侈無制, 請禁之", 從之:列傳13崔忠烈轉載].

戊午[4日], 地震.

己未[5日], 宣旨, 二罪以下, 除刑付處. [將軍]慶大升[自去鄭·宋以來, 心不自保, 常令數人, 潛伺里巷, 偶聞飛語, 輒拘囚鞫問:節要轉載]. 累起大獄, 用刑深峻, 王惻然, 故有是命. 中外皆悅.[30]

辛酉[7日], 設百座會于開國寺. 是年, 兵刃數起, 國家患之. 術僧致純奏曰, "舊制, 三年一設百座會, 前年十月, 雖已行之, 今宜別例復行, 以禳其災", 從之.

丁卯[13日], 設八關會, 幸法王寺.

[辛未[17日], 熒惑犯歲星:天文2轉載].

[→辛未, 熒惑犯歲星. 宰相[參知政事?]李光挺·[參知政事?]崔忠烈, 以星變乞解職, 不允:節要轉載].

[→一日, 熒惑犯歲星, [李]光挺以災變, 再乞解職, 不允:列傳41李光挺轉載].

丁丑[23日], 設消災道場于明仁殿五日.

[是月, 遣朝散大夫·禮賓少卿柳得義如金, 謝賜生日:追加].[31]

[○又遣尙書都官員外郞尹東輔如金, 賀正:追加].[32]

十二月[甲申朔大盡,丁丑], [丁亥[4日], 月食歲星:天文2轉載].

[某日, [參知政事?]李光挺又乞解職, 不允:節要轉載].

[庚寅[7日], 雉集于泰定門二日:五行1轉載].

辛卯[8日], 地震.

---

30) 이와 같은 기사가 열전13, 慶大升에도 수록되어 있다.

31) 이는 다음의 자료에 의거하였다.

· 『금사』 권61, 표3, 交聘表中, 大定 19년, "十二月壬子[29日], 高麗遣朝散大夫·禮賓少卿柳得義謝賜生日".

32) 이는 다음의 자료에 의거하였다.

· a 『금사』 권7, 본기7, 世宗中, 大定 20년 1월, "甲寅朔, 宋·高麗·夏遣使來賀".

· b 『금사』 권61, 表3, 交聘表中, 大定 20년, "正月甲寅朔, 高麗尙書戶部侍郞尹東輔賀正旦".

· c 「尹東輔墓誌銘」, [明宗7年以後,] 轉都官員外郞, 奉使北朝□□延譽□」 □□□, 自是, □敍兵部郞中".

이들 자료 중 b에서 尹東輔의 관직이 尙書戶部侍郞(正4品)인데 비하여, c에는 尙書都官員外郞(正6品)으로 차이를 보이고 있지만, 일반적으로 使臣으로 파견될 때 上位의 臨時職[借職]을 除授받기 때문에 시기적으로 附合되는 것이 더 중요하다.

[甲辰21日, 日有兩珥:天文1轉載].

戊申25日, 以前御史中丞宋許爲衛尉卿·右諫議大夫, [盧卓儒爲借將軍·尙書工部員外郞:追加],[33] [以銀靑光祿大夫·守司空李文著爲金紫光祿大夫·守司空·特進·尙書右僕射·太子少保, 仍令致仕:追加].[34]

壬子29日, 重房聞妖言, 歲杪有變, 大懼, 使禁軍露刃環衛. 其近侍·閹宦者逃匿者, 過半.

[是年, 東·西北面蝗:追加].[35]

[○王太妃延壽宮主金氏仁宗次妃薨, 謚宣平王后:列傳1仁宗妃宣平王后金氏轉載].

[○長女衍禧宮公主適寧仁伯稹, 次女遂安宮公主適昌化伯祐:列傳4明宗公主轉載].

[○以親從將軍申甫純爲千牛衛大將軍, 仍令致仕:追加].[36]

[○以秘書丞尹宗諹爲廣州牧副使:追加].[37]

[○以試吏部員外郞晋光仁爲侍御史:追加].[38]

[○以三重大師智偁爲首座:追加].[39]

[○重創基陽縣甫州龍門寺, 招九山門學徒五百人, 設五十日談禪法會, 請斷俗寺禪師孝惇, 敎習'傳燈錄'·'楞嚴經'·'仁岳集'·'雪竇拈頌', 以落成之:追加].[40]

[是年頃, 刑部尙書·翰林學士李文鐸請致仕, 依允:追加].[41]

---

33) 이는 「盧卓儒墓誌銘」에 의거하였다.

34) 이는 「李文著墓誌銘」에 의거하였다.

35) 이는 명종 8년 11월 5일(甲子)의 기사(天文2, 轉載)에 의거하였다.

36) 이는 「申甫純墓誌銘」에 의거하였다.

37) 이는 「尹宗諹墓誌銘」에 의거하였다.

38) 이는 「晋光仁墓誌銘」에 의거하였다.

39) 이는 「靈通寺住持·僧統智偁墓誌銘」에 의거하였다.

40) 이는 다음의 자료에 의거하였다.

· 「醴泉重修龍門寺記碑」, "… 己亥年明宗9年, 創寺工畢, 會九山門學徒五百人, 設五十日談禪會, 請斷俗寺禪師孝惇, 敎習傳燈錄·楞嚴經·仁岳集·雪竇拈頌, 以落成 …".

41) 이는 「李文鐸墓誌銘」에 의거하였다.

庚子[明宗]十年，金大定二十年，[南宋淳熙七年]，[西曆1180年]

1180년 1월 29일(Gre2월 5일)에서 1181년 1월 16일(Gre1월 23일)까지，354일

春正月甲寅朔[小盡,戊寅]，放朝賀.

[某日，以[判禮賓省事]張忠義爲西京齋祭副使:追加].[42]

[癸亥[10日]，日珥:天文1轉載].

[甲子[11日]，有氣如煙，生廣化門左右鴟尾:五行2轉載].

丁卯[14日]，燃燈，王如奉恩寺.

庚午[17日]，[雨水]. 金遣少府監<u>盧珙</u>來，賀生辰.[43]

乙亥[22日]，宴金使.

[戊寅[25日]，虎入城市:五行2轉載].

[壬午[29日晦]，[判禮賓省事·西京齋祭副使]張忠義卒於西京，年七十二:追加].[44]

[某日，京城盜賊多起，自稱慶大升都房. 有司逮捕囚之，大升輒釋之. 由是，公行奪掠，略無畏忌. 李義旼自聞大升圖已，常聚勇士于家，以備之. 又聞都房謀害所忌，義旼益懼，乃於里巷，樹大門以警夜，號爲閭門，京城坊里，皆效而樹之:節要轉載].

[→[明宗]九年，慶大升誅仲夫，朝士詣闕賀，大升曰，"弑君者尙在，焉用賀爲?" 義旼聞之大懼，聚勇士于家，以備之. 又聞大升都房人，謀害所忌，益懼，乃於里巷，樹大門以警夜，號爲閭門，京城坊里，皆效而樹之:列傳41李義旼轉載].

[某日，以李成爲慶尙道按察使:慶尙道營主題名記].

[是月，遣尙書吏部侍郞金鉉公如金，獻方物:追加].[45]

二月[癸未朔大盡,己卯]，壬辰[10日]，始營宮闕.

---

42) 이는「張忠義墓誌銘」에 의거하였다.

43) 盧珙은『금사』에는 盧拱으로 표기되어 있는데，그는 前年(大定19) 11월 14일(戊辰)에 파견이 결정되었다.

· 『금사』 권7，본기7，世宗中，大定 19년 11월，"戊辰，以西上閤門使<u>盧拱</u>爲高麗生日使".

· 『금사』 권61，表3，交聘表中，大定 19년，"十一月戊辰，以西上閤門使<u>盧拱</u>爲高麗生日使".

44) 이는「張忠義墓誌銘」에 의거하였는데，이날은 율리우스曆으로 1180년 2월 26일(그레고리曆 3월 4일)에 해딩한다.

45) 이는 다음의 자료에 의거하였다.

· 『금사』 권61，표3，交聘表中，大定 20년，"二月辛亥[29日]，高麗尙書吏部侍郞<u>金鉉公</u>進奉".

[丁酉15日, 有鶴, 巢于廣化門鴟尾:五行1轉載].

[某日, 遣尙書戶部侍郞□□□李仁成?如金, 賀萬春節:追加].46)

壬子30日, 王如靈通寺.

三月[癸丑朔大盡,庚辰, 乾方有赤氣, 如火. 設大佛頂讀經於內殿, 設金剛明經法席於大安寺, 以禳之:五行1轉載].47)

[庚申8日, 有氣如煙, 生廣化門鴟尾, 三日:五行2轉載].

庚午18日, 幸王輪寺.

[壬午30日, 西京留守奏, "衣淵村地燒, 烟煤不絶, 長廣並六尺許":五行1火災轉載].

[○晋州牧詔文記官鄭奇柱·河元度, 記官姜敏佾·姜東表等造成靑銅磬子一副, 入重六斤八兩, 懸架長興寺:追加].48)

[夏四月癸未朔小盡,辛巳, 丙戌4日, 立夏. 日暈:天文1轉載].49)

[壬辰10日, 月入大微太微右掖門:天文2轉載].

[己酉27日, 流星出入翼, 大如木瓜, 尾長七尺:天文2轉載].

[庚戌28日, 有氣如烟, 生廣化門左右鴟尾:五行2轉載].

---

46) 이는 다음의 자료에 의거하였다. 여기에서 이해[是年]의 節日使가 孫碩으로 되어 있으나 그는 前年의 節日使였다(→명종 9년 1월 5일, 명종 8년 1월 9일의 脚注. 校正事由).
- 『금사』 권7, 본기7, 世宗中, 大定 20년 3월, "癸丑朔, 萬春節, 宋·高麗·夏遣使來賀".
- 『금사』 권61, 표3, 交聘表中, 大定 20년, "三月癸丑朔, 高麗尙書戶部侍郞孫碩李仁成?賀萬春節".

47) 癸丑에 朔이 탈락되었다.

48) 이는 慶尙南道 晋州市 南城洞 312번지 長興寺址에서 출토된 磬子의 銘文에 의거하였다(國立晋州博物館 所藏, 文化財管理局 1998년). 또 磬子(혹은 鑿子, 鑿)는 銅製의 佛器로서 法會 또는 寺刹의 諸般 日課[課誦] 중에 시작과 끝[起止]의 時刻을 알리는 鐘[打樂器, time watch]의 역할을 하는 기구이다. 이는 16枚의 石片(혹은 曲玉)을 12種의 音律로 配列[編磬]하여 懸架하고 木槌로 打擊하여 연주하는 일종의 打樂器이다.
- 『韓國金石文集成』 35책 55面, 大定二十年銘靑銅磬子, "大定二十年庚子三月日造上, 晋州牧詔文記官鄭奇柱·河元度, 記官姜敏佾·東表·元緖, 鄭義, 鄭瞻·得謙·益壽, 鄭瑜·仁令·義仁等, 同心爲鏡子磬子一, 重六斤八兩乙造成, 爲州地長興寺良中爲遣□□". 여기에서 鏡子(거울)는 磬子의 誤刻일 것이다.
- 『敕修百丈淸規』 권8, 法器章, 中說, "磬, 大磬朝暮住持·知事行香時, 大衆誦經咒時, 直殿者鳴之, 唱衣時維那鳴之, 行者披剃時作梵睹梨鳴之"

49) 이날 일본의 교토(京都)에서 비가 내렸다고 한다(『山槐記』, 治承 4년 4월, "四日丙戌, 雨下").

夏五月[壬子朔大盡,壬午], [庚申[9日], 月入大微[~~太微~~]:天文2轉載].

己巳[18日], 幸外帝釋院.

六月壬午□[~~朔~~小盡,癸卯], 王如奉恩寺.[50)]

[乙酉[4日], 大雨, 東京符仁寺北山, 大水湧出, 漂沒寺屋八十餘間, 溺死者九人:五行1轉載].[51)]

丁亥[6日], [小暑]. 賜李得玉[李仁老]等及第.[52)]

甲午[13日], 金橫宣使·少府監郭喜國等來.[53)]

壬寅[21日], [大暑]. 宴金使.

[某日, 將軍慶大升門客, 殺良家子, 有司捕欲治之, 大升力救得免:節要轉載].[54)]

己酉[28日], 設法華會於崇教寺.

庚戌[29日晦], 內嬖明春死, 王哀戀不已, 失聲號哭. 太后驚駭, 寬譬之曰, "雖是情鍾, 然不可使聞於重房也". 然猶嗚咽不能止, 遂親製悼亡詩, 令宗親和進, 以自慰. 王天資孱弱, 加以屢更變故, 動輒驚懼. 凡軍國機務, 皆牽制武臣, 至如聲色, 猶不敢自專. 及賊臣誅夷, 始得溺受牀第, 內嬖專房者五人, 尤寵幸者, 唯純珠·明春二人. 自去年冬, 純珠死, 明春又亡, 後宮, 無可悅意者. 乃命召二公主, 入內, 令掌服御諸務, 俾朝夕不離於側, 間或同裯[~~裀~~]共寢,[55)] 眷念, 有不可道者. 其壻令公, 累

---

50) 壬午에 朔이 탈락되었다.

51) 현재까지 符仁寺에서 발견된 기와[瓦]에는 夫仁寺, 夫人寺의 銘文도 있다고 하지만(東國文化財硏究院 2018년), 大丘에 거주하던 儒學者들에 의하면 符仁寺가 사용되었고, 境內에는 큰 건물이 있었다고 한다. 또 일본의 교토[京都]에서는 5월 이래 8월 5일까지 旱魃이 있었다고 한다(中央氣象臺 1941年 2冊 531面 ; 力武常次 等 2010年).

· 『慕堂集』 권1, 遊符仁寺, 分韻各賦, 戊申[光海王卽位年], 권2, 向符仁寺路中作[注, 時徐行甫[思遠]·宋學懋·郭益甫[再謙], 三十餘人會話].

· 『百練抄』第8, 安德, 治承 4년 7월 29일, "自去五月, 炎旱涉旬, 天災競發歟, 所々水皆絶".

· 『山槐記』, 治承 4년 8월, "六日丙戌, 雨下, 自去六月天旱, 今日初下, 但天下皆損亡了云々".

52) 이와 관련된 기사로 다음이 있다. 이때 李得玉(改仁老), 崔祗禮·崔祗元(이상 兩人은 兄弟) 등이 급제하였다고 한다(朴龍雲 1990년 ; 東亞大學 2008년 23책 29面).

· 지27, 선거1, 科目1, 選場, "[明宗]十年六月, 門下平章事[門下侍郞平章事]閔令謨知貢擧, 國子祭酒尹宗諴同知貢擧, 取進士, [~~于奕~~], 賜李得玉等二十九人·明經三人及第".

53) 郭喜國은 4월 17일(己亥)에 파견이 결정되었다.

· 『금사』 권7, 본기7, 世宗中, 大定 20년 4월 己亥, "以西上閤門使郭喜國爲橫賜高麗使".

· 『금사』 권61, 表3, 交聘表中, 大定 20년, "四月己亥, 以西上閤門使郭喜國爲橫賜高麗使".

54) 이와 같은 기사가 열전13, 慶大升에도 수록되어 있다.

月曠居，不勝憤恚，遂欲絶婚．王聞之，乃召令公，俾居壽昌宮東太后行宮，日令公主，微服往見，慰藉之．至十一月，還公主于私第．王又召集純珠·明春及諸嬖所生兒女數十于宮內，皆衣班斑爛,[56] 載以鳩車，嬉戱內庭．啼呼諠閙，不類宮禁．故武臣等，悉皆腹誹，或有偶語咨嗟者，王懲艾毅宗不孝悌，故自卽位以來，至誠事太后，敦睦宗戚．[及太后患乳瘇，召弟僧冲曦侍病，曦，多亂宮女，又通公主，穢聲聞外，右司諫崔詵上疏，諷曦穢行，請出之．王覽之，大驚曰，“不意，司諫離間我兄弟”．遂罷詵．自後，臺諫無敢言者，朝臣皆附曦，賄賂公行:節要轉載].[57]

秋七月辛亥朔大盡,甲申，[某日，重房流宗昷等十餘僧于海島．初，宗昷等與鄭筠，謀殺李義方，遂與筠親比，出入後庭無忌．及筠死，一時武臣，皆李義方麾下，且以謂，“軍國權柄，屬重房者，實由義方之力”．遂流之:節要轉載].

[→明宗□□十年，一時武臣，皆李義方麾下，相謂曰，“軍國權柄，屬之重房者，實由義方之力”．遂配宗昷等十餘僧于海島:列傳41李義方轉載].[58]

[癸酉23日，處暑．月犯畢大星:天文2轉載].

丁丑27日，參知政事李紹膺死．[紹膺，貪戀祿位，年過七十，尙不致仕:節要轉載].

[某日，左倉別監奏，“隨祿科多少，以田米四石，當粳米三石，賜給”，從之:食貨3祿俸轉載].

[某日，以皇甫卓爲慶尙道按察使:慶尙道營主題名記].

八月[辛巳朔小盡,乙酉，西北方有赤氣，如火:五行1轉載].[59]

[壬午2日，大風拔木:五行3轉載].

庚寅10日，減死罪二十餘人，配有人島．

丙申16日，移安太祖·靖宗神御于大安寺．

戊戌18日，設消災道場于明仁殿．

[壬寅22日，月食東井西轅第二星:天文2轉載].

---

55) 여러 판본의 『고려사』에서 裯(도)로 되어 있으나 裯(주)의 오자이다(東亞大學 2008년 6책 545面).

56) 여러 판본의 『고려사』에서 班으로 되어 있으나 斑의 오자이다(東亞大學 2008년 6책 546面).

57) 이 기사는 열전3, 仁宗王子, 元敬國師에도 수록되어 있다. 또 冲曦에 대한 내용은 열전12, 崔惟淸, 詵에도 수록되어 있다.

58) 原文에서 十年이 탈락되었을 것이다.

59) 辛巳에 朔이 탈락되었다.

[丙午26日, □月又犯軒轅大星. 鎭星犯鬼:天文2轉載].

九月[庚戌朔大盡,丙戌, 大雨雹, 震松嶽祠堂北城柱:五行1雨雹轉載].[60]
癸丑4日, 放還二罪以下流竄者.
[○熒惑犯大微太微:天文2轉載].
[乙卯6日, 太白犯房第二星, 月犯南斗第六星:天文2轉載].
辛酉12日, 設消災道場于大觀殿, 以禳天變.
[癸亥14日, 熒惑入大微太微. 流星出九游, 入天狗, 大如梧, 尾長七尺許:天文2轉載].
[丙寅17日, 有氣如烟, 生廣化門左鴟尾:五行2轉載].
[癸酉24日, 有氣如烟又生廣化·保定二門鴟尾:五行2轉載].
[丁丑28日, 有氣如烟又生廣化門:五行2轉載].
[己卯30日, 有氣如烟又生廣化門:五行2轉載].
[是月, 取□□□升補試朴仲臧等四十餘人:選擧2升補試轉載].

冬十月庚辰朔小盡,丁亥, 辛巳2日, 賜將軍慶大升, 犀紅鞓一腰·馬一匹.
[庚寅11日, 有氣如煙, 生廣化·保定二門鴟尾:五行2轉載].
甲午15日, 幸普濟寺.
[乙未16日, 月犯畢星. 流星出營室, 入壘壁陣:天文2轉載].
己亥20日, 設佛頂道場於明仁殿.
庚子21日, 王如奉恩寺, 以重修落成也.
[辛丑22日, 有氣如煙, 生廣化門左右鴟尾. 先是, 儀鳳門儀鳳樓門鴟尾生煙, 而有癸巳明宗3年之亂. 廣化門鴟尾生煙, 而致仲夫之戮. 至是, 春夏以來, 又於廣化門鴟尾, 比比生煙, 故重房大惡之. 或者謂此非煙也, 盖蚊蝱聚飛使然, 足怪也. 重房喜, 令太史局視之. 太史乃阿其意曰, "飛虫也". 識者恨之. 及是, 煙氣復大出:五行2轉載].
[丙午27日, 知昇平郡事吳元卿卒, 年五十三:追加].[61]

60) 이날 일본의 교토에서 오후에 비가 내렸다고 한다. 또 8월 26일(丙午) 京都에서, 27일(丁未) 가마쿠라[鎌倉]에서 각각 風雨가 있었다고 한다(中央氣象臺 1941年 1冊 30面).
· 『山槐記』, 治承 4년 8월, "一日庚戌, 午後雨下".
· 『山槐記』, 治承 4년 8월, "廿六日丙午, 大雨大風, 晩頭風雨止"(京都).
· 『吾妻鏡』, 治承 4년 8월, "廿七日丁未, 朝間小雨, 申剋已後, 風雨殊甚"(鎌倉).
61) 吳元卿은 그의 묘지명에 의거하였는데, 이날은 율리우스曆으로 1180년 11월 16일(그레고리曆 11월

十一月己酉朔大盡,戊子, 壬子4日, 重新康安殿成, 其門額, 舊曰嚮福, 以門近接重房東隅, 故武臣等議, 以爲嚮福, 與降伏, 聲相近. 盖文臣欲以此禳壓武官而降伏之也. 奏請改其額, 命門下侍郞平章事閔令謨, 改曰永禧, 武臣等, 復以爲文臣之意不可測, 安知永禧別有深意耶? 禧者福也, 永字之意, 吉凶未可知也, 重字, 本房之稱, 請改爲重禧, 王從之.[62]

乙卯7日, 幸妙通寺.

[丙辰8日, 鎭星犯輿鬼:天文2轉載].

己未11日, [大雪]. 遣秘書少監王度如金, 謝橫宣, 郞將沈進升, 謝賀生辰.[63]

庚申12日, 移御景禧宮.

壬戌14日, 設八關會, 幸法王寺.

癸亥15日, 遣兵部郞中陳士龍如金, 賀正.[64]

[甲子16日, 月犯東井:天文2轉載].

[丙寅18日, 流星, 一出天狗, 入軍市, 大如缶, 尾長十尺許. 一出天囷, 入天倉, 大如栝, 尾長十五尺:天文2轉載].

戊辰20日, 移御壽昌宮.

[庚午22日, 守司空·尙書右僕射致仕李文著卒, 年六十八:追加].[65]

23일)에 해당한다.

62) 이러한 武臣에 의한 補壓壓勝[禳壓]의 行爲는 重房堤의 築造로 具顯되기도 하였다고 한다(李丙燾 1961년 512面). 또 이 기사에서 武臣들이 嚮福을 싫어했던 사유의 하나로서 新寧縣에 위치해 있던 毅宗의 胎室을 관리하던 嚮福寺를 들 수 있을 것이다(→의종 즉위년 是年 安胎의 脚注).

· 『신증동국여지승람』 권13, 豊德郡, 古跡, "重房堤, 在郡南四里, 高麗行重房裨補, 每春秋, 班主率府兵修築, 開南北水門漑田, 長八里, 廣三里".

· 「安東龍頭山龍壽寺開刱記」, "… 加賜新寧郡嚮福寺田四十結·臧獲三十口及旁近地閑田四十結, 下左右街□□~~僧錄~~司及諸主者施行勿替. 先是, 嚮福卽毅宗藏胎之所也, 中遭山火, 靡有孑遺, 因以田與民移籍是寺龍壽寺, 以爲追福毅宗仙駕, 謝幽塗登, 樂岸之捷徑也. 又每於忌日, 齋僧作法, 以薦流年恒式". 여기에서 刻字할 때, ~~添字~~가 결락되었을 것이다.

63) 王度와 沈進升은 12월 28일에 謝禮하였는데, 이에서 沈進升은 沈晋升으로 달리 표기되어 있다.

· 『금사』 권61, 表3, 交聘表中, 大定 20년, "十二月丙午, 高麗禮賓少卿沈晋升謝生日, 禮賓少卿王度等謝橫賜".

64) 陳士龍은 다음 해 正旦에 賀禮하였던 것 같다.

· 『금사』 권8, 본기8, 世宗下, 大定 21년 1월, "戊申朔, 宋·高麗·夏遣使來賀".

· 『금사』 권61, 表3, 交聘表中, 大定 21년, "正月戊申朔, 高麗遣禮部侍郞□□□~~陳士龍~~賀正旦". 이에서 陳士龍이 탈락되어 있다.

65) 이는 「李文著墓誌銘」에 의거하였는데, 原文에 "大定二□十年庚子十一月□三十二日"로 되어 있다. 이날은 율리우스曆으로 1180년 12월 10일(그레고리曆 12월 17일)에 해당한다.

甲戌[26日], [冬至]. 太白晝見.

十二月[己卯朔小盡,己丑], 癸未[5日], □□[太白]又晝見. 經天.[66)]
[甲申[6日], 熒惑入氐星:天文2轉載].
[己丑[11日], 月犯畢大星:天文2轉載].
[壬辰[14日], □[月]犯東井北轅東二星:天文2轉載].
[某日, 將軍慶大升, 殺太子府指諭·別將許升, 御牽龍行首金光立. 大升自殺仲夫, 常懷畏懼, 多養壯士于家, 爲長枕大被, 令輪日直宿, 或自共被, 以示誠款. 升等恃其同功, 偃蹇自肆, 陰養惡小[惡少], 又昵侍東宮, 寢臥後壁, 歌吹徹夜, 旁若無人. 大升忌之, 召升于其第, 斬之. 又道見光立, 殺之. 以兵自衛, 詣闕奏云, "升等其心縱恣, 非惟欲殺臣等, 且圖不軌, 事迫, 不暇奏聞, 已誅之". 王命近臣, 慰諭之. 宰相以下, 莫不會賀其第, 或致書以賀, 大升稍自安, 罷其兵衛:節要轉載].[67)]
乙未[17日], 設消災道場于內殿.
[丁酉[19日], 月入大微[太微]:天文2轉載].
辛丑[23日], 夜, 三司災.[68)] 有司請罪直宿官及諸司不赴救者. 王知直宿官爲副使李純, 憚其怒, 命貰之, 但罪不救者. 中書省固請以爲, 若不罪失火官, 而罪他人, 則罰不中矣. 王不得已從之.
乙巳[27日], [大寒]. 慮囚.
○以[門下侍郎平章事]閔令謨爲太子太師, [中書侍郎平章事]李光挺爲太子太傅,[69)] 並以本官兼之, [參知政事]崔忠烈爲中書侍郎平章事·太子少傅, 韓文俊△[爲]參知政事·太子少保, [參知政事]文克謙爲太子少師, 崔遇淸爲樞密院使·太子賓客, 李應招△[爲]知樞密院事·太子賓客, 崔世輔△[爲]同知樞密院事, 丁黃載爲戶部尙書, [上將軍]杜景升爲工部尙書.

[是年, 以[成佛都監判官]廉克髦爲江華道馬場別監:追加].[70)]
[○以[內侍?]田元均爲權知閤門祗候:追加].[71)]

---

66) 지2, 천문2에는 癸未가 癸末로 잘못 植字, 刻字되어 있다.
67) 이와 같은 기사가 열전13, 慶大升에도 수록되어 있다.
68) 이와 같은 기사가 지7, 五行1, 火, 火災에도 수록되어 있다.
69) 이때 李光挺은 太子太傅·判兵部事에 임명되었다고 한다(열전41, 鄭仲夫, 李光挺).
70) 이는 「廉克髦墓誌銘」에 의거하였다.
71) 이는 「田元均墓誌銘」에 의거하였다.

[○以興威衛別將·安東府副使崔忠獻爲鷹揚軍攝郎將:追加].[72]

[○以正覺僧統靈炤爲大選都聽:追加].[73]

[○賜首座智偁滿納袈裟一領:追加].[74]

[○某等重創密城郡萬魚寺:追加].[75]

辛丑[明宗]十一年, 金大定二十一年, [南宋淳熙八年], [西曆1181年]

1181년 1월 17일(Gre1월 24일)에서 1182년 2월 4일(Gre2월 11일)까지, 13개월 384일

春正月戊申朔大盡,庚寅, 放朝賀.

己酉2日, 以尙書右丞李知命爲右諫議大夫.

辛亥4日, 寫經院火.[76] 先是, 命寫成銀字藏經, 公私競納錢財, 而助之. 無賴輩欲盜其物, 因火之.

[癸丑6日, 熒惑犯房星:天文2轉載].

甲寅7日, 知樞密院事李應招卒.

戊午11日, 遣衛尉少卿李輔德如金, 獻方物.[77]

庚申13日, [立春]. 移御景禧宮.

---

72) 이는 「崔忠獻墓誌銘」에 의거하였다.

73) 이는 「靈通寺住持·正覺僧統靈炤墓誌銘」에 의거하였다.

74) 이는 「靈通寺住持·僧統智偁墓誌銘」에 의거하였다.

75) 이는 다음의 자료에 의거하였는데, 添字와 같이 고쳐야 옳게 될 것이다. 萬魚寺는 현재의 慶尙南道 密陽市 三浪津邑 龍田里 萬魚山에 있으며, 이곳에 重創時期에 만들어진 것으로 추측되는 三層石塔(보물 제466호)이 있다고 한다(鄭永鎬 1963년).

· 『삼국유사』 권3, 塔像第4, 魚山佛影~~萬魚山佛影~~, "古記云, 萬魚寺者古之慈成山也, … . 又按大定十二年~~大定二十年~~庚子卽明宗十一年也, 始創萬魚寺. 棟梁宝林狀奏, …".

· 『세종실록』 권150, 지리지, 密陽都護府, "… 土産, 磬石[産府東萬魚寺洞]·石鐵[産府東松谷山".

· 『신증동국여지승람』 권26, 密陽都護府, 佛宇, "萬魚寺, 在萬魚山", ○古跡, "萬魚山磬石, 山中有一洞, 洞中岩石大小, 皆有鍾磬之聲, 世傳東海魚龍化爲石. 我世宗朝, 採之作磬, 不中律, 遂廢".

76) 이와 같은 기사가 지7, 五行1, 火, 火災에도 수록되어 있다.

77) 李輔德은 2월 27일(甲辰)에 方物을 바쳤던 것 같은데, 이에서 李輔德이 李德基로 달리 표기되어 있다.

· 『금사』 권61, 表3, 交聘表中, 大定 21년, "二月甲辰, 高麗尙書吏部侍郎李德基進奉".

辛酉[14日], 燃燈, 王如奉恩寺.

翌日[壬戌15日], 大會, 御帳殿, 看樂, 夜與群臣, 酣飮, 日晏未罷, 軍校皆使酒鼓譟, 牽龍爭高其榻, 至與浮階相齊, 尊卑無等. 王亦醉甚, 欲起舞, 左承宣文章弼, 諫止之.

○遣將軍<u>申寶至</u>如金, 賀萬春節.[78)]

甲子[17日], 金遣<u>大</u>[太]府監<u>任倜</u>來, 賀生辰.[79)]

[丙寅[19日], 刑部尙書·翰林學士致仕李文鐸卒, 年七十三:追加].[80)]

[壬申[25日], 大風拔木:五行3轉載].

癸酉[26日], 移御壽昌宮.

乙亥[28日], [雨水]. 白虹逼日.

[某日, □□□□□[~~中書門下省~~]郎舍奏, “舊制, 文·吏散官, 外補者, 皆有年限, 非有功則, 不得超遷. 今或一二年, 而超受□[者], 有三十餘年, 而不調□[者], 政濫人怨. 請限及第登科者, 閑五年, 自胥吏爲員者, 閑八年以上, 許得施行, 餘皆追寢□[之]”, 從之□[~~詔可~~]. 時, 政出權門, 奔競賄賂, 無復廉恥, 武臣之有氣勢者, 各擧一人, 占官□□[~~請調~~], 若不得, 詣執政家, □□[~~張拳~~]極口爭詰. 執政皆畏縮, 不獲已許之, 冢宰[門下侍郎平章事]閔令謨, 性訥怯, 少虧操履, [中書侍郎平章事·]判兵部□[事]李光挺, 頑貪無識, 以故銓注猥濫. 乃有是奏, 然其追寢者, 亦各行賂, 無所不爲, 故崔忠烈·韓文俊之徒, 力排其議曰, “前朝文臣, 各執己意, 臧否人物, 以至於敗, 何復踵往轍耶?”. <u>諸郎</u>, 相視失色, 無復有詰之者:節要·選擧3選法轉載].[81)]

[某日, 以李章爲慶尙道按察使:慶尙道營主題名記].

[某日, 前西京分司試太府丞兪克諧卒:追加].[82)]

<u>三月</u>[~~二月~~]戊寅朔[小盡,辛卯], 設帝釋道場于明仁殿.[83)]

---

78) 申寶至는 3월 1일(丁未朔) 世宗의 生日인 萬春節을 賀禮하였던 것 같다.
 · 『금사』 권8, 본기8, 世宗下, 大定 21년 3월, “丁未朔, 萬春節, 宋·高麗·夏遣使來賀”.
 · 『금사』 권61, 表3, 交聘表中, 大定 21년, “三月丁未朔, 高麗尙書戶部侍郎<u>申寶至</u>賀萬春節”.

79) 金에서 任倜은 前年(大定20) 11월 27일(乙亥)에 파견이 결정되었다.
 · 『금사』 권7, 본기7, 世宗中, 大定 20년 11월 乙亥, “以太常少卿<u>任倜</u>爲高麗生日使”.
 · 『금사』 권61, 表3, 交聘表中, 大定 20년, “十一月乙亥, 以太常□[少]卿<u>任倜</u>爲高麗生日使”.

80) 이는 「李文鐸墓誌銘」에 의거하였다.

81) ~~添字~~는 지29, 선거3, 選法에 의거하여 추가한 것인데, 두 자료에서 자구의 출입이 있다.

82) 이는 「兪克諧墓誌銘」에 의거하였다.

83) 여러 판본의 『고려사』에서 三月로 되어 있으나 二月의 오자이다(東亞大學 2008년 6책 548面).

[辛卯[14日], 月犯軒轅大星:天文2轉載].

[壬辰[15日], □[月]又犯大微[太微]右執法:天文2轉載].

[乙未[18日], 流星出大微[太微]西藩, 入翼, 大如木瓜, 尾長一尺許:天文2轉載].

[丁酉[20日], 妙通寺南菩提樹, 鳴如豹聲:五行2轉載].

[癸卯[26日], 乾·艮方, 有白氣, 變爲赤氣:五行2轉載].

三月丁未朔[大盡,壬辰], 王如靈通寺.

丙寅[20日], 慮囚.

[某日, 前隊正韓信忠·蔡仁靖·朴敦純等, 謀作亂. 令史□□[同正]大公器知之, 以告將軍慶大升, 大升白王, 捕鞫之, 辭連郞將石和·別將朴華·注簿李敦實. 乃流信忠·仁靖·敦純等于海島, 貶和爲南海縣令, 華爲河山島勾當使, 流敦實於廣州:節要轉載].

[→前隊正韓信忠·蔡仁靖·朴敦純等, 謀作亂, 令史同正大公器知之, 以告大升. 大升白王, 捕鞫之, 辭連[郞將]石和及別將朴華·注簿李敦實. 乃流信忠·仁靖·敦純等于島, 貶和南海縣令, 華河山島勾當使, 流敦實于廣州. ○王內忌大升, 外示優寵, 日賜珍羞服玩, 奏請無不曲從. 故人多趍附, 然非有學識·勇略者, 大升輒拒之, 武官皆畏其威, 不敢縱肆:列傳13慶大升轉載].

戊辰[22日], 群盜入大倉, 隊正宋康淸, 募卒力鬪, 不克而死.

[○有氣如煙, 生廣化門鴟尾:五行2轉載].

辛未[25日], [群盜]入奉恩寺, 鼓譟劫掠, 盜太祖鋪銀瓶三十餘口.[84]

[癸酉[27日], 有氣如煙, 生廣化門鴟尾, 六日:五行2轉載].

閏[三]月[丁丑朔小盡,壬辰], [甲申[8日], [有氣如煙,] 又生興國寺松樹:五行2轉載].

戊戌[22日], 幸王輪寺.

[某日, 貶右諫議□□[大夫]宋詝, 爲巨濟縣令. 舊制, 以義州爲兩國關門, 凡使介來往, 文牒出入, 皆由之, 故必擇文臣以蒞之, 其分道員, 亦以常參官有名望者, 遣之. 自庚寅之後, 武臣用事, 以戍邊將軍, 皆帶兵馬之任, 以爲分道, 故昌·朔二城, 皆以將軍委之, 義州則以文牒交受, 兼置文武二人. 故州人困於供費, 及詝爲兵馬使, 訴曰, 吾邑本北鄙殘鄕, 而文武分道, 恒住一城, 供費不足, 不數年, 邑其丘墟矣, 請馳奏, 以便宜分管數城. 詝然之, 具奏, 以文官爲義州分道, 隸以靈州·威遠鎭,

84) 太祖鋪는 『고려사절요』 권12에는 太祖眞殿으로 되어 있다.

武官爲靜州分道, 隷以麟州·龍州. 制從之. 諸將軍聞之, 怒相謂曰, 此欲因以奪武臣權耳, 請斬許以謝. 王驚駭, 親諭解之, 遂貶許:節要轉載].[85)]

[○識者曰, "晋政多門, 魯分三家, 以至敗滅, 春秋譏之. 今重房制事, 將軍房沮之. 將軍出議, 郞將房沮之. 互相矛盾, 政令之發, 民不適從. 況刑殺, 人主之柄, 而臣下擅之. 自許見貶, 救民革弊之言, 無聞矣":列傳14宋許轉載].

夏四月[丙午朔大盡,癸巳], 丁未[2日], [小滿]. 直翰林院李元牧製進祈雨䟽, 多言時政之失. 王召元牧, 傳旨曰, "野諺曰, 春旱與糞田同, 間或有雨澤, 則天心之仁愛, 盖未可知. 比者, 太史請禱雨, 予重違而許之, 汝䟽何引我過擧, 以飾辭乎?". 卽命改撰. 自正月, 至此不雨, 而王言如此, 由群小導之也.[86)]

[丙辰[11日], 太白與歲星, 同舍:天文2轉載].

辛酉[16日], 禱雨于宗廟·陵寢·岳瀆及諸神祠.

乙丑[20日], 幸普濟寺.

[某日, 刑部尙書·上將軍李義旼, 稱疾歸慶州. 初, 慶大升之殺許升也, 義旼以兵馬使出鎭, 有人誤傳誅大升, 義旼聞之, 大喜曰, "吾欲殺大升, 誰先我著鞭乎?". 大升聞而銜之. 義旼還, 懼不自安, 求去:節要轉載].

[→[明宗]十一年, 拜刑部尙書·上將軍. 初, 大升之誅許升也, 義旼以兵馬使, 出鎭北塞. 有人謬傳, "國家誅大升." 義旼聞之, 大喜曰, "吾欲殺大升未果, 是誰之謀歟? 先我着鞭矣". 大升聞而銜之. 義旼還, 懼不自安, 稱疾, 歸其鄕:列傳41李義旼轉載].

[己巳[24日], 鎭星入輿鬼:天文2轉載].

[壬申[27日], 熒惑犯南斗:天文2轉載].

癸酉[28日], 親醮內殿, 又望祭比郊[北郊]于玄武門樓, 禱雨.[87)]

[○有氣如煙, 生廣化門鴟尾:五行2轉載].

---

85) 이와 관련된 기사로 다음이 있는데, 靈州는 현재의 平安北道 枇峴郡 지역이라고 한다(모리히라 마사히코 2014년).

· 지31, 백관2, 兵馬使, "毅宗庚寅以後, 武臣用事, 西北界防戍將軍, 始兼兵馬判官".

86) 이해[是年] 무렵[養和の頃, 1181~1182)에 일본에서도 春夏에는 飢渴이, 秋冬에는 大水가 심하였다고 한다(權藤成卿 1984年 371面).

87) 여러 판본의 『고려사』에서 比郊로 되어 있으나 北郊[地神]의 오자일 것이다(東亞大學 2008년 6책 549面). 지8, 五行2, 金行에는 옳게 되어 있다.

[某日, 林民庇, □□□□□掌國子監試, 取洪永植等八十九人:選擧2國子試額轉載].
[乙亥30日, 亦如之熒惑犯南斗:天文2轉載].

五月丙子朔大盡,甲午, 辛巳6日, 再雩.
辛卯16日, 設仁王道場於明仁殿. 以中書侍郎平章事崔忠烈△爲判刑部事, 李富△爲直門下省.[88)]

六月丙午朔小盡,乙未, 王如奉恩寺.
[戊申3日, 流星出天倉, 入羽林, 大如栝, 尾長七尺許:天文2轉載].[89)]
辛亥6日, 設大歲太歲道場于明仁·康安二殿.
辛酉16日, 大雨.[90)]
[戊辰23日, 月入畢星, 犯左股:天文2轉載].
壬申27日, 慮囚.
是月, 殿中省奉詔, 遣使, 賜酒果于上將軍致仕宋慶寶私第, 慶寶聞使臣至, 燕服出迎, 令使臣脫公服, 使臣據舊例, 遲回不敢, 慶寶怒叱, 强令脫之, 便執手入廳, 設草具, 酒三行卽撤. 慶寶官至三品, 年踰七十, 而不知禮, 罵辱使命, 時議譏之.
[○文林郞·試禮賓少卿·知制誥崔詵奉宣撰'安東府管內龍壽寺開刱記':追加].[91)]

---

88) 李富는 李奎報의 叔父인데, 이규보의 年譜에는 李富가 1178년(大定18, 명종8)에 直門下省事로 李奎報의 文才를 同僚 省郎에게 자랑하였다고 하지만, 이는 後日의 官職을 遡及하여 稱한 것일 것이다(『동국이상국집』年譜). 또 李富는 大將軍이었음을 보아 武官 출신이었던 것 같다(열전13, 鄭國儉).

89) 中原에서는 이 流星이 新星[客星]으로 파악되었던 것 같고, 이 新星은 華蓋星, 곧 仙后座에 있었던 것 같다(席澤宗 2002年 27面).
· 『송사』 권56, 천문9, 客星, "淳熙八年六月己巳24日, 出奎宿, 凡傳舍星, 至明年正月癸酉2日, 凡一百八十五日始滅".
· 『금사』 권20, 지1, 천문, 月五星凌犯及星變, "大定二十一年, … 六月甲戌29日, 客星見于華蓋, 凡百五十有六滅".

90) 이날 일본 京都의 神泉苑(신센엔, 現 中京區 御池通 神泉苑町 위치)에서 祈雨를 위한 행사가 시작되었다고 한다.
· 『吉記』, 治承 5년 6월, "十六日辛酉, 晴, … 自今日於神泉苑, 爲祈甘雨, 限七ケ日, 被始行孔雀經御讀經, 法印權僧都覺成以下勤仕之".

91) 이는 「龍頭山龍壽寺開刱記」에 의거하였다.

秋七月乙亥朔大盡,丙申，[丁丑3日，熒惑入南斗:天文2轉載].

己卯5日，宰樞·臺諫·重房，會京市署，檢斗斛，察奸僞．以市人於斗米，雜沙秕賣之也．

○是夜，自壽昌宮北垣，投石，抵御寢北牖者三四，宿衛皆驚，巡索禁垣，竟不得．重房奏請，每夜，一將軍領手下軍校，伏兵宮門外及諸要害處，以備警急，從之.[92]

[○熒惑·鎭二星同舍:天文2轉載].

[某日，宰樞·重房·臺諫，會奉恩寺，定市價，平斗斛，犯者，配海島:節要·刑法2禁令轉載].

[戊戌24日，赤氣衝天:五行1轉載].

[己亥25日，太白犯辰星:天文2轉載].

[某日，以崔信卿爲慶尙道按察使:慶尙道營主題名記].

[甲辰30日，太白又同舍熒惑·鎭二星:天文2轉載].

□□~~六月~~[乙巳朔小盡,丁酉，流星出天田，入南斗，大如梨，尾長三尺許:天文2轉載].[93]

[丙午2日，流星出河鼓，入東壁，大如梨，尾長七尺許:天文2轉載].

乙卯11日，減死罪，配有人島．

[癸亥19日，鵩鳴于泰定門:五行1轉載].

癸酉29日晦，百官習射于西郊．

九月甲戌朔大盡,戊戌，丙子3日，詔曰，"朕聞，往年十道察訪使黜陟官吏，多有乖戾．其濫蒙褒賞者，猶之可也，誤被罪罰，寃抑無告者，可不惜哉? 其悉原免，依舊敘用"．仍命二罪以下，悉除刑付處．[國家遣按察使，巡察州縣，以春秋更代，又遣察訪使黜陟之．自仁宗壬戌20年，不遣察訪，唯委按察．爲按察者，但循故常，不能彈擧，故官吏務爲侵漁，民多受弊．庚癸之後，政令益苛，民生愈困:節要轉載]．歲戊戌明宗8年，宰相宋有仁·李光挺等建議奏，發十道察訪使，俾往陞黜，坐贓落職者，九百九十餘人，悉皆錄籍．於是，共出銀五十餘斤，賂鄭仲夫，求去其籍，仲夫未果而敗．自是，大賂權貴，請去之，然國家朝章，緜緜不絶，故累歲而未能削．至是，用事者指言，"天譴屢彰，訛言寖興，皆因寃濫所致，下詔原之"．臺閣無一言，識者歎之.[94]

---

92) 이 기사는 지36, 兵2, 宿衛에도 수록되어 있다.

93) 7월의 乙卯와 癸酉는 각각 8월(乙巳朔)의 11일과 29일이므로, 乙卯의 앞에 八月이 탈락되었다.

[○流星，一出天船，入紫微，大如缶，尾長二尺許．一出王良，入天津，大如木瓜，尾長十五尺許:天文2轉載].

癸未[10日]，百官習射於東郊.

[庚寅[17日]，月入畢星:天文2轉載].

[乙未[22日]，流星出天囷，入天倉，大如梧．熒惑犯壘壁陣西端星:天文2轉載].

壬寅[29日]，幸妙通寺.

[秋某月，以[郎將]金元義爲雲中道監稅使~~監倉使~~:追加].[95]

冬十月[甲辰朔小盡,己亥]，[丙午[3日]，流星出軒轅，入大微~~太微~~，大如木瓜，尾長七尺許:天文2轉載].

[丁未[4日]，流星出危，入天津，大如木瓜，長六尺許:天文2轉載].

[戊申[5日]，流星出大微~~太微~~西垣上將，入五諸侯:天文2轉載].

癸丑[10日]，設消災道場于明仁殿.

[某日，命參知政事~~中書侍郎平章事~~崔忠烈,[96] 如西京，行八關會．舊制，每當燃燈·八關，遣宰相於西京，攝行齋祭，自甲午年[明宗4年]西京有事，詔停遣使．比年以來，只遣三品官，忠烈利其贈賄，奏言，先王皆遣宰相爲使，蓋重翼京也，乞依舊制．王揣知其意，從之．及還，多受饋遺，輜重三十餘兩，連亘入城:節要轉載].[97]

[某日，知御史臺事·大將軍朴齊儉，子葆光，年少無賴，道遇李紹膺妻，歐辱從

---

94) 이를 축약한 기사로 다음이 있다.

· 지29, 선거3, 選用監司, “明宗十一年九月，以往年察訪使黜陟，多有乖戾，其被黜官吏，依舊敍用．國制，重外寄，遣按察使，巡察州縣，問民疾苦．以春秋更代，而又間發察訪使，黜陟幽明．自仁宗壬戌以後，不遣察訪，唯委按察，爲按察者，但循故常，不能彈擧．故官吏，略無畏忌，務爲侵漁，流亡相繼．庚癸之後，政令益苛，民生愈困．歲戊戌，宰相宋有仁·李光挺等建議奏，發十道察訪使，俾往升黜，坐贓落職者，九百九十餘人．至是原之”.

95) 이는「金元義墓誌銘」에 의거하였다.

96) 參知政事는 中書侍郎平章事의 오류일 것이다. 崔忠烈은 1180년(명종10) 12월 27일 중서시랑평장사에 임명되었고, 그의 열전에도 이때 중서시랑평장사로 되어 있다(열전13, 崔忠烈).

97) 이와 같은 기사로 다음이 있다.

· 열전13, 崔忠烈, “… 進中書侍郎平章事·太子少傅·判刑部事．舊制，燃燈·八關，必遣宰相至西京，攝行齋祭．自甲午之變，西京有事，詔停遣使，後只遣三品官．忠烈利其贈遺，奏曰，‘先王遣宰相爲使，盖重翼京也，乞依舊制’．王揣知其意，遣忠烈如西京，行八關會．及還，多受賄賂，輜重至三十餘兩．[明宗]十二年卒”.

婢. 紹膺妻大怒, 率僮僕, 至齊儉家, 欲殺之. 葆光逃匿, 紹膺女壻, 卽慶大升弟也, 紹膺妻憑慶氏勢, 訴重房. 重房上言, 葆光, 輕薄無賴, 道辱宰相妻, 大無禮也, 宜置於法. 事下重房治之, 葆光竟不出, 齊儉坐免, 歷抵重房官私第, 乞憐. 重房哀之, 請復其官. 齊儉, 身爲憲長, 而諂行請謁, 臺綱大壞:節要轉載].

[→其朴齊儉子葆光, 年少輕薄. 初, 補權務氣驕. 道遇故參知政事李紹膺妻, 見從婢有持薑者, 求之不與, 葆光歐辱之. 紹膺妻大怒, 率僮僕, 持刀杖, 至齊儉家呼噪, 欲殺葆光, 葆光及家人皆逃匿. 紹膺女壻, 慶大升弟也, 紹膺妻憑慶勢, 訴重房, 重房奏, 葆光道辱宰相妻, 大無禮. 宜置於法. 事下重房治之, 葆光竟不出, 齊儉坐免. 歷抵諸將家, 乞憐, 諸將哀之, 請復其官, 王許之:列傳13朴葆光轉載].

[庚申17日, 大霧二日:五行3轉載].

壬戌19日, 設仁王道場于大觀殿, 飯僧三萬于毬庭.

十一月癸酉朔大盡,庚子, 乙亥3日, 幸外帝釋院.

癸未11日, 遣將軍<u>崔璡</u>如金, 謝賀生辰, 金用純, 賀正.[98)]

甲申12日, 移御景禧宮.

乙酉13日, 設八關會, 幸法王寺.

[丁亥15日, <u>月食</u>:天文2轉載].[99)]

己丑17日, 移御壽昌宮.

[癸巳21日, 月入<u>大微</u>太微. 流星出亢, 入氐, 大如木瓜, 尾長三尺許:天文2轉載].

[辛丑29日, 月犯辰星:天文2轉載].

十二月癸卯朔小盡,辛丑, [庚戌8日, <u>大寒</u>. 大霧:五行3轉載].

壬子10日, 移安毅宗眞于宣孝寺. 初, 安其眞於城西海安寺, 至是, 武臣議曰, "毅宗讎武人, 不宜安眞於武方". 遂請以城東吳彌院, 改號宣孝寺, 構眞殿移安, 以海

---

98) 崔璡은 1186년(명종16) 12월 28일에는 崔連으로 되어 있으나 오자일 것이다. 그의 外孫인 蔡謨의 墓誌銘에 前者로 되어 있는데 비해 열전42, 崔忠獻에는 崔漣으로 되어 있지만, 『고려사절요』의 崔璡이 옳을 것이다.

99) 이날 宋에서도 월식이 있었고(『송사』 권52, 지5, 천문5, 月食), 일본의 京都에서 16일(戊子, 12월 23일)에 월식이 있었다고 한다. 이날은 율리우스력의 1181년 12월 22일이고, 월식 현상이 심했던 때의 世界時는 21시 23분, 食分은 0.43이었다(渡邊敏夫 1979年 477面).

· 『吉記』, 養和 1년 11월, "十六日戊子, 時々小雨, 今日月蝕也, 公家御祈依當大原野祭, 於內教坊, 自去夕, 以十口僧, 被行仁王經御讀經".

安寺爲重房願堂.

[癸丑[11日], 大霧:五行3轉載].

[丁巳[15日], 月犯鎭星:天文2轉載].

[辛酉[19日], □[月]又入大微[太微]:天文2轉載].

戊辰[26日], 設仁王道場于內殿.

庚午[28日], 以[參知政事]韓文俊爲寶文閣大學士·判禮部事, [參知政事]文克謙△[爲]守大尉, [樞密院使]崔遇淸爲翰林學士承旨, 崔世輔△[爲]知樞密院事, 宋淸·韓約△[並]爲樞密院副使,[100] [上將軍]丁黃載爲兵部尙書,[101] [上將軍]杜景升爲戶部尙書, [上將軍]曹元正爲工部尙書, 文章弼爲樞密院知奏事·左散騎常侍, [上將軍?]金光軾爲殿中監, 獨孤孝爲樞密院右承宣, 李知命爲右散騎常侍,[102] 申寶至爲御史中丞,[[將軍]金純爲千牛衛攝大將軍:追加].[103]

[是年, 罷尙州牧山陽縣監務官:追加].[104]

[○以[江華道馬場別監]廉克髦爲長牲□[署]令:追加].[105]

[○以[鷹揚軍攝郎將]崔忠獻爲鷹揚軍郎將:追加].[106]

---

100) 宋淸(崔忠獻의 丈人)은 知樞密院事·尙書左僕射·上將軍으로 致仕하였다고 한다(崔忠獻墓誌銘). 또 韓約은 그의 子인 韓光衍의 墓誌銘에 의하면, 參知政事·判工部事에 이르렀다고 한다.

101) 丁黃載는 그의 壻인 大將軍 盧□□의 墓誌銘에 의하면 최종관직이 尙書左僕射·上將軍이었던 것 같다.

102) 이때 右散騎常侍에 임명된 李知命은 1184년(명종14) 12월 29일 翰林學士承旨에, 1185년(명종15) 1월 17일 西北面兵馬使에 각각 임명되었고(世家), 1187년(명종17) 7월에는 左散騎常侍[左常侍]로 樞密院副使 曹元正을 彈劾하였다고 한다(열전41, 曹元正). 이의 左常侍는 左散騎常侍의 약칭임을 알 수 있는데, 中原의 正史나 고려시대의 각종 자료에도 兩者가 並用되었다. 그중에서 左·右常侍가 먼저 설치되었고, 三國 魏 文帝 때에 다시 散騎가 설치되어 常侍와 併合하여 左·右散騎常侍로 개편되었다고 한다.

103) 金純은 그의 묘지명에 의거하였다.

104) 이는 다음의 자료에 의거하였다.
 · 지11, 지리2, 尙州牧 山陽縣, "後置監務. 明宗十一年, 罷之".

105) 이는 「廉克髦墓誌銘」에 의거하였다.

106) 이는 「崔忠獻墓誌銘」에 의거하였다.

壬寅[明宗]十二年, 金大定二十二年, [南宋淳熙九年], [西曆1182年]

1182년 2월 5일(Gre2월 12일)에서 1183년 1월 25일(Gre2월 1일)까지, 355일

春正月[壬申朔大盡,壬寅], 壬午[11日], 遣郎將金光裕如金, 進方物, 郞中田元均, 賀萬春節.[107)]

甲申[13日], 移御延慶宮.

乙酉[14日], 燃燈, 王如奉恩寺.

戊子[17日], 金遣耶律仲方來, 賀生辰.

辛卯[20日], 幸神衆院.

[癸巳[22日], 木稼:五行2轉載].

甲午[23日], 宴金使于大觀殿.

己亥[28日], 移御壽昌宮.

[○歲星與熒惑, 入胃:天文2轉載].

[某日, 以崔文淸爲慶尙道按察使, 朴惟甫爲全羅道按察使:慶尙道營主題名記].[108)]

二月[壬寅朔小盡,癸卯], 乙巳[4日], 中書侍郞平章事崔忠烈卒.

○[京山府]管城縣令洪彥侵漁百姓, 滛荒[淫荒]無度, 吏民殺彥所愛妓, 又殺妓母及兄弟, 遂執彥幽之. 有司按問, 流首謀者五六人, 彥亦廢錮終身. 又富城縣令與縣尉, 不相能, 害及無辜, 一縣不堪苦, 遂殺尉衙宰僕及婢, 因閉令·尉衙門, 使不得出入. 有司奏, 二縣悖逆莫甚, 請削官號, 勿置令·尉, 從之.[109)]

---

107) 田元均은 3월 1일(辛未) 萬春節을 賀禮하였던 것 같다. 또 이때 田元均이 띠고 있는 郞中(正5品)은 借職인데, 그는 이 시기 이후인 이해[是年]의 後半期에 殿中內給事(從6品), 試閤門祗候, 監察御史(從6品), 左司員外郞, 吏部員外郞(以上 正6品) 등을 역임하고, 刑部郞中에 임명되었다(田元均墓誌銘).
- 『금사』 권8, 본기8, 世宗下, 大定 22년 3월, "辛未朔, 萬春節, 宋·高麗·夏遣使來賀".
- 『금사』 권61, 表3, 交聘表中, 大定 22년, "三月辛未朔, 高麗使賀萬春節".

108) 朴惟甫는 이해[是年] 3월 20일에 의거하였다.

109) 이와 관련된 기사로 다음이 있다. 고려 시기의 管城縣은 慶尙道 星州牧[京山府]의 管轄下에 있었다.
- 지11, 지리2, 京山府 管城縣, "明宗十二年, 縣吏·民, 執縣令洪彥, 幽之, 有司奏, 除官號".
- 『세종실록』 권149, 지리지, 淸州牧, "沃川郡, 本新羅古尸山郡, 景德王改爲管城郡. 高麗顯宗戊午[9年], 屬京山府任內, 仁宗二十一年癸亥, 始置縣令. 忠宣王五年癸丑[卽宋[元]仁宗皇慶二年], 陞爲知沃州事, 割京山府任內利山·安邑·陽山三縣以屬之. 本朝太宗十三年癸巳, 例改爲沃川郡. 屬縣三".

[庚申19日, 太白與歲星, 同舍于胃:天文2轉載].

三月辛未朔大盡,甲辰, 王如靈通寺.

[戊寅8日, 太白·歲星相犯:天文2轉載].

庚辰10日, 軍器注簿張光富, 廬墓三年, 旌表門閭.

癸未13日, 以上將軍權節平爲西北面兵馬使, 尙書右丞宋端爲東北面兵馬使. 舊制, 兩界兵馬使上道之日, 唯郊亭局設而已, 雖親舊, 不得私餞, 盖重其威也. 近年, 祖餞成風, 闐咽郊野, 相與媟狎, 頗損威重. 至是, 二人早發而行, 餞者皆不及. 時議多其得體.

庚寅20日, 慮囚.

○初, 全州司錄陳大有, 頗負淸介, 用刑極酷, 民多苦之. 及國家遣精勇·保勝軍, 造官船, 大有與上戶長李澤民等, 督役甚苛. 旗頭竹同等六人作亂, 嘯聚官奴及群不逞者, 逐大有于山寺, 燒澤民等十餘家. 吏皆逃竄, 乃刼判官高孝升, 易置州吏, 孝升但授印而已. 及按察使朴惟甫入州, 賊盛陳兵伍, 訴列大有不法狀, 按察不獲已, 械大有送京師. 因諭賊以禍福, 不從. 於是, 悉發道內兵, 討之, 賊閉城固守, 事聞.

夏四月辛丑朔小盡,乙巳, 戊申8日, 遣閤門祗候裴公淑·郎將劉永等, 往問竹同等叛逆之由. 公淑等入城諭, 一品軍隊正[史失其名], 謀去賊魁, 計畫垂成, 被讒見罷, 以郎中任龍臂·郎將<u>金臣穎</u>, 代之. 按察所遣兵, 攻城不下, 已四十餘日, 一品軍隊正與僧徒, 殺竹同等十餘人, 賊平.110)

己巳29日晦, 龍臂·臣穎等乃至, 索餘黨三十餘人, 誅之, 夷城塹而還.

五月庚午朔大盡,丙午, 乙亥6日, 百官賀平全州.

[丙子7日, 太白與鎭星, 同舍于柳:天文2轉載].

甲申15日, 遣近臣, 迎佛骨于十員殿.

丁亥18日, 太白晝見.

癸巳24日, 幸普濟寺.

---

110) 金臣穎(?~1188)은 그의 아들인 金仲文의 묘지명에 의하면, 安城人으로 神虎衛中郎將·御史雜端에 이르렀다고 한다.

甲午[25日], 太子親試學生, 取河巨源等八人, 以備侍學.

六月庚子□[朔小盡,丁未], 王如奉恩寺.[111)]

甲辰[5日], 罷全羅道按察使朴惟甫, 以李章甫代之, 以不能安撫全州, 擅調兵也.

[壬戌[23日], 流星出南斗, 入尾, 大如梨, 尾長五尺許:天文2轉載].

甲子[25日], 制, "凡入金書狀, 令國學·館翰儒官, 有才名者, 遣之".

[乙丑[26日], 流星出天津, 入河鼓, 大如梨:天文2轉載].

丙寅[27日], 賜許徵等及第.[112)]

[秋七月[己巳朔大盡,戊申], 某日, 以李世康爲慶尙道按察使, 全羅道按察使李章甫仍番:慶尙道營主題名記].[113)]

[八月[己亥朔大盡,己酉], 甲辰[6日], 月犯房上相:天文2轉載].

秋九月[己巳朔小盡,庚戌], 某日, 穆親殿及麗正宮成.

庚寅[22日], 幸妙通寺.

[辛卯[23日], 流星出軒轅, 入張, 大如梨, 尾長五尺許. 占曰, 女主有害, 有使來. 癸卯年[明宗13年]太后崩, 甲辰年[14年]大金使來:天文2轉載].[114)]

---

111) 庚子에 朔이 탈락되었다.

112) 이와 관련된 기사로 다음이 있다. 이때 韓文俊의 관직인 政堂文學이 주목된다. 그는 이보다 1년 6개월 전인 1180년(명종10) 12월 27일 參知政事·太子少保에, 1181년 12월 28일 寶文閣大學士·判禮部事에 각각 임명되었고(世家), 그의 열전에서도 같이 기록되어 있다. 이때 한문준이 참지정사보다 하위직인 政堂文學에 재직하고 있었던 사유가 분명하지 않으나 참지정사로서 정당문학을 겸직한 사례는 있다. 이때 許徵·崔甫淳(乙科, 崔甫淳墓誌銘)·任永齡 등이 급제하였다(朴龍雲 1990년 ; 許興植 2005년).

· 지27, 선거1, 科目1, 選場, "[明宗]十二年六月, 政堂文學韓文俊知貢擧, 右散騎常侍李知命同知貢擧, 取進士, [丙寅], 賜許徵等三十人·明經四人及第".

· 열전12, 韓文俊, "官累參知政事·寶文閣大學士·判禮部事, 遷政堂文學·判兵部事. 十四年, 進門下侍郎平章事·判吏部事, 銓敘平允".

· 『보한집』권상, "英烈公[琴儀]與任學士永齡同師受業, 及應擧任先擢乙第, … 明年, 果中壯元".

113) 李章甫는 6월 5일의 기사에 의거하여 추측하였다.

114) 이는 다음의 자료와 관련이 있는 것 같다.

· 『開元占經』 권72, 流星占2, 流星犯張, "… 石氏曰, 流星入張, 有使來納采者".

· 『개원점경』 권72, 流星占2, 流星犯東方七宿一, 流星犯心五, "… 石氏曰, 流星出入心, 遠國

[冬十月[戊戌朔大盡,辛亥], 戊申[11日], 流星從北向南行, 大如缶, 尾長五尺許:天文2轉載].
[辛亥[14日], 月入大微[太微]:天文2轉載].
[辛酉[24日], □[月]入大微[太微]中:天文2轉載].
[甲子[27日], 太白疾行, 犯亢星:天文2轉載].

冬十一月[戊辰朔[小盡,壬子], 雨, 雷震:五行1雷震轉載].[115)]
[己巳[2日], 熒惑犯氐星:天文2轉載].
己卯[12日], 移御延慶宮.
[壬午[15日], 月食:天文2轉載].[116)]
癸未[16日], 遣將軍安允恭如金, 謝賀生辰, 兵部郎中崔永儒, 賀正.[117)]
[戊子[21日], 月入大微[太微]屛星:天文2轉載].
[壬辰[25日], □[月]又入氐:天文2轉載].

十二月[丁酉朔大盡,癸丑], [戊戌[2日], 熒惑犯房上相:天文2轉載].
[辛丑[5日], 月入羽林:天文2轉載].
乙卯[19日], [大寒]. 以弟旼△[爲]守太師·平涼公, 王珙△[爲]守司徒·邵城侯. [珙, 性貪鄙, 凡市物, 遣家奴占奪, 不與直, 雖至樵蘇菜果, 亦如之. 賣者, 或就索其直, 輒遭歐辱, 民間多苦之. 樞密副使曹元正家奴, 入市, 賣二死雉, 珙奴奪之. 元正誣告法官曰, "我家奴, 持犀帶二腰, 過市, 珙奴强奪, 請取還". 法官囚其奴, 栲掠甚酷, 奴誣服, 珙當幷坐, 賂元正白銀六斤, 得免. 聞者, 雖疾元正之誣妄, 亦喜珙之

使來, 星大, 大國使來, 星小, 小國使來".

115) 戊辰에 朔이 탈락되었다.

116) 宋에서는 하루 전인 辛巳(14일)에 월식이 있었다고 하고, 金에서도 辛巳(14일) 旣月食[月偏食]이 있었다고 한다(『송사』 권52, 지5, 천문5, 月食 ; 『금사』 권20, 지1, 天文, 月五星淩犯及星變). 또 일본의 京都에서도 辛巳(14일)에 월식이 있었다고 한다. 이날(14일)은 율리우스력의 1182년 12월 11일이고, 월식 현상이 심했던 때의 世界時는 21시 27분, 食分은 1.73이었다(渡邊敏夫 1979年 477面).

117) 崔永儒는 다음 해(大定23) 正旦에 賀禮[賀正]하였던 것 같다. 이때 兵部郎中·國子司業 崔永儒(崔永濡)·書狀官 李仁老(李得玉, 崔永儒의 壻) 등이 파견되었다고 한다. 이들은 12월 27일(癸亥) 漁陽縣(現 河北省 天津市 薊縣地域) 鵝毛寺를 통과하여 이후 燕京에 들어갔다고 한다(『破閑集』권下 ; 『보한집』권중).
· 『금사』 권8, 본기8, 世宗下, 大定 23년 1월, "丁卯朔, 宋·高麗·夏遣使來賀".
· 『금사』 권61, 表3, 交聘表中, 大定 21년, "正月丁卯朔, 高麗遣尙書禮部侍郎崔永濡賀正旦".

挫辱也. 及死~~年四十六,疽發背,死~~, 國人皆喜曰, "吾儕得活矣":節要轉載].[118)]

乙丑[29日], 以文克謙△[爲]參知政事, 文章弼爲樞密院副使, [[千牛衛攝大將軍]金純爲金吾衛大將軍:追加].[119)]

[是年, 以[兵部郎中]柳公權, 兼國學直講:追加].[120)]

[○以[權知閤門祗候]田元均爲殿中內給事·知陝州事:追加].[121)]

[○東京留守報管內人孫時揚廬父母墓各三年, 上嘉其孝行, 令旌表門閭:追加].[122)]

[○僧知訥擧僧選, 中之:追加].[123)]

[○改修忠州崇善寺. 崇善者, 太祖妃順聖太后劉氏願刹也:追加].[124)]

癸卯[明宗]十三年, 金大定二十三年, [南宋淳熙十年], [西曆1183年]

1183년 1월 26일(Gre2월 2일)에서 1184년 2월 13일(Gre2월 20일)까지, 13개월 384일

春正月[丁卯朔小盡,甲寅], 庚辰[14日], 燃燈, 王如奉恩寺.

癸未[17日], 金遣大府監~~太府監~~僕散衍來, 賀生辰.[125)]

---

118) 이 기사는 열전3, 肅宗王子, 帶方公俌에도 수록되어 있는데, ~~添字~~는 이에서 달리 표기된 것이다.

119) 金純은 그의 묘지명에 의거하였다.

120) 이는 「柳公權墓誌銘」에 의거하였다.

121) 이는 「田元均墓誌銘」에 의거하였다.

122) 이는 자료에 의거하였다. 蔡靖은 예부시에 급제하여 東京掌書記에 임명된 것 같고, 이후 晋州牧副使로 재직하다가 1202년(신종5) 11월 무렵에 東京副留守로 부임한 것 같다.
 · 「孫時揚旌閭碑」, "… 時,大定二十二年壬寅十二月 日, 東京留守掌書記·衛尉主簿蔡靖誌"(蔡雄錫敎授의 拓本).

123) 이는 『동문선』 권117, 曹溪山修禪寺普炤佛日國師塔碑銘(金君綏 撰) ; 「順天曹溪山松廣寺普照佛日國師塔碑銘」; 「曹溪山修禪社重創記」(『曹溪山松廣寺史庫』所收)에 의거하였다.

124) 이는 忠清北道 忠州市 薪尼面 文崇里 崇善寺址에서 출토된 기와[瓦]의 刻字에 의거하였다(a 金顯吉敎授의 收集品, 金顯吉 1989년 ; 蘂城同友會 1995년 ; b世宗文化財硏究院 編 2015년 378面).
 · 瓦銘 a, '□□監役·副都監大師性林·大匠暢交」□□□□□□□金堂 改盖□□」大定二十二年壬寅四月 日」'.
 · 瓦銘 b, '寺上院□監役·副都監大師性林·大匠暢交」大定二十二年壬寅四月日」'.

125) 僕散衍은 前年(大定22) 11월 17일(甲申)에 파견이 결정되었다.
 · 『금사』 권8, 본기8, 世宗下, 大定 22년 11월, "甲申, 以宿直將軍僕散忠佐爲高麗生日使".

○遣吏部郎中文章偉如金，進方物，[126] 郎將盧孝敦，賀萬春節.[127]
丙戌[20日]，移御壽昌宮.
[某日，以尹光甫爲慶尙道按察使:慶尙道營主題名記].

二月[丙申朔大盡,乙卯]，戊戌[3日]，幸王輪寺.
[丁未[12日]，月入大微[太微]:天文2轉載].
己未[24日]，設藏經道場于明仁殿，王行香，製絶句一首，賜[參知政事]文克謙，和進.
[某日，有男子，夜投匿名書于壽昌宮門，巡檢官捕得之，乃譖刑部侍郎李俊昌兄弟也. 王性柔弱，事皆決於諸將，但頷之而已. 諸將信其書，議欲誅俊昌等. 王聞之，召大將軍鄭邦佑，責曰，“自癸巳以來，無辜者多見害，而予不能救，咎實在予，今俊昌等，若實謀不軌，彼男子必顯告矣，夜投匿名書，曲在男子，諸將何反欲誅俊昌耶”. 諸將等栲問男子，果服其誣，流于遠島. 蓋怨俊昌嘗奪其田也:節要轉載].[128]
乙丑[30日]，王如靈通寺.
[是月，自京西州縣，達于京城訛言，“國家禁畜白犬，不從令者，誅”. 於是，凡畜白犬者，皆殺之，或投江中，其不欲殺者，涅其毛. 特下詔，禁之，乃止:五行2·節要轉載].

[三月[丙寅朔小盡,丙辰]，丁丑[12日]，月入大微[太微]:天文2轉載].

夏四月[乙未朔[小盡,丁巳]，流星入王良，向南行，大如缶，尾長十尺許:天文2轉載].[129]
壬寅[8日]，[立夏]. 大設華嚴法會于洪圓寺，薦庚癸以來死亡者.
[丁未[13日]，有氣如煙，生廣化門左鴟尾:五行2轉載].
丁巳[23日]，[小滿]. 金國報，改來遠城爲來遠軍.

·『금사』 권61, 表3, 交聘表中, 大定 22년, “十一月甲申，以宿直將軍僕散忠佐爲高麗生日使”.
126) 文章偉는 2월 29일(甲子)에 方物을 바쳤다.
·『금사』 권61, 表3, 交聘表中, 大定 23년, “二月甲子，高麗戶部侍郎文章煒進奉”.
127) 盧孝敦(盧永醇의 子)은 3월 1일(丙寅朔)에 萬春節을 賀禮하였던 것 같다.
·『금사』 권8, 본기8, 世宗下, 大定 23년 3월, “丙寅朔，萬春節，宋·高麗·夏遣使來賀”.
·『금사』 권61, 表3, 交聘表中, 大定 22년, “三月丙寅朔，高麗戶部侍郎盧孝敦賀萬春節”.
128) 이와 같은 기사가 열전13, 李俊昌에도 수록되어 있다.
129) 乙未에 朔이 탈락되었다.

戊午24日, 大雨雹, 如杏子.[130]

五月甲子朔大盡,戊午, [乙亥12日, 熒惑入壘壁陣:天文2轉載].

[己卯16日, 月食. 流星出壘壁, 入羽林, 大如木瓜:天文2轉載].[131]

癸未20日, 幸外帝釋院.

丙戌23日, 重房奏, 省東班官職.

[是月, 尙書左丞崔讜, □□□□□掌國子監試, 取詩賦吳夢霖等十人, 十韻詩金瑀等八十九人, 明經六人:選擧2國子試額轉載].[132]

六月甲午朔小盡,己未, [某日], 金遣大理卿訖石烈~~紇石烈朮列速~~來, 賜羊.[133]

甲寅21日, 宴金使于大觀殿.

[夏某月, 僧統冲曦入寂, 追贈元敬國師:列傳3仁宗王子轉載].[134]

秋七月癸亥朔大盡,庚申, [戊辰6日, 流星出天栢天棓, 入天津, 大如栢:天文2轉載].[135]

丁丑15日, 將軍慶大升卒. [大升, 淸州人, 中書侍郎平章事珍之子, 膂力絶人, 早有大志, 不事家産, 年十五, 蔭補校尉, 累遷至將軍. 珍性貪鄙, 多奪人田, 及卒, 大升以其田案, 悉納選軍, 一無所取, 人服其淸. 常憤武人不法, 慨然有復古之志,

---

130) 이와 같은 기사가 지7, 五行1, 水, 雨雹에도 수록되어 있다.

131) 이날 宋에서도 월식이 있었다고 하고, 金에서는 旣月食이었다고 한다(『송사』 권52, 지5, 천문5, 月食 ; 『금사』 권20, 지1, 天文, 月五星凌犯及星變). 또 일본의 교토에서도 월식이 있었다고 한다. 그리고 이날은 율리우스력의 1183년 6월 7일이고, 월식 현상이 심했던 때의 世界時는 19시 42분, 食分은 1.14이었다(渡邊敏夫 1979年 477面).

132) 이와 관련된 자료로 다음이 있다.

· 「崔讜墓誌銘」, "以尙書右丞掌司馬試, 時以爲得□士".

133) 大理正 紇石烈朮列速(紇石烈述列速)은 4월 19일(癸丑)에 橫賜高麗使로 임명되었다. 또 訖石烈은 紇石烈(女眞族의 姓氏, he shi lie)의 다른 표기인데, 中原에서 드물게 사용된 사례가 있다.

· 『金史』 권8, 본기8, 世宗下, 大定 23년 4월, "癸丑, 以大理正紇石烈朮列速爲橫賜高麗使".

· 『금사』 권61, 表3, 交聘表中, "以大理正紇石烈述列速爲橫賜高麗使".

134) 열전1, 后妃1, 仁宗妃, 恭睿太后任氏에는 冲曦가 명종 12년에 入寂하였다고("明宗十二年, 冲曦死")고 되어 있으나 오류일 것이다(→是年 11월 22일).

135) 天栢(천배)는 紫宮[紫微垣]의 오른쪽 5星 또는 10星으로 天龍座와 武仙座에 위치한 天棓(천부)의 오자일 것이다(→인종 22년 5월 15일, 東亞大學 2011년 13책 251面).

文官倚以爲重，又欲討弑毅宗者，以其事艱大，隱忍未發．及誅鄭·宋，王內忌，而外示優寵，凡奏請，無不曲從故人多趨附，然非有學識與勇略者，輒拒之，武官畏憚，不敢縱肆．一夕，忽夢仲夫握劍叱咤，因得疾，卒，年三十:節要轉載]．[及葬，道路莫不哀哭:列傳13慶大升轉載]．

[某日，門下侍郎平章事李光挺，詐上表乞骸，不允．時，冢宰[門下侍郞平章事]閔令謨，年未七十，然有告老之志，猶未決．光挺欲代其職，先詐乞退，蓋逼令謨速致政也:節要轉載]．

[→[明宗]十三年，冢宰閔令謨欲告老，以年未七十未決，[中書侍郞平章事李]光挺規代其職，先自上表乞退，盖趣令謨致仕也:列傳41李光挺轉載]

[丁亥[25日]，流星出螣蛇，入河鼓，大如木瓜，尾長十尺許:天文2轉載]．

[某日，以崔基厚爲慶尙道按察使:慶尙道營主題名記]．

八月癸巳朔[大盡,辛酉]，夜，城中大驚，譟聲震都下．

[己亥[7日]，流星出河鼓，入天壘，大如梨，尾長七尺許:天文2轉載]．

戊申[16日]，捕慶大升都房，並流遠島．[初，大升之討仲夫也，牽龍金子格有力焉，由是，大升尤愛之，俾領都房．及大升卒，都房，歛[斂]錢以葬．既葬，將散醵飮．子格反誣告曰，"大升都房往往復會者，將爲亂也"．王素忌大升，命重房捕之，使□[大]將軍鄭存實等，治之．凡得六十餘人，嚴加栲掠，窮索其黨，期於無種．王令內宦，伺察刑之苛緩，竝流遠島，捶楚甚酷，多死于路，存者不過四五人:節要轉載]．

[→初，大升之討仲夫也，牽龍金子格有力焉，大升愛之，俾領都房．大升卒，都房歛錢以葬，將散復聚飮，子格誣告曰，"大升都房往往復會者，將爲亂也"．王素忌大升，命重房捕之，使大將軍鄭存實·吳淑等治之．苟名在都房者，悉捕之，其或逃匿，縛其父母妻子及族黨，困苦之，匿者自出，或自刃死．凡得六十餘人，復諭存實等，嚴加栲掠，窮索其黨．又令內官，伺用刑苛緩，於是，捶楚甚酷．並流遠島，多死于路，存者不過四五人:列傳13慶大升轉載]．

[○後存實，買紅鞓工彥光家，論直白銀三十五斤，但輸二十三斤，紿曰，"待汝徙家畢償"，彥光曰，"一二斤，猶不可，況十二斤乎?"，遂不徙．存實怒，誣告街衢曰，"我家人將白銀十二斤過市，彥光成群剽奪，請治之"．街衢使，雖知其誣，畏存實暴戾，囚彥光及妻奴隣里幾四十餘人，栲問，彥光窘迫，計無所出，賂存實銀十二斤，得釋．又有民，臨道作舍，存實托路隘，命毁之，民納賂乃止，其貪暴類此:節要

轉載].

[→[大將軍鄭]存實, 嘗買紅鞓工彦光家, 約以白金三十五斤, 但輸二十三斤, 紿曰, "待汝徙家畢償". 彦光曰, "雖未輸一二斤, 尙不可, 況十二斤乎?" 遂不徙. 存實怒, 誣告街衢曰, "我家人將白金十二斤過市, 彦光成群掠奪, 請治之". 街衢使, 雖知其誣, 畏存實暴戾, 囚彦光及妻, 又繫其隣里四十餘人, 栲問. 彦光窘, 計無所出, 賂存實銀十二斤, 得釋. □[又]有民, 臨路作舍, 存實托路隘, 欲毁之, 民納賂乃止, 貪暴類此. 累官, 至守司空:列傳41鄭存實轉載].

[乙卯[23日], 熒惑入壘壁陣東端門:天文2轉載].

是月, 兩府宰樞奏, "每歲, 奉使如金者, 利於懋遷, 多齎土物, 轉輸之弊, 驛吏苦之. 夾帶私樻, 宜有定額, 違者奪職". 詔可. 居無何,[136] 將軍李文中·韓正修等使金, 恐失厚利, 請復舊例, 王又許之.[137] 王柔而寡斷, 政令無常, 朝出暮改, 類多如此.

[○初, 養賢庫記官借庫銀器, 寄於郎將李允平家. 後數日, 記官取器不返, 其妻候之, 聞有籠尸路旁者, 往視之, 卽其夫也. 妻意必爲允平所殺, 訴有司治之, 允平不服, 久繫獄. 其家人及記官親友, 栲問, 死者數人. 國人皆曰, "允平實殺記官, 法官故緩". 時, 中軍閱戰馬, 注簿趙永仁, 服飾鞍馬, 極鮮華, 求籍神騎班. [大將軍·]兵馬副使白任至曰, "永仁家素貧, 今暴富有由". 執送法司, 永仁恃無顯迹, 略無懼色. 俄有一童來, 告曰, "我永仁家僮也, 吾主與記官素親, 一日, 記官齎銀器到家, 主貪其物, 飮毒殺之, 吾母適在前, 主恐事洩, 幷殺瘞後園, 以滅口, 銀器亦埋某地, 欲告法司報讎, 恐見解未敢耳". 有司往掘之, 皆得:節要轉載].

[→有養賢庫記官, 嘗借庫銀器數事, 寄郎將李允平家. 過數日, 記官取器不返, 其妻候之, 聞有籠屍在路旁, 往視之, 卽其夫也. 妻意必爲允平所殺訴, 有司治之, 允平不服, 久繫獄, 以賂免栲掠. 允平家人及記官親友, 被栲訊死者數人. 國人皆曰, "允平實殺記官, 法官故緩之". 允平聞而告曰, "予實無罪, 國人皆指予爲言, 勢不可逭". 請納家貲贖之, 公議久未決. 時, 中軍閱戰馬, 有注簿同正趙英仁者, 鞍馬·服飾, 極鮮華. 求籍神騎班, 任至曰, "英仁家素貧, 今暴富有由". 執送法司. 英仁恃其無顯迹, 略無懼色, 俄有一僮來, 告曰, "我英仁家僮也. 主與記官素親,

---

136) 居無何는 '얼마의 時日이 經過하지 않아'로 읽는 것[讀]이 좋을 것이다.
· 『자치통감』 권12, 漢紀4, 惠帝 2년 7월, "癸巳, 以曹參爲相國, [酇文終侯蕭]何薨, [參]告舍人, '趣治行, 吾將入相'. 居無何[胡三省注, 居無何, 謂居無幾時也]", 使者果召參.

137) 李文中은 이해의 윤11월 4일(乙未)에, 韓正修는 明年 1월 15일(乙巳)에 각각 金에 파견되었으나 金의 辭讓으로 인해 모두 越境하지 못하고 義州에 이르렀다가 귀환하였다.

一日，記官齎銀器到家，主貪其物，毒殺之．吾母適在前，主恐事洩，幷殺瘞後園，以滅口．銀器亦埋某地．我欲告法司復讎，恐見害未敢耳”．有司往掘之，皆得:列傳13白任至轉載]．

[九月癸亥朔小盡,壬戌，己巳7日，月犯南斗:天文2轉載]．

[戊子26日，□月又入大微太微:天文2轉載]．

[庚寅28日，流星出天津，入河鼓，大如梧，尾長十尺許:天文2轉載]．

冬十月壬辰朔大盡,癸亥，[丙申5日，雉升于宣慶殿．識者謂，雉火屬，殿必復災:五行1轉載]．

[辛亥20日，太白犯南斗:天文2轉載]．

[壬子21日，大霧:五行3轉載]．

丙辰25日，幸妙通寺．

[○月入大微太微:天文2轉載]．

[辛酉30日，雷電:五行1雷震轉載]．

十一月壬戌朔大盡,甲子，日食.[138]

[辛未10日，流星出星七星，入軒轅，大如缶，尾長十尺許．又流星入天市中，大如木瓜，尾長六尺許:天文2轉載]．

乙亥14日，設八關會，幸法王寺．

[某日，門下侍郞同中書門下平章事·判吏部事閔令謨乞致仕，許之:節要轉載]．

[己卯18日，日有黑子二日:天文1·節要轉載]．

癸未22日，王太后任氏仁宗妃薨.[139] [是年夏，冲曦死，王恐太后悲痛，秘不白．居數月，太后乃聞曦死，意以爲諸將害之，憤恚得氣疾．時，平涼公旼亦患痔，久不入覲，太后疑旼與曦同禍．王命旼，腰輿入謁,[140] 太后喜，且泣曰，“吾以汝爲死，不意復

---

138) 이날 宋에서도 心星에 일식이 있었다고 하며, 金에서도 일식이 있었다(『송사』 권52, 지5, 천문5, 日食 ;『금사』 권8, 본기8, 世宗下, 大定 23년 11월 壬戌, 권20, 지1, 天文, 日薄食煇珥雲氣). 이날은 율리우스력의 1183년 11월 17일이고, 開京에서 일식 현상이 심했던 시간은 11시 0분, 食分은 0.95이었다(渡邊敏夫 1979年 308面).

139) 이날은 율리우스曆으로 1183년 12월 8일(그레고리曆 12월 15일)에 해당한다.

140) 腰輿에 대한 설명으로 다음이 있다.

見爾面也". 旼白王曰, "母后之疾, 勞心致然, 請張樂悅解". 王及旼, 上壽爲樂, 氣少下. 未幾復篤, 薨, 壽七十五:節要轉載]. 太后之病也, 王親自調藥, 夜不解衣者, 累日. 病革, 王泣, 目盡瘇. 及薨, 殯于義昌宮旁私第, 王朝夕哭臨, 哀甚, 宰相請抑哀, 不聽.141)

閏[十一]月壬辰朔小盡,甲子, 乙未4日, 遣戶部員外郞崔孝著如金, 告哀,142) 將軍李文中, 謝賀生辰, 郞將崔文淸, 賀正, 員外郞鄭允當, 謝賜羊. 金恤我有喪, 辭遣, 故皆至義州而還.

丁未16日, 中書侍郞平章事致仕李公升卒. [公升, 生而穎悟, 總角能屬文, 操行高潔, 不事生產. 毅宗嘗月夜, 遊淸寧齋, 目公升曰, "秋月澄霽, 無一點塵埃, 正如公升胸中". 初, 公升卜延福亭基, 遂興大役, 人多怨之, 癸巳之亂, 公升匿佛寺, 有邀功者, 擒詣義方. 義方欲殺之, 賴門生文克謙得免, 性輕躁, 不能容人之過, 見輒嫚罵, 卒, 年八十五, 謚文貞, 葬日, 子椿老·桂長, 以陰陽拘忌, 柩未及窆, 徑還其家, 克謙竟襄事:節要轉載]. [公升, 美鬚髥, 童顔不老. 操行高潔, 不事生產, 性輕躁, 不能容人之過, 見輒慢罵. 初內侍趙剛實家, 與公升第相對, 剛實管左倉, 日受人賂米. 公升熟見之,143) 一日剛實謁公升于樞密院, 公升於坐中, 數其事, 厲聲罵之, 剛

· 『자치통감』 권198, 唐紀14, 太宗貞觀 20년(646) 3월, "己巳 … 上嘗幸未央宮, 辟仗已過 … 又嘗乘腰輿[胡三省注, 腰輿, 令人擧之, 其高至腰], …".

141) 이와 같은 기사로 다음이 있으며, 열전1, 仁宗妃, 恭睿太后任氏에도 같은 내용이 수록되어 있으나 자구의 출입이 있다.

· 지18, 禮6, 國恤, "癸未, 王太后任氏薨, 殯于義昌宮旁私第, 王朝夕哭臨".

142) 崔孝著는 12월 25일(乙酉)에 喪을 告奏하였고, 27일(丁亥)에 下直人事[朝辭]할 때 明宗에게 내리는 詔書를 받았다고 한다. 또 이때 興威衛錄事參軍兼直翰林院 李勝章이 崔孝著의 書狀官으로 隨從하였다고 한다(李勝章墓誌銘). 이 자료에서는 崔孝著의 관직이 起居郞(從5品)으로 되어 있음을 보아, 이 기사의 禮部員外郞(정6품)은 借職일 가능성이 있다. 또 이때 崔孝著는 金의 滌暑亭에 揭示된 詩文에 次韻하였다고 한다(『보한집』권중). 그리고 高麗가 今年의 謝生日使, 賀節日使, 謝橫宣使 등의 파견을 免除하여 줄 것을 요청하여 허락을 받았다고 한다.

· 『금사』 권8, 본기8, 世宗下, 大定 23년 12월, "乙酉, 高麗以母喪來告".

· 『금사』 권61, 表3, 交聘表中, 大定 23년, "十二月丁亥, 高麗使崔孝著朝辭, 以詔答王晧. 是歲, 晧母任氏薨".

· 『금사』 권208, 열전95, 外夷1, 高麗, "大定二十三年, 晧母任氏薨, 晧乞免賜生日及賀謝等使. 詔從之".

143) 熟은 亞細亞文化社本에는 孰으로 되어 있으나 오자일 것이다.

實大慙. 又僧觀遠, 好遊公卿間, 克謙嘗携謁, 公升熟視曰, "此僧無可取, 不意公偕也", 遂罵逐之, 然後飮酒盡歡:列傳12李公升轉載].

[己酉18日, 月入大微太微:天文2轉載].144)

[壬子21日, 太白入羽林:天文2轉載].

甲寅23日, 葬太后于純陵,145) [上謚恭睿:節要轉載]. 王自義昌宮, 步至彌勒寺, 釋服, 移御堤上宮.146)

[○月入氐:天文2轉載].

[丙辰25日, □月入大微太微:天文2轉載].

[丁巳26日, 太白經天, 鎭星犯紫微西藩上將:天文2轉載].

戊午27日, 兩府宰樞·臺省, 表請復常膳, 不允.

十二月辛酉朔大盡,乙丑, [壬戌2日, 流星出□某星, 入張, 大如缶, 長七尺許:天文2轉載].

[壬午22日, 日暈有珥:天文1轉載].

庚寅30日, 以門下侍郎平章事李光挺△爲守太保·判吏部事,147) 中書侍郎平章事?韓文俊△爲判兵部事, 文克謙爲中書侍郎平章事·判戶部事, 文章弼△爲同知樞密院事·御史大夫, 杜景升·廉信若·樞密院副使曹元正並爲樞密院副使,148) [元正, 玉工之子, 其母官婢, 毅宗朝限七品, 至庚寅, 助義方有力, 遂躋通顯:節要轉載]. 前刑部尙書李義旼爲工部尙書, 金吾衛大將軍金純爲禮賓卿:追加].149)

[是年, 以兵部郎中柳公權爲將作少監·太子司經:追加].150)

[○以淸道監務琴克儀爲八關寶判官:追加].151)

---

144) 지2, 천문2에는 己酉 앞에 閏十一月[閏月]이 탈락되었다(盧明鎬 等編 2016년 338面).

145) 純陵은 失傳되어 현재 어디에 있는지를 알 수 없다.

146) 이와 관련된 기사로 다음이 있다.

· 지18, 禮6, 國恤, "甲寅, 葬于純陵, 王導轜車, 自義昌宮, 步至彌勒寺. 釋服".

147) 李光挺의 열전에는 守太保보다 上位인 守太傅로 되어 있다(열전41, 鄭仲夫, 李光挺). 고려시대의 재상에게 一種의 勳職으로 주어진 三公과 三師는 守司空→守司徒→守太尉, 守太保→守太傅→守太師의 순서로 임명되었는데, 李光挺의 관직인 門下侍郎平章事에게 주어질 수 있는 勳職은 守太保와 守太傅가 모두 해당되기에 양자 중의 어느 것이 옳은가는 판단할 수 없다.

148) 이때 廉信若은 樞密院副使·翰林學士承旨에 발탁되었다고 한다(열전12, 廉信若).

149) 金純은 그의 墓誌銘에 의거하였다.

150) 이는 「柳公權墓誌銘」에 의거하였다.

[○下詔褒奬大丘縣孝子夏光臣, 復其家, 旌表門閭:追加].[152)]
[增補].[153)]

甲辰[明宗]十四年, 金大定二十四年, [南宋淳熙十一年], [西曆1184年]

1184년 2월 14일(Gre2월 21일)에서 1185년 2월 1일(Gre2월 8일)까지, 354일

春正月辛卯朔[小盡,丙寅], [雨水]. 放朝賀.

甲午[4日], 太白經天.

[某日, 減文官試職之祿:節要·食貨3祿俸轉載].

[甲辰[14日], 月入大微[太微]:天文2轉載].

乙巳[15日], 遣員外郞文義赫如金, 進方物, 將軍韓正修, 賀萬春節, 皆至義州而還, 以金恤我有喪也.[154)]

[己酉[19日], 月入氐星:天文2轉載].

[○試左司員外郞·西北面兵馬判官·義州分道防戍將軍吳□實卒於營, 年五十五:

---

151) 이는 「琴儀墓誌銘」에 의거하였는데, 琴儀의 初名은 琴克儀이다.

152) 이는 다음의 자료에 의거하였다. 이들 기사에서 泰定은 大定으로 고쳐야 옳게 되고, 夏光臣의 旌閭碑는 조선시대의 大丘府 龍德里에 있었다고 한다(『慶尙道續撰地理誌』, 大丘都護府). 또 이에서 復其家는 漢代이래 臣民의 有功에 대한 褒賞措置로 행해진 稅役 등을 免除해 주었던 復除(略稱하여 復)를 가리킨다(重近啓樹 1987年).

· 『경상도지리지』, 慶州道, 大丘郡, "在明宗時, 夏光臣, 事母至孝, 廬墓三年. 郡人具狀以聞, 上下詔復其家, 旌表門閭, 立碑, 郡東百步許, 遺碑尙在, 泰定[大定]二十三年癸卯也".

· 『신증동국여지승람』 권26, 大丘都護府, 孝子, "夏光臣, 明宗時人, 事母至孝, 廬墓三年. 泰定[大定]癸卯旌門".

· 『대구부읍지』, 孝子, "夏光臣, 大丘人, 事母至孝, 廬墓三年, 事聞旌閭".

153) 이해의 4월 7일(辛丑) 金이 宋·高麗·夏의 3國에 보내는 使臣의 選拔規式[差遣格]을 다시 定하였다.

· 『금사』 권6, 본기6, 世宗上, 大定 23년 4월, "辛丑, 更定奉使三國人從差遣格".

154) 文義赫과 韓正修가 義州에서 歸還한 것은 2월 15일(甲戌) 高麗王 王晧(明宗)가 母喪으로 卒哭을 마치지 못하였으므로 今年의 萬春節의 賀禮와 進貢을 면해 줄 것을 요청하였기 때문이라고 한다. 이에 世宗은 조칙을 내려 王晧(明宗)가 起復을 하지 않았으므로 進貢方物은 다음 해의 賀正旦使와 함께 보내라고 하였다고 한다.

· 『금사』 권61, 表3, 交聘表中, 大定 23년, "二月甲戌, 高麗王王晧, 以母憂未卒哭, 請免今年萬春節及進貢. 詔以王晧未經起復, 不當陳賀, 其進貢方物, 宜令隨明年賀正旦使, 同來".

追加].[155]

[某日, 以柳擇升爲慶尙道按察使:慶尙道營主題名記].

二月[庚申朔大盡,丁卯], [辛酉[2日], 春分. 夜, 有白氣, 起自坤, 一向艮, 一向北, 橫天, 俄而滅:五行2轉載].

[壬戌[3日], 卒哭. 禮官奏, "按仁睿太后喪制, 一依文廟故事. 卒哭之後, 上及群臣應帶紅鞓者, 皆服皀帶. 今太后之喪, 亦依此制". 中書省駁議, "王后喪制, 不宜與國王同". 王曰, "人子之於父母, 其心一也. 豈可重父而輕母哉? 卒哭之後, 朕雖許卿等帶紅, 而卿等, 宜引禮固辭. 況祥期之內, 朕常帶皀, 而卿等獨帶紅耶":禮6國恤轉載].

[→禮官奏曰, "按仁睿太后喪制, 一依文宗故事, 卒哭後, 上及群臣應帶紅鞓者, 皆服阜帶. 今太后喪, 亦依此制". 中書省駁議, "后妃喪制, 不宜與君王同". 王怒責之曰, "人子之於父母, 其心一也, 豈可重父而輕母哉, 卒哭後, 朕雖許卿等帶紅, 而卿等, 宜引禮固辭, 況祥期之內, 朕常帶阜, 而卿等獨帶紅耶, 是何不義之甚乎?". 省官有欲帶紅鞓者, 諷同僚, 奏此議. 及是, 皆慚赧:節要轉載].

辛未[12日], [月入大微[太微]西藩:天文2轉載]. 太白, 自去年十月, 常晝見.

乙亥[16日], 幸外帝釋院.

[某日, 召還[前刑部尙書]李義旼. 義旼畏慶大升, 屢召不至, 及大升卒, 王懼其爲亂, 遣中使敦諭. 乃至, 引見便殿, 王畏其凶暴, 外加欣慰, 中外皆惜王之柔懦:節要轉載].

[→王屢召[前刑部尙書李義旼,而]不至, 及大升卒, 猶不至. 王懼爲亂, 授工部尙書, 遣中使敦諭, 乃至, 引見便殿. 王內實畏忌, 外加恩慰, 中外嘆王柔懦:列傳41李義旼轉載].

三月[庚寅朔小盡,戊辰], [壬辰[3日], 穀雨. 流星出危, 入羽林, 大如木瓜, 尾長七尺許, 色白疾行:天文2轉載].

[甲午[5日], 流星出大微[太微], 入庫樓, 大如缶, 尾長七尺許:天文2轉載].

辛丑[12日], 京城地震. [占曰, 臣不臣:五行3轉載].[156]

---

155) 이는 다음의 자료에 의거하였다.

· 「吳□實墓誌銘」, "公以西北面兵馬判官·義州分道, …".

156) 이 구절은 다음의 자료에서 따온 것이다.

· 『開元占經』 권4, 地占, 地動, "劉向洪範傳曰, 地動者, 臣不臣也, 臣下大貴也".

· 『論語』, 顔淵第12, "信如君不君, 臣不臣".

[丙午[17日], 熒惑入東井北垣:天文2轉載].
[是月, 中原府僧某等開板'普遍光明淸淨熾盛大隨求陁羅尼梵字軍陁羅相':追加].[157]

夏四月己未朔[小盡,己巳], 日食.[158]
[丁卯[9日], 月入大微[~~太微~~]:天文2轉載].
壬申[14日], 燃燈, 王如奉恩寺.
翌日[癸酉15日], 大會, 御延慶宮觀樂, 以國恤, 權停上元, 至是行之, 唯禁插花諸技.
[→翼日[癸酉15日], 大會, 觀樂. 燃燈上元事也, 以國恤, 權停, 至是行之. 唯禁插花諸伎:禮6國恤轉載].
戊寅[20日], [芒種]. 幸妙通寺.

[五月[戊子朔大盡,庚午]:追加],[159] 庚寅[3日], 以久旱, 慮囚.
[辛卯朔[~~辛卯~~4日], 流星從壘壁, 入羽林, 大如木瓜:天文2轉載].[160]
甲午[7日], 金祭奠使·大府監[~~太府監~~]完顔華等來.[161] [華, 初至西郊亭, 接伴使·大將軍

---

157) 이는 光州市 東區 芝山2洞 紫雲寺 木彫阿彌陀佛坐像(보물 제1507호)의 腹藏에서 나온『隨求陀羅尼經』의 題記에 의거하였다(松廣寺 所藏, 宋日基 2004년, 南權熙 2005년 ; 郭丞勳 2021년 130面).
· 題記, "如意寶印大隨求陁羅尼梵字軍陁羅相」高麗國中原府內[…[脫落]」… 中尹留 法界,往淨土之」願,彫板印施無窮者,」大定二十四年甲辰三月日記」".

158) 이날(율리우스력의 1184년 5월 12일)의 일식은 북동아시아 3국이 中心食帶에서 벗어나 있었기에 관측될 수 없었다(渡邊敏夫 1979年 308面).

159) 庚寅은 5월(戊子朔)의 3일이므로, 庚寅 앞에 五月이 탈락되었다.『고려사절요』권13에는 庚寅의 기사는 4월에, 그 이하는 5월에 수록되어 있다. 또 지8, 五行2, 金行에도 "十四年四月庚寅, 以久旱, 慮囚"로 되어 있음을 보아, 위의 오류는『고려사』의 편찬에서 발생한 것이 아니라『명종실록』의 편찬에서 생긴 것으로 추측된다.

160) 지2, 천문2에는 五月辛卯朔으로 되어 있으나, 4월이 宋曆·日本曆과 같이 己未朔이기에 辛卯朔이 될 수 없다. 또 4월이 宋曆·日本曆에서 小盡인데, 高麗曆이 大盡이라고 하여도 辛卯는 3일이 되는 셈이다. 그리고 7월이 宋曆·日本曆과 같이 丁亥朔이므로 5월을 戊子朔이어야 옳게 될 것이다.

161) 祭奠使 完顔華, 吊慰使 大仲允, 起復使 完顔三勝(永明) 등은 2월 27일(丙戌) 파견이 결정되었다고 한다.
·『금사』권8, 본기8, 世宗下, 大定 24년 2월, "丙戌, 以東上閤門使完顔進兒等爲高麗勅祭使, 西上閤門使大仲尹[大仲允]爲慰問使, 虞王府長史永明爲起復使".
·『금사』권61, 表3, 交聘表中, 大定 24년 2월, "丙戌, 以高麗王晧母喪, 遣東上閤門使完顔進兒·翰林修撰郝俣爲勅祭使, 西上閤門使大仲尹[大仲允]爲慰問使, 虞王府長史永明爲起復使".

張博仁, 舞蹈行問上禮. 華以博仁當國恤舞蹈. 譏之曰, “何失禮耶?”. 博仁猶不悟.[162] 至祭日, 華問曰, “太后畫像, 坐耶立耶?”. 對曰, “坐”, 華曰, “諸侯王母坐, 而天子使拜, 可乎? 必藏影幀, 乃入行事”. 王以問兩府, 僉曰, “不可”, 乃遣人, 陳諭再三, 從之, 登堂再拜奠酒:節要轉載]. [其□[祭]文曰, “惟靈, 早自慶閥, 來嬪侯藩. 始以婦道, 相其夫, 終以母慈, 保厥子, 遽違榮養, 良可哀憐. 宜加賻贈之恩, 仍致酒殽之奠, 貞魂如在, 寵歆其歆”:列傳1仁宗妃恭睿太后任氏轉載].

[→[明宗十四年五月], 仁睿[恭睿]太后之喪, 金遣太府監完顔辜來, 賜祭. 將祭, 辜問曰, “太后畫象, 坐耶立耶?”. 對曰, “坐”, 辜曰, “諸侯王母坐, 而天子使拜, 可乎? 必藏影幀, 乃入行事”. 王遣人, 陳諭再三, 辜從之. 王立庭下, 辜登堂, 再拜, 奠爵:禮6上國使祭奠贈賻弔慰儀轉載].[163]

丙申[9日], 金吊慰使·大將軍大仲允來.[164]

戊戌[11日], 起復使完顔三勝來.

癸丑[26日], 王引起復使, 受詔于大觀殿, 詔曰, “君子不奪人之喪, 盖將立敎, 聖人有變古之禮, 所以從宜, 義或可行, 事當無避. 晧, 分茅守土, 繼世象賢, 遜居海邦, 恪守侯職. 頃以貢章之上, 遽罹母氏之憂, 朕亦惻然, 卿何堪處. 言念大藩之寄, 豈宜小節之拘. 已勑有司, 俾還從政. 墨衰破敵, 是能達兵革之權, 哀慕在心, 何必重苴麻之飾. 祖宗之業, 不可以不念, 軍民之務, 不可以不修, 夙夜畏天之威, 安寧保國之業”.

丁巳[30日], 王宴金使于大觀殿, [使至, 不入曰, “王旣起復, 禮宜從吉, 結綵棚·奏樂·插花, 否則不受宴”. 王使人答曰, “雖受起復, 練祥未闋, 可從吉禮乎?”:節要轉載]. 使以不從吉禮, 怒不赴.[165]

[→丁巳, 王宴金使, 使不入曰, “今日之事, 是謂花宴. 况王旣起復, 禮宜從吉,

162) 이 구절은 지18, 禮6, 國恤에도 수록되어 있으나 자구에 출입이 있다.

163) 이 기사는 ~~添字~~와 같이 추가, 수정하여야 옳게 될 것이다. 仁睿太后 李氏는 文宗妃이고, 恭睿太后 任氏는 仁宗妃이다(朴潤美 2016년 54面).

164) 이때 晋光仁이 金使臣團의 接伴使가 되었다고 한다.

· 「晋光仁墓誌銘」, “… 及恭睿大后崩, 大金國遣使慰問, 詔以公爲接伴使, 客使至慈悲嶺留詩, 公卽援筆酬和, 詞氣淸絶, 都下競相傳寫, 爲□□[紙貴], 敎[詔?]可檢校禮賔卿行本職”.

165) 이때의 형편은 다음의 자료에도 반영되어 있다.

· 「金鳳毛墓誌銘」, “神宗之受內禪也, 金國宣問使抵此傳, 以先謁前國王, 然後致命於新君. 朝議難之. 時以公昔於恭睿大后升遐時, 大金勑祭使有所詰, 譯官·行人莫能措辞, 而公能辨對議者, 以公爲請. 於是, 承上命到舘, 諭以便宜, 隨問酬詰, 彼皆釋然, 從之. 由是, 朝廷益重焉”.

結彩棚, 奏樂插花, 可也. 不則不受享禮". 王使人答曰, "雖受起復, 練祥未闋, 可從吉禮乎?". 金使怒, 不赴宴:禮6國恤轉載].

六月戊午朔小盡,辛未, [辛酉4日, 太白犯天關:天文2轉載].

戊辰11日, 王乃宴金使于大觀殿, 竟不結棚·插花·奏樂.[166]

[癸酉16日, 流星出天津, 入天市垣:天文2轉載].

[○西部香川坊民家, 有小雀生雛, 大如山鵲. 占曰, "羽蟲之孽, 生非其類",[167] 國家擾亂之兆:五行1轉載].

秋七月丁亥朔大盡,壬申, □前樞密院使崔遇淸卒.[168] [遇淸, 性癡闇, 年至七十二, 乃乞退, 時人譏之:節要轉載].

[庚戌24日, 太白·歲星相犯:天文2轉載].

[某日, 制, "文武入流以上者, 妻之父母, 依親伯叔之妻, 齊衰周年, 給暇二十日:禮6五服制度轉載], [□又, 妻父母忌日, 依外祖父母式, 一日兩宵給暇":禮6百官忌暇轉載].[169]

[某日, 以崔孝著爲慶尙道按察使:慶尙道營主題名記].

八月丁巳朔小盡,癸酉, [戊午2日, 太白犯軒轅:天文2轉載].

甲子8日, [秋分]. 王以嬖妾死, 慟哭, □久不御肉·□不聽政.[170] [人笑之曰, "母后喪, 未五旬而復膳, 今反乃爾, 何失禮也":節要轉載].

---

166) 이 기사는 지18, 禮6, 國恤에도 수록되어 있다("戊辰, 宴金使, 竟不結棚·插花·奏樂").

167) 이 구절은 다음의 자료와 관련이 있다. 添字는『한서』권27中之下, 五行志第7中之下에 의거하였는데,『洪範政鑒』, 羽蟲之孽의 기술은 이 기사를 인용하였던 것 같다. 또 위의 기사는 b를 이용하였음에도 a을 擧名하였던 것 같다.

- a『開元占經』권108, 馬咎徵, 馬生人, "占曰, 畜生非其類, 子孫必有非其姓者, 後始皇蓋呂不韋子也. 史記曰, 秦孝公有馬生人, 劉向以爲皆馬禍也, …".
- b『洪範政鑒』권4하, 火行下, 羽蟲之孽, "京房□□易傳曰, 賊臣在國, 厥咎燕生爵, 諸侯銷一, 曰生非其類, 子不嗣世".

168) 樞密院使 崔遇淸은 守司空·左僕射로 致仕하였는데(열전14, 崔遇淸), 이 기사에서 實職을 기록하였던 것 같다.

169) 이 기사의 原文은 "七月, 制, 文武入流以上者, 妻父母忌日, 依外祖父母式, 一日兩宵給暇"인데, 적절히 變改하였다.

170) 添字는『고려사절요』권13에 의거하였다.

[→□□甲子, 王以嬖妾死, 久不御肉. 人譏之曰, "丁母后喪, 未五旬而復常膳, 今反乃爾, 何失禮之甚也":禮6國恤轉載].[171)]

[癸酉17日, 太白犯大微太微西藩上將:天文2轉載].

[己卯23日, 寒露. 流星出五車, 入參, 大如梨. 又太白入大微太微右掖門:天文2轉載].

[庚辰24日, □□太白犯右執法, 又犯鎭星:天文2轉載].

[乙酉29日晦, 龜州富壽門, 自動凡三日, 屋瓦皆飄落:五行2轉載].

[某日, 門下侍郞平章事李光挺·同知樞密院事·御史大夫文章弼, 屢以太白犯上將·執法, 詐上表辭職:節要轉載].[172)]

九月丙戌朔大盡,甲戌, [己亥14日, 流星犯軒轅:天文2轉載].

[某日, 門下侍郞平章事李光挺, 以太白退舍, 復就職:節要轉載].

丁未22日, 流諫議大夫宋詝·右司諫崔基厚·直史館王許召等六人于遠島.[173)] [時術人言, "太白犯上將, 武官必有厄". 於是, 武官欲移灾於文官, 將軍李時用等三十餘人詣闕, 構詝等罪, 請流. 王雖知無罪, 然柔弱無斷, 勉從其請, 人多冤之, 時用等, 猶慮未壓武官之厄, 追論中郞將金子格, 曾助慶大升, 踰入宮墻之罪, 請流于島, 從之:節要轉載].

[戊申23日, 流星出大陵, 入王良:天文2轉載].

庚戌25日, 賜八關寶判官琴克儀等及第.[174)]

---

171) 이 기사의 冒頭에 甲子가 탈락되었다.

172) 太白은 金星·啓明星(Venus)의 別稱이다. 上將은 北斗七星의 첫 번째 별인 魁星이 받들고 있는 箱子모양의 6星인 文昌宮의 첫 번째 별로서 武威를 주관한다고 한다. 또 執法星은 太微垣(Supreme Palace Enclosure)의 南方에 있는 端門이라고 불인 두 개의 별이다.
- 『사기』 권27, 天官書第5, "北斗七星, … 斗魁, 戴匡六星, 曰文昌宮, 一曰上將, 次曰次將, …".
- 『晋書』 권11, 志1, 天文上, 天文經星, "文昌六星, 在北斗魁前, 天之六府也, 主計集天道. 一曰上將, 大將軍建威武. 二曰次將, 尙書正左右. … 太微, 天子庭也, 五帝之坐也, … 南蕃中二星門曰端門. 東曰左執法, 廷尉之象也. 西曰右執法, 御史大夫之象也. 執法, 所以擧剌凶姦者也. 左執法之東, 左掖門也. 右執法之西, 右掖門也".

173) 『고려사절요』 권13에는 諫議大夫의 略稱인 諫議로 되어 있다.

174) 이와 관련된 기사로 다음이 있다. 이때 琴克儀(改儀)·趙準·宋進士王逢辰 등이 급제하였다(『동인지문오칠』 권7 ; 『등과록』, 朴龍雲 1990년 ; 許興植 2005년).
- 지27, 선거1, 科目1, 選場, "明宗十四年九月, 參知政事中書侍郞平章事文克謙知貢擧, 知奏事林民庇同知貢擧, 取進士, 庚戌, 賜琴克儀等三十一人·明經五人及第, 宋進士王逢辰, 別賜乙科".
- 『고려사절요』 권13, 명종 14년 9월, "時宋進士王逢辰, 隨商船而至, 乞赴試, 別賜乙科".

[癸丑[28日], 立冬. 流星出天節, 入天苑:天文2轉載].
[乙卯[30日], 熒惑與太白, 同舍:天文2轉載].

冬十月[丙辰朔大盡,乙亥], [甲子[9日], 流星出文昌, 入北斗魁, 大如梨:天文2轉載].
[丙寅[11日], 雷:五行1雷震轉載].
[丁卯[12日], 流星出狼, 入張:天文2轉載].
[戊辰[13日], 流星, 一出天津, 入河鼓. 一出王良, 入閣道:天文2轉載].
[壬申[17日], 熒惑犯太白:天文2轉載].
乙亥[20日], 設百座仁王會于大觀殿, 齋僧一萬于毬庭.
[戊寅[23日], 月入大微[太微]:天文2轉載].
[某日, [同知樞密院事·]御史大夫文章弼, 以太白退舍旣遠, 而宋許又當其灾, 故復就職, 然尙懷疑, 立喝道吏于馬後, 蓋不欲當執法位也:節要轉載].
[→時御史大夫文章弼, 屢以太白犯上將·執法, 詐上表辭職, 旣而太白退舍旣遠, 而許又富其災, 故章弼復就職, 然尙懷疑. 每出入, 立喝道于馬後, 不欲當執法位, 其誣天如此. 久之, 王念許非罪見謫, 召還將復用, 朝論未諧不果:列傳14宋許轉載].
癸未[28日], 金主[世宗], 以謁貞義皇后寢宮于東京, 詔停明年賀正及賀萬春節等使.[175)]

十一月丙戌朔[大盡,丙子], 幸外帝釋院.
[丁亥[2日], 大霧:五行3轉載].
[己丑[4日], 流星出婁, 入天倉, 大如木瓜, 尾長三尺許:天文2轉載].
甲午[9日], 親行虞祭.[176)]

---

175) 이 措置는 10월 1일(丙辰) 고려에 詔勅을 내려 上京[會寧府]은 날씨가 춥고 地域이 멀기[天寒地遠]에 使臣團의 왕래에 어려움이 있으므로 다음 해 賀正旦·生日使 및 進奉使의 파견을 1년간 中止시키고, 勅祭·慰問·起復을 謝禮하는 3番의 使臣도 이후의 사신과 함께 보내라고 한 것을 簡略하게 정리하였던 것 같다. 또 이 조치는 宋·高麗·夏 등에 함께 내려진 것으로서 本紀에는 11월 9일(甲午)에 수록되어 있고, 交聘表에는 高麗와 夏의 경우는 10월 1일(丙辰)에, 宋의 경우에는 11월 9일(甲午)에 내려진 것으로 기록되어 있다.
· 『금사』 권8, 본기8, 世宗下, 大定 24년 11월, "甲午[9日], 詔以上京天寒地遠, 宋正旦·生日, 高麗·夏國生日, 並不須遣使, 令有司報諭".
· 『금사』 권61, 表3, 交聘表中, 大定 24년, "十月丙辰朔, 詔上京天寒地遠, 行人跋涉艱苦, 來歲, 高麗賀正旦·生辰進奉使, 權止一年. 其謝勅祭·慰問·起復三番人使, 令以後隨朝賀人使, 同來".
176) 이 기사는 지18, 禮6, 國恤에도 수록되어 있다.

己亥[14日], 設八關會, 王觀樂于毬庭. [以太后祥月, 除賀禮. 初, 禮官奏, 仲冬乃太后忌月, 請於孟冬, 行八關禮.[177] 王以問宰相, 參知政事[中書侍郎平章事]文克謙曰,[178] "太祖始設八關, 蓋爲神祇[神祇]也, 後世, 不可以他事進退之, 況太祖禱于神明曰, '願世世仲冬無令有國忌, 若不幸有忌, 則疑國祚將艾也'. 故自統合以來, 仲冬無國忌, 今有之, 是國之災也. 而又以孟冬設八關, 固非太祖意, 禮官所奏不可許", 從之:節要轉載].[179]

[→己亥, 設八關會. 王觀樂于毬庭. 以太后祥月, 除賀禮及舞蹈·工人庭舞歌曲. 初, 禮官奏, 仲冬, 乃王太后忌日. 請於孟冬行八關禮. 王以問相府, 參知政事[中書侍郎平章事]文克謙曰, "太祖始設八關, 盖爲神祇也. 後世嗣王, 不可以他事進退之. 況太祖禱于神明曰, 願世世仲冬無令有國忌. 若不幸有忌, 則疑國祚將艾也. 故自統合以來, 仲冬無國忌. 今有之, 是國之災也. 而又以孟冬設八關, 固非太祖意. 禮官所奏不可許", 從之:禮6國恤轉載].

翌日[庚子15日], 大會, 又觀樂于毬庭.[180]

[○[門下侍郎]平章事李光挺, 上壽. 王曰, "惜哉, 卿之已老也". 光挺, 抆淚嗚咽, 蓋恐以老褫職, 人皆笑之. 明日, 光挺上表乞退. 舊例, 乞退者, 皆以其年十月, 光挺貪戀爵位, 至是乃乞:節要轉載].[181]

[乙巳[20日], 月與鎭星, 入大微[太微]:天文2轉載].

丁未[22日], 奉安太后眞于靈通寺仁宗眞殿.

庚戌[25日], 大閱于東郊.

[辛亥[26日], 小寒. 歲星犯軒轅:天文2轉載].

十二月[丙辰朔小盡,丁丑], [壬戌[7日], 流星出左角, 入庫樓:天文2轉載].

[癸酉[18日], 月入大微[太微]:天文2轉載].

[丙子[21日], □[月]犯氐星:天文2轉載].

甲申[29日晦], 以韓文俊爲門下侍郎平章事·判吏部事, 崔世輔爲門下侍郎平章事·判

177) 仁宗妃 恭睿太后 任氏(明宗의 妣)의 忌日은 11월 22일이다(→명종13년 11월 22일).

178) 參知政事는 中書侍郎平章事의 오류일 것이다. 文克謙은 前年(명종13) 12월 30일(庚寅) 중서시랑평장사에 임명되었으며, 그의 열전에는 옳게 되어 있다(열전12, 文克謙).

179) 이와 같은 기사가 열전12, 文克謙에도 수록되어 있다.

180) 이 기사는 지18, 禮6, 國恤에도 수록되어 있다.

181) 이와 같은 기사가 열전41, 鄭仲夫, 李光挺에도 수록되어 있다.

兵部事,[182] 中書侍郎平章事文克謙爲太子太保, 文章弼△爲參知政事,[183] 金光植金光軾·知奏事林民庇△並爲樞密院副使,[184] 工部尙書李義旼△爲守司空·左僕射, 大將軍鄭邦佑△爲知御史臺事, 李知命爲翰林學士承旨, 鄭允當爲吏部員外郞, 李居正爲左正言. [時宰相班次, 文俊在第二, 克謙第三, 世輔第四, 及文俊爲冢宰, 克謙當遷亞相, 然不欲居世輔之上, 先自退遜, 使世輔爲亞相. 邦佑起自電吏, 特授臺憲, 不滿人意. 允當年少無知, 其父世裕, 出爲兵馬使, 歛斂民財貨, 連獻內府, 及復命, 請授其子銓曹, 故有是拜. 居正無他才能, 王欲除正言, 問民庇曰, "居正, 其能沈默不臧否人物者歟, 抑孤立敢言者歟?". 民庇少與居正同學, 因薦曰, "居正, 性和平且訥默, 非耿介者也". 王曰, "若爾, 宜拜正言". 乃授之:節要轉載].

[→林民庇, 陞知奏事. 有李居正者, 少與民庇同學, 無他才能, 王欲授正言, 問民庇曰, "居正何如人. 能沈默不臧否人物者乎?". 對曰, "居正, 性和平且訥默, 非耿介者也". 王曰, "若爾, 宜爲正言". 乃授之:列傳12林民庇轉載].

○王凡用人, 唯與嬖臣·宦竪議, 親署□常參官以上, 封其草, 直付政曹, 名曰下批. 政曹據草謄寫, 更無奏議論. 由是, 奔競成風, 賄賂公行, 賢否混淆. 嬖臣·宦竪, 有所請托, 王問曰, "得賂幾何". 多則, 喜從其請, 否則, 延時日, 以冀其多. 故宦寺盜主權, 作威福, 甚於前朝. 且王之潛邸也, 光靖王后早薨, 不復立后. 故卽位之後, 嬖姬·孽子, 招權納賄, 竊弄威柄, 朝野缺望.[185]

[是年, 睿宗淑妃崔氏薨:列傳1睿宗妃淑妃崔氏轉載].

[○以任忠贇爲試殿中監:追加].[186]

[○以太子中尹充史館修撰官柳公權爲軍器監·太子侍講學士:追加].[187]

[○以前靈巖郡判官柳光植爲南面都監判官:追加].[188]

---

182) 이때 崔世輔는 門下侍郎平章事·判兵部事·上將軍에 임명되었다(열전13, 崔世輔).

183) 이때 文章弼은 參知政事·上將軍이었다(열전13, 鄭世裕).

184) 金光植은 大將軍으로 西京制置使로 임명되었다가(명종 8년 4월 18일), 殿中監(명종 11년 12월 28일)을 역임한 金光軾의 오자로 추측된다. 또 그의 壻인 琴儀의 묘지명에 의하면, 최종 관직이 樞密院使로 되어 있다.

185) 光靖王后 金氏(明宗妃 光靖太后 金氏)의 逝去 時期가 기록되어 있지 않은 것은 明宗이 卽位하기 이전이기 때문일 것이다.

186) 이는 「任忠贇墓誌銘」에 의거하였다.

187) 이는 「柳公權墓誌銘」에 의거하였다.

188) 이는 「柳光植墓誌銘」에 의거하였다.

[○以明宗2年國子監試1等金光祖爲衿州監務:追加].[189]

[是年頃, 攝大將軍朴康壽爲監門衛大將軍, 仍令致仕:追加].[190]

乙巳[明宗]十五年, 金大定二十五年, [南宋淳熙十二年], [西曆1185年]

1185년 2월 2일(Gre2월 9일)에서 1186년 1월 22일(Gre1월 29일)까지, 355일

春正月乙酉朔大盡,戊寅, [甲午10日, 日有黑子, 大如梨:天文1·節要轉載].

丁酉13日, 以文克謙爲中書侍郎平章事·判禮部事. [先是, 克謙當爲亞相, 讓于崔世輔, 世輔又牢讓曰, 我於文公, 受恩實多, 敢居其上. 王以禮部在兵部上, 拜克謙判禮部爲亞相, 世輔次之. 識者, 美其有相<u>讓之風</u>:節要轉載].[191]

[→明宗十五年, 判禮部事. 時韓文俊於班次爲第二, 次克謙, 次崔世輔. 及文俊爲冢宰, 克謙當遷亞相, 然不欲居世輔上, 先自退遜, 使世輔判兵部, 登亞相, 己居其次. 世輔亦牢讓曰, 我於文公, 受恩實多, 敢居其上. 王以禮部在兵部之上, 故拜克謙判禮部□事, 爲亞相, 世輔次之, 識者多其讓:列傳12文克謙轉載].

戊戌14日, 燃燈, 王如奉恩寺.

[○木稼:五行2轉載].

翼日己亥15日, 大會, 王觀樂于天數殿, 以國恤, 除插花.

[庚子16日, 月入<u>大微</u>太微:天文2轉載].

辛丑17日, 西北面兵馬使李知命, 獻契丹絲五百束. 知命之陛辭也, 王召入內殿, 親諭曰, "義州雖禁兩國互市, 卿宜取龍州庫紵布, 市丹絲以進". 故有是獻. 毅宗時, 凡金國所贈絲絹等物, 半入內府, 以需御用, 半付<u>大</u>~~府~~太府, 以充經費, 王卽位以後, 悉入內府, 賜諸嬖勝, 府藏虛渴, 徵求□□~~兩界~~至□□~~於如~~此.[192]

[甲辰20日, 流星出翼, 入參:天文2轉載].

[某日, 以崔迪完爲慶尙道按察使:慶尙道營主題名記].

---

189) 이는「金有臣妻李氏墓誌銘」에 의거하였다.

190) 이는「朴康壽墓誌銘」에 의거하였다.

191)『고려사절요』에서 文克謙과 崔世輔의 謙讓之事가 명종 14년 12월과 15년 1월에 重出되어 있다.

192) ~~添字~~는『고려사절요』권13에 의거하였는데, 이렇게 고쳐야 옳게 될 것이다.

[二月[乙卯朔小盡,己卯], 丁丑[23日], 夜, 東西方天際, 有赤色, 如火影:五行1轉載].

[戊寅[24日], 日有黑子, 大如梨:天文1·節要轉載].

[辛巳[27日], 日無光:天文1·節要轉載].

[某日, 東宮牽龍指諭有缺, 樞密院副使曹元正, 欲補以其子, 詣闕陳請. 王使中官, 諭曰, “尙書史正儒之子, 已補矣”. 元正勃然而怒, 畜罵中使曰, “何正儒之子爲可, 而元正之子獨不可耶?”. 聞者, 雖無知悍卒, 莫不痛憤. 元正, 性貪暴, 嘗出爲東北面兵馬使, 奪人財貨, 不可勝計, 至有見長髮者, 必翦以爲髢, 多至二馱. 又歛[斂]馬衣, 驛送于家:節要轉載].

[→東宮牽龍指諭缺, [樞密院副使曹]元正請以其子補之, 王令中官諭曰, “已用尙書史正儒子矣”. 元正勃然, 畜罵中使曰, “何正儒子可, 而元正子獨不可耶?” 聞者, 莫不痛憤. 元正性貪暴. 嘗請芻於將作注簿李長同, 長同不許罵曰, “多奪人田, 富有錢穀, 猶以爲不足, 又求官物耶? 何貪之甚也?” 元正聞之, 怒諷重房, 以他事論奏, 流南方. 嘗爲東北面兵馬使, 奪人貲貨, 不可勝計. 至歛馬衣, 送其家, 見長髮者, 必剪其髮, 以爲髢, 多至二馱:列傳41曹元正轉載].

[是月, 建瑞峯寺玄悟國師宗璘塔碑, 興王寺大師敏求刻字:追加].[193]

三月甲申朔[大盡,庚辰], 王如靈通寺.

[乙酉[2日], 太白犯月:天文2轉載].

[庚子[17日], 日有黑子:天文1·節要轉載].

[辛丑[18日], 亦如之[日有黑子]:天文1·節要轉載].

丁未[24日], 親設藏經道場于明仁殿.

[某日, 以大將軍鄭邦佑爲西北面兵馬使. 先是, 以邦佑爲兵馬使, 重房奏, 昔陳淑爲兵馬使, 邦佑以雹吏從行. 北蕃吏民, 尙有記其面者, 若令出鎭, 人心不服, 徒示國家無人也. 請還其詔, 王從之. 至是, 更遣之, 臺諫無敢言者. 然邦佑之任, 公廉率法, 威惠竝施, 一方畏服:節要轉載].[194]

[某日, 兵部尙書朴純弼, 大營私第於東宮之旁. 太子告王曰, “術人, 以爲朴尙書第, 於東宮, 爲月建之方, 不宜營造, 臣力不能禁, 請上禁之”. 王曰, “朴尙書, 必不聽我言, 但汝修省, 以銷變耳”. 聞者, 莫不憤歎:節要轉載].[195]

---

193) 이는 「龍仁瑞峯寺玄悟國師塔碑」에 의거하였다.

194) 이와 같은 기사가 열전13, 鄭邦佑에도 수록되어 있다.

[某日，命文臣，製瀟湘八景詩，倣其詩意，摹寫爲圖．王精於圖畫，與畫工高惟訪·李光弼等，繪畫物像，終日忘倦，尤工山水．軍國萬機，不以介懷，近臣希旨，凡奏事，以簡爲尙．○光弼子年少，以征西功，補隊正，正言崔基厚議曰，“此子年甫二十，則在征西之時，方十歲矣，豈有十歲童子從軍者歟?”，堅執不署．王召基厚，責曰，“爾獨不念光弼榮吾國耶? 微光弼，三韓圖畫，殆絶矣”．基厚乃署之．○光弼父寧，少以畫知名，仁宗時，隨李資德入宋，徽宗勑寧，畫本國禮成江圖．旣進，徽宗嗟賞曰，比來，高麗畫工，隨使至者多矣，唯寧爲妙手，賜酒食·錦絹．仁宗得宋商所獻畫圖，以爲中華奇品，悅之，召寧誇示，寧曰，“是臣之筆也”．仁宗不信，寧取圖拆粧背，果有其姓名:節要轉載].[196]

夏四月甲寅朔小盡,辛巳，乙亥22日，幸妙通寺．

[○開城府馬川里女，一產三子:五行1人痾轉載]．

是月，王患虛羸，嘗餌栢子仁酒，栢子仁不佳，御醫奏云，“栢子仁產雞林者最艮~~最良~~,請遣中使求之”．不許．請遣郵吏，又不許曰，“今農事方殷，恐無知小人，憑籍~~憑藉~~朕命，擾民妨農．寧輟藥物，豈可使東作之民廢其業耶?”．遂不復御．[197]

[史臣曰，“王爲一州之騷擾，輟其攝生之藥，非有仁心者，能然耶．若能剛斷，而杜嬖倖之路，則不失爲明主矣”:節要轉載]．

[○散員同正盧克淸家貧，將賣宅未售，因事之外郡，其妻受都官郎中玄德秀白銀十二斤，賣之．及克淸還，詣德秀曰，“予嘗買此家，只給九斤耳，居數年，無所加飾，而贏得三斤，豈理也，請還之”．德秀曰，“爾能守義，而予獨未耶”．遂不受．克淸曰，“予平生不爲非義，豈可賤買貴賣，以黷于貨，子若不從，卽當悉還其直，復吾家也”．德秀不得已受之，因謂曰，“予豈不逮克淸者乎?”．遂施銀佛寺．聞者，莫不歎息曰，“末俗競利之時，得見如此人耶?”:節要轉載].[198]

[○普濟寺住持·性印禪師淵懿，茶井寺住持·重大師冲默，重大師思秀等建醴泉龍門寺記碑:追加].[199]

---

195) 朴純弼은 1187년(명종17) 7월 30일 樞密院使로 在職하고 있음을 감안하면, 이때 知樞密院事로서 兵部尙書를 兼職하였을 것으로 추측된다.

196) 이와 같은 기사가 열전35, 方技, 李寧에도 수록되어 있다(→인종 2년 9월 是月條의 脚注).

197) ~~添字~~와 같이 고쳐야 옳게 되는데, 『고려사절요』 권13에는 바르게 되어 있다.

198) 이 기사는 열전12, 玄德秀에도 수록되어 있으나 자구에 출입이 있다.

199) 이는 「醴泉重修龍門寺記碑」에 의거하였다,

五月癸未朔小盡,壬午, 丙戌4日, 遣右散騎常侍宋端, 禖祭于昇天府白馬山, 爲太子祈嗣.

[→丙戌, 以太子無嗣, 遣使, 禖祭于白馬山:禮5雜祀轉載].[200)]

[壬辰10日, 歲星犯軒轅:天文2轉載].

[是月, 右承宣趙永仁, □□□□□掌國子監試, 取詩賦崔文牧等, 十韻詩丁光祐等, 明經五人:選擧2國子試額轉載].

六月壬子朔大盡,癸未, 癸丑2日, [小暑]. 王如奉恩寺.

[某日, 參知政事·上將軍文章弼等諸將軍, 詣闕, 劾刑部尙書鄭世裕, 嘗爲西北面兵馬使, 歛斂民繭絲及珍玩之物, 詐稱貢獻, 驛輸其家. 及在刑部, 舞文弄法, 以賄賂多少, 出入人罪, 請流遠島, 從之. 國人大悅:節要轉載].

[→明宗時, 以鄭世裕爲西北面兵馬使, 歛民財貨, 數獻內府, 王遣其子叔瞻, 齎手詔奬諭. 世裕還, 請授其子允當銓曹, 允當年少無知, 乃授吏部員外郞. 世裕累官刑部尙書, 時, 叅知政事·上將軍文章弼等諸將軍劾奏, 世裕嘗在西北面, 歛民繭絲及珍玩之物, 詐稱貢獻, 驛輸其家. 又在尙書省, 署永州吏崔安戶長公牒已成, 世裕納水州吏崔少賂, 改永爲水, 安爲少, 以其牒給少. 事覺, 法當流, 以計獲免. 今爲刑部, 先坐衙, 同列有後至者, 輒畜罵逐之. 專權自恣, 舞文弄法, 視賄賂多少, 出入人罪. 請流遠島, 以戒後人. 制從之, 國人大悅:列傳13轉載].[201)]

丙寅15日, 有侍御史二人, 與宦官崔東秀, 會于廣眞寺, 爲流頭飮. 國俗, 以是月十五日, 沐髮於東流水, 祓除不祥, 因會飮, 號流頭飮.[202)]

[史臣曰, "商鞅因景監見, 趙良寒心, 趙談驂乘, 爰絲袁絲·袁盎變色.[203)] 是故, 有

200) 이 기사의 冒頭에 '明宗十四年五月'로 되어 있으나 十四年은 十五年의 오류일 것이다.

201) 水州吏 崔少는 水州[水原都護府]의 土姓인 것 같고, 永州吏 崔安은 永州[永川郡]의 土姓이 아니라 來姓이다. 이 時期에 來姓도 해당 군현의 戶長에 임명될 수 있었던 것 같다.

202) 6월 15일[流頭]에 이루어지던 洗髮, 飮酒와 관련된 자료로 다음이 있다. 또 이때 행해지던 災殃을 떨치기 위한 祓除飮酒[禊飮]는 中原에서는 3월 3일[上巳]에 행하던 風俗이라고 한다.
- 『동국이상국집』 후집권4, 六月十五日池上, "… 我國以此日爲禊飮, … 俗以此日爲流頭日, …".
- 『목은시고』 권24, 六月十五日. 鄕人就東流水頭作會, 名曰流頭日, ….
- 『신증동국여지승람』 권21, 慶州府, 風俗, 俗東流水, "金克己集, 東都遺俗, 以六月望云云, 因爲禊飮, 謂之流頭飮, 盖以河朔避暑之飮, 誤爲禊飮耳".
- 『후한서』 권14, 禮儀志上, "是月上巳, 官民皆絜潔於東流水上, 曰洗濯祓除去宿垢疢, 爲大絜潔. 劉昭注, 韓詩曰, 鄭國之俗, 三月上巳, 之溱·洧兩水之上, 招魂續魄, 秉蘭草, 祓除不祥". 여기에서 添字는 필자가 추가한 것이다.
- 『荊楚歲時記』, "… 四民並出江渚池沼間, 臨淸流, 爲流觴, 曲水之飮".

志之士, 羞托宦豎, 况處臺閣, 任風憲者, 而與宦豎宴會乎. 惜哉, 王無知人之明, 使詔佞接跡於臺, 雖欲理國, 其可得乎?":節要轉載].

[癸酉22日, 太白入大微太微右掖門. 流星出胃, 入畢, 大如梨:天文2轉載].

[是年夏, 無蠅:五行1恒寒轉載].

[秋七月壬午朔小盡,甲申, 丙戌5日, 月入大微太微:天文2轉載].

[某日, 以李純祐李純佑爲中書舍人·知制誥.[204] 純祐純佑, 能屬文, 嘗直翰林院, 王太后患乳瘡, 王命作祈禱文, 其辭, 有瘡生母乳, 痛在朕心之句. 王覽而歎曰, "先得朕心矣". 由是, 特加寵眷, 累遷至翰林學士:節要轉載].

[某日, 以蔡甫文爲慶尙道按察使:慶尙道營主題名記].

八月辛亥朔大盡,乙酉, 丙辰6日, 太白經天.

[戊午8日, 熒惑犯天街:天文2轉載].

己未9日, 王御便殿, 斷刑部所奏重刑.

[乙丑15日, 戶部版籍庫災:五行1火災轉載].

壬申22日, 親行八虞祭.[205]

[丙子26日, 太白犯房星:天文2轉載].

是月, 金男女十八人來, 投登州霜陰縣, 下詔發還.[206]

[○有南原郡人, 與郡吏有隙, 至其家, 縛吏于柱, 遂火其家, 而燒殺之. 群臣議以鬪殺論, 制云, "原其罪狀, 宜鈒面充常戶". ○又有陵城人綾城人,[207] 以鞭, 擊負兒

---

203) 이 구절은 다음의 자료에서 따온 것이다

· 『한서』 권62, 司馬遷傳第32, "昔衛靈公與雍渠載, 孔子適陳, 商鞅因景監見, 趙良寒心, 同子趙談驂乘, 爰絲變色, 自古而恥之".

204) 이 기사는 李純佑(혹은 李純祐, 『동국이상국집』에도 兩者로 表記됨)의 열전에도 수록되어 있다.

· 열전12, 李純佑, "明宗初, 遷供驛丞, 兼直翰林院, 時王太后患乳瘡, 王命純佑, 作祈禱文. 有瘡生母乳, 痛在朕心之句, 王覽而嘆曰, '先得朕心矣'. 由是, 特加寵眷, 擢除右正言·知制誥".

205) 이 기사는 지18, 禮6, 國恤에도 수록되어 있다.

206) 고려시대에는 北方民族이 投化를 요청하였을 때는 犯法人을 제외하고 대부분 수용하였는데 비해 이때 歸還[發還]시킨 事由를 알 수 없다.

207) 陵城縣의 다른 표기는 綾城縣인데, 『고려사』에서 兩者가 並用되었다.

· 지11, 지2, 全羅道, "陵城縣[陵一作綾], 本百濟尒陵夫里郡, 新羅景德王, 改爲陵城郡. 高麗

女, 女驚怖投水死. 群臣亦以鬪殺論, 制曰, "使母子, 一時俱死, 其以劫殺論":刑法1殺傷轉載].

九月辛巳朔小盡,丙戌, [乙未15日, 月食:天文2轉載].[208)]
丙申16日, 設藏經道場于明仁殿.
[甲辰24日, 月食軒轅第一星. 鎭星犯大微太微東藩:天文2轉載].
[丙午26日, 月犯大微太微東藩, 又與鎭星同舍. 歲星入大微太微西藩右掖門:天文2轉載].
[某日, 門下侍郞平章事韓文俊, 以星變, 上箚子, 詐乞退, 不允:節要轉載].[209)]

冬十月庚戌朔大盡,丁亥, 日食.[210)]
[辛亥2日, 歲星犯大微太微右執法:天文2轉載].
[庚午21日, 小雪. 日有黑子:天文1·節要轉載].
[壬申23日, 月入大微太微, 犯屛星:天文2轉載].
[戊寅29日, 木稼:五行2轉載].

十一月庚辰朔大盡,戊子, 壬午3日, 遣上將軍梁翼京·郞中崔素如金, 謝致祭, 郞將康用儒, 謝吊慰, 將軍崔仁, 謝起復,[211)] 郞將崔文淸, 賀正.[212)]

初, 屬羅州. 仁宗二十一年, 置縣令. 有仁物島".
· 『세종실록』 권151, 長興都護府, "綾城, 縣令一人. 本百濟爾陵夫里郡, 新羅改綾城郡, 高麗初, 屬羅州任內, 仁宗癸亥, 置縣令, 本朝因之".

208) 이날 宋에서는 월식이 예측되었으나 구름으로 보이지 않았다고 하고(『송사』 권52, 지5, 천문5, 月食), 일본의 京都에서 16일(丙申)에 월식이 있었다고 한다. 또 월식 현상이 심했던 때의 世界時는 22시 24분, 食分은 0.53이었다(渡邊敏夫 1979年 477面).

209) 箚子는 열전12, 韓文俊에는 箚字로 되어 있으나 오자이다.

210) 이날(율리우스력의 1185년 10월 25일)의 일식은 북동아시아 3국이 中心食帶에서 벗어나 있었기에 관측될 수 없었다(渡邊敏夫 1979年 308面).

211) 謝致祭使 梁翼京·崔素, 謝吊慰使 康用儒, 謝起復使 崔仁 등의 使臣은 12월 29일(戊寅)에 謝禮하였다.
· 『금사』 권61, 表3, 交聘表中, 大定 25년, "十二月戊寅, 高麗戶部尙書梁翼京·□太府少監崔素謝勅祭, 司宰少卿康用儒謝慰問, 禮賓少卿崔仁謝起復".

212) 崔文淸은 다음 해(大定26) 正旦에 賀禮하였던 것 같다. 이와 관계된 燒飯의 의미는 다음의 자료를 통해 알 수 있다(張英 2001年).
· 『금사』 권8, 본기8, 世宗下, 大定 26년 1월, "庚辰朔, 宋·高麗·夏遣使來賀".
· 『금사』 권61, 表3, 交聘表中, 大定 26년 1월, "庚辰朔, 尙書工部侍郞崔仁請崔文淸賀正旦, 以

癸巳[14日], 設八關會, 王如法王寺.

[甲午[15日], 日珥:天文1轉載].

[庚子[21日], 太史奏, "自立冬[10月乙卯6日]以來, 沉霧, 又自今月七日, 至十日, 濛霧, 奸臣謀君, 其變可畏. 請修德消變". 王但禱佛·祈神而已:五行3轉載].

[→太史奏, "自立冬以來, 沈霧, 今又連日濛霧. 霧者邪氣也, 陰來衝陽,[213)] 姦臣謀君, 在天爲濛, 在地爲霧, 其變可畏, 請修德銷變". 王但禱佛·祈神而已:節要轉載].

[辛丑[22日], 冬至. 月犯鎭星:天文2轉載].

[癸卯[24日], 亦如之[日珥]:天文1轉載].

己酉[乙巳26日], 工部尙書□□[致仕]咸有一卒.[214)] [有一, 起於胥吏, 從軍有功, 補選軍記事, 夙夜刻苦, 家貧, 常衣敝履穿. 時, 禁軍廚食不如式. 軍士議曰, "若得敝衣記事, 必不如是". 會兩府擧廉吏, 樞密使王冲薦之, 屬內侍, 勾當軍廚事, 嘗受賜金帛, 盡賣之, 具軍廚什器. 又力排異端, 嘗掌橋路都監, 京城巫家, 悉徙郊外, 凡諸淫祀, 皆焚毁之. 登州城隍神, 屢降於巫, 奇中禍福. 有一爲朔方道監倉使, 行國祭, 揖而不拜. 有司希旨, 劾罷之. 平生不事生産, 衣用麻布, 器用陶瓦. 其妻謂曰, "諸兒欲及君生時頗立產業基址, 何不慮也?". 答曰, "予早孤無援, 淸苦守節, 以立門

宣孝太子未大燒飯, 詔權停三日曲宴禮, 三國人使, 各賜在館宴".

- 『三朝北盟會編』 권3, 政宣上帙3, "重和二年正月十日丁巳, 金人李善慶等至京師. 是日, 李善慶等入國門館於寶相院, … 女眞, 古肅愼國也, 本名朱理眞, 番語訛爲女眞, 本高麗朱蒙之遺種, 或以爲黑水靺鞨之種, 而渤海之別族, 三韓之辰韓. 其實, 皆東夷之小國. 世居混同江之東, 長白山鴨淥水之源, … 其死者, 則以刀剺額, 血淚交下, 謂之送血淚. 死者埋之, 而無棺槨, 貴者, 生焚所寵奴婢·所乘鞍馬, 以殉之. 所有祭祀飮食之物, 盡焚之, 謂之燒飯"(木版本은 5面 右에, 活字本은 6面 左에 있다).
- 『虜廷事實』, 血泣, "嘗見女眞 貴人, 初亡之時, 其親戚·部曲·奴婢, 設牲牢·酒饌, 以爲祭奠, 名曰燒飯. 乃跪膝而哭, 又以小刀, 輕厲液上, 血淚淋漓不止, 更相拜慰. 須臾則男女雜坐, 飮酒舞弄, 極其歡笑. 此何禮也".
- 『大金國志』 권39, 初興風土, "… 其親友死, 則以刀剺額, 血淚交下, 謂之送血淚. 死者埋之, 而無棺槨, 貴者, 生焚所寵奴婢·所乘鞍馬, 以殉之. 其祭祀飮食之物, 盡焚之, 謂之燒飯".

213) 이 구절은 『晋書』 권12, 지2, 天文中, 雜氣, "凡白虹者, 百殃之本, 衆亂所基. 其霧者, 衆邪之氣, 陰來冒陽"을 인용한 것이다(→의종 18년 11월 22일의 脚注).

214) 咸有一이 己酉(30일)에 逝去하였다고 되어 있으나, 그의 묘지명에는 11월 26일(乙巳)에 逝去하였다고 되어 있음을 보아 오류일 것이다(咸有一墓誌銘). 이는 『고려사』를 편찬할 때 『명종실록』을 적절히 축약하지 못한 결과로 추측된다(張東翼 2015년b). 또 이날은 율리우스曆으로 1185년 12월 19일(그레고리曆 12월 26일)에 해당한다.

戶，兒輩但當正直節儉，以俟命耳，何慼慼於貧窶乎?". 卒，年八十，遺命薄葬:節要轉載].

十二月[庚戌朔大盡,己丑]，[壬戌[13日]，日暈，左右珥，東有背氣:天文1轉載].

甲子[15日]，命旌孝子尉貂門. [王聞散員同正尉貂，割股肉，以治其父惡疾. 命宰相議褒賞，[門下侍郎平章事]韓文俊·文克謙等奏曰，"唐安豊縣民李興，父被惡疾，興自刃股肉以饋，旌表門閭. 今貂，契丹遺種，不曉文字，乃能不愛其身，殘肌饋父，及歿，廬塚三年，以盡其孝，宜如舊典，旌門書策，垂示無窮"，從之:節要轉載].

[→尉貂，本契丹人，明宗朝，爲散員同正. 父永成患惡疾，醫云，"用子肉，可治". 貂，即割股肉，雜置餛飩中，饋之，病稍閒. 王聞之，詔曰，"貂之孝，冠絶古今. 傳云，'孝者百行之源'. 又曰，'求忠臣於孝子之門'.[215] 則貂之孝，在所必賞". 命宰相議加褒賞，韓文俊·文克謙等奏曰，"唐安豊縣民李興，父被惡疾，興自刲股肉，假他物以饋父，病甚不能啖，經宿而死. 刺史上其事，旌表其閭里. 今貂，契丹遺種，不解書，乃能不愛其身，殘肌饋父. 及沒，又廬墓三年不懈，可謂能盡其孝. 宜表里門，書諸史策，垂示無窮"，制可:列傳34尉貂轉載].

丙寅[17日]，慮囚.

己卯[30日]，以杜景升△[爲]參知政事，李商老爲吏部尙書，李俊昌爲大僕卿[~~大僕卿~~]. [○商老，父仲孚，坐與妙淸善，流淸州，商老隨父以居，放浪逐酒徒. 有一僧，袖一卷書，授之，乃醫書也. 因以業醫，毅宗有足疾，不能治，聞其名，召治之，立愈，賜綾帛，累承恩眷，遂通顯. 然素無學術，不宜銓曹，識者譏之. ○俊昌母，睿宗宮人之出也. 舊例，宮人爲賤隷，其子孫限七品，唯登科者，至五品，俊昌拜三品，臺諫畏縮，無敢言者:節要轉載].[216]

[時妖言，"江南婦女，美艶，無夫壻者，皆死". 於是，至有淫奔街巷者. 王聞之，命有司，設佛事以禳之:節要轉載].

[→是年，妖言，"江南婦女，美艶，無夫壻者，皆死"，良家女聞之曰，"吾屬當死，

---

215) 이 구절은 다음 자료를 인용한 것 같다.
· 『후한서』 권26，韋彪列傳第16，"… 是時，陳事者，多言郡國貢擧率非功次，… 有詔下公卿朝臣議. [大鴻臚韋]彪上議曰，伏惟明詔，憂勞百姓，垂恩選擧，務得其人. 夫國以簡賢爲務，賢以孝行爲首. 孔子曰，'事親孝故忠可移於君，是以求忠臣必於孝子之門'. 夫人才行少能相兼，…".

216) 李商老에 관한 기사는 열전35，方技，李商老에，李俊昌에 관한 기사는 열전13，李俊昌에 각각 수록되어 있다.

何所惜". 至有淫奔街巷者, 王聞之, 命有司, 設佛事以禳之:五行2轉載].

[是年, 咸寧伯璞卒. 璞尙毅宗女安貞宮主, 宮主□[蕃]召伶人學琴, 遂私之. 明宗朝, 以璞不能治家, 詔削職, 居二年復職:列傳3顯宗王子平壤公基轉載].[217]

[○司宰卿兼諫議大夫王世慶卒, 年六十四. □□[世慶], 性淳厚, 好揚人善. 王常呼爲直臣. 然在諫省九年, 無一建白, 物議少之:列傳12王世慶轉載].

[○以[前司宰少卿]晋光仁爲試兵部侍郎:追加].[218]

[○以正覺僧統靈炤爲大選都聽:追加].[219]

丙午[明宗]十六年, 金大定二十六年,[220] [南宋淳熙十三年], [西曆1186年]

1186년 1월 23일(Gre1월 30일)에서 1187년 2월 9일(Gre2월 16일)까지, 3개월 383일

春正月庚辰朔[小盡,庚寅], 放朝賀.

癸未[4日], 令同正朴元實, 以飛語告重房曰, "校尉張彦夫等八人謀亂". 重房捕詰彦夫, 對曰, "方今執政用事者, 貪鄙, 酷愛白銀, 賣官鬻爵, 多行不法. 擬斷如此人頭, 喞其口以銀, 廣示朝野, 使人人知貪銀以死也". 彦夫竟見殺, 元實超拜散員.

[戊子[9日], 歲星犯右執法:天文2轉載].

辛卯[12日], 遣□□[戶部]侍郎文義赫如金, 進方物,[221] 禮賓卿柳公權, 賀萬春節.[222]

---

217) 이는 다음의 기사를 전재하여 적절히 變改하였다.
- 열전3, 顯宗王子, 平壤公基, "璞, 尙毅宗女安貞宮主, 加守司徒, 封咸寧伯. 宮主召伶人學琴, 遂私之, 明宗朝, 以璞不能治家, 詔削職, 居二年復職".

218) 이는 「晋光仁墓誌銘」에 의거하였다.

219) 이는 「靈通寺住持·正覺僧統靈炤墓誌銘」에 의거하였다.

220) 이해는 禮部侍郞 權敬中의 史論 2点이 있음을 보아 그가 편찬한 『명종실록』의 4年分의 일부일 것이다.

221) 文義赫은 2월 29일(丁丑) 方物을 바쳤다고 한다.
- 『금사』 권61, 表3, 交聘表中, 大定 26년, "二月丁丑, 高麗戶部侍郎門義赫[文義赫]進奉".

222) 柳公權은 3월 1일(己卯朔)에 萬春節을 賀禮하였던 것 같다.
- 『금사』 권8, 본기8, 世宗下, 大定 26년 3월, "己卯朔, 萬春節, 宋·高麗·夏遣使來賀".
- 『금사』 권61, 表3, 交聘表中, 大定 26년, "三月己卯朔, 高麗禮部侍郎柳公權賀萬春節".
- 「柳公權墓誌銘」, "丙午, 奉使北朝, 周旋中矩, 禮無違者, 北人因敬焉. 上嘉其不辱君命, 改授吏部侍郎".

癸巳[14日], 燃燈, 王如奉恩寺.

丙申[17日], 金遣昭毅大將軍耶律履來, 賀生辰.[223)]

戊戌[19日], 宴金使.

[己亥[20日], 月有冠兩珥:天文2轉載].

辛丑[22日], [雨水]. 王告卽吉于景靈殿.

[壬寅[23日], 雨土:五行3轉載].]

丙午[27日], 祔恭睿太后于大廟[太廟].[224)]

[戊申[29日晦], 木覔堂, 鳴二十餘日:五行1鼓妖轉載].

[○西京仁王寺南川東石, 大如甕, 夜自移于川西:五行2轉載].

[某日, 以吳敦信爲慶尙道按察使:慶尙道營主題名記].

二月[己酉朔大盡,辛卯], 庚申[12日], 金遣大府監[太府監]耶律圭來, 落起復.

壬戌[14日], 宴金使于大觀殿.

[丙寅[18日], 西京妙德寺井水, 沸流于外者, 凡十九日:五行1水潦轉載].

[丁丑[29日], 太史奏, "歲星, 自乙巳[明宗15年]十月, 守大微[太微], 至十二月十五日[乙丑]退行, 至今年二月丁巳[9日驚蟄], 犯右執法, 實爲咎徵, 請修德銷變":天文2轉載].

[是月, 雨雪于俗離山, 消而爲水, 其色如血:五行1轉載].

[三月[己卯朔小盡,壬辰], 丁亥[9日], 淸明. 鎭星犯大微[太微]東藩上相:天文2轉載].

[某日, 殿中監任忠贇卒, 年六十六:追加].[225)]

夏四月[戊申朔大盡,癸巳], 己酉[2日], 政堂文學致仕崔汝諧卒,[226)] [年八十六, 輟朝三日, 謚文貞:列傳13轉載]. [王在潛邸, 汝諧爲其府典籤, 感異夢, 歸心於王. 爲羅州判官, 求名果·海脯, 厚餽於府, 王深感之, 及卽位, 汝諧賫表詣闕, 隨例朝參, 王不之

· 열전12, 柳公權, "後以禮賓卿如金, 賀萬春節, 金人稱其知禮".

223) 耶律履는 前年(大定25) 11월 23일(壬寅)에 파견이 결정되었다.

· 『금사』 권8, 본기8, 世宗下, 大定 25년 11월, "壬寅, 以禮部員外郞移剌履爲高麗生日使".

· 『금사』 권61, 表3, 交聘表中, 大定 25년, "十一月壬寅, 以尙書禮部員外郞移剌履爲高麗生日使".

224) 이 기사는 지18, 禮6, 國恤에도 수록되어 있으나 祔가 附로 잘못되어 있다.

225) 이는 「任忠贇墓誌銘」에 의거하였다.

226) 이날은 율리우스曆으로 1186년 4월 22일(그레고리曆 4월 29일)에 해당한다.

知也. 及陛辭, 因宦官以奏, 王始驚曰, "崔典籤來矣, 朕不省也". 引見慰藉之, 尋授正言, 驟歷侍御史·寶文閣待制. 年已七十, 汝諧奏, "吏部錯減籍臣年, 今實齒滿, 例當致仕". 王曰, "吏部錯籍, 天使然也, 勿復有言". 累遷樞密使, 乞骸骨, 特加政堂文學, 仍令致仕. 性寬厚, 不閑吏事, 才學淺短, 以潛邸舊僚, 得至大官:節要轉載].[227)]

[己未[12日], 月赤如血:天文2轉載].

丁卯[20日], 麗景門成. 諸將奏, "門之高廣, 宜准向成門". 詔可. 麗景在東, 向成在西, 慮東高於西, 文勝武, 故有是議.

[○流星出郎位, 入大微[太微]:天文2轉載].

戊辰[21日], 幸外帝釋院.

壬申[25日], 賜宋惇光等及第.[228)]

五月[戊寅朔小盡,甲午], [己卯[2日], 熒惑入輿鬼:天文2轉載].

壬午[5日], 雨雹.[229)]

辛卯[14日], 幸王輪寺.

○宋歸我漂風人李漢等六人.

[是月, 西海豊州界, 蟲食松葉, 設齋禳之:五行2轉載].

六月[丁未朔小盡,乙未], 戊申[2日], 王如奉恩寺.

[辛亥[5日], 月入大微[太微]:天文2轉載].

庚申[14日], 金橫宣使·大理卿李磐來,[230)] 宴于大觀殿. 磐, 善文章, 容止可觀, 自入界, 所至館舍, 錦綺帳褥, 必命撤之, 又禁屠殺, 每有餘食, 輒令從者, 盛槖而行,

---

227) 이와 관련된 기사로 다음이 있다.

· 지18, 禮6, 諸臣喪, "四月, 政堂文學崔汝諧卒, 官庀葬事. 輟朝三日, 謚文貞".

· 열전13, 崔汝諧, "[明宗]十六年卒, 年八十六, 輟朝三日, 謚文貞".

228) 이와 관련된 기사로 다음이 있다.

· 지27, 선거1, 科目1, 選場, "[明宗]十六年四月, [樞密院使]林民庇知貢擧, 皇甫倬同知貢擧, 取進士, [壬申], 賜宋惇光等三十三人·明經五人及第".

229) 이와 같은 기사가 지7, 五行1, 水, 雨雹에도 수록되어 있다.

230) 李磐은 4월 15일(壬戌)에 파견이 결정되었다.

·『금사』 권8, 본기8, 世宗下, 大定 26년 4월 壬戌, "以客省使李磐爲橫賜高麗使".

·『금사』 권61, 表3, 交聘表中, 大定 26년, "四月壬戌, 以客省使李磐爲橫賜高麗使".

道遇窮餓者，悉施之.

甲子[18日]，賜羊于文武□[常]參官以上及近臣，有差.

[某日，[禮部侍郞·]秘書監崔陟卿卒，[年六十七:列傳12崔陟卿轉載]. 陟卿，性廉介，擢第，補京山府判官，秩滿還京，足不至公卿之門者十餘年，判吏部事崔允儀，謂陟卿曰，“耽羅地遠俗獷，難爲守令，聞子淸直，勿憚一往，幸撫遠民，不爲國家憂，則當報以美官”. 陟卿就任，興利革弊，民皆安之，及還，允儀已死，居京三年，貧甚無以自存，將挈家還鄕，會耽羅人苦令·尉侵暴以叛，乃曰，“若得陟卿爲令，當釋兵”. 王謂宰相崔褒偁曰，“有賢如此，何不用之?”，卽除耽羅令. 耽羅人見陟卿，皆投戈羅拜曰，“公來，吾屬再生矣”. 按堵如舊，凡所至，皆有聲績，淸名勁節，老而不衰:節要轉載].

秋七月[丙子朔大盡,丙申]，[己卯[4日]，月犯歲星:天文2轉載].

甲申[9日]，有人，告耽羅叛，王驚愕，引兩府，問處置方略，卽遣閤門祗候獨孤忠·郎將池資深，爲安撫使，以式目錄事張允文爲大府注簿[~~太府主簿~~]·行耽羅縣令，各賜綾絹七端，因促上道. 詔前令·尉，皆加重罰. 旣而聞之，無叛狀，然詔令已出，故允文上官，而前令·尉，竟坐免.[231)]

[史臣曰，“明宗之惑人虛說，卽所謂可欺以其方，無足過者，及知其非實，而不加告者誣罔之罪，何哉? 此所以來讒賊之口，生禍亂之階也”:節要轉載].

[○月又犯心前星:天文2轉載].

甲辰[29日]，[處暑]. 內侍院奏，“自今，有進膳者，止給酒果，勿用布帛. 布帛有數，而進膳者無窮，以有限之物，供無窮之費，非長計也”. 詔曰，“朕欲澤及萬物，而未遂其願，故因其薄物，必施厚惠. 布帛雖費，皆是國人蒙利也，勿以爲吝”. 王自卽位以來，有進膳者，雖微物，輒厚賜布帛. 故貪利之徒，至有旁求他方以獻者.

[某日，以[秘書丞]李桂長爲東南道都府署使兼慶尙州道按察使，康用儒爲西海道按察使:慶尙道營主題名記轉載].[232)]

---

231) 이때의 형편은 다음의 자료에 언급되어 있다.

· 「張允文墓誌銘」，“耽羅縣在海中，自以謂殊疆異壤，雖賓王化屢犯條敎，朝議選能吏以鎭之. 授公以大府注簿爲縣令，以撫其民. 公下車，卽有來暮之歌”.

232) 李桂長의 관직은 다음의 자료에서도 찾아진다. 또 康用儒는 이해[是年] 10월 某日에 의거하였다.

· 『세종실록』 권150，지리지，경상도，“…，至[明宗]十六年丙午，以秘書丞李桂長爲東南海都府署使兼慶尙州道按察使. 疑慶尙道之名，始於此”.

閏[七]月[丙午朔[小盡,丙申], 流星出昴, 入參:天文2轉載].

[壬子[7日], 安邊府大水, 漂民屋百餘, 死者千餘人:五行1水潦轉載].

乙卯[10日], 制曰, "民惟邦本, 本固邦寧. 比來, 守令刻剝其民, 無所畏忌, 人不堪苦, 流離日多, 予甚悼焉. 惟爾有司, 痛懲貪吏, 以戒後來, 如有誅求於民, 招受賄賂者, 所受雖微, 皆從重論".

[史臣權敬中曰, "經曰, 其身正, 不令而行, 其身不正, 雖令不從.[233] 明宗躬桓靈, 而口文景, 詔雖哀痛, 其如五擘七嬖招權鬻爵之弊何? 吏之不悛, 民之不寧, 宜矣":節要轉載].

[辛未[26日], 試兵部侍郎晋光仁卒, 年五十九:追加].[234]

[是月, 大司成皇甫倬·左散騎常侍李知命·判將作監□[事]崔詵, □□□□□[掌國子監試], 取梁公俊等三十二人, 明經五人:選擧2國子試額轉載].[235]

[○忠順等鑄成日月寺金堂觀音前鉢一副, 入重六斤六兩:追加].[236]

八月[乙亥朔小盡,丁酉],[237] [辛巳[7日], 月犯箕東北星:天文2轉載].

丁酉[23日], 謁長[仁宗]·純[仁宗妃任氏]二陵, 遂幸天孝寺.

○晋州守金光允·安東守李光實, 皆貪殘屠剝, 民不堪苦, 謀爲叛逆, 有司議臟,[238] 並流之.

[史臣權敬中曰, "自庚癸政亂以來, 市井屠沽蹶張之伍, 濫側外寄, 多矣. 彼光允輩, 平日競錐刀之末, 爭升合之贏, 攻剽爲得計, 欺賣爲良謀, 當此之時, 烏知廉恥爲國維, 生民爲邦本哉. 一朝宰百里之地, 操與奪之權, 其爲貪惏漁利, 固其所也. 嗚呼, 放牛馬於禾黍之場, 縱鷹犬於雉兎之原, 欲禁其咬嚙搏噬, 其可乎哉?":節要轉載].

[某日, 以禮賓主簿廉克髦爲[東北面]沿海道監稅使[監倉使]:追加].[239]

---

233) 이 구절은 『논어』 권7, 子路第13, "子曰, 其身正, 不令而行, 其身不正, 雖令不從. 令, 敎令也"를 인용한 것이다.

234) 이는 「晋光仁墓誌銘」에 의거하였다.

235) 崔詵은 前年(명종15) 11월경 朝散大夫·判將作監事·寶文閣學士·知制誥로 在職하고 있었다(咸有一墓誌銘).

236) 이는 日月寺의 鉢銘에 의거하였다(許興植 1984년 888面).

237) 丁酉는 8월(乙亥朔) 23일이므로 丁酉 앞에 八月이 탈락되었다. 『고려사절요』 권13에는 옳게 되어 있다.

238) 臟字는 여러 판본의 『고려사』에서 잘못 刻字되어 있다.

[是月，雨雹于東·漳二州，大如拳，屋瓦皆碎:五行1雨雹轉載].[240)]

[增補].[241)]

九月[甲辰朔大盡,戊戌]，[戊申[5日]，雨雹以震:五行1雨雹轉載].

[甲寅[11日]，又震:五行1雨雹轉載].

[辛酉[18日]，鎭星犯歲．太史奏，“恐有內亂，請於光嵒·摠持兩寺，設佛頂消灾道場，又於明仁殿，講仁王經，以禳之”:天文2·節要轉載].

[史臣曰，“人事失於下，天變應於上，故日月薄食，彗孛飛流，莫不有所爲而然也．人君遇灾，當責躬修德，以消禍萌，而察候之官，專欲事佛禳禬，以惑王心，而宰相臺諫，莫有規諫者，何哉?”:節要轉載].[242)]

丁卯[24日]，幸普濟寺.

[某日，左倉竭，無以頒祿，借典牧司所畜白金六百二十四斤·布六千匹·將作監布三萬匹，以補□[之]:節要·食貨3祿俸轉載].[243)]

冬十月[甲戌朔大盡,己亥]，丁丑[4日]，流讒人朴敦夫于遠島．時，匿名書甚多，誣人罪過，[244)]

---

239) 이는 「廉克髦墓誌銘」에 의거하였다.

240) 日本의 나라[奈良]에서는 8월 23일 大風雨와 洪水가 있었다고 한다(高麗曆과 同一，日本史料 4-1冊 587面 ; 中央氣象臺 1941年 1冊 31面).

· 『玉葉』 권48, 文治 2년 8월, “廿八日壬寅，晴，入夜雨下．… 春日御社，去廿三日，大風，御山樹，多以顚倒．又鹿一斃了云々，可愼可恐歟”.

· 『中臣祐重記』, 文治 2년 9월, “一日，去廿三日，大風大雨，以外水出，奈良屋共吹損．… 御山樹五十六本吹折”.

241) 이달 16일(丙寅，高麗曆과 同一) 일본의 교토[京都]에서 月食이 있었던 것 같다.

· 『師守記』, 康永 4년 8월 10일, 駒遣當月蝕例, “文治二年八月十六日，月蝕也，被行駒牽事，先被定申月蝕御讀經日時，上卿以下參入”.

242) 이 史論도 天災地變을 언급한 점을 보아 이해의 『명종실록』을 편찬한 權敬中이 지은 것으로 추측된다.

243) 添字는 지34, 식화3, 祿俸에 의거하였다. 또 고려시대의 頒祿은 일반적으로 7월 7일에 施行되었다고 한다(지34, 식화3, 祿俸, 우왕 7년 8월, “舊制，頒祿，必以七月七日”).

244) 誣人罪過에서 罪過는 겸양하는 말[謙辭]로서, 不安하여 敢當하지 못하는 상태를 가리킨다. 그래서 誣人罪過는 ‘誣告를 당한 사람이 어떤 대꾸[對應]도 하지 못하여’라고 해석하는 것이 좋을 것이다.

· 『수서』 권85, 열전50, 宇文化及, “義寧二年三月一日 … 至旦，[鷹揚郞將]孟秉以甲騎迎[許國公宇文]化及，化及未知事果，戰慄不能言，人有來謁之者，但低頭據鞍，答云‘罪過’．時化及在公主第，不之知也．[弟]智及遣家僮莊桃樹就第殺之．桃樹不忍，執詣智及，久之乃釋．化及至城門，[虎賁郞將·扶

有得罪者，莫知其由，人皆危懼．重房密令禁軍，伺之，敦夫懷書，將帖門，捕得流之，道死，人皆快之．

[某日，將軍車若松等四十三人，兼屬內侍院及茶房．先是，重房奏，自庚寅以來，武官皆兼文官，而內侍·茶房，獨不得兼，請許兼屬，故有是命．武官兼屬，自此始：節要轉載].[245)]

[辛巳[8日]，大霧：五行3轉載].

癸未[10日]，恭化侯瑛卒.[246)] [瑛，江陵公溫之子，性沈靜寡欲，篤志于學．嘗欲赴舉，以無舊例，不果．晩年，酷好浮屠法：節要轉載].

[→瑛，字玄虛，性沈靜寡慾，篤志于學．毅宗初，爲殿中內給事，請赴試，王嘉其志，然以侯王之子，下從貢士，非例，不允．尙仁宗女承慶宮主，封恭化伯，恩顧甚渥．明宗卽位，進爲侯．晩年酷好浮圖法，十六年卒，年六十一，諡[謚]定懿．子沔：列傳3文宗王子朝鮮公燾轉載].[247)]

乙酉[12日]，親祫于大廟[太廟]，赦.

[乙未[22日]，月犯大微[太微]端門：天文2轉載].

[壬寅[29日]，流星出天囷，入天倉：天文2轉載].

[某日，初，上將軍石隣[石麟]受驛吏賂銀，囑事於西海道按察□[使]康用儒，不從．隣[麟]憾之，誣構用儒於王，請免其職．王不聽，隣怒，瞋目張拳，厲聲曰，"吾不復仕矣"．遂解帶，投地而去．王遣內豎，留之再三，隣[麟]不奉旨．又命兵部尙書梁翼京留之，翼京挽袖諭之曰，"孰有主上命召而不就者乎?"．隣[麟]乃入內殿．王溫言慰諭，因與之飮，詔罷用儒，以解其怒．隣[麟]退，還收其詔．隣[麟]數日不衛，王屢遣人，命就職，隣[麟]猶偃蹇不朝．隣[麟]寒微，世居倉旁，拾落庭米以生，補禁軍，庚寅之亂，從李

[風司馬]德戡迎謁，引入廟堂，號爲丞相．令將帝[煬帝]出江都門以示群賊，因復將入．遣令狐行達弑帝於宮中，又執朝臣不同己者數十人及諸外戚，無少長害之，唯留秦孝王子浩，立以爲帝".

· 『자치통감』 권185，唐紀1，高祖武德 1년(618) 3월 丙辰，"… 至旦，孟秉以甲騎迎化及，化及戰慄不能言，人有來謁之者，但俛首據鞍稱罪過[胡三省注，罪過，今世俗謙謝之辭]，化及至城門，德戡悉迎謁，引入廟堂，號爲丞相．…".

245) 이와 관련된 기사로 다음이 있다.

· 지29，선거3，成衆官選補之法，"□□□[成衆官]，曰內侍院，曰茶房，曰司楯，曰司衣，曰司彝，其始置歲月，不可考．明宗十六年，重房武臣請，兼屬內侍·茶房，則其選，猶爲榮矣".

· 열전14，車若松，"明宗時，由郞將，拜將軍．[明宗16年]重房奏，'自庚寅以來，武官皆兼文官，而內侍·茶房，獨不得兼，請許兼屬.' 王以若松等四十三人，皆兼內侍·茶房．武官兼屬，自若松輩始".

246) 이날은 율리우스曆으로 1186년 11월 22일(그레고리曆 11월 29일)에 해당한다.

247) 王瑛의 묘지명에도 비슷한 내용이 남겨져 있다.

義方擢郎將, 遂顯:節要轉載].

[→石鱗, 累陞上將軍, 歷東·西北面兵馬使. 嘗受所管驛吏銀二十斤, 屬其事於西海道按察使康用儒, 不從. 隣鱗憾之, 誣訴用儒, 請免其職, 王不聽. 隣鱗忿怒, 瞋目張拳, 厲聲曰, "吾不復仕矣." 遂解帶, 投地而出. 王遣內竪, 留之再三, 不從. 又命兵部尙書梁翼京留之. 翼京挽袖譬解之, 乃入內殿. 王溫言慰諭, 與之飮, 詔罷用儒, 以解其怒. 隣鱗退, 還收其詔, 隣鱗數日不起. 王屢遣人, 使就職, 隣鱗猶偃蹇不朝, 國人皆傷王之弱, 而憤隣鱗橫也:列傳41石隣轉載].

十一月甲辰□朔大盡,庚子, 幸王輪寺.[248)]

○遣刑部侍郎于逑儒如金, 謝落起復, 禮部侍郎任濡, 謝橫宣, 中郎將盧孝敦, 謝賀生辰,[249)] 郎將崔光甫, 賀正.[250)]

[乙卯12日, 月犯昴星:天文2轉載].

己未16日, 移御壽昌宮.

丁卯24日, 王如靈通寺.

[壬申29日, 流星, 一出大陵, 入胃. 一出西咸, 入房:天文2轉載].

十二月甲戌朔小盡,辛丑, 庚辰7日, 幸外帝釋院.

[乙酉12日, 月犯昴星:天文2轉載].

[乙未22日, 月又食心大星:天文2轉載].

辛丑28日, 以門下侍郎平章事·判兵部事·上將軍崔世輔△爲同修國史同修國事, 將軍崔連崔璉·金富並爲禮部侍郎,[251)] [三人, 皆武官也, 武官之兼儒官始此. 時, 有人訴重房曰, "修

---

248) 甲辰에 朔이 탈락되었다.

249) 任濡와 盧孝敦은 12월 27일(庚子)에 각각 謝禮하였던 것 같다. 이에서 盧孝敦(盧永醇의 子, ?~1211)이 盧元으로 달리 표기되어 있는데, 전자는 蔭敍으로 立身하여 門下侍郎平章事에 이르렀다(→희종 7년 8월 14일).
· 『금사』 권61, 表3, 交聘表中, 大定 26년, "十二月庚子, 高麗禮部侍郎任濡謝橫賜, 禮賓少卿盧元謝生日".

250) 崔光甫는 다음 해(大定26) 正旦에 賀禮하였던 것 같다.
· 『금사』 권8, 본기8, 世宗下, 大定 27년 1월, "癸卯朔, 宋·高麗·夏遣使來賀".
· 『금사』 권61, 表3, 交聘表中, 大定 27년, "正月癸卯朔, 高麗司宰少卿崔匡輔賀正旦".
또 이해의 겨울에 內侍 柳光植이 金에 파견되었다고 하는데, 그의 使命이 무엇인지는 알 수 없다(「柳光植墓誌銘」, "丙午冬, 以□部□□大金國□稱旨").

251) 이 기사에서 上將軍 崔世輔가 同修國史에 임명된 것에 대해 『고려사절요』 권13에는 同修

國史文克謙, 直書毅宗被弑之事, 弑君天下之大惡, 宜令武官兼之, 使不得直書". 克謙聞之懼, 密奏於王, 王不敢違武臣意, 然惡其非舊制, 乃下制, 同修國事, 世輔不請, 而直以史字改之. 由是, 毅宗實錄, 脫略多不實, 克謙嘗於□[illegible]史堂, 戲世輔曰, "儒官之爲上將軍, 忝自我始, 武官之同修國史, 亦自公始", 相與一噱:節要轉載],[252] [金吾衛大將軍金純爲直門下省事:追加].[253]

[史臣曰, "史官, 公萬世之是非, 所以垂勸戒於後世, 故齊崔杼之弑莊公也. 太史兄弟三人, 相踵就僇, 而書者不止, 今弑逆之儔, 將逃惡名, 自兼國史, 而欲滅其跡, 不知滔天罪惡欲蓋而彌彰, 不亦愚乎?":節要轉載].

[是年, 合慶尙·晋狹州道爲慶尙州道:地理2慶尙道轉載].

[○以崔証爲禮部尙書·東宮侍讀學士:追加].[254]

[○以試殿中監任忠贇爲殿中監:追加].[255]

[○以中郞將盧□□爲將軍:追加].[256]

[某等重修龍仁縣香水寺:追加].[257]

國事로 기록하였다. 武臣인 崔世輔가 스스로 同修國事를 同修國史로 고친 사실은 『고려사절요』와 열전13, 崔世輔에 기록되어 있다. 또 崔連은 崔璉의 오자이고(→명종 16년 12월 28일, 신종 즉위년 9월), 金富는 金就礪의 父로 金吾衛大將軍·禮部侍郎에 이르렀다고 한다(金就礪墓誌銘 ; 金賆墓誌銘).

252) 이와 같은 기사가 열전13, 崔世輔에도 수록되었고, 添字는 이에 의거하였다.

253) 金純은 그의 묘지명에 의거하였는데, 그는 明年(명종17) 7월 直門下省事로 在職하고 있었다(열전41, 曹元正).

254) 이는 「崔証墓誌銘」에 의거하였다.

255) 이는 「任忠贇墓誌銘」에 의거하였다.

256) 이는 「盧□□墓誌銘」에 의거하였다.

257) 이는 경기도 龍仁市 處仁區 前垈里 遺跡(삼성에버랜드에 위치)에서 출토된 명문기와[瓦銘]에 의거하였다(洪榮義 2018년, "大定二十六年"). 또 大定年間(1161~1189)에 만들어진 銅鍾이 있었던 것 같다.

· 『止止堂詩集』, 五言律詩, 與大虛遊直指寺[注, 寺有鍾, 鑄大定年間], "秋風鞭款叚, 十里得岱丘, 寺創高麗日, 鍾成大定秋, 道林今作主, 逸少可同遊, 養卒安心地, 何須外此求".

丁未[明宗]十七年, 金大定二十七年,[258] [南宋淳熙十四年], [西曆1187年]

1187년 2월 10일(Gre2월 17일)에서 1188년 1월 29일(Gre2월 5일)까지, 354일

春正月癸卯朔大盡,壬寅, 放朝賀.

[丙午4日, 木介:五行2轉載].[259]

[庚戌8日, 樞密院火, 延燒壽昌宮廊二十餘楹:五行1火災·節要轉載].

辛亥9日, 移御延慶宮.

○遣將軍車若松如金, 進方物, 李文中, 賀萬春節.[260]

己未17日, 金遣昭毅大將軍韓景懋來, 賀生辰, 宴于大觀殿.[261]

[丙寅24日, 木介:五行2轉載].

[某日, 以郎將崔忠獻爲慶尙道按察使, 既而解職, 以朴仲朴沖代之:慶尙道營主題名記].[262]

[某日, 遣左右衛大將軍·知刑部事盧卓儒爲西京齋祭副使:追加].[263]

二月癸酉朔大盡,癸卯, [乙亥3日, 千牛衛大將軍致仕申甫純卒, 年七十五:追加].[264]

戊寅6日, 設消災道場于宣慶殿.

---

258) 이해에 禮部侍郞 權敬中의 史論 1点이 있음을 보아 16년의 기사와 함께 그가 편찬한『명종실록』의 4年分의 일부일 것이다.

259) 木介는 木氷과 같은 의미인데, 木氷이 나무의 가지에 투구[介胄]와 같이 結氷되기 때문이다.
 ·『한서』 권27上, 五行志第7上, "春秋成公十六年, 正月, 雨, 木氷 … 或曰, 今之長老名木冰爲木介. 介者, 甲. 甲, 兵象也".

260) 車若松은 2월 29일(辛丑)에 方物을 바쳤다고 한다. 또 李文中은『금사』에는 李公鈞으로 달리 표기되어 있는데, 3월 1일(癸卯朔)에 萬春節을 賀禮하였던 것 같다.
 ·『금사』 권61, 表3, 交聘表中, 大定 27년, "二月 辛丑, 高麗禮賓少卿車若松進奉".
 ·『금사』 권8, 본기8, 世宗下, 大定 27년 3월, "癸卯朔, 萬春節, 宋·高麗·夏遣使來賀".
 ·『금사』 권61, 表3, 交聘表中, 大定 27년, "三月癸卯朔, 高麗戶部侍郞李公鈞賀萬春節".

261) 韓景懋는 前年(大定26) 11월 25일(戊辰)에 파견이 결정되었다.
 ·『금사』 권8, 본기8, 世宗下, 大定 26년 11월 戊辰, "以拱衛直副都指揮使韓景懋爲高麗生日使".

262) 朴中은 朴沖의 誤字이고(→是年 6월 26일), 이때 崔忠獻의 解職에 관한 기사로 다음이 있다.
 ·「崔忠獻墓誌銘」, "丁未春, 出按慶尙晋州道, 登車攬轡, 風稜震肅, 得古使臣之體, 忤權臣意, 舞文擧劾, 使未竟, 尋以私騎還, 然有識者, 不以公爲非".

263) 이는「盧卓儒墓誌銘」에 의거하였다.

264) 이는「申甫純墓誌銘」에 의거하였다.

[丁亥15日, 雨土:五行3轉載].

己丑17日, 幸神衆院.

壬寅30日, 王如靈通寺.

三月癸卯朔小盡,甲辰, [甲辰2日, 雨雹, 大風拔木:五行1雨雹轉載].

戊申6日, [穀雨]. 幸外帝釋院.

[癸丑11日, 月食角左星:天文2轉載].

[乙卯13日, 日赤薄, 無光:天文1轉載].

[夏四月壬申朔大盡,乙巳, 癸酉2日, 智異山神像頭, 忽亡. 王遣中使索之, 數月乃得:五行3轉載].

夏五月壬寅朔小盡,丙午, [乙卯14日, 流星出大陵, 入胃:天文2轉載].

己未18日, 移御壽昌宮.

[戊辰27日, 流星犯大微~~太微~~, 入端門:天文2轉載].

[是月, 京城大疫. 命五部, 設道符神醮, 以禳之:五行3·節要轉載].[265]

[○蟲食栗葉:五行3轉載].

六月辛未朔小盡,丁未, 壬申2日, 王如奉恩寺.

[丙子6日, 日旁, 有背氣, 外赤內黃:天文1轉載].

[癸巳23日, 月食昴星:天文2轉載].

丙申26日, 中書省劾奏慶尙州道按察使崔嚴威~~崔忠獻~~苛察, 侵漁吏民, 受賂無厭, 命以郞將朴冲代之. 冲, 惟淸謹, 庚癸之亂, 武臣並奪文官第宅, 而冲獨守正.[266]

---

265) 南宋에서는 이해의 봄부터 江·淮·浙地域에 蚖螟瘟(蛤螟瘟, toad-like pestilence인 咽喉腫痛으로 추측됨)이 유행하였고, 浙西地域에서도 疫이 있었다고 한다. 이 大疫으로 인해 都民의 旅行이 금지되었던 것 같다.

- 『송사』 권62, 지15, 오행1하, 水下, "淳熙十四年春, 都民, 禁旅大疫, 浙西郡國亦疫".
- 『夷堅支志』丁권5, 蚖螟瘟, "淳熙十四年春, 江淮浙, 癘氣肆行, 但不甚爲害, 唯中者, 覺頭痛·身熱, 不過三日卽愈, 名爲蚖螟瘟, 言自淮北來, …".
- 『石湖居士詩集』 권28, 民病春疫作詩憫之, "乖氣肆行傷好春, 十家九空寒螿呻, 陰痒何者强作孽, 天地豈其眞不仁, …".

266) 이 기사에서 崔嚴威는 1127년(고종14) 9월에 편찬된 『명종실록』에서 崔忠獻의 이름을 避

[○流星出螣蛇, 入營室:天文2轉載].

秋七月庚子朔大盡,戊申, [某日, 樞密副使曹元正, 奪中書省公廨田租. 門下侍郞平章事文克謙, 請治其罪, 章凡五上, 乃左遷元正△爲工部尙書致仕. 其子英植·英迪·應倫及壻李仕等,[267] 貪暴愈甚, 而在近密, 重房亦奏, 黜之:節要轉載].

[→明宗十七年七月, 樞密院副使曹元正, 又奪中書省公廨田租, 門下侍郞平章事文克謙·門下侍郞平章事崔世輔·中書侍郞平章事?文章弼·參知政事杜景升, 左散騎常侍李知命, 直門下省事金純, 給事中文迪等, 請治其罪, 章凡五上, 乃左遷. 工部尙書致仕. 其子英植·英迪·應倫, 女壻李杜等, 貪暴尤甚, 而在近密, 重房亦奏黜之:列傳41曹元正轉載].

[壬子13日, 大風:五行3轉載].[268]

[壬戌23日, 月犯五車西南星:天文2轉載].

[甲子25日, 熒惑犯司怪南第二星:天文2轉載].

丁卯28日, 太白晝見, 經天.

[某日, 以崔敦禮爲慶尙道按察使, 吳敦信爲全羅道按察使:慶尙道營主題名記].[269]

己巳30日, 晦, 日食.[270]

[○太史奏, "此退食非災, 不足憂, 唯局救之":天文1·節要轉載]. [是夜, 二鼓, 有賊七十餘人, 踰垣入壽昌宮, 格殺樞密使樞密院副使梁翼京,[271] 內侍·郞中李撰·李粲

하여 改書한 것으로 추측되는데, 『고려사』의 撰者가 이를 認知하지 못하였던 것 같다. 여기에서 嚴威는 有德者에 대한 恭敬을 표시하는 것 같고, 이는 당시에 崔忠獻은 臣僚가 帝王에게 上奏할 때 행하는 不臣不名, 不稱臣唱名, 稱臣不唱名, 稱臣臣某의 네 段階 중에서 稱臣不唱名 이상의 대우를 받았던 것으로 추측된다(尾形 勇 1979年).

· 『자치통감』 권1, 周紀1, 威烈王 23년(BC403), 中間部分, 臣光曰, "… 夫德者人之所嚴[胡三省注, 嚴, 敬也], 而才者人之所愛, 愛者易親, 嚴者易疏, 是以察者多蔽於才而遺於德".

267) 李仕는 열전41, 曹元正에는 李杜로 달리 표기되어 있다(下記의 記事, 盧明鎬 等編 2016년 347面).

268) 일본에서 7월 13일(壬子) 京都와 伊勢(現 三重縣의 중남부 지역)에서 大風雨가 있었다고 한다(高麗曆과 同一, 日本史料4-16冊 68面 ; 中央氣象臺 1941年 1冊 31面).

· 『勘仲記』, 弘安 10년 2월, "三日甲子, … 外記例, 勘申, … 文治三年九月十五日, 被行軒廊御卜, 太神宮去七月廿日注文稱, 今月十三日大風, 當宮殿舍御垣, 別宮荒祭月讀宮等瑞垣板等, 或破損, 或破壞顚倒, 或傾倚破損事也".

269) 吳敦信은 是年 9월 某日에 의거하였다.

270) 이날의 일식에 대한 기록은 『명종실록』을 편찬했던 權敬中의 議論에도 나타난다(열전14, 權敬中). 그렇지만 이날(율리우스력의 1188년 8월 24일)의 일식은 북동아시아 3국이 中心食帶에서 벗어나 있었기에 관측될 수 없었다(渡邊敏夫 1979年 308面).

271) 梁翼京은 前年(명종16) 10월 무렵에 兵部尙書로 재직하고 있었기에 樞密院使는 樞密院副使의

等, 死傷甚衆, 宿衛皆散匿.[272] 賊發內侍院樻, 出燭照之, 所至輒擊殺. 至御所, 揚言曰, “高令文·俊白等, 已除惡人, 當復衛社”. 王曰, “誰爲汝主帥?”, 賊詭言, “宰相杜景升·給事中文迪等, 在此”. 左承宣權節平, 知賊徒無繼至者, 乃出北門, 到街衢召兵, 至宮門外, 讙譟動地. 賊懼走出西門. 中郎將高安祐聞變, 赴闕, 至市樓橋邊, 見一髡, 詐爲病乞兒, 臥糞壤中, 卽收捕. 有紅燭跋在腰間, 囚繫鞫問. 乃曹元正怨文克謙, 欲去之, 與石隣[石麟]·石冲·石夫·朱迪等謀, 遣其家臣高令文·林椿幹·俊白等, 作亂也. 王命[上將軍·]刑部尙書白任至, 大將軍朴純, 內侍·將軍李文中等, 按問數日, 令文·俊白等具服. 於是, 發兵, 逮捕曹·石等, 旣就擒, 衆心稍安:節要轉載].

○[工部尙書致仕]曹元正等謀亂, □□[~~八月~~]伏誅.[273]

[→是月晦日, 夜二鼓, 有賊七十餘人, 踰墻入壽昌宮, 殺樞密使[~~樞密院副使~~]梁翼京·內侍郞中李撰·李粲等, 殺傷甚衆. 宿衛皆走匿. 賊出內侍院燭照之, 所至輒殺. 至御所, 揚言曰, “高令文·俊白等已除惡徒, 當復衛社”. 王曰, “誰爲汝主帥?” 賊詭言, “宰相杜景升·給事中文迪等也.” 左承宣權節平知賊徒無繼, 潛出到街衢, 召兵至宮門外, 讙譟動地, 賊懼走出西門. 中郎將高安祐聞變, 馳至市樓橋邊, 見一僧, 詐爲病乞兒, 臥糞壤中, 卽捕之, 有紅燭跋在腰間. 收繫鞫問. 乃[曹]元正怨文克謙, 欲去之, 與石隣[石麟]·石冲·石夫·朱迪等謀, 遣其家臣高令文·林椿幹·俊白等作亂也. 王命刑部尙書白任至, 大將軍朴純, 內侍·將軍李文中等, 按問數日, 令文·俊白等俱服. 遂發兵, 捕得元正·隣[麟]等, 衆心稍安:列傳41曹元正轉載].

오류일 것이고, 이때의 樞密院使는 朴純弼이었다(→次의 脚注).

272) 이때 宿直하고 있던 近臣들이 모두 도망갔지만 內侍 蔡順禧는 明宗을 扈衛하였다고 한다. 또 여기에서 인용된 疾風知勁草는 後漢 光武帝 劉秀가 그의 參謀인 王霸를 칭찬한 말을 引用한 것 같다.

- 『동국이상국집』 권36, 中書侍郎平章事·太子少師蔡公誄書, “公毅廟時, 籍內廷, 至明宗禪位, 猶不離近密. 上嘗居壽昌宮, 賊臣曹元正·石麟等謀爲不軌, 夜踰垣而入禁中, 作亂. 是夜內直近臣, 聞難驚怖, 皆越堞奔避. 公獨入侍紫宸, 無須臾居左右. 上嘆曰, 昔人有云疾風知勁草, 子之謂矣”.
- 『후한서』 권12, 王霸列傳第10, “王霸, 字元伯, 潁川潁迎陽人, 世好文法 … 及光武爲大司馬, 以覇爲功曹令史. 從度河北, 賓客從覇數十人, 稍稍引去. 光武謂覇曰, 潁川從我者皆逝, 而子獨留, 努力, 疾風知勁草”.
- 『東觀漢記』 권10, 열전5, 王霸, “按范書本傳, 覇, 字元伯, 潁川潁迎陽人, 封海陵侯. 祖父爲詔獄丞. 上[光武帝]爲大司馬, 覇爲功曹令史. 從度河北, 賓客隨者數十人, 稍稍引去. 上謂覇曰, 潁川從我者皆逝, 而子獨留, 始驗疾風知勁草”.

273) 工部尙書로 致仕한 曹元正이 亂을 일으킨 것은 7월 30일(己巳) 밤[夜]이고, 이들이 鞫問을 받고 處刑된 것은 8월이었다.

[→□□先是，樞密院使朴純弼當直，逆知曹元正之作亂，移病以免:列傳13朴純弼轉載].[274)]

[是月，秘書監金英富，□□□□□掌國子監試，取池宗濬等八十人，明經九人:選擧2國子試額轉載].

[八月庚午朔小盡,己酉，甲戌5日，流星出參，入東井:天文2轉載].

[乙亥6日，熒惑入東井:天文2轉載].

[癸巳24日，月珥:天文2轉載].

[丙申27日，赤氣，東西竟天，又五色虹，南北相衝:五行1轉載].

[○清州民家，牛生犢，一身兩頭:五行3轉載].

[某日，臺省·刑部坐市街，斬高令文·林椿幹等，縛曹元正等十餘人，懸市，遂斬於保定門外，幷其黨三十餘人誅之，籍其家，凡百七十餘戶:節要轉載].

[→臺省·刑部會市街，先斬令文·椿幹等，又斬元正等十餘人，於保定門外．幷其黨三十餘人，籍其家者，凡百七十餘戶:列傳41曹元正轉載].

[史臣權敬中曰，"聖人於理亂安危之機，必謹於微，而未嘗不盡心焉．且以易象觀之，一陰生於姤，則繫于金柅，不使浸長，以至否之不利君子貞．今，元正·石隣石麟，起於行伍，微乎微者也．明宗特加拔擢，授以兵柄，不能制之未形，繫于金柅，卒使至於揮戈交刃，蹀血宮禁，豈不危於累卵哉?":節要轉載].

[丁巳某日，三角山國望峯石頹:五行3轉載].[275)]

[是月甲申24日，月食:追加].[276)]

九月己亥朔小盡,庚戌，[癸卯5日，月犯箕西北星:天文2轉載].

---

274) 이는 다음의 기사를 적절히 變改한 것이다.
 · 열전13, 朴純弼, "後拜樞密院使. 曹元正之作亂也, 純弼當直, 逆知之, 移病以免"

275) 이달에는 丁巳가 없다. 萬一 三角山의 國望峯(現 北漢山 세 개의 봉우리 중에서 남쪽의 頂上인 萬景臺의 舊稱)이 비[降雨]로 인해 崩壞되었다고 假定한다면, 이날의 日辰은 丁酉(28日)일 가능성이 있다. 이는 일본의 가마쿠라[鎌倉]에서 26일(乙未) 洪水가 있었음을 통해 筆者가 臆測한 것이다.
 · 『武家年代記裏書』, "文治三年, … 八、廿六、洪水".

276) 이달의 16일(甲申, 高麗曆의 15일) 일본의 교토[京都]에서 月食이 있었던 것 같다.
 · 『師守記』, 康永 4년 8월 10일, 駒遣當月蝕例, "同文治三年八月十六日月蝕也, 駒引如例, 上卿以下參入, 行事. … 十四日乙丑, … 文治三年八月十六日, 月蝕九分".

[甲辰[6日]，□[月]入南斗魁中，又犯箕星．流星，自乾向巽疾行，尾長二十尺許，俄而無雲而雷．國人皆謂天狗墮:天文2轉載]．

[己酉[11日]，太白犯大微[太微]:天文2轉載]．

壬子[14日]，順州歸化所安置，賊數百人，潰散行掠，兵馬使發兵捕之．[277]

[乙卯[17日]，月食昴星:天文2轉載]．

[癸亥[25日]，流星出羽林，入鈇鑕[鐵鑕]:天文2轉載]．[278]

[乙丑[27日]，立冬．月犯左角:天文2轉載]．

[某日，全羅州道按察使吳敦信奏，"有僧日嚴者在全州，[279] 能使眇者復視，死者復生"．王遣內侍琴克儀迎之，在道，冒綵氈巾，乘駁馬，以綾扇障其面，徒衆遮擁，人不得正視．來寓普賢院，都人無貴賤，扶老携幼，奔走謁見，里巷一空，凡盲聾躄啞有廢疾者，狼籍於前．僧以扇揮之，迎入天壽寺，宰輔大臣，亦趨下風，[樞密院使·]御史大夫林民庇拜於樓下，[門下侍郎]平章事文克謙以微服致禮．又移居弘法寺，士女競布髮於前，藉嚴足，嚴令唱阿彌陁佛，聲聞十里，凡其盥漱沐浴之水，苟得之，雖涓滴，貴如千金，無不掬飮，稱爲法水，能理百病．男女晝夜雜處，醜聲播聞，或祝髮爲徒者，不可勝數．時無一人諫止者，王漸驗其詐，放還其鄕．初，嚴誑人曰，萬法唯一心，汝若勤念佛曰，我病已愈，則病隨而愈，愼勿言疾之不愈也．以是，盲者妄言已視，聾者亦言已聞，所以令人易惑，至於如此:節要轉載]．

[→民庇後爲樞密□[院]使·御史大夫，性佞佛，常寫佛經．有僧日嚴在全州，自謂能使眇者復視，死者復生．王遣內侍琴克儀迎之．在道，冒綵氈巾，乘駁馬，以綾扇障其面，徒衆遮擁，人不得正視．來寓普賢院，都人無貴賤老幼，奔走謁見，里巷一空．凡盲聾躄啞有廢疾者，狼籍於前，僧以扇揮之，迎入天壽寺，居南門樓上．宰輔大臣，亦趍謁，士女競布髮以籍僧足．僧令唱阿彌陁佛，聲聞十里．其盥漱沐浴之水，苟得涓滴，貴如千金，無不掬飮，稱爲法水，能理百病．男女晝夜雜處，醜聲播聞，祝髮爲徒，不可勝數．時無一人諫止者，明宗漸驗僧詐，放還其鄕．初僧誑人曰，萬法唯一心，汝若勤念佛曰，我病已愈．則病隨而愈，愼勿言疾之不愈．於是，盲者言已視，聾者亦言已聞，以故，人易惑．中書侍郎[~~門下侍郎平章事~~]文克謙，以微服致禮，民

277) 順州(現 平安南道 順川市)의 歸化所는 趙位寵의 亂의 餘波로 발생한 여러 西賊의 投降者를 安置시킨 장소로 추측된다(李丙燾 1961년 490面).

278) 鈇鑕(부질)은 天倉의 西南에 위치한 鐵鑕[철질, 鐵鑕星]을 略字로 잘못 刻字한 것이다.

279) 李奎報의 日嚴에 대한 史論이 있다(『동국이상국집』 권22, 論日嚴事).

庇亦拜於樓下:列傳12林民庇轉載].

冬十月戊辰朔大盡,辛亥, [辛未4日, 流星出車井, 入參:天文2轉載].
[戊寅11日, 流星出軒轅星, 入北河星:天文2轉載].
[甲申17日, 坤方有赤氣:五行1轉載].
[戊子21日, 亦如之坤方有赤氣:五行1轉載].
[庚寅23日, 月入大微太微. 太白入氐:天文2轉載].
[癸巳26日, 太白與歲星, 同舍:天文2轉載].
丁酉30日, 齋僧三萬于毬庭.

十一月戊戌朔大盡,壬子, 丙辰19日, 移御壽昌宮.
[己未22日, 流星出紫微, 入北極:天文2轉載].
[庚申23日, 平壤祠堂災:五行1火災轉載].
辛酉24日, 王如靈通寺.
[壬戌25日, 月犯心星:天文2轉載].
[癸亥26日, □月貫心而行:天文2轉載].
[是月, 遣禮賓少卿崔存如金, 謝賜生日:追加],280) [又遣司宰少卿崔迪元, 賀正:追加].281)

十二月戊辰朔小盡,癸丑, [庚午3日, 太白與辰星合:天文2轉載].
[癸酉6日, 月犯角左星:天文2轉載].
[己卯12日, □月犯五車:天文2轉載].
[□月又犯箕東北星:天文2轉載].
[庚辰13日, □月又犯五車:天文2轉載].
乙酉18日, 以門下侍郎同中書門下平章事文克謙△爲權判尙書吏部事, (金吾衛大將軍·直門下省事金純爲千牛衛攝上將軍·判衛尉寺事:追加].282)

280) 이는 다음의 자료에 의거하였다.
· 『금사』 권61, 表3, 交聘表中, 大定 27년 12월, "甲午27日, 高麗禮賓少卿崔存謝賜生日".
281) 이는 다음의 자료에 의거하였다.
· 『금사』 권8, 본기8, 世宗下, 大定 28년 1월, "丁酉朔, 宋·高麗·夏遣使來賀".
· 『금사』 권61, 表3, 交聘表中, 大定 28년, "正月丁酉朔, 高麗司宰少卿崔迪元賀正旦".

[丁亥20日, 月犯角左星:天文2轉載].

[是年, 京城群雞鳴, 不鼓翅:五行2轉載].

[○以左右衛大將軍·知刑部事盧卓儒爲龍虎軍大將軍:追加].[283]

[○以郞將·前慶尙道按察使崔忠獻爲龍虎軍攝中郞將:追加].[284]

[○以崔甫淳爲黃州牧掌書記:追加].[285]

[○以前諫議大夫宋詝爲判禮賓省事致仕. □詝居數歲, 疽發背, 卒, 年六十七:列傳14宋詝轉載].

[○以首座智偁爲僧統:追加].[286]

戊申[明宗]十八年, 金大定二十八年,[287] [南宋淳熙十五年], [西曆1188年]

1188년 1월 30일(Gre2월 6일)에서 1189년 1월 18일(Gre1월 25일)까지, 355일

春正月丁酉朔大盡,甲寅, [立春]. 放朝賀.

癸丑17日, 金遣<u>耶律彥拱</u>~~趙可~~來, 賀生辰,[288]

乙卯19日, 宴于大觀殿.

[丙辰20日, 木星犯房上相:天文2轉載].

---

282) 金純은 그의 묘지명에 의거하였다.

283) 이는「盧卓儒墓誌銘」에 의거하였다.

284) 이는「崔忠獻墓誌銘」에 의거하였다.

285) 이는「崔甫淳墓誌銘」에 의거하였는데, 이에서 기록된 齊安府는 黃州牧의 別號이다.

286) 이는「靈通寺住持·僧統智偁墓誌銘」에 의거하였다.

287) 이해[是年]에 禮部侍郞 權敬中의 史論 1点이 있음을 보아 그가 편찬한『명종실록』의 4年分의 일부일 것이다.

288) 耶律彥拱은『금사』에 의하면 趙可가 되어야 한다. 趙可는 前年(大定27) 12월 3일(庚午)에 파견이 결정되었다고 한다. 이에 비해『고려사』에는 明年(명종19) 1월 17일(戊申)에 金에서 파견되어 온 生日使의 이름이 脫落되고 없는데, 이는『고려사』의 편찬자가 卽位年稱元法을 踰年稱元法으로 바꾸면서 誤謬를 범한 것 같다. 그러므로 耶律彥拱은『고려사』에 따라 1월 17일(戊申) 고려에 도착한 賀生日使일 것이다[校正事由].

·『금사』권8, 본기8, 世宗下, 大定 27년 12월, "庚午, 以翰林待制<u>趙可</u>爲高麗生日使".

·『금사』권61, 表3, 交聘表中, 大定 27년, "十二月庚午, 以翰林待制<u>趙可</u>爲高麗生日使".

[丁巳[21日], 月食房星:天文2轉載].

[己未[23日], 靈通寺住持·正覺僧統靈炤入寂, 年七十四, 僧臘六十二:追加].[289]

癸亥[27日], 設道場于明仁殿, 以禳天變.

[某日, 以[龍虎軍大將軍]盧卓儒爲知西北面兵馬事, 蘇良美爲慶尙道按察使:慶尙道營主題名記].[290]

[是月, 遣禮賓少卿吉仁如金, 獻方物, 戶部侍郞李禧, 賀萬春節:追加].[291]

二月[丁卯朔大盡,乙卯], [壬申[6日], 制, "樂工逃所隷, 冒居他肆者, 令還本業":樂1轉載].

[史臣曰, "樂之缺亂甚矣. 太常近取旨, 請從聖考代所行之制, 有司遷延, 莫肯施行, 識者恨之. 以謂是樂, 宋朝以新樂, 賜睿廟者也, 本非宋太祖所制之樂, 樂之行不久, 而宋朝亂. 況辛巳年[毅宗15年?], 本朝儒臣狂瞽擅改, 而進退其次序, 錯亂其上下, 干戚籥翟, 致有盈縮不等之差. 其太常編制有云, 宋朝唯寄衣冠樂器, 本朝不知肄習. □□[殿前]承旨徐溫入宋, 私習舞儀, 而傳敎之, 其進退疎數之節, 無所憑依, 似不可盡信. 又樂工願從初來時所行, 而至今無所施行. 雖主司取旨, 而舊籍未改, 旋又如初八音之中, 絲土二聲, 闕如也. 歌師, 但誦譜之高低, 略不解其詞語, 可謂欺神人也. 又鄕樂土風也. 凡祭, 自始事奏之, 以迄于終, 今乃至於亞終獻奏之, 未免有偏擧之失. 登歌但以搏拊節樂, 實之以糠, 不令作聲, 則無舞明矣. 詳定擅許爲舞, 乃以晉鼓節之, 樂在前, 舞在後, 尊卑相亂, 下之聲, 掩於上矣":樂1軒架樂獨奏節度轉載].

[癸酉[7日], 流星出庫樓, 入騎官:天文2轉載].

[○雨土:五行3轉載].

[庚辰[14日], 刑部侍郞·知禮部事尹宗諹卒, 年四十六:追加].[292]

[戊子[22日], 流星出尾, 入南斗:天文2轉載].

---

289) 이는 「靈通寺住持·正覺僧統靈炤墓誌銘」에 의거하였는데, 이날은 율리우스曆으로 1188년 2월 21일(그레고리曆 2월 28일)에 해당한다.

290) 盧卓儒는 그의 묘지명에 의거하였다.

291) 이는 다음의 자료에 의거하였다.

- 『금사』 권61, 표3, 交聘表中, 大定 28년, "二月乙未[29日], 高麗禮賓少卿吉仁進奉".
- 『금사』 권8, 본기8, 世宗下, 大定 28년 3월, "丁酉朔, 萬春節, 宋·高麗·夏遣使來賀".
- 『금사』 권61, 표3, 交聘表中, 大定 28년, "三月丁酉朔, 高麗戶部侍郞李禧賀萬春節".

292) 이는 「尹宗諹墓誌銘」에 의거하였는데, 이날은 율리우스曆으로 3월 13일(그레고리曆 3월 20일)에 해당한다.

丙申[30日], 王如靈通寺.

三月[丁酉朔大盡,丙辰], [辛丑[5日], 月犯五車:天文2轉載].

[乙酉[~~己酉~~13日], 遣[門下侍郞]平章事崔世輔, 攝事行夏禘, 用大晟樂. 酌獻, 以籥翟, 亞終獻, 並用干戚之舞, 加以鄕音鄕舞:樂志1軒架樂獨奏節度轉載].[293]

[庚戌[14日], 順天副使·禮賓丞同正金振鐸卒, 年五十八:追加].[294]

[壬子[16日] □[月]犯房南第二星:天文2轉載].

[丁巳[21日], 鎭星犯亢西南:天文2轉載].

戊午[22日], 慮囚.

[乙丑[29日], 熒惑犯輿鬼·積尸:天文2轉載].

[某日, 制曰, "百姓乃國家根本, 朕欲其安土樂業, 故遣朝臣, 分憂宣化, 近聞守令, 因公事不急之務, 侵漁勞擾, 民不堪弊, 流移逃散, 轉于溝壑, 朕甚愍之. 其令兩界兵馬使·五道按察使, 咨訪民間利病, 黜陟守令賢否, 審治冤滯, 勸課農桑, 撫恤軍士, 摧抑豪强, 除歲貢外貢獻之物, 一切罷之":節要轉載].[295]

[□[一] 凡州縣, 各有京外兩班軍人家田·永業田, 乃有姦黠吏民, 欲托權要, 妄稱閑地, 記付其家. 有權勢者, 又稱爲我家田, 要取公牒, 卽遣使喚, 通書屬托, 其州員僚, 不避干請, 差人徵取. 一田之徵, 乃至二三, 民不堪苦, 赴訴無處, 寃忿衝天. 灾沴閒作, 禍源在此, 捕此使噢[~~使喚~~],[296] 枷械申京, 記付吏民, 窮極推罪:食貨1田柴

293) 乙酉는 己酉의 오자일 것이다.

294) 이는 「金振鐸墓誌銘」에 의거하였는데, 이 묘지명의 탁본이 奈良縣의 어떤 研究所에 소장되어 있었던 것 같으나 판독이 정밀하지 못하다(橿原考古學研究所 編 2009年, 現在 大阪市 關西大學 博物館에 소장되어 있는 것 같다).

295) 이 기사는 다음의 기사에도 수록되어 있으나 내용이 약간 다르다. 또 이때 前年에 黃州牧掌書記로 파견된 崔甫淳이 農事를 奬勵하여 察訪使[黜陟使]로부터 稱讚을 받았던 것 같다.

· 지29, 선거3, 選用監司, "[明宗]十八年三月, 因宰樞所奏, 下制曰, 百姓乃國家根本, 朕欲其安土樂業, 故遣朝臣, 分憂宣化. 近聞守令, 因公事不急之務, 侵漁勞擾, 民不堪弊, 流移逃散, 轉于溝壑, 朕甚愍之. 其令兩界兵馬使·五道按察使, 巡察吏理, 期於覈實, 各官員吏, 廉貪勤怠, 精究巡問, 小有割民受贈, 憑公自利, 遍問驗實, 以罪貶奏, 其有淸白守節, 興利除害, 獄訟平決者, 以功褒奏".

· 「崔甫淳墓誌銘」, "在丁未年, 除齊安書記, 其守節也, 淸於氷潔於水. 其勸農也, 焚薈蔚漑, 潟鹵赤地千里, 化爲良田. 一秋大稔, 萬戶皆足, 時黜陟使褒美之曰, '淸白守公, 存恤百姓, 興利除害', 因奏之".

296) 使噢(사오)는 使喚의 誤字일 것이다(蔡雄錫敎授의 敎示).

科轉載].

[□一. 諸州府郡縣百姓, 各有貢役, 邇來, 守土員僚, 斜屬使令, 徵取役價, 其貢賦, 經年除免. 掾吏之徒, 並遵此式, 役之不均, 貢戶之民, 因此逃流. 各道使者, 巡行按問, 如此官, 以罪奏聞, 其餘掾吏, 依刑黜職, 令均貢役:食貨1貢賦轉載].

[□一. 以時勸農. 務修堤堰, 貯水流潤, 無令荒耗, 以給民食. 亦以桑苗, 隨節栽植, 至於漆楮栗栢梨棗菓木, 各當其時, 栽以興利:食貨2農桑轉載].

[□一. 各處富强兩班, 以貧弱百姓, 賖貸未還, 劫奪古來丁田, 因此, 失業益貧. 勿使富戶, 兼并侵割, 其丁田, 各還本主:食貨2借貸轉載].

[□一. 倉穀, 本爲百姓種子日料, 春頒秋斂, 貴得成實, 年來不實, 因此失農, 非先王爲民制法之意也, 若有糟糠相半, 監收不實, 則以其罪, 罪之:食貨3常平·義倉轉載].

[□一. 恤戰軍, 不奪其時, 公私營造, 一切禁止, 無令服勞:兵1五軍轉載].

[□一. 京人於鄕邑盛排農場作弊者, 破取農場, 以法還京. 道門僧人, 諸處農舍, 冒認貢戶良人以使之, 又以麤惡紙布, 强與貧民, 以取其利, 悉皆禁止. 凡供御物膳, 各因土宜, 隨卽進獻, 其餘玩好熊虎豹皮, 無以勞民, 徵取密進, 又無以驛路, 贈送私門:刑法2禁令轉載].

[□一. 盜賊殺人外, 其餘囚徒, 平決免放, 勿令滯獄:刑法2恤刑轉載].

[史臣權敬中曰, "同言而信, 信在言前, 同令而行, 誠在令外.[297] 明宗曾有哀痛之詔, 今又有懇惻之詔, 而吏莫能悛, 民不底綏者, 非令之不善也, 乃行之之誠, 未至故也":節要轉載].

夏四月丁卯朔小盡,丁巳, 雨雹.[298]

庚午4日, [乾坤二方, 虹霓垂地, 又雨雹:五行1虹霓轉載].

辛未5日, 大雨雹.[299]

---

297) 이 구절은 다음의 자료에 수록되어 있다.

· 『文子』卷上, 精誠, "老子曰, … 故同言而信, 信在言前也, 同令而行, 誠在令外也".

· 『후한서』 권27, 王良傳第17, "語曰, 同言而信, 則信在言前, 同令而行, 則誠在令外, 不其然乎?".

· 『자치통감』 권195, 唐紀10, 太宗貞觀 11년(637) 7월 癸未, "魏徵上疏, 以爲, 同言而信, 信在言前, 同令而行, 誠在令外. …".

298) 이와 같은 기사가 지7, 五行1, 水, 雨雹에도 수록되어 있다.

299) 이와 같은 기사가 지7, 五行1, 水, 雨雹에도 수록되어 있다.

[○豹入城:五行2轉載].

[庚辰[14日], 月犯心星:天文2轉載].

[辛巳[15日], □[月]又食心後星:天文2轉載].

[乙酉[19日], 自巽至艮, 虹霓垂地:五行1轉載].

丁亥[21日], 雨雹.[300]

[○刻醴泉重修龍門寺記碑陰記:追加].[301]

五月[丙申朔大盡, 戊午], 癸卯[8日], 詔曰, "農務方興, 久旱不雨, 慮有寃獄, 久滯不決, 其令二罪以下, 悉皆原免".

癸丑[18日], 少監王元之婢壻·私奴平亮, 滅元之家.

[○白虹見于西北方:五行2轉載].

丙辰[21日], 流平亮于遠島. 平亮, [中書侍郞]平章事金永寬家奴也, 居見州, 務農致富, 賂遺權要, 免賤爲良, 得散員同正. 其妻乃元之家婢也, 元之家貧, 挈家往依焉. 平亮厚慰, 勸還于京, 密與妻兄仁茂·仁庇等, 要於路, 殺元之夫妻及數兒, 自幸其無主, 可永得爲良. 使其子禮圭, 得拜隊正, 娶八關寶判官朴柔進之女, 又以仁茂, 娶明經學諭朴禹錫之女, 人皆痛憤. 至是, 御史臺捕鞫, 流平亮, 罷柔進·禹錫官, 仁茂·仁庇·禮圭等, 皆逃匿.

六月丙寅朔[小盡, 己未], 王如奉恩寺.

己巳[4日], [小暑]. 賜內侍·中尙令李唐髦等及第. 閤門祗候[閤門祗侯]李尙敦之子化龍, 亦登第, 以寵姬子妻之, 命於玄德宮, 迎紅牌, 賜內庫銀及匹叚[匹段].[302]

庚辰[15日], 王受菩薩戒于明仁殿.

[是月, [西海道]洞·鳳二州大水, 多漂民屋:節要·五行1水潦轉載].[303]

---

300) 이와 같은 기사가 지7, 五行1, 水, 雨雹에도 수록되어 있다.

301) 이는 「醴泉重修龍門寺記碑」에 의거하였다.

302) 이와 관련된 기사로 다음이 있다. 이때 [內侍·中尙令]李唐髦·李化龍 등이 급제하였는데(『등과록』, 朴龍雲 1990년 ; 許興植 2005년), 李唐髦는 李知命의 아들로 國子司業에 이르렀다고 한다(열전12, 李知命).

· 지27, 선거1, 科目1, 選場, "[明宗]十八年六月, 參知政事林民庇知貢擧, [禮部尙書]崔証同知貢擧, 取進士, 賜李唐髦等二十九人及第".

303) 日本에서는 6월 5일(己巳, 高麗曆의 4日) 가마쿠라[鎌倉]에서 雷雨와 洪水가 있었다고 한다(日本史料4-1冊 384面 ; 中央氣象臺 1941年 2冊 426面).

[秋七月乙未朔[小盡,庚申], 流星自東抵西行, 尾長十五尺許:天文2轉載].

[壬寅[8日], 月食心後星:天文2轉載].[304]

[丙午[12日], 短虹見于大廟[~~太廟~~]齋室:五行1虹霓].

[戊申[14日], [東北面]定·長·宣·豫·高·和六州大水, 城郭頹, 民屋漂流者, 不可勝數. 又□□[~~東界~~]鎭溟□[~~縣~~]境內, 黃蟲·黃鼠, 隨雨而下, 大損禾稼:五行1水潦·節要轉載].[305]

[己酉[15日], 永平門路師子岩, 自裂爲三:五行3轉載].

[癸丑[19日], 太白犯熒惑:天文2轉載].

[甲寅[20日], 亦如之[太白犯熒惑]:天文2轉載].

[某日, 以李居正爲慶尙道按察使, [中郞將?]金元義爲全羅道按察使:慶尙道營主題名記].[306]

[八月[甲子朔大盡,辛酉], 辛未[8日], 月犯箕星:天文2轉載].

[○登·文·宜三州, 鎭溟·龍津·寧仁等諸城大水, 損禾, 漂蕩城郭, 民戶死者甚衆, 登州尤甚:五行1·節要轉載].

[某日, 制曰, "近聞東北面兵馬使所奏, 關東諸城, 多遭水灾, 禾穀損傷, 人民漂溺, 僅存遺氓, 竝被饑饉, 朕甚憫之[~~焉~~]. 宜遵京內東西大悲院例, 設食接濟, 活人多少, 以爲褒貶. 又令移粟朔方諸城". 仍遣使, 發倉賑民:節要·食貨3水旱疫癘賑貸之制轉載].[307]

[乙酉[22日], 秋分. 大風拔木:五行3轉載].

· 『吾妻鏡』 권8, 文治 4년 6월, "五日己巳, 自去夜降雨, 晡時以後如覆, 雷電聲, 終日不休止. 戌剋洪水, 勝長壽院前橋落畢, …".

304) 乙未에 朔이 탈락되었다.

305) ~~添字~~는 지9, 오행3, 土行, 黃眚黃祥에 의거하였다. 또 黃鼠는 黃鼠狼(黃鼬, 족제비)을 가리키는 것 같은데, 이는 포유동물로서 주된 먹이는 農作物과 野生植物이고, 들쥐의 병[鼠疫]을 傳染시킨다고 한다(陳翰伯 等編 2001年 12下册 998面, 1009面).

· 『虜廷事實』(『說郛』 권8 소수), 黃鼠, "沙漠之野, 地多黃鼠, 畜豆穀于其地, 以爲食用. 村民欲得之, 則以水灌穴, 遂出而有獲. 見其城邑有賣者, 去皮刻腹, 極甚肥大, 虜人相說, 以爲珍味".

· 『本草綱目』 권51下, 獸3, 鼠, 黃鼠, 集解, 時珍曰, '黃鼠出太原·大同·延綏及沙漠諸地皆有之, 遼人尤爲珍貴. 狀類大鼠, 黃色, 而足短善走, 極肥. 穴居有土窖如牀榻之狀者, 則牝牡所居之處. 秋時,畜豆粟·草木之實, 以禦冬, 各爲小窖, 別而貯之'. …".

306) 金元義는 그의 묘지명에 의거하였다.

307) ~~添字~~는 지34, 식화3, 水旱疫癘賑貸之制에서 달리 표기된 것이다.

秋九月甲午朔小盡,壬戌, [己亥6日, 月犯南斗魁:天文2轉載].
[庚子7日, 寒露. 歲星犯房上相:天文2轉載].
[乙巳12日, 月入羽林:天文2轉載].
[庚戌17日, 流星出危, 入河鼓左旗:天文2轉載].
庚申27日, 慮囚.

冬十月癸亥朔小盡,癸亥, [丙寅4日, 雷:五行1雷震轉載].
[庚午8日, 坤方, 赤氣如火, 三日:五行1轉載].
[辛未9日, 立冬. 太白犯南斗:天文2轉載].
[癸酉11日, 大霧三日:五行3轉載].
[丁丑15日, 大風雨, 二日, 原二罪以下:五行3·節要轉載].
[某日, 大閱于東郊, 凡十日. 自庚寅毅宗24年以來, 國家多故, 且懼有變, 久廢不行, 至是而復:兵1五軍轉載].[308]
[某日, □諫議大夫李純祐李純佑奏, "近代以來, 因八關煎藥, 命醫官, 歲聚四畿民乳牛, 絞取乳汁, 煎而成酥, 牸犢俱傷, 其藥本非備急, 且損耕牛, 請罷之". 制從之, 民多感悅:節要轉載].
甲申22日, 幸外帝釋院.
戊子26日, 幸妙通寺.
辛卯29日晦, 太白晝見.

十一月壬辰朔大盡,甲子, 丙申5日, 幸普濟寺.
庚子9日, 太白晝見.
○遣朱光美如金, 謝賀生辰,[309] 李尙儒, 賀正.[310]

---

308) 이 기사는 『고려사절요』 권13에 축약되어 있다("大閱于東郊, 凡十日, 自庚寅以來, 國家多故, 久廢. 至是, 復之").

309) 朱光美는 12월 29일(庚寅)에 方物을 바쳤다.
· 『금사』 권61, 表3, 交聘表中, 大定 28년 12월, "庚寅, 高麗戶部侍郎周匡美謝賜生日".

310) 李尙儒는 다음 해(大定29) 正旦에 賀禮하지 못하고 귀환하였던 것 같다.
· 『금사』 권8, 본기8, 世宗下, 大定 29년 1월, "壬辰朔, 上大漸, 不能視朝, 詔遣宋·高麗·夏賀正旦使還".
· 『금사』 권61, 表3, 交聘表中, 大定 29년, "正月壬辰朔, 高麗禮賓少卿李尙儒賀正旦. 上大漸, 高麗使遣還".

乙卯24日, 王如靈通寺.

辛酉30日, 憲臺請減近臣, 以充各司, 詔曰, "大臣子弟, 雖不勤謹, 不可輕黜, 無權勢者, 在所當去, 然皆畏法奉公, 除此輩, 更無使令". 不可依允.

[十二月壬戌朔大盡,乙丑, 戊辰7日, 流星出入北斗第六星:天文2轉載].

[壬申11日, 小寒. 月犯昴, 又食昴, 鎭星守氐, 凡四十餘日:天文2轉載].

[某日, 以金純爲金吾衛上將軍·殿中監兼太子右淸道率副率, 盧卓儒爲□□□□攝上將軍兼太子右司禦率副率, 柳光植爲掌冶署令:追加].[311)]

[某日, 中書侍郞平章事?李義旼子郞將至榮, 與牽龍朴公襲, 爭妓有感, 拔劍逐公襲于宮門. 義旼請罪至榮, 王不許. 請流其妓, 王遣內侍李德宇, 囚妓. 至榮突入獄, 逐德宇, 而出其妓:節要轉載].

[→中書侍郞平章事李義旼子郞將至榮, 嘗與牽龍朴公襲爭妓花園玉, 有憾拔劍, 逐公襲于宮門. 義旼請罪至榮, 王不許. 請流花園玉, 王遣內侍李德宇, 囚妓, 至榮突入獄, 逐德宇, 出其妓. 又逼淫王嬖姬, 王不得罪之, 朝野痛憤:列傳41李義旼轉載].

[是年, 以參知政事林民庇爲中書侍郞平章事. □□先是, 有池得琴者, 代民庇爲大常錄事太常錄事, 得琴尙在大常太常, 民庇已爲平章, 世誇其遷擢之速:列傳12林民庇轉載].

[○以上將軍·兵部尙書白任至爲樞密院副使·工部尙書:追加].[312)]

[○以龍虎軍攝中郞將崔忠獻爲龍虎軍中郞將:追加].[313)]

己酉[明宗]十九年, 金大定二十九年, [南宋淳熙十六年], [西曆1189年]

1189년 1월 19일(Gre1월 26일)에서 1190년 2월 6일(Gre2월 13일)까지, 13개월 384일

春正月壬辰朔小盡,丙寅, 丁未16日, 西北面兵馬使馳報金主世宗崩.[314)]

---

311) 이는 「金純墓誌銘」; 「盧卓儒墓誌銘」; 「柳光植墓誌銘」에 의거하였다.

312) 이는 「白任至墓誌銘」에 의거하였다.

313) 이는 「崔忠獻墓誌銘」에 의거하였다.

314) 이와 같은 기사로 다음이 있고, 金의 世宗完顔烏祿은 1월 2일(癸巳)에 崩御하였다(『금사』 권8, 본기8, 世宗下, 大定 29년 1월 癸巳).

戊申[17日]，金遣使[大理正移剌彥拱]來，賀生辰，王宴之.[315)]

[某日，以李仲利爲慶尙道按察使:慶尙道營主題名記].

[是月癸巳[2日]，金世宗卒，[皇太孫]完顔麻達葛卽位，是爲章宗:追加].[316)]

二月辛酉朔[大盡,丁卯]，日食.[317)]

庚寅[30日]，王如靈通寺.

[是月壬戌[2日]，南宋孝宗傳位於趙惇，是爲光宗:追加].

三月[辛卯朔大盡,戊辰]，戊午[28日]，[穀雨]. 遣奉慰使及祭奠兼會葬使，如金.[318)]

[→遣檢校尙書右僕射·戶部尙書李英搢，檢校工部尙書·戶部侍郞黃淸如金，祭奠幷會葬:追加].[319)]

己未[29日]，金遣使來，告喪.[320)] 金使，初至境上，凡軍從三十一人，邊吏以人數多於

· 지18，禮6，上國喪，"正月，金世宗崩".

315) 使는 大理正移剌彥拱으로 바꾸어야 옳게 될 것이다(→명종 18년 1월 17일의 校正事由).

· 『금사』 권8，본기8，世宗下，大定 28년 12월，"丙寅[5日]，以大理正移剌彥拱爲高麗生日使".

· 『금사』 권61，表3，交聘表中，大定 28년，"十二月丙寅，以大理正移剌彥拱爲高麗生日使".

316) 이는 다음의 자료에 의거하였다.

· 『금사』 권8，본기8，世宗下，大定 29년 1월，"癸巳，上崩于福安殿，壽六十七. 皇太孫卽皇帝位".

317) 이날 宋에서도 일식이 예고되었으나 구름[雲]으로 인해 보이지 않았다고 하며，金에서는 일식이 관측되었다(『송사』 권52，지5，천문5，日食 ；『금사』 권9，본기9，章宗1，大定 29년 2월 辛酉 ；『금사』 권20，지1，天文，日薄食煇珥雲氣). 이날 일본의 京都에서도 일식이 있었다(高麗曆과 同一，日本史料4-2冊 546面). 또 이날은 율리우스력의 1189년 2월 17일이고，개경에서 일식 현상이 심했던 시간은 11시 55분，食分은 0.83이었다(渡邊敏夫 1979年 308面).

· 『百練抄』제10，文治 5년 2월，"一日辛酉，日蝕正現".

· 『玉葉』 권55，文治 5년 2월，"一日辛酉，晴，此日日蝕也，虧初巳刻，加時午刻，復末未刻也. 朝間天晴，未刻以後天陰，日來霖雨，今日蝕時天晴，正見之後，更又陰，是近代之作法也，此日々蝕，殊有余愼云々".

318) 이 기사는 지18，禮6，上國喪에도 수록되어 있다.

319) 이는 다음의 자료에 의거하였다.

· 『금사』 권9，본기9，章宗1，大定 29년 6월，"乙卯[27日]，高麗國王晧遣使來，弔祭及會葬. 勅有司移報宋·高麗·夏，天壽節於九月一日來賀".

· 『금사』 권61，표3，交聘表中，大定 29년，"六月乙卯，高麗檢校尙書右僕射·戶部尙書李英搢，檢校工部尙書·戶部侍郞黃淸來，奏會葬幷祭奠".

320) 이 기사는 지18，禮6，上國喪에도 수록되어 있다. 金의 報哀使는 1월 13일(甲辰)에 파견이 결정되었다.

· 『금사』 권9，본기9，章宗1，大定 29년 1월，"甲辰，以大理卿王元德等報哀于宋·高麗·夏".

舊例，固留不迎．金使牒曰，“大行皇帝於爾國，有大恩寵，今聞訃音，宜顚倒迎命，卽行喪禮．今旣累旬，稽留不納，大乖禮制”．[321]

○命群臣會議，迎入界．

庚申[30日]，王素服率百官，迎詔于都省廳，擧哀．[322] 金使見王哀痛，莫不動色．

夏四月[辛酉朔小盡,己巳]，壬戌[2日]，釋服．[323]

己卯[19日]，遣使[~~檢校太尉鄭存實·殿中監任沖~~]如金，賀登極．[324]

五月[庚寅朔大盡,庚午]，［乙巳[16日]，太白犯熒惑:天文2轉載］．

辛亥[22日]，雨雹．[325]

［○大倉災[~~太倉災~~]，連三日，燒六十二庾:五行1火災轉載］．

［是月，右承宣柳公權，□□□□□[掌國子監試]，取詩賦鄭守剛等十九人，十韻詩李奎報等六十二人:選擧2國子試額轉載］．[326]

---

321) 이로 인해 高麗側은 金의 叱責을 받았던 것 같다.

· 『금사』 권208, 열전95, 外夷1, 高麗, “章宗卽位，詔使至界上，頗稽滯．詔移問[移文問]，高麗遜謝”．

322) 이 구절은 지18, 禮6, 上國喪에도 수록되어 있다.

323) 이 기사는 지18, 禮6, 上國喪에도 수록되어 있다.

324) 이때 파견된 賀登極使는 檢校太尉 鄭存實과 殿中監 任沖이고, 이들은 7월 13일(辛未)에 賀禮를 드렸다. 이 자료에 기록된 任沖은 金에 파견되어 主客侍郞 李陽으로부터 厚待를 받았다는 任沆으로 추측된다. 또 任沖은 그의 壻인 韓光衍의 墓誌銘에 의하면 定安郡人으로 禮部侍郞에 이르렀다고 하는데, 이를 통해 볼 때 열전8에 수록된 沆(任元厚의 子)은 沖의 다른 표기일 가능성이 있다. 그리고 李陽은 『금사』에서 찾아지지 않으나 이때보다 5년 후인 1194년(明昌5, 명종24) 2월 지방의 人材를 추천한 前河北西路轉運使 李揚이 찾아지는데, 같은 인물일 가능성이 있다(권10, 본기10, 章宗2, 明昌 5년 1월 辛巳).

· 『금사』 권9, 본기9, 章宗1, 大定 29년 7월, “辛未，高麗遣使來，賀卽位”．

· 『금사』 권61, 表3, 交聘表中, 大定 29년, “七月辛未，高麗檢校太尉鄭存實·殿中監任沖來賀登位”．

· 열전8, 任懿, 沆, “登第，仕至禮部侍郞．嘗奉使如金，主客侍郞李陽，名人也．愛沆風誼，待甚款”．

325) 이와 같은 기사가 지7, 五行1, 水, 雨雹에도 수록되어 있다.

326) 이와 관련된 자료로 다음이 있어서 吳闡猷도 함께 합격했음을 알 수 있다.

· 『東國李相國集』年譜, “己酉大定二十九年，公年二十二．是年春，擧司馬試中第一，以十韻賦之，… 座主柳公嗟賞不已，遂擢第一”．

· 「柳公權墓誌銘」, “己酉，掌南省試，所得皆一時名士，學者以爲美談”．

· 「吳闡猷墓誌銘」, “越己酉歲，擧司馬試中之”．

閏[五]月[庚申朔小盡,庚午], 辛酉[2日], 故宰相[中書侍郎平章事]崔忠烈妻, 以米一百石, 納于公廩.
丙寅[7日], 以久旱, 禱雨于群望, 宥寃獄.
辛未[12日], 禱于廟社及名山·大川·諸神祠, 巷市.
癸酉[14日], 聚巫, 禱于都省,
丁丑[18日], 雩, 又禱于群望.
己卯[20日], 雨.

[六月己丑朔[大盡,辛未]:追加].

秋七月[己未朔小盡,壬申], [丁卯[9日], 月入南斗魁,:天文2轉載].
[癸卯[某日], □[月]又犯昴星:天文2轉載].[327]
丁未[~~丁亥~~29日晦?],[328] 遣使[~~戶部尙書崔膺庸~~]如金, 賀天壽節,[329] 又遣使, 進方物.
[某日, 以金平爲慶尙道按察使:慶尙道營主題名記].

[八月[戊子朔大盡,癸酉], 甲午[7日], 震宣慶殿柱:五行1雷震·節要轉載].
[甲辰[17日], 熒惑入輿鬼:天文2轉載].
[乙巳[18日], 寒露. 月犯昴:天文2轉載].
[壬子[25日], □[月]犯積尸:天文2轉載].
[甲寅[27日], 流星大如甕, 自乾向巽, 光芒照地:天文2轉載].
[丁巳[30日], 流星出羽林:天文2轉載].

九月[戊午朔小盡,甲戌], [庚申[3日], 流星出南斗魁, 入箕星:天文2轉載].

---

327) 7월에는 癸卯가 없다.

328) 7월에는 丁未가 없고, 8월 20일이 丁未이다. 이 기사는 金에 使臣을 파견한 것인데, 『금사』 권9와 권61, 交聘表에 의하면 8월 29일(丙辰) 고려의 戶部尙書 崔膺庸이 天壽節을 宋·夏의 사신과 함께 賀禮하였다고 하는 점을 보아, 이 사신은 7월에 파견된 것임을 알 수 있다. 그러므로 『고려사』의 秋七月丁未는 丁卯(9일)·丁丑(19일)·丁亥(29일) 중에서 丁亥일 가능성이 높다.

329) 이때 파견된 節日使(賀天壽節使, 章宗의 生辰은 9월 1일)는 戶部尙書 崔膺庸이고, 이들은 8월 29일(丙辰)에 賀禮를 드렸다.
· 『금사』 권9, 본기9, 章宗1, 大定 29년 8월, "丙辰, 宋·高麗·夏遣使來, 賀天壽節".
· 『금사』 권61, 表3, 交聘表中, 大定 29년, "八月□□[丙辰], 高麗戶部尙書崔膺庸賀天壽節".

丙寅9日, 門下侍郞同中書門下平章事文克謙卒,330) [年六十八, 輟朝三日, 謚忠肅:列傳12轉載]. [克謙, 南平郡人, 知門下省事公裕之子, 蔭補刪定都監判官, 國制, 擧子以藍衫就試者, 例不過三赴, 克謙屢擧不中. 慨然曰, “白衣且十赴, 柰何藍衫只得三赴乎? 請以五赴爲限”, 從之. 遂爲恒規, 克謙雖從仕宦, 未嘗廢業, 竟擢第. 爲人忠孝勤儉, 時稱賢宰相, 然聽權豪干請, 不察賢否, 銓注乖錯, 又官其齠齔子弟, 分遣僕從, 廣植田園, 時議惜之:節要轉載].331)

[冬十月丁亥朔大盡,乙亥, 流星出北斗, 入北極:天文2轉載].
[辛卯5日, 流星出軍市:天文2轉載].
[丁未21日, 熒惑入軒轅:天文2轉載].
[戊申22日, 辰星出房東北:天文2轉載].

冬十一月丁巳朔小盡,丙子, [乙丑9日, 虎入延慶宮內:五行2轉載].
壬申16日, 金橫宣使完顔述來.332)
庚辰24日, 王如靈通寺.
甲申28日, 宴金使于大觀殿.
[是月, 遣禮部侍郞閔湜如金, 謝生日, 戶部侍郞孫衍, 謝橫賜:追加],333) [又遣使如金, 賀正:追加].334)

---

330) 이날은 율리우스曆으로 1189년 10월 20일(그레고리曆 10월 27일)에 해당한다.
331) 이와 관련된 기사로 다음이 있다.
- 지18, 禮6, 諸臣喪, “九月, 平章事文克謙卒, 輟朝三日, 謚忠肅”.
- 열전12 , 文克謙, “明宗十九年卒, 年六十八, 輟朝三日, 謚忠肅”.

332) 完顔述은 9월 13일(庚午)에 파견이 결정되었던 것 같고, 또 崇德이 橫賜使로 파견될 때 攝太常博士 張行簡이 高麗가 世宗의 崩御를 전하는 告哀使에게 不遜하였다는 이유로 반대의 의사를 개진하였다고 한다.
- 『금사』 권9, 본기9, 章宗1, 大定 29년 9월, “庚午, 以尙輦局使崇德爲橫賜高麗使”.
- 『금사』 권106, 열전44, 張行簡, “章宗卽位, … 廷議遣使橫賜高麗, □□□行簡曰, 比遣使報哀, 彼以細故邀阻, 且出嫚言, 俟移問還報, 橫賜未晩”.

333) 이는 다음의 자료에 의거하였다.
- 『금사』 권61, 표3, 交聘表中, 大定 29년, “十二月, 高麗禮部侍郞閔湜謝生日, 戶部侍郞孫衍謝橫賜”.

334) 이는 다음의 자료에 의거하였다. 또 明年(1190, 明昌1, 명종20) 正旦에는 世宗의 喪으로 인해 朝賀를 받지 아니하였다고 한다(“以世宗喪, 不受朝賀”).
- 『금사』 권9, 본기9, 章宗1, 大定 29년 12월, “甲寅29日, 宋·高麗·夏遣使來, 賀正旦”.

十二月丙戌朔大盡,丁丑, [己丑4日, 月入羽林:天文2轉載].

乙巳20日, 以門下侍郎平章事崔世輔△爲判吏部事, 中書侍郎平章事?杜景升△爲權判兵部事, (金吾衛上將軍·殿中監金純爲戶部尙書·龍虎軍上將軍, 攝上將軍盧卓儒爲興威衛攝上將軍:追加].[335]

[○日有東西珥:天文1轉載].

[是年, 以任益惇爲黃驪縣令. 是時, 一境病疫, 益惇, 卽躬率僧徒, 俾讀大般若經, 遍巡閭巷, 人聞螺磬, 有若醒醉而寤夢, 因得輕差, 濟活甚衆:追加].[336]

[○以守宮署丞韓光衍爲中尙署丞:追加].[337]

[○命僧統智偁主掌僧選:追加].[338]

庚戌[明宗]二十年, 金明昌元年, [南宋紹熙元年], [西曆1190年]

1190년 2월 7일(Gre2월 14일)에서 1191년 1월 26일(Gre2월 2일)까지, 354일

春正月丙辰朔小盡,戊寅, [辛酉6日, 流星出天苑:天文2轉載].

[丁卯12日, 月犯輿鬼:天文2轉載].

[庚午15日, 白虹竟天, 狀如練:五行2轉載].[339]

壬申17日, 金遣西上閤門使耶律炳來, 賀生辰.[340]

己卯24日, 宴金使于大觀殿, 賜金帶.

[某日, 以周惟氐爲慶尙道按察副使:慶尙道營主題名記].

是月, 盜起東京.

---

335) 이는 「金純墓誌銘」; 「盧卓儒墓誌銘」에 의거하였다.

336) 이는 다음의 자료에 의거하였다.

· 「任益惇墓誌銘」, "至己酉調爲黃驪長, 方下車, 而一境病疫, 公卽躬率緇黃, 俾讀大般若, 遍巡閭巷, 人聞螺磬, 有若醒醉而寤夢, 因得輕差, 濟活甚衆. 又撫窮以慈馭黠, 以威韋絃迭佩, 水火互明".

337) 이는 「韓光衍墓誌銘」에 의거하였다.

338) 이는 「靈通寺住持·僧統智偁墓誌銘」에 의거하였다.

339) 이날 일본의 京都에서 때때로 비가 내렸다고 한다(『吾妻鏡』第10, 建久 1년 1월, "十五日庚午, 雨時々降").

340) 西上閤門使 耶律炳(移剌邴)은 前年(大定29) 11월 21일(丁丑)에 파견이 결정되었다.

· 『금사』 권9, 본기9, 章宗1, 大定 29년 11월, "丁丑, 以西上閤門使移剌邴爲高麗生日使".

[○按察副使周惟氏率兵欲襲賊,賊覺而拒之,殺傷甚衆→2월로 移動함].[341]

[是月朔, 南宋改元紹熙, 金改元明昌:追加].

二月乙酉朔大盡,己卯, 己丑5日, 金□□~~移牒~~報改元明昌.[342]

[乙未11日, 流星出天津, 入瓠瓜, 大如缶:天文2轉載].

[某日, 按察副使周惟氏率兵欲襲賊, 賊覺而拒之, 殺傷甚衆←1월에서 移動해옴].

[→遣使東京, 勸課農桑. 按察副使周惟氏率兵欲襲賊, 賊覺而拒之, 殺傷甚衆:節要轉載].

[三月乙卯朔小盡,庚辰, 某日, 僧知訥撰'結社編跋'於公山東北隅庵子:追加].[343]

[夏四月甲申朔大盡,辛巳, 某日, 以戶部尙書·龍虎軍上將軍金純爲兵部尙書, 主管軍政:追加].[344]

夏五月甲寅朔大盡,壬午, 某日, 賜皇甫緯等及第.[345]

---

341) 이 기사는 1월과 2월에 일어난 사건을 함께 정리한 것이다. 『고려사절요』 권13에 의하면 東京에서 盜賊이 일어난 것은 1월이고, 이를 按察副使 周惟氏가 討伐한 것은 2월이라고 한다[校正事由].

342) 金은 이해의 1월 1일(丙辰)에 年號를 明昌으로 바꾸었는데(『금사』 권9, 본기9, 章宗1, 明昌 1년 1월 丙辰), ~~添字~~는 『고려사절요』 권13에 의거하였다.

343) 이는 다음의 자료에 의거하였는데, 隱居處는 현재의 慶北北道 永川市 淸通面 新源里 居祖寺이다(崔然柱 2005년b).
- 『禪門撮要』, 結社, 末尾(「勸修定慧結社文」 序文), "… 時明昌元年庚戌季春, 公山隱居牧牛子知訥謹誌".

344) 이는 다음의 자료에 의거하였다.
- 「金純墓誌銘」, "庚戌四月, 批授兵部尙書, 主張戎政".

345) 이와 관련된 기사로 다음이 있다. 또 이후 任濡는 樞密院副使·吏部尙書에 임명되었다(『동문선』 권36, 任相公濡謝除樞密副使·吏部尙書表, 권43, 讓樞密院副使·吏部尙書, 李奎報 撰). 이때 皇甫緯·趙冲·兪升旦·韓光衍(韓光衍墓誌銘)·陳湜·崔克文·劉冲基·尹于一(以上 『보한집』권상, 趙文正趙冲器識…)·申禮(『동국이상국집』 권27, 爲同年薦人崔尙書)·李奎報(同進士, 『동국이상국집』 年譜)·井宗厚(『보한집』권하)·李方榮(改侃, 李侃墓誌銘) 등이 급제하였다(『동국이상국집』 권25, 同年宰相書名記 ; 『등과록』, 朴龍雲 1990년 ; 許興植 2005년).
- 지27, 선거1, 科目1, 選場, "明宗二十年五月, 政堂文學李知命知貢擧, 左承宣任濡同知貢擧, 取進士, □□~~某日~~, 賜皇甫緯等三十人·明經五人·恩賜七人及第".
- 열전15, 李奎報, "明宗二十年, 登同進士第, 嫌末科, 欲辭之. 父責之切, 且無舊例, 不得辭. 因醉謂賀客曰, 科第雖下, 庸詎知不三四度鑄門生者乎? 坐客, 掩口竊笑. 時李仁老·吳世才·林椿·趙通·皇甫抗·咸淳·李湛之等, 自以爲一時豪俊, 結爲友, 稱七賢. 每飮酒賦詩, 旁若無人".

[六月甲申朔小盡, 癸未, 丙申13日, 中書侍郎平章事文章弼卒, 年□□, 輟朝三日, 諡□康:追加].346)

[秋七月癸丑朔大盡,甲申, 某日, 遣戶部侍郎陳克修如金, 賀天壽節, 戶部□□侍郎鄭世鬈, 獻方物:追加].347)

[某日, 以玄德秀爲慶尙道按察使:慶尙道營主題名記].

秋八月[癸未朔小盡,乙酉, 流星大如梨, 出奎, 入天將軍:天文2轉載].348)

丙戌4日, 減內外死囚十六人, 分配海島.

丁酉15日, 以秋夕, 親享景靈殿.

[癸卯21日, 月犯東井:天文2轉載].

甲辰22日, 幸普濟寺.

丁未25日, 門下侍郎平章事韓文俊卒.349) [輟朝三日, 諡貞懿:列傳12韓文俊轉載]. [文俊, 性雅正, 少而能屬文, 及擢第, 才名聞於世. 時方重守令之任, 文俊歷長州·長興·南原三郡副使·南京副留守, 皆有惠政. 典吏·兵二部, 銓敘平允, 三掌禮闈, 所取多名士, 人服鑑識, 年七十, 謝事家居, 日與高人韻士, 逍遙詩酒:節要轉載].

九月壬子朔大盡,丙戌, [癸丑2日, 大雨, 震雷:五行2轉載].

· 『東人之文五七』, 李平章奎報五十首, "奎報, 字春卿, 忠州黃驪縣籍, 父允綏, 戶部郎中, 奎報, 明王庚戌, 皇甫緯牓登科, …".

· 『東人之文五七』, 陳司諫澕一十八首, "澕, 淸州麗陽籍, … 至孫澕, 兄弟三人, 皆登科. 湜, 明王庚戌, 皇甫緯牓, 官至御史大夫".

346) 이는 「文章弼墓誌銘」에 의거하였는데, 이 묘지명은 脫落이 심하여 最終官職과 卒年이 불분명하다. 단지 逝去日이 "至六月十三日丙□□捐館權厝于花佛寺"로 되어 있는데, 6월 13일의 日辰이 '丙□'으로 刻字된 것을 통해 1190년(명종20) 6월 13일(丙申)임을 알 수 있다. 이날은 율리우스曆으로 1190년 7월 17일(그레고리曆 7월 24일)에 해당한다.

347) 이는 다음의 자료에 의거하였다. 이에서 添字는 탈락된 글자인데, 필자가 추정하여 추가하였다.

· 『금사』 권9, 본기9, 章宗1, 明昌 1년 8월, "己酉27日, 宋·高麗·夏遣使來, 賀天壽節".

· 『금사』 권62, 표4, 交聘表下, 明昌 1년, "八月己酉, 高麗戶部侍郎陳克修及進奉使戶部□□侍郎鄭世鬈, 賀天壽節".

348) 癸未에 朔이 탈락되었다.

349) 이날은 율리우스曆으로 1190년 9월 26일(그레고리曆 10월 3일)에 해당한다.

丙辰[5日], 詔曰, "自古有國家者, 所重在民. 唐太宗揀天下淸直有名之士, 分補守令, 撫綏黎民, 事在簡策, 垂法後世, [朕甚慕焉:節要轉載]. 今, 國家酌古思今, 揚淸激濁, 黜陟之法, 庶幾貞觀. 乃何, 近民之官, 先私後公, 損人益己, 剝民膏血, 恬不爲愧. 雖贓狀已露, 猶且杔付[托付]權勢,[350] 以圖苟免. 故習俗因循, 狃于姦宄, 欲臻至治, 其可得乎. 咨爾兩界兵馬使·五道按察使, 尙一乃心力, 見善若驚, 疾惡若讎, 其有守節效職者, 褒之使知勸, 賣公漁利者, 劾之使知戒. 如此, 則廉恥之風興, 而貪殘之行息矣, 其令有司施行".

[丁巳[6日], 月犯南斗魁第四星:天文2轉載].

庚申[9日], 以重陽, 親享景靈殿.

壬戌[11日], 有司奏劾忠州牧使·前上將軍鄭元獬. 制曰, "代君而理民者, 吏也, 故吏良則民安, 否則必至騷擾. 元獬嘗抵法削爵, 竄于南荒, 朕冀其自新, 命以前職, 假守中原. 今且不悛, 多行不義, 剝民滋甚, 罪在不赦. 然以側隱之心, 不忍加誅, 其令以檢校官, 屛居卿里[鄕里].[351] 彼忠州民, 敢行告訴, 罪合示懲, 第愚氓不忍荼毒, 冒死仰訴, 其亦可矜, 有司無問".

[丁卯[16日], 月食昴星:天文2轉載].

戊寅[27日], 太白晝見, 二日. 慮囚.

[是月, 取□□□[升補試]安社基等三十二人:選擧2升補試轉載].

冬十月[壬午朔小盡,丁亥], [甲申[3日], 遣使西都, 祭蓺祖廟. 西都蓺祖之所興也, 至今衣冠, 猶在其廟, 故後王, 每於燃燈·八關, 遣大臣致祭:禮5雜祀轉載].[352]

[丙戌[5日], 月犯歲星:天文2轉載].[353]

[某日, 知樞密院事白任至, 以私事謁. 王引入內殿, 優待以遣. 舊法, 大臣非有國家大事, 不詣君門. 今, 任至冒謁如此, 而臺諫不劾. 時議譏之:節要轉載].

---

350) ~~添字~~와 같이 고쳐야 옳게 되는데, 『고려사절요』 권13에는 바르게 되어 있다.

351) 『고려사절요』 권13에는 바르게 되어 있다.

352) 蓺祖는 萟祖로도 표기하며, 文德이 있는 祖를 指稱한다. 宋代에 이르러 太祖 趙匡胤을 蓺祖로 表記하였다고 하는데, 이에 緣由하여 創業主를 가리키는 槪念으로 변하였다.
- 『書經』, 舜典, "歸格于蓺祖, 用特". 孔傳, "巡守四岳, 然后歸告至, 文祖之廟. 蓺, 文也". 孔穎達疏, "才蓺文德, 其義相通, 故蓺爲文也".
- 『日知錄』 권24, 蓺祖, "… 人知宋人稱太祖爲蓺祖, 不知前代亦皆稱其太祖爲蓺祖, … 然則蓺祖, 是歷代太祖之通稱也".

353) 지2, 천문2에 丙戌(5일) 앞에 十月이 탈락되었다.

壬寅[21日], 設百座仁王會於大觀殿, 飯僧于毬庭三日.[354)]

[丁未[26日], 大霧, 咫尺不見人物:五行3轉載].

[己酉[28日], 木稼:五行2轉載].

十一月[辛亥朔大盡,辛亥], [壬子[2日], 大雪. 流星出王良, 入騰蛇:天文2轉載].

[庚申[10日], 大霧:五行3轉載].

[壬戌[12日], 月犯昴東北星:天文2轉載].

[某日], 遣使[戶部侍郎盧湜]如金, 謝賀生辰.[355)]

○又遣使[禮賓少卿鄭克溫], 賀正.[356)]

乙丑[15日], 設八關會, 幸法王寺.

甲戌[24日], 幸靈通寺.

[○改稱公州車懸仁濟院爲彌勒院, 僧孝安等懸排飯子一副, 入重四十三斤八兩:追加].[357)]

十二月辛巳朔[小盡,己丑], 設勝法文道場于內殿.

[己丑[9日], 月犯昴星:天文2轉載].

癸巳[13日], 以中郎將姜純義爲南路捉賊使, 閤門祗候庾寬, 副之.

[甲辰[24日], 月犯心大星:天文2轉載].

[乙巳[25日] 太白犯鎭星:天文2轉載].

戊申[28日], 以[門下侍郎平章事]崔世輔△[爲]特進·守大師[守太師], [門下侍郎平章事]杜景升△[爲]守大尉, 李義旼△[爲]同中書門下平章事~~門下侍郎同中書門下平章事~~,[358)] 朴純弼爲中書侍郎平章事, 史

---

354) 이때 僧統 智偁이 百座會를 主管하였던 것 같다.

· 「靈通寺通炤僧統智偁墓誌」, "庚戌歲, 受賜滿繡袈裟, 是歲十月, 會國家設百座會, 以師[智偁]爲空門領袖, 俾典之".

355) 이때의 使臣[謝賀生辰]은 戶部侍郎 盧湜이며, 12월 27일(丁未)에 謝禮하였다.

· 『금사』 권62, 表4, 交聘表下, 明昌 1년, "十二月丁未, 高麗戶部侍郞盧湜謝生日".

356) 이때의 賀正使는 禮賓少卿 鄭克溫인데, 明年(明昌2) 正旦에는 世宗의 喪으로 인해 朝賀를 받지 않으려고 하여 12월 27일(丁未)에 賀禮를 드렸다.

· 『금사』 권9, 본기9, 章宗1, 明昌 1년 12월, "丁未, 宋·高麗·夏遣使來, 賀正旦".

· 『금사』 권62, 表4, 交聘表下, 明昌 2년, "正月庚戌朔, 高麗禮賓少卿鄭克溫賀正旦.

357) 이는 다음의 자료에 의거하였다(蔡雄錫 編 2013년 57面).

· 「彌勒寺飯子銘」, "明昌二年~~一年~~庚戌十一月日公州土車懸仍~~車懸峴~~仁濟院改號彌勒」 院懸排鉡子壹,入肆拾參斤捌兩印,棟梁道人孝安".

正儒△爲守司空·左僕射·參知政事, 李奕蕤△爲參知政事, 李知命爲□□□□政堂文學·太子少傅,[359] 知樞密院事·吏部尙書·太子賓客白任至△爲知門下省事·工部尙書,[360] 權節平爲樞密院使, 趙永仁·劉升·金永存並△爲同知樞密院事, 兵部尙書金純爲樞密院副使·戶部尙書,[361] 崔瑜賈爲國子監大司成·樞密院副使, [興威衛攝上將軍盧卓儒爲試刑部尙書·龍虎軍上將軍:追加].[362]

[先是, 省宰增至七員, 時論, 以謂非古制. 及是, 又增爲八, 里巷歌曰, 皇國實無寺, 省中置七齋, 七齋今未了, 八齋復入來. 蓋宰與齋, 聲相近, 爲廋辭以譏□之: 節要·選擧3選法轉載].[363]

[是年, 判制, ~~百官丘史數~~, 守太師·□守太傅·□守太保, 各丘史二十二, 守太尉·守司徒·□守司空十六, 公侯二十, 伯子男十四, 中書令·門下侍中二十二, 門下·中書侍郎平章事二十, 參知政事十六, 知省事·政堂文學十五, 左·右常侍~~左·右散騎常侍~~十, 直門下□□省事·給事中·左·右諫議八, 起居注·起居舍人.·左·右司諫六, 左·右正言五. 尙書令二十二, 左·右僕射十四, 知省事八, 左右丞七, 左·右司郎中六, 左右司員外郎五. 樞密院事十六, 使十五, 知院事·同知院事十四, 副使十三, 密直樞密學士十, 知奏事九, 承宣八. 六尙書官判事十五, 六尙書·上將軍十, 殿中監·近仗諸衛大將軍·卿·監·祭酒八, 六尙書官知部事八, 近仗諸衛將軍·諸曹侍郎七, 近仗諸衛中郎將·諸曹郎中六, 近仗諸衛郎將·諸員外郎五. 三司判事十五, 使知司事八, 副使六, 判官五, 御史臺判臺事十二, 大夫十, 知臺事八, 中丞七, 雜端·侍御史·殿中侍御史六, 監察御史五. 秘書·殿中·禮賓·衛尉·司宰·太僕·太府·少府·將作·國子判事九, 少卿·少監·司業六, 秘書·殿中丞五, 內給事·國子博士四. 翰林院判院事十, 學士承旨八, 翰林學士七, 侍講·侍讀六. 史館監修國史十五, 修國史十三, 修撰官六.

---

358) 李義旼을 同中書門下平章事로 임명한 것은 門下侍郎同中書門下平章事에 임명된 것을 指稱한 것이다. 그의 열전에 의하면 이때 亞宰인 同中書門下平章事·判兵部事에 임명되었다고 하지만, 이때 는 門下侍郎同中書門下平章事에 임명되었고, 明年 12월에 判兵部事를 兼職하게 되었던 것 같다(열전41, 李義旼).

359) 이때 李知命은 政堂文學·太子少傅에 임명되었던 것 같다(열전12, 李知命). 그렇게 되어야 『고려사절요』 권13에서 轉載한 내용과 같이 眞宰[省宰]가 8人에 달하게 된다.

360) 이때 白任至는 知門下省事·工部尙書에 임명되었다(白任至墓誌銘).

361) 이때 金純은 戶部尙書로서 樞密院副使·上將軍에 임명되었다(金純墓誌銘).

362) 이는 「盧卓儒墓誌銘」에 의거하였다.

363) 添字는 지29, 선거3, 選法에 의거하여 추가한 것이다.

軍器·太醫監判事八, 監七, 少監六, 閣門[閣門]判事八, 引進使·知閣門事[知閣門事]七, 使六, 副使·通事舍人五, 祗候四. 詹事府詹事八, 少詹事六, 尙食·尙衣·尙舍·尙乘·尙藥知局事六. 大史局判事七, 知局事五, 令四. 司天臺判事八, 監七, 少監五, 四官正四. 諸陵太廟令四, 以下參外六品及近仗諸衛別將·東南班七品員三, 近仗諸衛散員及東班八九品員二. 諸權務官·甲科使·同科副使四, 乙丙科使四, 同科副使三. 泰定·棣通門·靜德·康安殿侍衛將軍三, 直翰林史館·錄事·判官·留院校監以上有祿諸權務二, 以下諸權務員一. 兩班致仕員, 尙書□[令]·中書令·門下侍中·侍郎平章事, 各丘史五, 此外宰臣·樞密院員及守三公以上四, 僕射六, 尙書·上將軍三, 大將軍·卿·監二, 判寶文閣學士七, 直學士六, 待制五, 直閣四. 此皆兼官, 減半定付:輿服1百官儀從轉載].

[○罷金州東南海都部署使本營:追加].[364)]

[○以柳公權爲判太府寺·右承宣:追加].[365)]

[○以[軍器主簿]金鳳毛爲春坊通事舍人:追加].[366)]

辛亥[明宗]二十一年, 金明昌二年, [南宋紹熙二年], [西曆1191年]

1191년 1월 27일(Gre2월 3일)에서 1192년 1월 16일(Gre1월 23일)까지, 355일

春正月[庚戌朔大盡,庚寅], 辛亥[2日], 政堂文學李知命卒,[367)] [年六十五, 諡文平. 知命爲相, 有古大臣風, 再掌禮闈, 以得人稱. 若趙冲·韓光衍·李奎報·兪升旦·劉冲基, 皆其所取. 子唐髦, 少有詞藻, 有父風. 擢魁科, 仕至國子司業:列傳12李知命轉載]. [知命, 博覽群書, 善詞賦, 工草隷, 擢第, 調黃州書記. 居官廉正, 賑活飢民甚衆, 後爲忠州判官, 政如黃州. 庚寅之亂, 內外文臣, 逃遁無地, 唯知命爲州人所護, 得免. 王以爲有文行, 擢爲諫官, 自是, 所至著聲績, 再掌禮闈, 若趙冲·韓光衍·李奎

364) 이는 다음의 자료에 의거하였다. 이때 東南海都部署使의 本營이 廢止된 것은 아니고 다른 地域으로 옮겼다가 1202년(신종5, 壬戌) 다시 옮겨 왔다[還爲本營]고 한다.
· 『경상도지리지』, 晋州道, 金海都護府, "明宗泰定[大定]庚戌, 罷[東南海都部署使]本營".

365) 이는 「柳公權墓誌銘」에 의거하였다.

366) 이는 「金鳳毛墓誌銘」에 의거하였다.

367) 이날은 율리우스曆으로 1191년 1월 28일(그레고리曆 2월 4일)에 해당한다.

報·兪升旦·劉冲基, 皆其所取, 世以得人稱之:節要轉載].

[己未[10日], 木稼:五行2轉載].

丙寅[17日], 金遣完顔克忠來, 賀生辰.[368]

庚辰[~~2月1日?~~], 宴于大觀殿.[369]

[某日, 以鄭得先爲慶尙道按察使:慶尙道營主題名記].

二月[庚辰朔小盡,辛卯], 乙未[16日], 金遣完顔臣來, 告皇太后喪.[370] 遣大將軍韓正修·郎中崔敦禮如金, 吊喪, 大將軍文得呂·[國子]司業李世長, 致祭.[371]

---

368) 完顔克忠은 『금사』에는 移剌撻不也로 되어 있으며, 그는 前年(明昌1) 11월 21일(辛未)에 파견이 결정되었다.

· 『금사』 권9, 본기9, 章宗1, 明昌 1년 11월, "辛未, 以西上閤門使移剌撻不也爲高麗生日使".

369) 1월 庚辰은 宋曆·日本曆에서 2월 1일이다. 만일 高麗曆에서 庚辰이 1월에 있었다면 朔日이 辛亥가 되어야 하지만, 이달(1월)의 처음 기사가 辛亥임에도 朔의 表記가 없으므로 宋曆과 같이 庚戌이 朔日일 가능성이 있다. 그렇다면 庚辰은 2월의 朔日일 가능성이 있지만, 이 역시 쉽사리 단정하기 어려움이 있다.

이는 2월 22일에 知門下省事 白任至가 逝去하였다고도 볼 수 있는데, 그의 墓誌銘에 逝去한 날짜 '二日卒'의 上段部가 破損되어 一日인지, 二日인지 분명하지 않다. 金龍善敎授는 22日로 판독하였는데, 필자는 金敎授가 휴대폰으로 傳送해준 작은 映像으로 볼 때 一日인 것 같아 이에 대한 소견을 제시한다. 墓誌의 해당 부분은 기왕의 업적을 따르면 a와 같고, 이를 校定하여 校注하면 b와 같다.

· a 「白任至墓誌銘」, "…尋」傳爲知樞密院事吏部尙書·大子賓客,庚戌年爲知」門下省事·工部尙書工部尙書,年六十一忽寢疾,辛亥二月二十」 二日卒,遣使追悼,贈謚爲景烈公,取三月十二,備禮」儀葬于此地,銘曰」,…"(原文, 金龍善 2006년 270面).

· b 「白任至墓誌銘」, "…尋」傳[轉]爲知樞密院事·吏部尙書·大子[太子]賓客.庚戌年[明宗20年],爲知」門下省事·工部尙書,年六十一,忽寢疾,辛亥[21年]二月二十」 一日卒,遣使追悼,贈謚[諡]爲景烈公,取三月十二□[廿],備禮」儀葬于此地,銘曰」,…"[筆者校定].

이상에서 전재한 數字 중에는 기왕에 판독된 二十二日을 제외하고도 '六十一'과 '十二□[廿]'이 있는데, '二十二日'의 二의 字形은 '十二□[廿]'의 二보다는 '六十一'의 一과 字形이 꼭 같으며, 여타의 글자보다 가로[橫]로 약간 길다[長]. 그래서 필자는 이 글자를 21日로 판독하여, 이달[是月]을 宋曆, 日本曆과 동일한 二月庚辰朔으로 판정하려고 한다.

370) 金의 皇太后(顯宗妃 孝懿皇后 徒單氏, 章宗의 母)는 1월 12일(辛酉)에 崩御하였고, 17일(丙寅) 各國에 부음을 通報하였다.

· 『금사』 권9, 본기9, 章宗1, 明昌 2년 1월, "丙寅, 以左副都點檢亶等報哀于宋·高麗·夏".

371) 이 기사는 지18, 禮6, 上國喪에도 수록되어 있다. 또 陳慰使 韓正修·崔敦禮, 祭奠使 文得呂·李世長 등은 3월 27일(乙亥)에 陳慰와 祭奠을 行하였다.

· 『금사』 권9, 본기9, 章宗1, 明昌 2년 3월, "乙亥, 高麗遣使來, 弔祭".

· 『금사』 권62, 表4, 交聘表下, 明昌 2년, "三月乙亥, 高麗檢校尙書右僕射·工部尙書韓正修, 吏部侍郞崔敦禮奉慰, 檢校尙書文得品·禮部侍郞李世長祭奠".

丁酉[18日], 幸延慶宮, 邀金使, 不至, 夜率群臣, 迎詔於都省, 發哀.[372)]

己亥[20日], 宴金使于大觀殿.

庚子[21日], 知門下省事白任至卒,[373)] [年六十一, 諡景烈:追加].[374)] [任至, 起於農. 初, 以驍勇被選, 携妻子, 至京賃居, 負薪鬻米, 以自給. 毅宗選充內巡檢軍, 扈駕出入, 不離仗側, 以勞充隊正. 庚寅之亂, 武人得志, 遂貴顯, 妻嘗具酒饌, 盛騶從, 訪舊賃家嫗. 嫗驚嘆曰, 夥汝之福也:節要轉載].

三月[己酉朔小盡,壬辰], 乙卯[7日], 參知政事朴純弼卒.[375)] [□□[純弼], 爲人挺資表, 美鬚髯, 進止言行, 皆人所推許. 庚癸之後, 文臣殲盡, 當時, 簿書雲委, 純弼獨能操筆, 始終無怠:節要轉載].

[甲子[16日], 禮賓卿·太子中尹蔡祥正卒:追加].[376)]

[夏四月[戊寅朔大盡,癸巳], 乙未[18日], 刑部尙書·龍虎軍上將軍盧卓儒卒:追加].[377)]

[是月頃, 李純祐, □□□□□[掌國子監試], 取洪儆等:選擧2國子試額轉載].

[五月戊申朔[大盡,甲午]:追加].

[六月[戊寅朔小盡,乙未], 乙酉[8日], 小暑. 鎭星犯罰:天文2轉載].

[壬辰[15日], 月食:天文2轉載].[378)]

---

372) 이와 같은 기사가 지18, 禮6, 上國喪에 수록되어 있다("丁酉, 王率群臣, 發哀於都省").

373) 1월 庚辰의 注釋과 같다.

374) 이는 「白任至墓誌銘」에 의거하였는데, 이날은 율리우스曆으로 3월 18일(그레고리曆 3월 25일)에 해당한다.

375) 朴純弼은 前年 12월 28일(戊申) 中書侍郞平章事에 임명되었지만, 이때 下位職인 參知政事로서 逝去하였다고 되어 있고, 그의 열전에도 동일하게 서술되어 있다(열전134, 朴純弼). 그렇다면 그는 어떤 사유로 降等되었거나 아니면 平章事에 임명될 때 臺諫의 署經을 받지 못했을 가능성이 있을 것이다. 또 이날은 율리우스曆으로 1191년 4월 2일(그레고리曆 4월 9일)에 해당한다.

376) 이는 「蔡祥正墓誌銘」에 의거하였는데, 이 묘지명의 탁본이 奈良縣의 어떤 硏究所에 소장되어 있었던 것 같으나 판독이 정밀하지 못하다(橿原考古學硏究所 編 2009年). 이날은 율리우스曆으로 4월 11일(그레고리曆 4월 18일)에 해당한다.

377) 이는 「盧卓儒墓誌銘」에 의거하였다. 이날은 율리우스曆으로 1191년 5월 12일(그레고리曆 5월 19일)에 해당한다.

378) 이날 宋에서는 월식이 예측되었으나 구름에 가려 보이지 않았다고 하며, 金에서는 월식이 있었

秋七月丁未朔大盡,丙申, 己酉3日, 再雩.379)

[○流星出王良, 入騰蛇:天文2轉載].380)

[庚戌4日, 歲星犯壘壁:天文2轉載].

[辛亥5日, 流星出東壁, 入壘壁:天文2轉載].

[某日, 以庾元義庾資諒爲慶尙道按察使:慶尙道營主題名記].381)

[某日, 遣戶部侍郞柳光壽如金, 賀天壽節, 戶部侍郞宋弘迪, 獻方物:追加].382)

[八月丁丑朔大盡,丁酉, 乙酉9日, 月犯南斗:天文2轉載].

[戊子12日, 熒惑犯輿鬼:天文2轉載].

[某日, 分外方役軍, 爲三番. 舊制, 諸州一品軍, 分爲二番, 當秋而遞, 使之循環, 比緣營造, 合而役之, 至是分焉:兵3工役軍轉載].

[□□是月, 西海道蝗, 大傷禾稼節要·五行1轉載].383) [○淸州大水, 漂沒民戶節要·五行1水潦轉載].384) [開城府德水縣地陷, 深三丈:節要·五行轉載].

다(『송사』 권52, 지5, 천문5, 月食 ; 『금사』 권20, 지1, 天文, 月五星淩犯及星變). 또 이날 일본의 교토에서는 비가 내려서 월식이 관측되지 않았던 것 같다(高麗曆과 同一). 그리고 이날은 율리우스력의 1191년 7월 8일이고, 월식 현상이 심했던 때의 世界時는 11시 59분, 食分은 0.32이었다(渡邊敏夫 1979年 478面).
· 『玉葉』 권61, 建久 2년 6월, "十五日壬辰, 午上天晴, 申刻雨降, 小雷".

379) 再雩는 再次 祈雨祭를 거행하는 것을 指稱하므로 6월 中, 下旬에 雩祭를 지냈던 것 같다. 일본에서도 이해의 6, 7월에 큰 가뭄[大旱]이 계속되다가 8월 26일 洪水가 일어났던 것 같다(高麗曆과 同一).
· 『武家年代記裏書』, "建久二年, 大旱、八、廿六、洪水".

380) 지2, 천문2에는 己酉(3일) 앞에 七月이 탈락되었다.

381) 이 자료에서 庾元義는 後日 庾資諒으로 改名하였다고 한다("秋冬等庾元義, 後改資諒"). 그의 열전과 墓誌銘에도 東南을 按廉[廉按東南, 或廉察東南]하였다고 한다(열전12, 庾應圭, 資諒 ; 庾資諒墓誌銘).

382) 이는 다음의 자료에 의거하였다.
· 『금사』 권9, 본기9, 章宗1, 明昌 2년 8월, "乙巳29日, 宋·高麗·夏遣使來, 賀天壽節".
· 『금사』 권62, 표4, 交聘表下, 明昌 2년, "八月乙巳, 高麗戶部侍郞柳光壽賀天壽節, 戶部侍郞宋弘迪進奉".

383) 宋에서도 이해의 7월 高郵縣(現 江蘇省 高郵市)에 蝗蟲이 일어나 泰州(現 江蘇省 泰州市)에까지 미쳤다고 한다(『송사』 권62, 지15, 오행1下).

384) 淸州에 洪水[大水]가 일어난 것은 일본에서 洪水가 있었던 8월[大盡] 26일(壬寅)보다 늦은 月末일 것이다(7월 3일의 脚注).

[九月[丁未朔小盡,戊戌], 庚申[14日], 月犯昴星:天文2轉載].

[己巳[23日], 熒惑犯軒轅:天文2轉載].

[十月[丙子朔大盡,己亥], 戊寅[3日], 流星出參, 入軍市, 大如木瓜. 又出闕丘, 入外廚, 大如桮:天文2轉載].

[庚辰[5日], 流星出軍市, 入丈人, 大如缶:天文2轉載].

[某日, 兵部尙書李英搢卒. □□[英搢], 初名寵夫, 販魚爲生, 充邏卒. 性殘忍喜禍, 歲庚寅[毅宗24年], 附二李, 恣其呑噬, 世之言殘虐者, 必曰寵夫. 及慶大升用事, 英搢畏縮, 大升卒, 復肆兇悍, 驟遷尙書, 漁奪無厭, 以致家富. 嘗求使北朝, 沿路需索, 郡縣奔走, 賂遺萬計. 金人曰, "汝向爲義州戍卒, 州人皆呼爲獸心人, 汝國無人, 而俾汝拜高官, 銜使命歟". 所至, 皆慢罵不禮. 及還, 語其子曰, "汝輩免使異邦, 幸矣":節要轉載].

[乙巳[30日], 流星出<u>星</u>[七星], 入翼:天文2轉載].[385]

[十一月[丙午朔小盡,庚子], 己酉[4日], 熒惑入<u>大微</u>[太微]西藩上相:天文2轉載].

[丁巳[12日], <u>大雪</u>. 月食昴星:天文2轉載].

[某日, 禮部侍郞任沆卒. 沆, 幼能文, 風貌朗秀, 以外戚, 勢焰熏灼, 不以驕人:節要轉載].

[是月, 遣戶部侍郞李至純如金, 謝賜生日, 又遣禮賓少卿洪孝忠, 賀正:追加].[386]

冬十二月[乙亥朔[大盡,辛丑], 熒惑守<u>大微</u>[太微]西藩上將:天文2轉載].

[乙酉[11日], 流星出軒轅, 入郞將, 大如桮:天文2轉載].

[己丑[15日], 太白犯歲星:天文2轉載].[387]

甲辰[30日], 以[門下侍郞平章事]<u>杜景升</u>△[爲]判吏部事·修國史, [門下侍郞平章事]<u>李義旼</u>△[爲]判兵部事, 李奕蕤爲中書侍郞平章事, 權節平△[爲]參知政事·判戶部事, 趙永仁△[爲]參知政

---

385) 여기에서의 星은 七星에서 七이 脫落된 것으로 추측되고 있다(孫曉 等編 2014年 1471面).

386) 이는 다음의 자료에 의거하였다. 이후 明年(明昌3)의 正旦에 皇太后(顯宗妃 孝懿皇后 徒單氏, 章宗의 母)의 喪으로 인해 朝賀를 받지 않았다.
· 『금사』 권62, 표4, 交聘表下, 明昌 2년, "十二月癸卯[29日], 高麗戶部侍郞<u>李至純</u>謝賜生日".
· 『금사』 권9, 본기9, 章宗1, 明昌 2년 12월, "癸卯, 宋·高麗·夏遣使來, 賀正旦".

387) 乙亥에 朔이 탈락되었다.

事·政堂文學·翰林學士承旨，劉升△[爲]守司空·左僕射，金永存△[爲]知樞密院事，金純△[爲]同知樞密院事·[工部尙書]，[上將軍]孫碩·王度並爲樞密院副使，[李勝章爲權知監察御史:追加].[388)]

[□□[是時]，□[孫]碩，一日與□[金]永存，同在院廳，相詬罵，如兩虎哮吼，同列畏縮，稍稍引去，唯王度從容誘解．後景升與義旼，坐省中，議事相失，義旼奮拳擊柱曰，“爾有何功，位在吾上?”．時人語曰，“掖垣李·杜，密院孫·金”，有人作詩嘲之，“吾畏李與杜，屹然眞宰輔，黃閣三四年，拳風一萬古”:節要轉載].

[→時，宰相多武人，知樞密院事金永存·副使孫碩同在院，相詬罵，如兩虎哮吼．同列畏縮，稍稍引去，唯副使王度從容誘解．一日，義旼與杜景升同坐中書，誇曰，“某人自矜勇力，吾擊仆之如此”．遂用拳撞柱，榱桷爲之動．景升曰，“某時之事，吾以空拳奮擊，衆皆奔潰”．遂撞之，拳陷於壁．後義旼與景升坐省，議事相失，奮拳擊柱曰，“爾有何功，位在吾上?” 時人語曰，“掖垣李·杜，密院孫·金.” 或作詩，嘲之曰“吾畏李與杜，屹然眞宰輔．黃閣三四年，拳風一萬古”:列傳41李義旼轉載].

[是年，設大藏道場於大內，命僧統智偁典領，又領成福選:追加].[389)]
[○某月二十五日，前試閤門祗候·全州牧判官金閔甫卒，年五十:追加].[390)]
[○以[判太府寺事·右承宣]柳公權爲[右承宣·]國子監大司成:追加].[391)]
[補遺].[392)]

壬子[明宗]二十二年，金明昌三年，[南宋紹熙三年]，[西曆1192年]

1192년 1월 17일(Gre1월 23일)에서 1193년 2월 3일(Gre2월 10일)까지，13개월 384일

春正月乙巳朔[小盡,壬寅]，遣耨盌溫都說來，賀生辰.[393)]

388) 이때 金純은 工部尙書·同知樞密院事·上將軍에 임명되었고(金純墓誌銘)，李勝章은 그의 묘지명에 의거하였다.

389) 이는 「靈通寺住持·僧統智偁墓誌銘」에 의거하였다.

390) 이는 「金閔甫墓誌銘」에 의거하였다.

391) 이는 「柳公權墓誌銘」에 의거하였다.

392) 이해에 金의 進士試에 급제한 李遹이 고려에 파견되었을 때 지은 시문이 찾아진다(『中州集』 권4，李治中遹，使高麗，張東翼 1997년 357面).

[○熒惑入大微[太微]西藩上將. 自上年十一月, 至是, 守而不退:天文2轉載].
[壬戌[18日], 王孫生, 賜名皞:追加].[394)]
癸亥[19日], 宴于大觀殿.
[某日, 以金迪候爲慶尙道按察使:慶尙道營主題名記].

二月[甲戌朔大盡,癸卯], [己卯[6日], 熒惑犯大微[太微]屛西南星:天文2轉載].
[壬午[9日], 月食東井北轅西北第二星:天文2轉載].
[丙戌[13日], 野鳥棲儀鳳門[儀鳳樓門]右鴟尾:五行1轉載].
癸巳[20日], [中書侍郞]平章事李奕蕤卒,[395)] [謚貞簡:列傳8李奕蕤轉載]. [奕蕤, 生長閥閱, 不以富貴驕人, 人多重之, 故得免庚癸之亂, 晩年, 溺愛賤妾, 不能理家, 時論少之:節要轉載].[396)]

[閏二月甲辰朔[小盡,癸卯]:追加].

[三月[癸酉朔小盡,甲辰], 丁丑[5日], 月犯東井北轅第二星:天文2轉載].
[丙申[24日], 熒惑犯大微[太微]上將:天文2轉載].
[某日, 以[權知監察御史]李勝章爲監察御史:追加].[397)]

夏四月[壬寅朔大盡,乙巳], 壬子[11日], 命吏部尙書鄭國儉·判秘書省事崔詵, 集書筵諸儒於寶文閣, 讎校'增續資治通鑑'. 分送州縣, 雕印以進, 分賜侍從儒臣.[398)]

---

393) 耨盌溫都說은 『금사』에는 完顔匡으로 되었는데, 그는 前年(明昌2) 11월 21일(丙寅)에 파견이 결정되었다. 또 耨盌溫都說의 耨盌溫都(혹은 耨盌溫敦)는 鮮卑族의 部族(후일 姓氏로 바뀜)에서 由來된 複姓이다. 金代에는 溫都部(혹은 溫都氏)로 改稱되어 女眞族을 구성하는 중요한 부족의 하나가 되었다.
· 『금사』 권9, 본기9, 章宗1, 明昌 2년 11월, "丙寅, 以近侍局副使完顔匡爲高麗生日使".
394) 이는 세가22, 高宗, 總說에 의거하였다. 그런데 高宗의 誕日이 1월 19일이라는 기록이 있어 1日의 차이가 나는데, 판가름하기에 어려움이 있다.
· 『익재난고』 권9상, 忠憲王世家, "… 子高王立, 諱皞, 字大明, 寔忠憲王. 以金明昌三年春正月十八日生".
· 『동문선』 권39, 告奏表[又], "況於明年正月十九日, 是臣生日, 如或例降皇華之使, …"(崔詩 撰).
395) 이날은 율리우스曆으로 1192년 3월 5일(그레고리曆 3월 12일)에 해당한다.
396) 이와 같은 기사가 열전8, 李子淵, 奕蕤에도 수록되어 있으나 자구에 출입이 있다.
397) 이는 「李勝章墓誌銘」에 의거하였다.

[丁巳[16日], 月食, 密雲不見:天文2轉載].[399)]

戊午[17日], 賜孫希綽等及第.[400)]

[□□[是時], 丙科第四人崔祗義, 兄祗元·祗禮, 弟祗忠, 先已登第. 舊制, 三子登第者, 賜母米二十七石, 今以四子登科, 命有司加賞:選擧2崇奬轉載].

[己未[18日], 芒種. 熒惑掩大微[太微]右執法:天文2轉載].

[庚申[19日], 月犯牽牛南星:天文2轉載].

[戊辰[27日], 熒惑入大微[太微], 行端門, 凡十日:天文2轉載].

[是月, 命僧統智偁, 掌宗選. 尋稱有移錫之志, 乃下栖三角山圓覺社:追加].[401)]

[五月[壬申朔小盡,丙午], 某日, 制曰, "古先哲王之化天下, 崇節儉, 斥奢靡, 所以厚風俗也. 今俗尙浮華, 凡公私設宴, 競尙誇勝, 用穀粟如泥沙, 視油蜜如潘滓, 徒爲觀美, 糜費不貲. 自今, 禁用油蜜果, 代以木實, 小不過三器, 中不過五器, 大不過九器, 饌亦不過三品. 若不得已而加之, 則脯醢交進, 以爲定式, 有不如令, 有司劾

---

398) 이와 같은 기사로 다음이 있고, 鄭國儉은 이후에 御史大夫가 되어 人事行政을 바로 잡으려고 하였다고 한다. 또 『增續資治通鑑』은 『고려사절요』 권13에는 『資治通鑑』으로 되어 있는데(盧明鎬 等編 2016년 352面), 前者는 어떠한 책인지를 알 수 없으나 後者를 校定한 册子일 것이다. 곧 『자치통감』의 宋元版은 현재 無注本, 簡注本, 胡注本(元代 胡三省注本)의 3種이 있는데, 前者는 簡注本일 가능성이 있다.

· 열전12, 崔惟淸, 誅, "□[爲]判秘書省事與吏部尙書鄭國儉等, 讎校'增續資治通鑑', 又刊正太平御覽".

· 열전13, 鄭國儉, "… 國儉, 累官吏部尙書, 轉御史大夫, 惡銓注冗雜, 罷南班假充者十餘人, 臺綱稍振".

399) 이날 宋에서는 월식이 예측되었으나 구름에 가려 보이지 않았다고 하며, 金에서는 월식이 있었다(『금사』 권20, 지1, 天文, 月五星淩犯及星變). 또 이날 일본의 京都에서도 월식이 있었다고 한다(高麗曆과 同一, 日本史料4-4册 97面). 이날은 율리우스력의 1192년 5월 28일이고, 월식 현상이 심했던 때의 世界時는 18시 28분, 食分은 0.12이었다(渡邊敏夫 1979年 478面).

· 『송사』 권52, 지5, 천문5, "紹熙三年 四月乙巳[丁巳], 月當食, 陰雲不見". 이에서 乙巳는 丁巳의 오자이다.

· 『明月記』第1, 建久 3년 4월, "十六日, 天晴, 今夜月蝕也, 明月天晴, 臨曉頗現云々".

400) 이와 관련된 기사로 다음이 있다. 이때 孫希綽·崔祗義(丙科 4人) 등이 급제하였다(『등과록』, 朴龍雲 1990년 ; 許興植 2005년).

· 지27, 선거1, 科目1, 選場, "[明宗]二十二年四月, 參知政事趙永仁知貢擧, [右承宣·]翰林學士柳公權同知貢擧, 取進士, [戊午], 賜孫希綽等二十九人及第".

· 「柳公權墓誌銘」, "壬子, 加翰林學士·同知貢擧. 先是, 場屋間, 諸生例皆相覽潛竊, 至於賢愚混淆. 公知其如是, 及闈礼闈一行規法, 試席肅正, 牓下悉皆英俊, 時人謂之桃李在門".

401) 이는 「靈通寺住持·僧統智偁墓誌銘」에 의거하였다.

罪":節要·刑法2禁令轉載].

六月[辛丑朔大盡,丁未], 壬寅[2日], 王如奉恩寺.

甲寅[14日], 金遣橫宣使孛朮魯至忠來.[402]

秋七月[辛未朔大盡,戊申], 乙亥[5日], 遣使[~~禮賓少卿石成柱~~]如金, 進方物,

壬午[12日], 遣使[~~衛尉少卿朴紹~~], 賀天壽節,

庚寅[20日], 遣使[~~秘書少監尹威~~], 謝橫宣.[403]

戊戌[28日], 幸王輪寺.

[某日, 以宋躔爲慶尙道按察使:慶尙道營主題名記].[404]

八月[辛丑朔小盡,己酉], [甲辰[4日], 流星出南斗:天文2轉載].

癸丑[13日], 德寧公主[德寧宮主]卒.[405] [仁宗之女, 天姿艶麗, 擧止閑洽, 又善談笑. 毅宗, 每於花朝月夕, 召入內, 日夜酣歌, 醜聲聞外:節要·列傳4仁宗公主轉載].

[史臣曰, "姜氏如齊, 春秋書之, 齊子歸止, 詩人譏之,[406] 千萬世之下, 醜聲不泯. 毅宗亦可以知戒矣, 乃效齊襄之行, 遺臭無窮, 所謂中冓之言, 不可道也, 其不令終, 宜矣":節要轉載].

---

402) 孛朮魯至忠은 『금사』에는 尙書禮部員外郞 孛朮魯子元으로 되어 있고, 5월 1일(壬申)에 橫賜高麗使로 임명되었다고 한다.

· 『금사』 권9, 본기9, 章宗1, 明昌 3년 5월, "壬申朔, 以尙書禮部員外郞孛朮魯子元爲橫賜高麗使".

403) 이들 使臣의 人的事項은 다음의 자료에 의거하였는데, 이에서 朴初는 朴紹의, 石城柱는 石成柱의 오자로 추정된다.

· 『금사』 권9, 본기9, 章宗1, 明昌 3년 8월, "丁卯[27日], 宋·高麗·夏遣使來, 賀天壽節".

· 『금사』 권62, 表4, 交聘表下, 明昌 3년, "八月辛丑朔[丁卯], 高麗衛尉少卿朴初[朴紹]賀天壽節, 秘書少監師威[~~尹威~~]謝橫賜, 禮賓少卿石城柱[石成柱]進奉". 여기에서 師威는 尹威의 誤字로 추측된다(→신종 6년 7월 5일의 脚注).

404) 원문에는 宋偉로 되어 있으나 宋躔의 오자로 추측된다(→명종 25년 11월 是月의 脚注, 명종 27년 9월 21일).

405) 德寧公主는 德寧宮主로 고쳐야 옳게 될 것이다. 그녀는 仁宗의 둘째 딸로서 1148년(의종2) 11월 6일(庚寅)에 德寧宮主로 책봉되었다(열전1, 后妃1, 仁宗 恭睿太后 任氏 ; 열전4, 公主, 仁宗 德寧宮主).

406) 齊子歸止는 『詩經』, 國風, 齊風, 敝笱에 나오는 구절이다. 이에서 齊子는 齊國의 女子를 가리키며, 敝笱의 내용은 齊의 桓公이 文姜과 兄弟相姦했던 것을 諷刺한 것이라고 한다(石川忠久 2000年 上卷 274面).

[乙卯[15日], 太白犯西藩上將:天文2轉載].

[辛酉[21日], 寒露. 流星出婁, 入危, 尾長十尺許:天文2轉載].

壬戌[22日], 太白經天.

癸亥[23日], 宋商來, 獻'大平御覽', 賜白金六十斤. 仍命[判秘書省事]崔詵, 校讎訛謬.

[乙丑[25日], 月入東井:天文2轉載].

[丁卯[27日], 流星, 一出九坎, 向坤入天際. 一出壘壁陣, 向羽林. 一出五車, 入昴:天文2轉載].

[戊辰[28日], 太白犯大微[太微]左執法:天文2轉載].

九月庚午朔[大盡,庚戌], 遣郎將金元義等二十餘人, 往西都, 度畿內田.[407)]

[○監察御史李勝章卒, 年五十五:追加].[408)]

[癸酉[4日], 流星出狼, 入柳:天文2轉載].

[甲戌[5日], 月與熒惑·鎭星, 同行尾北:天文2轉載].

[丁丑[8日], 月犯牽牛:天文2轉載].

[癸未[14日], 流星出五諸侯, 入軒轅.

[戊子[19日], 月犯東井北轅第二星:天文2轉載].

[是月, 取□□□[升補試]李仲諴等三十人:選擧2升補試轉載].

冬十月[庚子朔大盡,辛亥], 辛丑[2日], [門下侍中]李義旼, 以[樞密院副使·]御史大夫王度, 起第於壽德宮傍, 劾罷. 朝野失望.

[○大雷雨:五行2轉載].

[癸卯[4日], 流星出軒轅, 入張:天文2轉載].

[乙卯[16日], 月入東井, 掩北轅東第二星:天文2轉載].

丁卯[28日], 幸妙通寺.

[某日, 命嬖婢子善思爲僧, 年甫十歲, 衣服禮秩, 與嫡無異, 稱爲小君, 出入禁中, 頗張威福. 時, 諸嬖妾子皆剃髮, 擇住名寺, 用事納賂, 僥倖者多附:節要轉載].

---

407) 이때의 형편은 다음의 자료에 언급되어 있다.

· 「金元義墓誌銘」, "先是, 西京叛亂, 田簿蕩失, 國家遣刑部郎中金卿量其土田, 積年乃成. 然分授不均, 人頌騰沸, 有司劾奏罷黜. 於是, 命公改量, 甚得精允".

408) 이는 「李勝章墓誌銘」에 의거하였는데, 이날은 율리우스曆으로 1192년 10월 8일(그레고리曆 10월 15일)에 해당한다.

[→善思, 年甫十歲, 明宗命爲僧. 衣服禮秩, 與適嫡無異, 出入禁中, 頗張威福. 時, 諸小君, 直授三重□□大師, 擇住名寺. 用事納賄, 僥倖者多附:列傳3明宗王子善思轉載].

己巳30日, 政堂文學·禮部尙書致仕廉信若卒, [年七十五. 謚孝文:列傳12廉信若轉載].409) [信若, 聰警, 博覽强記, 善屬文, 高文大册, 多出其手, 嘗廬墓三年, 旌表門閭:節要轉載].

[十一月庚午朔小盡,壬子, 壬辰23日, 赤氣如火, 見于西方:五行1轉載].
[某日, 遣戶部侍郎丁光敍如金, 謝賜生日, 司宰少卿楊淑節, 賀正:追加].410)
[是月, 僧統智偁, 年八十, 上章乞退:追加].411)

[十二月己亥朔大盡,癸丑, 戊申10日, 大寒. 靈通寺住持·僧統智偁入寂, 年八十:追加].412)
[庚申22日, 五冠山石穨, 長十五尺:五行3轉載].413)

---

409) 廉信若은 政堂文學·禮部尙書로서 致仕하였다고 한다(열전12, 廉信若). 이날은 율리우스曆으로 12월 6일(그레고리曆 12월 13일)에 해당한다.

410) 이는 다음의 자료에 의거하였다. 이후 明年(明昌4) 正旦에 皇太后(顯宗妃 孝懿皇后 徒單氏, 章宗의 母)의 喪으로 인해 朝賀를 받지 않았다. 또 이들 사신 중의 下級官僚[下節]인 金挺이 귀국 중에 폭행 사건을 일으켰던 것 같다.
- 『금사』 권62, 표4, 交聘表下, 明昌 3년, "十二月丁卯29日, 高麗遣戶部侍郎丁光敍謝賜生日".
- 『금사』 권9, 본기9, 章宗1, 明昌 3년 12월, "丁卯, 宋·高麗·夏遣使來, 賀正旦".
- 『금사』 권62, 표4, 交聘表下, 明昌 4년, "正月己巳朔, 高麗司宰少卿揚淑節楊淑節賀正旦". 이에서 揚淑節은 楊淑節을 잘못 刻字한 것으로 추측된다.
- 『금사』 권208, 열전95, 外夷1, 高麗, "明昌三年, 下節金挺回至平州撫寧縣, 毆死當驛人何添兒. 有司請, 凡人使往還, 乞量設兵衛. 參知政事張萬公曰, '可於宿頓之地, 巡讓之'. 上可其奏. 詔自今接送伴使副, 失關防者當坐".

411) 이는「靈通寺住持·僧統智偁墓誌銘」에 의거하였다.

412) 이는「靈通寺住持·僧統智偁墓誌銘」에 의거하였는데, 이날은 율리우스曆으로 1193년 1월 14일(그레고리曆 1월 21일)에 해당한다.

413) 五冠山의 산록에 있는 靈通寺 인근의 어느 村落에 文忠이라는 孝子가 살았다고 하는데, 그 시기는 알 수 없었던 것 같다.
- 열전34, 孝子, 文忠, "未詳世系. 事母至孝, 居五冠山靈通寺之洞, 去京都三十里, 爲養祿仕. 朝出夕返, 告面定省, 不少衰. 嘆其母老, 作木鷄歌, 名曰五冠山曲, 傳于樂譜".
- 지25, 樂2, 俗樂, 五冠山, "孝子文忠所作也. 忠居五冠山下, 事母至孝, 其居, 距京都三十里. 爲養祿仕, 朝出暮歸, 定省不少衰, 嘆其母老, 作是歌. 李齊賢作詩解之曰, 木頭雕作小唐雞. 筯子拈來壁上棲. 此鳥膠膠報時節, 慈顏始似日平西".
- 『세종실록』 권148, 지리지, 鐵原都護府, 臨江縣, "五冠山, 在松林縣北, 山頂有五小峯團圓.

[某日, 以工部尙書·同知樞密院事金純爲吏部尙書·知樞密院事·上將軍:追加].414)

[是年, 忠州大院寺住持元明, 改修金堂:追加].415)
[○改修忠州島押寺:追加].416)

癸丑[明宗]二十三年, 金明昌四年, [南宋紹熙四年], [西曆1193年]

1193년 2월 4일(Gre2월 11일)에서 1194년 1월 23일(Gre1월 30일)까지, 354일

春正月[己巳朔小盡,甲寅, 大霧:五行3轉載].
乙酉17日, 金遣禮部侍郎張汝猷來, 賀生辰.417)
[○流星出角, 入房:天文2轉載].
丁亥19日, 宴金使于大觀殿.
[壬辰24日, 月犯互星~~五星~~?:天文2轉載].418)
[丁酉29日晦, 日暈有珥:天文1轉載].
[某日, 以金光濟爲慶尙道按察副使:慶尙道營主題名記].419)

二月戊戌朔大盡,乙卯, [辛酉24日, 日有珥, 南重暈:天文1轉載].

… 世傳有孝子文忠居山下, 今樂府五冠山曲".

414) 이는 「金純墓誌銘」에 의거하였다.

415) 이는 忠淸北道 忠州市 上芼面 毛店里 彌勒里 寺址에서 출토된 기와[瓦]의 刻字에 의거하였다(忠淸北道 1978년).
- 瓦銘, "明昌三年, 大院寺住持僧元明」明昌三年, 金堂改盖□□□」大院寺住持大師□瓦位俾」□□□□□□四月現造」".

416) 이는 忠淸北道 忠州市 仰城面 毛店里 東幕 島岬寺址에서 출토된 기와[瓦]의 刻字에 의거하였다(忠淸北道 1978년).
- 瓦銘, "明昌三年 壬子七月□□」島岬寺知事大□□□□□□".

417) 渤海系의 張汝猷(1154~1207)는 前年(明昌3) 12월 5일(癸卯)에 파견이 결정되었다.
- 『금사』 권9, 본기9, 章宗1, 明昌 3년 12월, "癸卯, 以東上閤門使張汝猷爲高麗生日使".
- 「張汝猶墓誌銘」, "… 大定十五年, 閤門祗候, 改通事舍人, 爾後東西二閣, 所任遍歷, 遂持節使于□高麗, …"(朴現圭 2020년 ; 朴淳佑 2021년).

418) 여기에서의 互星은 五星으로 추측되고 있다(孫曉 等編 2014年 1471面).

419) 原文에는 金光齊로 되어 있으나 金光濟의 오자일 것이다(→是年 2월 30일).

[某日，以門下侍郎平章事杜景升爲三韓後壁上功臣．重房諸將宴賀，酒酣，各執樂器，景升歌，守司空鄭存實吹小管．門下侍郎平章事李義旼怒罵曰，“豈有宰相，恣爲歌吹，自同伶人乎?”．乃罷歸:節要轉載]．

[→杜景升，進平章事，封三韓後壁上功臣，勑畫工李光弼圖形．光弼曰，“畫法，生時畫半像耳”．景升怒，使具體．兩府·文武百官就第賀，重房諸將宴賀．酒酣，各執樂器，景升歌，守司空鄭存實吹小管．李義旼怒罵曰，“安有宰相同伶人歌吹也?”．乃罷歸:列傳13杜景升轉載]．

丁卯30日，王如靈通寺．

○東南路~~慶尙道~~按察副使金光濟討賊不克，請遣京兵．[420]

三月戊辰朔小盡,丙辰，[丁丑10日，太白掩辰星:天文2轉載]．

[某日，分遣使于慶尙·全羅·楊廣道，發倉賑飢:節要·食貨3水旱疫癘賑貸之制轉載]．

[某日，御史臺禁用雜米．先是，市人以租雜米，謂之雜米，至是禁之:節要轉載]．[421]

乙酉18日，守司空·中書侍郎同中書門下平章事□□~~致仕~~林民庇卒．[422] [謚文靖:列傳12林民庇轉載]．[民庇，性沈訥，確實無華，好周急．故武夫悍卒，亦知景仰，然酷好浮屠，常寫佛經:節要轉載]．

[夏四月丁酉朔小盡,丁巳，庚戌14日，小滿．太白入東井．流星出庫樓，入尾:天文2轉載]．

[癸丑17日，月犯鎭星:天文2轉載]．

[某日，詔曰，“比來，掌刑之官，不能率職，使無辜之民，久在囹圄，冤抑未伸．以致乾文失次，時令不調，未知異日，將爲何變．其令憲臺，審治冤獄，皆原之”:節要·刑法2恤刑轉載]．

夏五月丙寅朔大盡,戊午，[甲戌9日，流星出天紀，入漸臺，大如木瓜:天文2轉載]．

丁丑12日，迎日縣獻瑪瑙．

---

420) 東南路按察副使金光濟는 慶尙道按察副使金光濟의 다른 표기일 것이다.『경상도영주제명기』에 의하면, 金光濟는 이해의 春夏番[春夏等]按察使이다.

421) 이와 같은 기사로 다음이 있다.
· 지39, 刑法2, 禁令, “御史臺, 禁用和租雜米”.

422) 이날은 율리우스曆으로 1193년 4월 21일(그레고리曆 4월 28일)에 해당한다.

六月丙申朔小盡,己未, 王如奉恩寺.

秋七月乙丑朔大盡,庚申, 辛未7日, 遣使~~吏部侍郞文侯軾~~如金, 進方物.

[壬申8日, 流星出南斗, 入天際:天文2轉載].

乙亥11日, 遣使~~禮賓少卿蘇良美如金~~, 賀天壽節.[423)]

○時, 南賊蜂起, 其劇者, 金沙彌據雲門, 孝心據草田, 嘯聚亡命, 摽掠州縣, 王聞而患之.

丙子12日, 遣大將軍全存傑, 率將軍李至純·李公靖·金陟侯·金慶夫·盧植等, 討之. [至純, 門下侍郞平章事李義旼子也. 義旼嘗夢, 紅霓起兩腋間, 頗負之. 又聞古讖, 有'龍孫十二盡, 更有十八子'之語, 十八子乃李字也. 因懷非望, 自以籍出慶州, 潛有興復新羅之志, 與沙彌·孝心等通. 賊亦贈遺鉅萬. 至純貪婪無厭, 聞賊多財物, 欲鉤致之, 陰與交通, 資以衣糧·鞋韈, 以助賊勢. 賊遺以所盜金寶, 故軍中動靜輒泄, 以至屢敗. 存傑忿憤曰, "若以法治至純, 其父必害我, 否則賊益熾, 罪將誰歸". 仰藥而死:節要轉載].[424)]

[→明宗二十三年, 南賊蜂起, 其劇者, 金沙彌據雲門, 孝心據草田, 嘯聚亡命, 剽掠州縣. 王聞而患之, 遣大將軍全存傑, 率將軍李至純·李公靖·金陟侯·金慶夫·盧植等討之, 至純, 義旼子也. 義旼嘗夢, 紅霓起兩腋間, 頗負之. 又聞古讖, 有'龍孫十二盡, 更有十八子'之語, 十八子乃李字□世. 因懷非望, 稍損貪鄙, 收用名士, 以釣虛譽. 自以籍出慶州, 潛有興復新羅之志, 與賊沙彌·孝心等通, 賊亦贈遺鉅萬. 至純亦貪婪無厭, 聞賊多財物, 欲鉤致之, 陰與交通, 資以衣糧·鞋韈, 賊亦遺以金寶. 由是, 軍中動靜輒泄, 以至屢敗. 存傑嘗以智勇名, 至是, 忿恚曰, "若以法治至純, 其父必害我, 否則賊益熾, 罪將誰歸?". 至基陽縣, 仰藥而死:列傳41李義旼轉載].[425)]

---

423) 辛未와 乙亥는 원래 連結되어 있었으나 壬申의 轉載로 인해 分離되었다. 이의 ~~添字~~는 다음의 자료에 의해 추가하였다.

· 『금사』 권62, 表4, 交聘表下, 明昌 4년, "八月辛酉27日, 高麗禮賓少卿蘇良美賀天壽節, 吏部侍郞門侯軾~~文侯軾~~進奉". 이에서 門侯軾은 文侯軾의 오자일 것이다.

· 『금사』 권10, 본기10, 章宗2, 明昌 4년 9월, "甲子朔, 天壽節, 御大安殿, 受親王·百官及宋·高麗·夏使朝賀".

424) 여기에서 古讖은 918년(貞明4, 戊寅)에 나타난 王昌瑾의 鏡銘을 指稱한다고 한다(→貞明 4년 世系, 李丙燾 1961년 31面).

425) 基陽縣은 甫州라고도 불리며, 현재의 慶尙北道 醴泉郡 지역에 해당한다(『신증동국여지승람』 권24, 醴泉郡).

[史臣曰, “見義不爲, 無勇也.[426] 存傑承推轂之命, 司閫外之權, 生殺予奪, 在其掌握. 見至純漏謀於賊, 則誅之徇軍, 可也. 釋此不爲, 反畏義畋, 以至仰藥而死, 怯孰甚焉. 世稱存傑爲智勇, 不亦謬乎?”:節要轉載].

[某日, 以宋弘廸爲慶尙道按察使:慶尙道營主題名記].

是月, 太白晝見, 經天.

八月乙未朔小盡,辛酉, [丙申2日, 白露. 流星出參, 入東井:天文2轉載].

[戊戌4日, 流星出五車, 入天囷:天文2轉載].

辛丑7日, 將軍李公靖·金慶夫等擊賊, 敗績.[427]

甲辰10日, 減死刑十五人, 分配海島.

[辛酉27日, 太白犯房南第二星:天文2轉載].

[九月甲子朔大盡,壬戌, 壬午19日, 霜降. 流星出坤, 入艮, 大如缶:天文2轉載].

[癸未20日, 月犯東井北轅第二星:天文2轉載].

[己丑26日, 熒惑犯大微太微西藩上將:天文2轉載].

[某日, 發倉, 賑京城飢:節要·食貨3水旱疫癘賑貸之制轉載].

[某日, 以門下□□侍郎平章事杜景升△爲監修國史, 景升目不知書. 時有一醫題壁, 自稱玉堂人, 有人嘲之曰, “戰將今爲修國史, 不妨醫作玉堂人”. 聞者齒冷:節要轉載].

[→景升目不知書, 時有一醫, 題壁自稱玉堂人, 有人嘲之曰, “戰將今爲修國吏修國史, 不妨醫作玉堂人”. 聞者齒冷. ○景升與同列奏, “式目都監所藏判案, 國之龜鏡, 部秩錯亂, 漸難稽考, 宜加檢討, 謄寫以藏”, 從之:列傳13杜景升轉載].

冬十月甲午朔大盡,癸亥, [丁酉4日, 立冬. 大雷電:五行1雷震轉載].

[庚子7日, 熒惑入大微太微右掖門:天文2轉載].

戊申15日, 門下侍郎平章事崔世輔卒.[428] [世輔, 世系卑微, 不識文字. 毅宗時, 以禁軍充隊正, 及丁亥毅宗21年燈夕, 有流矢之變, 以世輔在側, 疑之, 流南海. 庚癸之後,

---

426) 이 구절은 다음의 자료를 인용한 것이다.

· 『논어』 권1, 爲政第2의 末尾인, “見義不爲, 無勇[孔安國曰, 義者, 所宜爲也, 而不能爲是無勇也]”.

427) 李公靖(李子晟의 父)은 병부상서에 이르렀다고 한다(열전16, 李子晟).

428) 이날은 율리우스曆으로 1193년 11월 10일(그레고리曆 11월 17일)에 해당한다.

武人得志, 召復舊職, 累官至判吏部□事, 專以賄賂多寡爲高下, 鬻爵之風益熾, 貲累鉅萬. 營屋遍一坊, 又於四隅, 各置第宅, 以爲子孫萬世計, 竟至家世俱亡:節要轉載].

[○雷電:五行1雷震轉載].

[○月食:天文2轉載].[429)]

[壬子19日, 雨土:五行3轉載].

甲寅21日, 設百高座道場於內殿, 飯僧三萬.

[○大風雨, 雷電:五行2轉載].

[庚申27日, 陰霧四塞:五行3轉載].

十一月甲子朔大盡,甲子, [庚午7日, 熒惑犯大微太微, 自右掖門, 出左掖門:天文2轉載].

壬申9日, 遣使如金, 謝賀生辰, 又遣使, 賀正.

[癸未20日, 冬至. 流星出天廟, 入弧矢:天文2轉載].

乙酉22日, 以恭睿太后諱辰, 設齋于內殿, 自諸王·侯伯·兩府宰輔·近衛之臣, 各獻餚饌. 諱辰, 群下供饌, 始此.

丁亥24日, 王如靈通寺.

[○流星出天廟, 入弧矢, 色赤如火:天文2轉載].

壬辰29日, 以上將軍崔仁爲南路捉賊兵馬使,[430)] 大將軍高湧之△爲都知兵馬事都知兵馬使?, 率將軍金存仁·史良柱·朴公襲·白富公·陳光卿, 往討之.

[是月, 遣戶部侍郎陳光卿等如金, 謝賜生日, 衛尉少卿李居正, 賀正:追加].[431)]

---

429) 『금사』에서는 九月戊申으로 되어 있으나(『금사』 권20, 지1, 天文, 月五星淩犯及星變), 『고려사』의 이 기사를 통해 十月戊申으로 校正하였다(『金史』, 中華書局, 1985年 431面). 이날 일본의 京都에서 월식에 대한 기사가 찾아지지 않는다(高麗曆과 同一, 日本史料4-4册 450面). 또 이날은 율리우스력의 1193년 11월 10일이고, 월식 현상이 심했던 때의 世界時는 16시 14분, 食分은 1.74이었다(渡邊敏夫 1979年 478面).

430) 이후 南路捉賊兵馬使는 左道兵馬使와 右道兵馬使로 分割되어 左道는 崔仁이, 右道는 高湧之가 담당하였다. 뒤이어 崔仁이 免職되고 高湧之가 兼領하였다(→明宗 24년 2월 28일, 4월 22일, 윤10월 18일).

431) 이는 다음의 자료에 의거하였다.

- 『금사』 권62, 표4, 交聘表下, 明昌 4년, "十二月庚申27日, 高麗戶部侍郎陳光卿等謝賜生日".
- 『금사』 권62, 표4, 交聘表下, 明昌 5년, "正月癸亥朔, 高麗衛尉少卿李居正賀正旦".
- 『금사』 권10, 본기10, 章宗2, 明昌 5년 1월, "癸亥朔, 宋·高麗·夏遣使來, 賀正旦".

十二月甲午朔小盡,乙丑, [戊戌5日, 小寒. 流星出紫微西藩, 大如木瓜:天文2轉載].
壬寅9日, 太白晝見, 經天.
[乙巳12日, 月犯東井:天文2轉載].
[乙卯22日, 流星出四瀆, 入弧矢:天文2轉載].
丁巳24日, 南賊魁得甫, 詣闕, 請許安業. 命有司放還, 聽兵馬使區處.
[某日, 以龍虎軍中郎將崔忠獻爲監門衛中郎將·本衛借將軍:追加].[432)]

[是年, 右承宣·國子監大司成柳公權爲左散騎常侍·知奏事·知吏部事:追加].[433)]
[○以將軍·禮部侍郎盧□□爲興威衛大將軍:追加].[434)]
[○以中郎將宋子淸爲將軍:追加].[435)]

甲寅[明宗]二十四年, 金明昌五年, [南宋紹熙五年], [西曆1194年]

1194년 1월 24일(Gre1월 31일)에서 1195년 2월 11일(Gre2월 18일)까지, 13개월 384일

春正月癸亥朔大盡,丙寅, [壬申10日, 流星出貫索, 入天市垣, 尾長三尺許:天文2轉載].[436)]
己卯17日, 金遣大理卿紇石烈珵來, 賀生辰,[437)]
辛巳19日, 宴金使于大觀殿.
[某日, 册門下侍郎平章事杜景升·門下侍郎平章事李義旼爲功臣, 百官就第賀:節要轉載].
[某日, 以吏部尙書·知樞密院事金純爲參知政事·禮部尙書·上將軍:追加].[438)]
[某日, 以徐英守爲慶尙道按察使:慶尙道營主題名記].
[是時, 門下侍郎平章事李義旼自槖駝橋至猪橋, 築堤種柳. 人稱新道:追加].[439)]

---

432) 이는 「崔忠獻墓誌銘」에 의거하였다.
433) 이는 「柳公權墓誌銘」에 의거하였다.
434) 이는 「盧□□墓誌銘」에 의거하였다.
435) 이는 「宋子淸墓誌銘」에 의거하였다.
436) 壬申은 原文에서 壬甲으로 植字, 刻字되어 있다.
437) 紇石烈珵은 前年(明昌4) 12월 6일(甲辰)에 파견이 결정되었다.
· 『금사』 권10, 본기10, 章宗2, 明昌 4년 12월 甲辰, "以紇石烈珵爲高麗生日使".
438) 이는 「金純墓誌銘」에 의거하였다.
439) 이는 다음의 자료에 의거하였다.

二月癸巳□~~朔~~小盡,丁卯，南賊魁<u>金沙彌</u>，自投行營，請降，斬之.[440]

[丙午14日，隕石于松岳山:五行3轉載].

甲寅22日，[春分]. 將軍史良柱擊南賊，敗死.

庚申28日，南路捉賊左道兵馬使崔仁率銃卒數千，擊賊，至江陵城，設伏以待. 賊至，執一女，問曰兵馬安在? 女曰在城中，賊驚駭而退，伏發，追斬百五十級.

三月壬戌朔大盡,戊辰，[丁卯6日，月犯東井:天文2轉載].

丁丑16日，門下侍郎□□□□□~~同中書門下~~平章事致仕<u>閔令謨</u>卒,[441] [年八十:列傳14閔令謨轉載]. [令謨，黃驪縣人. 王在潛邸，夢一宰相出自廣化門，騶從甚盛，有人曰，此公之宰相也. 及卽位，令謨中南省試，放榜日，至簾前，王見之，與所夢者相肖，始有大用之志，不次遷擢，後果爲冢宰. 其赴擧也，同知貢擧李之氐，以令謨試卷，失律，欲不取，門下侍郎平章事·知貢擧崔濡曰，是卷落落，有不凡之氣，宜署榜尾. 因戒令謨曰，爾賦雖不中律，然其辭有遠大之氣，爾宜勉之. 後，令謨掌吏部銓注，擢用濡孫祗元·祗禮，世皆服濡之知人，而美令謨之報德也. 謚文景:節要轉載].

壬午21日，遣奉御<u>柳澤</u>如金，進方物，將軍<u>權信</u>，賀天壽節.[442]

夏四月壬辰朔小盡,己巳，戊戌7日，南路□□~~捉賊~~兵馬使擊賊于密城<u>楮田村</u>，斬獲七千餘級，器械·牛馬，稱是.

乙巳14日，賜<u>金君綏</u>等及第.[443]

· 『신증동국여지승람』 권4. 개성부상, 橋梁, "槖駝橋, 在保定門內, 古稱萬夫橋, 今稱夜橋. … 明宗時, <u>李義旼</u>自槖駝橋至猪橋, 築堤種柳, 人稱新道".

440) 癸巳에 朔이 탈락되었다.

441) 이날은 율리우스曆으로 1194년 4월 8일(그레고리曆 4월 15일)에 해당한다.

442) 이들 고려 사신은 9월 1일(戊午) 章宗을 謁見하여 賀禮를 드리고 禮物을 바쳤다. 이때 이들의 官職은 柳澤은 太府少監, 權信은 禮賓少卿이었는데, 이는 사신으로 파견될 때 부여된 借職일 것이다.

· 『금사』 권62, 표4, 交聘表下, 明昌 5년, "<u>八月己丑朔</u>~~九月戊午朔~~, 高麗禮賓少卿<u>權信</u>賀天壽節, 太府少監<u>柳澤</u>進奉". 이에서 '八月己丑朔'은 '九月戊午朔'의 오류일 것이다.

· 『금사』 권10, 본기10, 章宗2, 明昌 5년 9월, "戊午朔, 天壽節, 宋·高麗·夏遣使來賀".

443) 이와 관련된 기사로 다음이 있다. 이때 金君綏·金<u>良鏡</u>(改<u>仁</u>鏡, 亞元)·吳闡猷(丙科 第1人, 吳闡猷墓誌銘) 등이 급제하였다(『登科錄』, 朴龍雲 1990년 ; 許興植 2005년). 이 중에서 金君綏(金敦中의 子)는 父子가 壯元及第한 사례이다.

· 지27, 선거1, 科目1, 選場, "明宗二十四年四月, 樞密院使<u>崔瑜賈</u>知貢擧, 判秘書□省事<u>崔詵</u>同知

[○御史臺奏, "近來主試者, 例請兩府及賓僚, 宴于其家, 競事奢侈, 糜費甚廣, 請罷禁之", 從之:節要·刑法2禁令轉載].444)

癸丑22日, 南路捉賊右道兵馬使高湧之擊賊, 擒斬四十級, 又連戰三日, 賊敗北.

[五月辛酉朔小盡,庚午, 庚午10日, 芒種. 流星從危, 入建, 大如桮, 尾長三尺:天文2轉載].

[壬申12日, 月去心星, 僅三尺, 有暈:天文2轉載].

[癸酉13日, 龍化院南池水, 赤如血, 凡十餘日:五行1轉載].

六月庚寅□朔大盡,辛未, 諫官奏, "旱暵日久, 亦由祈禱未早, 請治太史之罪". 王曰, "咎在寡人, 太史何罪? 勿問".445)

丁酉8日, 太史奏, "昔甲寅歲仁宗12年久旱, 仁考仁宗因太史之請, 以七事修省, 一曰治寃獄, 二曰賑鰥寡孤獨, 三曰輕徭薄賦, 四曰進賢良, 五曰黜貪邪, 六曰恤怨曠, 七曰減膳羞. 今旱魃爲災, 乾文屢變, 請依舊制, 側身修行, 以答天心".

戊戌9日, 親禱雨于妙通寺, 澍雨大降.

[秋七月庚申朔小盡,壬申, 某日, 以崔光宰爲慶尙道按察使:慶尙道營主題名記].

[是月甲子2日, 南宋光宗傳位於趙擴, 是爲寧宗:追加].

秋八月己丑朔小盡,癸酉, 丁酉9日, 南賊魁遣其黨李純等四人, 詣闕請降. 除純等隊正, 賜布遣還.

[壬寅14日, 熒惑犯房第二星:天文2轉載].

甲辰16日, 減死四十人, 杖脊配流.

[是月壬子24日, 金黃河決開封府陽武縣故堤, 灌封丘以東:追加].446)

貢擧, 取進士, 名單, 賜金君綏等三十一人及第".

· 『보한집』권상, "崔文淑公典試, 金承宣立之擢第龍頭, 文淑公之嗣文懿公典試, 金承宣之子諫議君綏, 又中壯元".

· 『東人之文五七』, 金平章仁鏡一首, "仁鏡, 始名良鏡, 慶州籍, 文王代平章良愼公義珍四世孫, 父永固, 官至閤門祗候. 仁鏡, 明王甲寅, 金君綏牓第二人, …".

444) 지39, 刑法2, 禁令에는 添字와 같이 달리 표기되어 있다.

445) 庚寅에 朔이 탈락되었다.

446) 이는 『금사』 권10, 본기10, 章宗2, 明昌 5년 8월, "河決陽武故堤, 灌封丘以東"에 의거하였다. 이때 陽武縣(現 河南省 新鄕市 陽武縣)의 堤防이 붕괴되어 지금까지 梁山濼에서 2個의 水路

九月戊午朔大盡,甲戌, 己未2日, 太史奏, "天文示儆, 尙矣, 今南方未靜, 國家未能討平, 臣竊寒心. 況我朝盛德在木, 方秋葉落, 變隨以生, 請愼之". 王命內外戒嚴.

庚申3日, 門下侍郞平章事李光挺卒.

甲子7日, 參知政事崔瑜賈, 引年乞退. 時人美之.

[辛巳24日, 熒惑犯南斗第五星:天文2轉載].

冬十月戊子朔大盡,乙亥, [壬辰5日, 月犯南斗第六星:天文2轉載].

[某日, 門下侍郞平章事杜景升等奏, "□聖祖代諸功臣, 贊定大業, 厥功卓然, 追加爵命, 以示不忘. 王嘉其奏, 功臣皆贈爵, 又爲錄券, 各賜其後":節要轉載].

丁酉10日, 南路□□捉賊兵馬使收賊妻孥三百五十餘人, 黥配西海道, 充諸城奴婢.[447]

[己酉22日, 大雷電:五行1雷震轉載].

閏[十]月戊午朔大盡,乙亥, 乙亥18日, 有司奏, "南路捉賊左道兵馬使崔仁, 嘗自絀退, 不肯一戰, 淹延歲月, 糜費不貲, 請罷治罪, 以南路捉賊右道兵馬使·上將軍高湧之, 兼領之". 王曰, "賊亦民也, 奚多殺爲. 以恩服之, 可也". 有司固請, 從之.

[十一月戊子朔小盡,丙子, 丙午19日, 熒惑犯壘壁東第六星:天文2轉載].

[某日, 前隊正李金大, 告前刑部尙書鄭世裕謀不軌. 流世裕及其子允當·叔瞻于南裔:節要轉載].

[辛亥24日, 木稼:五行2轉載].

[是月, 遣戶部侍郞劉邦氏如金, 謝賜生日, 戶部侍郞白存儒, 賀正:追加].[448]

로 分流되었던 北流(梁山濼→濟水古道의 北清河→天津灣)가 단절되고, 南流(梁山濼→泗水 合流→清河口에서 淮水로 流入)만 남게 되었다. 이후 黃河는 南流하여 黃海에 유입하여(현재의 徐州→宿遷→清江) 1855년(咸豊6)까지 660年間 지속되었고(1次), 1938년부터 1946년까지 8년간은 北流하였다(2次, 外山軍治 1979年 ; 鶴間和幸 2005年).

447) 이때의 南路捉賊兵馬使는 左道兵馬使 崔仁과 右道兵馬使 高湧之의 竝稱일 것이다(→是年 閏10월 18일).

448) 이는 다음의 자료에 의거하였다.
· 『금사』 권62, 표4, 交聘表下, 明昌 5년 12월, "丁巳朔, 高麗戶部侍郞劉邦氏謝賜生日".
· 『금사』 권62, 표4, 交聘表下, 明昌 6년 1월, "丁亥朔, 高麗戶部侍郞白存儒賀正旦".
· 『금사』 권10, 본기10, 章宗2, 明昌 6년 1월, "丁亥朔, 受宋·高麗·夏使朝賀".

十二月[丁巳朔大盡,丁丑], [戊午[2日], 大寒. 日珥:天文1轉載].[449)]

[○太白與熒惑, 入羽林:天文2轉載].

己未[3日], 太史奏曰, "頃來, 乾象多變, 意者, 天儆陛下歟. 宜惕然修省, 以答天戒, 不然, 禍且至矣". 王懼, 分遣使祈告.

[○流星出紫微西藩, 分爲二, 貫紫微宮, 又侵北極, 至紫微東藩:天文2轉載].

癸亥[7日], 南路□□[捉賊]兵馬使[高湧之]擒賊魁孝心.

己卯[23日], 以[參知政事]趙永仁△[爲]守大尉·上柱國, [金純爲金紫光祿大夫·守太尉·上柱國·上將軍:追加],[450)] 孫碩△[爲]參知政事, 申寶至△[爲]守司空·左僕射, 李仁成△[爲]同知樞密院事·御史大夫, [知奏事·左散騎常侍]柳公權△[爲]同知樞密院事[兼太子賓客],[451)] 奇洪壽爲樞密院副使, [上將軍]崔仁爲刑部尙書, [上將軍]高湧之爲工部尙書, 文迪爲右散騎常侍.[452)]

辛巳[25日], 南路□□[捉賊]兵馬使高湧之班師, 王引見, 奬諭甚厚.

[是年, 以[監門衛偕將軍]崔忠獻爲監門衛攝將軍:追加].[453)]

[○以金仲龜爲康陵直:追加].[454)]

[增補].[455)]

---

449) 이날 일본의 교토에서 맑았으나 눈발이 날렸다고 한다(『明月記』第1, 建久 5년 12월, "二日, 天晴, 雪飛").

450) 金純은 그의 묘지명에 의거하였다.

451) 이때 柳公權은 同知樞密院事兼太子賓客에 임명되었다(柳公權墓誌銘).

452) 文迪은 이보다 1년 3개월 후인 1196년(명종26) 3월 20일에 左承宣·右散騎常侍·上將軍·知吏部事·詹事府事로 在職하고 있었다(『吏讀集成』; 『朝鮮寺刹史料』上, 1198年長城監務官貼 ; 盧明鎬 等篇 2000年 366面). 또 이때 柳公權과 文迪은 같은 날짜에 임명되었을 것이다.

453) 이는 「崔忠獻墓誌銘」에 의거하였다.

454) 이는 「金仲龜墓誌銘」에 의거하였는데, 金仲龜(1176~1242)가 19세에 康陵(成宗의 陵)의 관리직에 임명된 셈이다.

455) 이해의 3월 金에서 銅錢이 부족한 것[錢荒]을 해결하기 위한 方案이 마련될 때, 章宗 完顔麻達葛이 該當 官廳[有司]에 命하여 高麗에 파견된 사신이 얻어온 銅器를 모두 사들이게 하였다고 한다.

· 『금사』 권10, 본기10, 章宗2, 明昌 5년 3월, "壬申[11日], 初定限錢禁".

· 『금사』 권48, 지29, 食貨3, 錢幣, "[明昌]五年三月, … 又諭旨有司, 凡使高麗還者, 所得銅器, 令盡買之".

乙卯[明宗]二十五年, 金明昌六年, [南宋慶元元年], [西曆1195年]

1195년 2월 12일(Gre2월 19일)에서 1196년 1월 31일(Gre2월 7일)까지, 354일

春正月丁亥朔大盡,戊寅, [癸巳7日, 西京監軍使廳北楡樹, 自鳴, 凡十餘日:五行2轉載].

癸卯17日, 金遣李敬義來, 賀生辰.

○王聞水州廷谷村, 有老嫗, 年百有四歲, 子孫丁壯者, 共九十五人, 悉供傜役, 賜嫗穀三十石.

[某日, 以李克甫爲慶尙道按察使:慶尙道營主題名記].

[是月朔, 南宋改元慶元:追加].

[二月丁巳朔小盡,己卯, 壬午26日, 夜, 赤氣如火, 見于東西方:五行1轉載].

三月丙戌朔大盡,庚辰, 日食.[456]

丁亥2日, 親命題, 試文臣詩賦, 直翰林院金君綏爲魁, 大加稱賞.

[辛卯6日, 流星出南斗, 入九坎:天文2轉載].

癸巳8日, 詔曰, "比年旱災, 禾稼不稔, 而民不足食. 吏猶徇私, 戶斂戶斂尤暴, 或以不急, 發郵, 所至侵擾. 又勢家, 日益侵民, 妨農害穀, 朕甚憂之. 自今, 諸道使臣等, 察吏臧否, 問民疾苦, 具狀以聞. 脫有不勤, 則有司存".[457]

---

456) 이날 宋에서는 婁星에 일식이 있었다고 하며, 金에서도 일식이 있었다(『송사』 권52, 지5, 천문5, 日食 ; 『금사』 권10, 본기10, 章宗2, 明昌 6년 3월 丙戌, 권20, 지1, 天文, 日薄食煇珥雲氣). 그런데 지1, 天文1에는 "明宗二十五年正月丙戌朔日食"으로 되어 있으나 正月은 三月의 오자이다. 宋曆·日本曆에서 이해의 1월은 丁亥가 朔이고, 丙戌은 前年 12월 30일(晦日)임을 감안하면 高麗曆에서도 正月丙戌朔이 될 수 없을 것이다.
또 이날 일본의 京都에서도 일식이 있었다(高麗曆과 同一, 日本史料4-4冊 805面). 그리고 이날은 율리우스력의 1195년 4월 12일이고, 개경에서 일식 현상이 심했던 시간은 13시 36분, 食分은 0.42이었다(渡邊敏夫 1979年 308面).
· 『玉葉』 권66, 建久 6년, "三月一日丁巳丙戌, 天晴, 此日, 日蝕也, 未刻虧初, 申刻復未云々, 余祗候禁裏, 勅使蝕以前起, 勢多着甲賀云々". 이 기사에서 丁巳는 丙戌의 오류일 것이다.
· 『百練抄』제10, 後鳥羽, 建久 6년 3월, "一日丙戌, 日蝕也".

457) '脫有不勤, 則有司存'의 의미는 다음과 같을 것이다.
· 『揚子法言』(揚子雲集)권1, 先知篇, "… 或問民所勤[注, 勤, 苦也], 曰'民有三勤'. 曰'何哉?, 所謂三勤'. 曰'政善而吏惡, 一勤也, 吏善而政惡, 二勤也, 政吏駢惡, 三勤也'. …(四庫全書本 27左2行)".
· 『논어』, 泰伯第8, "… 曾子有疾, 孟敬子問之. 曾子曰, '鳥之將死, 其鳴也哀, 人之將死, 其言

[乙未[10日], 月犯房星:天文2轉載].

夏四月[丙辰朔小盡,辛巳], 庚申[5日], [小滿]. 中外賀天禧節, 太子受賀, 遂朝於王, 王問民間之語, 對曰, "人皆笑臣爲老太子". 王曰, "寡人之久生, 亦過也". 太子失色, 太子之意, 稱美王之壽考, 然語涉疑諱故也.

[史臣曰, "恒言, 不稱老, 人子事親之禮也. 在齊民尙爾, 况居儲貳, 而遽以是爲對乎?且以宋太宗之仁明英斷, 猶不能無嫌於少年天子之語, 則明宗久生之言, 何足怪哉? 可謂父子胥失之矣":節要轉載].

[五月乙酉朔[小盡,壬午]:追加].

六月[甲寅朔大盡,癸未], 辛酉[8日], [大暑]. 再雩.

丁卯[14日], 金橫宣使納蘭昉來,[458]

庚午[17日], 宴[金使]于大觀殿.

[辛巳[28日], 流星出房, 大如缶:天文2轉載].

[是月, 禮部侍郞張自牧, □□□□□[掌國子監試], 取詩賦申敍等二十一人, 十韻詩李膺賁等八十六人, 明經十三人:選擧2國子試額轉載].

[是月頃, 以[興威衛大將軍]盧□□爲朝散大夫, [監門衛攝將軍]崔忠獻爲左右衛精勇攝將軍:追加].[459]

[秋七月[甲申朔小盡,甲申], 某日, 遣禮部侍郞徐諧如金, 賀天壽節, 衛尉少卿周元迪, 謝橫賜:追加].[460]

也善. 君子所貴乎道者三, 動容貌, 斯遠暴慢矣. 正顔色, 斯近信矣. 出辭氣, 斯遠鄙倍矣. 籩豆之事, 卽有司存".

458) 納蘭昉은 『금사』에는 이해의 12월 5일(乙卯)에 橫賜使로 임명되었다고 되어 있으나 오류일 것이다. 일반적으로 高麗橫賜使는 4월에 임명되어 6월에 고려에 도착하였는데, 이날 納蘭昉의 임명은 賈益이 高麗生日使로 임명된 것과 함께 기록되어 있는 것이 특이하다.

· 『금사』 권10, 본기10, 章宗2, 明昌 明昌 6년 12월 乙卯, "以知登聞檢院□[事]賈益爲高麗生日使, 戶部員外郞納蘭昉爲橫賜使".

459) 이는 「盧□□墓誌銘」; 「崔忠獻墓誌銘」에 의거하였다.

460) 이는 다음의 자료에 의거하였다.

· 『금사』 권62, 표4, 交聘表下, 明昌 6년, "八月己卯[27日], 高麗禮部侍郞徐諧賀天壽節, 衛尉少卿

[某日，朝散大夫·興威衛大將軍盧□□卒，年四十九:追加].[461]
[某日，以潘就正爲慶尙道按察使:慶尙道營主題名記].

秋八月[癸丑朔小盡,乙酉]，[丁巳[5日]，月犯房北第一星:天文2轉載].
戊辰[16日]，減死囚十四人，放流.
[甲戌[22日]，月入東井:天文2轉載].
[己卯[27日]，西京重興寺塔災:五行1火災轉載].

[九月[壬午朔大盡,丙戌]，戊子[7日]，太白與熒惑，犯大微[太微]右掖門:天文2轉載].
[己亥[18日]，流星出上台:天文2轉載].
[壬寅[21日]，流星入羽林:天文2轉載].
[甲辰[23日]，熒惑犯大微[太微]左執法:天文2轉載].
[○太史奏云，"熒惑，自是月，初七日[戊子]，入大微[太微]右掖門，留十日，又犯左執法，此兵象也. 將有兵起，切宜愼之,:天文2轉載].
[某日，詔曰，"刑政不中，譴見于天. 比來，吏政多苛，逋租宿貸，督斂無已，嗷咻者衆，致有變異，嗚呼痛哉. 其爾郡縣吏，敬聽朕言，其逋租，限五年寬假，公私宿債，亦所不問":食貨3災免之制轉載].[462]

[十月[壬子朔大盡,丁亥]，戊午[7日]，流星出北河，入昴:天文2轉載].
[壬申[21日]，太白犯氐星:天文2轉載].

冬十一月[壬午朔小盡,戊子]，[乙酉[4日]，太白犯房第一星及鉤鈐:天文2轉載].
[己丑[8日]，雨土而雷:五行1雷震轉載].
戊申[27日]，[小寒]. 仁宗出妃福昌院主李氏卒.[463] [妃，資謙之季女[第四女]也. 資謙

周元迪謝橫賜".
· 『금사』 권10, 본기10, 章宗2, 明昌 6년 9월, "壬午朔，天壽節，宋·高麗·夏遣使來賀".

461) 이는 「盧□□墓誌銘」에 의거하였다.

462) 이 기사는 『고려사절요』 권13에는 축약되어 있다.
· "詔曰，刑政不中，譴見于天. 比來，吏政多苛，逋租宿貸，督斂無已，致有變異. 其爾郡縣吏，敬聽朕言，其逋租，限五年寬假，公私宿債，亦所不問".

463) 이날은 율리우스曆으로 1195년 12월 30일(그레고리曆 1196년 1월 6일)에 해당한다.

敗, 妃坐廢, 仁宗念其覆椀之功, 賜田宅·奴婢. 王卽位, 奉事彌篤, 及卒, 葬以后禮:節要轉載].464)

[○太白與熒惑, 犯箕:天文2轉載].

[是月, 遣尙書戶部侍郎孫弘如金, 謝賜生日, 禮賓少卿宋軆, 賀正:追加].465)

[十二月辛亥朔大盡,己丑, 甲寅4日, 熒惑入氐星:天文2轉載].

[乙卯5日, 流星出攝提, 入天市垣:天文2轉載].

[戊辰18日, 太史奏云, "熒惑自甲寅4日入氐, 守十九日, 東出, 當有臣叛者":天文2轉載].

[某日, 同知樞密院事柳公權, 以疾乞退. 王曰, "朝廷有舊德, 社稷之福也, 卿何退之遽". 三上章, 從之:節要轉載].

[某日, 以參知政事金純爲中書侍郞平章事·上將軍:追加].466)

[某日, 以康陵直金仲龜爲金吾衛使令:追加].467)

[是年, 尙州牧司錄兼掌書記崔正份, 改築恭儉池於其舊址:地理2尙州牧轉載].468)

[○以將軍·禮部侍郞盧某爲興威衛大將軍:追加].469)

[○以將軍宋子淸爲大將軍, 仍令致仕:追加].470)

---

464) 福昌院主 李氏(李資謙의 第4女)는 仁宗의 次妃였다가 廢妃된 李氏이고, 仁宗의 正妃는 延德宮主 李氏(이자겸의 第3女)였다(열전1, 后妃1, 仁宗).

465) 이는 다음의 자료에 의거하였다. 이때 宋軆가 띠고 있는 禮賓少卿은 그가 1197년(명종27) 9월 21일 郞中으로 재직하다가 崔忠獻에 의해 流配되었음을 보아 借職일 것이다.
- 『금사』 권62, 표4, 交聘表下, 明昌 6년, "十二月丁丑27日, 高麗尙書戶部侍郞孫弘謝賜生日".
- 『금사』 권62, 표4, 交聘表下, 承安 1년, "正月辛巳朔, 高麗禮賓少卿宋軆賀正旦".
- 『금사』 권208, 열전95, 外夷1, 高麗, "故事, 賀正旦使十二月二十九日入見, 明昌六年十二月己卯29日立春, 詔於前二日丁丑入見云".
- 『금사』 권10, 본기10, 章宗2, 承安 1년 1월, "辛巳朔, 受宋·高麗·夏使朝賀".

466) 이는 「金純墓誌銘」에 의거하였다.

467) 이는 다음의 자료에 의거하였는데, 이에서 使領은 使令의 오자일 것이다.
- 「金仲龜墓誌銘」, "明年冬, 投筆拜金吾衛使領使令".

468) 이는 다음의 기사를 전재한 것이다
- 지11, 지리2, 尙州牧, "又有大堤名曰, 恭儉, 明宗二十五年, 司錄崔正份, 因舊址而築之".

469) 이는 「盧□□墓誌銘」에 의거하였다.

470) 이는 다음의 자료에 의거하였다.
- 「宋子淸墓誌銘」, "至於乙卯年□□某月, 以三品位將, 令致仕".

[是年頃, 門下侍郞平章事~~杜景升~~與□李義旼, 同拜門下侍中, 位在義旼上, 義旼在中書大詬, 景升笑而不答:列傳13杜景升轉載].

丙辰[明宗]二十六年, 金明昌七年→11月承安元年,

[南宋慶元二年], [西曆1196年]

1196년 2월 1일(Gre2월 8일)에서 1197년 1월 19일(Gre1월 26일)까지, 354일

春正月辛巳朔大盡,庚寅, [丁亥7日, 熒惑犯房北第一星:天文2轉載].
丁酉17日, 金遣知登聞檢院事賈益來, 賀生辰, 宴于大觀殿.[471]
[某日, 以金儒爲慶尙道按察使:慶尙道營主題名記].

二月辛亥朔大盡,辛卯, [己未9日, 日有背氣, 色靑赤:天文1轉載].
丁卯17日, 京城地震. [占曰, "號令~~敎令~~, 從臣□干出":五行3轉載].[472]
壬申22日, 遣樞密院事~~樞密院使~~李俊昌, 奉宣孝寺毅宗神御, 移安于佛住寺.[473]

三月辛巳朔小盡,壬辰, [丁亥7日, 有烏, 巢于大觀殿榜:五行1轉載].
己丑9日, 詔曰, "盖聞, 君道得則風雨時, 否則反是. 近者, 歲不登稔, 飢饉荐臻, 今又久旱, 朕甚懼焉. 庶幾除苛政, 恤寃枉, 以答天譴. 惟爾有司, 体體朕此意,[474] 凡繫囚罪, 非殊死, 悉原之".

夏四月庚戌朔大盡,癸巳, [甲寅5日, 壽昌宮中書省門, 自頹:五行2轉載].

---

471) 賈益은 前年(明昌6) 12월 5일(乙卯)에 임명되었다. 또 이때 金의 書狀官은 晁嶷(조억)이었는데, 고려의 林惟正이 이들과 詩文을 和答하였다.
· 『금사』 권10, 본기10, 章宗2, 明昌 6년 12월 乙卯, "以知登聞檢院□事賈益爲高麗生日使".
· 『百家衣集』, 和金國使賈益題慈悲嶺, 和書狀官晁嶷. 和金國書狀官晁嶷詩.

472) 이 구절은 다음의 자료에서 따 온 것이기에, "占曰, 敎令, 從臣下出"로 고쳐야 옳게 될 것이다.
· 『開元占經』 권4, 地動, "京房□□易占曰, … 地動, 動牀木歲大熟, 地動, 敎令從臣下出, 必有流血饑亡".

473) 樞密院事는 樞密院使의 오자일 것이다. 李俊昌은 樞密院使에 이르러 守司空·左僕射로 致仕하였다고 한다(열전12, 崔惟淸, 讜, 권100, 열전13, 李俊昌 ; 『졸고천백』 권1, 海東後耆老會序).

474) 『고려사절요』 권13에는 体의 正字인 體로 되어 있다.

戊午[9日]，將軍[左右衛精勇攝將軍]崔忠獻誅[門下侍中]李義旼.[475)] [忠獻，初以勇敢，選補別抄都領,[476)] 以勞，遷至將軍．其弟忠粹，猜險勇悍，時爲東部錄事．會義旼子將軍至榮，奪忠粹家鵓鴿，忠粹請還，言甚暴悖．至榮怒，令家僮縛之，忠粹曰，"非將軍手縛，誰敢哉?"．至榮壯而釋之，忠粹卽告忠獻曰，"義旼四父子，實爲國賊，我欲斬之，如何?"．忠獻難之．忠粹曰，"吾志已決，不可中止"．忠獻亦然之．○至是，王幸普濟寺，義旼稱疾不扈駕，潛往彌陀山別墅.[477)] 忠獻·忠粹及其甥隊正朴晋材，族人盧碩崇等袖刃，至別墅門外，候之．義旼將還，出門欲跨馬，忠粹突入，手刃擊之，不中．忠獻直前，斬之，從者數十餘人，皆潰．使碩崇，持首馳入京，梟于市．觀聽驚譟，聲震都下，扈從者聞變潛遁，王亦促駕還宮．忠獻兄弟，馳馬露刃，至十字街，見監行領將軍白存儒,[478)] 告以實．存儒樂，從之，召集軍卒．義旼子大將軍至純·將軍至光，自輦下馳還，率家僮，戰于路，至純見忠獻等多助，自揣不勝，與至光遁走．忠獻兄弟率軍士，詣宮門，奏曰，"賊臣義旼，曾負弑逆之罪，虐害生民，窺覘大寶．臣等疾視久矣，今爲國家討之，但恐事泄，不敢請命，死罪死罪"．王慰諭之，仍請與大將軍李景儒·崔文淸等，討餘黨，遂與之，坐市街召募，壯士響應．於是，諸衛將卒亦皆畢集，膝行聽命，莫敢仰視．乃閉城門，分捕支黨，悉獲之:節要轉載].[479)]

[→[明宗]二十六年，至榮爲將軍，奪崔忠粹家鵓鴿，忠粹怒，遂告兄忠獻，欲誅義旼

---

475) 이 사건을 李奎報는 "서울에서 亂이 일어났다(京師亂)"이라고 표현하였고, 이로 인해 그의 姊兄[姊夫]이 黃驪縣에 流配되었다고 한다(『동국이상국집』연보). 이날은 율리우스曆으로 1196년 5월 8일(그레고리曆 5월 15일)에 해당한다.

476) 崔忠獻이 副元帥 奇卓誠에 의해 別抄都領에 발탁된 시기는 117년(명종4) 12월이다(열전42, 崔忠獻).

477) 彌陀山의 위치는 명확하지 않지만, 西海道 白州(현 황해남도 배천군)에 彌陀山(彌陁山, 혹은 彌羅山)으로 추정된다.
- 『세종실록』 권152, 지리지, 黃海道 白川郡 烽火, "二處, 奉子山, 在郡南, 東準彌陁山, 西準延安角山. 彌陁山, 在郡南北間, [東準開城 西江神堂]".
- 『신증동국여지승람』 권43, 황해도 白川郡 烽燧, "鳳在山烽燧, 東應彌羅山, 西應延安府角山. 彌羅山烽燧, 在郡東三十里, 東應夫毛里烽燧, 西應延安府角山. 夫毛里烽燧, 在郡東三十五里, 東應開城府神堂, 西應彌羅山".

478) 監行領將軍의 역할이 무엇이었는지는 알 수 없지만, 다음의 자료를 통해 볼 때 開城府의 각종 시설에 배치되어 巡檢의 임무를 띤 點檢軍을 統制하는 指揮官으로 추측된다.
- 지37, 병3, 點檢軍, "市裏撿點, 將相一, 將校二, 軍人十一. 街衢監行, 將校二, 螺匠十一, 都典十一, 軍人四十. 左右京裏撿點, 將相各二, 將校各二, 軍人各八. 五部撿點, 將相各二, 將校各二, 軍人各八. 四郊細作立, 將相各二, 將校各一, 軍人各七. …".

479) 이와 같은 기사가 열전42, 반역3, 崔忠獻에도 수록되어 있으나 字句에 出入이 있다.

父子，忠獻然之．義旼適在彌陀山別墅，忠獻等往殺之，梟首于市．時至純爲大將軍，至光爲將軍，聞變，率家僮，戰于路．至純見忠獻等多助，自揣不勝，與至光遁走:列傳41李義旼轉載].

[○至榮，時以碧瀾江之普達院，爲願刹，欲跨江作橋，携妓往安西都護府[海州]，令吏民助其費，吏民畏禍，抽斂白金七十斤與之，民不堪其弊．忠獻遣將軍韓休，往捕，休侵夜入府，會，至榮與太守許大元宴，休卽使斬之，傳首于京．安西民喜曰，“至榮死，吾屬無患矣”:節要轉載].

[→[將軍]至榮，以碧瀾江普達院，爲願刹，欲跨江作橋．携妓往安西都護府，令吏民助其費，吏民畏禍，抽斂白金七十斤與之，民不堪其弊．忠獻遣將軍韓休，往捕之，休侵夜入府，至榮方與太守許大元宴，戴花把酒．休斬之，傳首于京．安西民喜曰，“至榮死，吾屬無患矣”．義旼不會文字，專信巫覡．慶州有木魅，土人呼爲豆豆乙．義旼起堂於家，邀置之，日祀祈福．忽一日，堂中有哭聲，義旼怪問之，魅曰，“吾守護汝家久矣，今，天將降禍，吾無所依，故哭”．未幾敗．有司奏請去壁上圖形，詔墁之:列傳41李義旼轉載].

[○義旼，兇逆貫盈，而妻又兇悍，妬殺家婢，且與奴私，義旼殺奴逐妻，多引良家女有姿色者爲婚，旋復棄之．諸子倚父肆横，至榮·至光尤甚，世謂之雙刀子，至榮嘗爲朔方道分道將軍，以事怒監倉使·[閤門祗候]崔莘尹，欲殺之，莘尹逃免，乃殺麾下螺匠．凡有忤意者輒殺．聞人有美室，闞其夫出，必脅亂之，路遇美婦人，使從者擁去，汚而後已．又逼王嬖姬，王不得罪之:節要轉載].

[→義旼，擅銓注，政以貨成，支黨連結，廷臣莫敢誰何．多占民居，大起第宅，奪人土田，肆其貪虐，中外震慴．義旼妻崔氏兇悍，因妬格殺家婢，且與奴私．義旼殺奴逐妻，多引良家女子有姿色者爲婚，旋復弃之．諸子倚父肆横，至榮·至光尤甚，世謂之雙刀子．○至榮嘗爲朔州分道將軍，舊例將軍必承兵馬□[使]指揮，然後巡行道內，至榮專擅出入，略無畏忌．監倉使·閤門祗候崔莘尹奉使到朔州，至榮不迎命，以褻服，同食公舘，忽手捽莘尹，欲毆殺之．力困少休，莘尹得逃，至榮取莘尹衣物火之，殺麾下螺匠一人．凡忤意者，輒殺之．聞人有美室，闞其夫出，必脅亂之，路遇美婦人，輒使從者擁去，汚而後已．○義旼女爲承宣李賢弼妻，淫縱與母同，賢弼醜之，不與同居．賢弼之子晋玉，拜別將，亦甚狂狡，至純諫其父曰，“公以孤寒，位將相，宜有敎方，以守富貴．今子孫横暴，怨結於人，禍必不旋踵矣”:列傳41李義旼轉載].

[史臣曰, “義旼, 本以奴隷之微, 濫蒙毅宗親昵之眷, 累遷通顯, 恩寵極矣. 而敢行大事, 其爲兇逆, 上通於天, 固不容喙. 獨惜乎? 毅宗之養虎遺患也. 身犯大逆, 而獲終牖下, 未之前聞, 屠身赤族, 非不幸也, 天網恢恢, 疏而不漏, 信哉”:節要轉載].[480)]

[某日, 崔忠獻等, 請遣閤門祗候韓光衍于慶州, 夷義旼三族, 分遣使諸州, 誅其奴隷及附麗者, 流其婿李賢弼于原州:節要轉載].[481)]

[某日, 忠獻兄弟, 與大將軍崔文淸·李景儒, 會仁恩館, 議事. 有人告云, “中書侍郎?平章事權節平·孫碩·上將軍吉仁等, 謀擧兵”, 又告景儒等有異謀. 忠獻卽召節平子將軍準·碩子將軍洪胤,[482)] 與之飮, 言笑自若. 俄而忠獻目左右, 皆拉殺之, 又斬景儒於坐, 以文淸老且直, 釋不殺. 忠獻等坐市幕, 分捕節平·碩及將軍權允·將軍柳森柏柳森栢·御史中丞崔赫尹等, 殺之. ○時, 吉仁在壽昌宮, 聞變急, 卽與將軍兪光·朴公襲等, 擅出武庫兵仗, 以授禁軍及宦官·奴隷, 凡千餘人, 諭曰, “今, 忠獻作亂, 多殺無辜, 禍將及汝, 宜各戮力, 以立大功”. 乃率衆出宮門, 踰東郊沙嶺,[483)] 向市街. 忠獻等勒兵迎戰, 以敢死者十餘人, 爲先鋒, 揮劍大呼, 突陣而前. 仁衆望而四潰, 仁·光·公襲, 馳入壽昌宮, 閉門拒守. 忠獻等率衆, 圍之, 將軍白存儒欲以火攻之, 仁懼, 踰垣而遁. 王使人開門, 召忠獻兄弟, 忠獻等疑仁在內, 使郎將崔允匡, 入奏云, “賊臣義旼跋扈, 臣擧兵誅之, 其黨忌臣, 反欲加害, 然上天不助, 兇徒自潰, 尙有餘黨, 潛側於內, 請入宮搜捕”. 王許之, 遂使允匡, 縱兵闌入, 隨遇輒殺, 僵尸狼籍狼藉, 光與公襲自刎. 王左右, 無大小皆散走, 唯小君及宮姬數人, 侍側, 垂泣而已. 忠獻等引兵, 還仁恩館, 追獲參知政事李仁成·上將軍康濟·文得呂·左承宣文迪·右承宣崔光裕·大司成李純祐李純佑·太僕卿潘就正·起居郞崔衡·郞中文洪貢等三十六人, 囚于館. 仁至北山, 墮巖下而死. ○有僧, 告忠獻曰, “吉仁欲率王輪寺僧徒擧事, 請備之”. 忠獻大怒, 遂殺仁成等三十六人, 遣人至王輪寺覘之. 僧皆方食在堂, 怗然無變. 忠獻知其誣, 欲收斬告者, 已遁矣. 文迪妻崔氏, 就積屍間, 覓夫

---

480) 여기에서 赤族은 모든 家族을 죽여서 流血이 狼藉하게 되었다는 의미이다.
· 『한서』 권87下, 揚雄傳第57下, “… 揚子笑而應之曰, ‘客徒欲朱丹吾轂, 不知一跌, 將赤吾之族也[師古曰, 跌, 足失厝也. 見誅殺者必流血, 故云族赤. 跌音徒結反]”.

481) 이 기사는 열전41, 李義旼에도 수록되어 있다.

482) 이때 崔忠獻은 將軍 孫洪胤을 죽인 후 孫洪胤의 妻인 任氏를 小室로 娶하여 崔珹(改瑀)을 낳았다고 한다(→고종 1년 是年, 6년 7월 某日).

483) 沙嶺은 開城府의 동쪽에 있었던 것 같다(『신증동국여지승람』 권4, 開城府上, 山川, “沙嶺, 在府東一里”).

屍，戴之而去，觀者流涕．忠獻聞之曰，“烈女也”．令收葬之:節要轉載].[484]

[某日，忠獻殺上將軍周光美·大將軍金愈信·權衍等，流判衛尉□寺事崔光遠·少卿權信·將軍權湜·杜應龍·郞將崔斐于南裔．斐，門下侍郞平章事崔世輔之子，爲東宮指諭時，太子嬖婢，在宮墻內，擲橘挑之，斐遂私之．事泄，王欲置之於法，賴李義旼獲免，太子逐婢，婢爲尼，斐猶通焉，人皆欲殺．至是，數其罪而流之:節要轉載].[485]

己卯30日，以參知政事?趙永仁△爲權判吏部事，柳得義△爲權知吏部尙書，將軍白存儒爲大將軍，[486] [崔忠獻爲監門衛攝大將軍:追加]，[487] 崔忠粹·崔光允並爲將軍，[行中郞將吳倖爲神虎衛保勝借將軍:追加].[488] 朴晋材爲別將．

[是月，戶長金仁鳳等造成德興寺銅鍾一口，重六十七斤:追加].[489]

[五月庚辰朔小盡，甲午，某日，崔忠獻兄弟，上封事曰，“伏見，賊臣義旼，性鷙忍，震主陵臣~~慢士陵下~~，而搖神器~~謀搖神器~~，禍焰熾然，民不聊生．自國朝以來，未有義旼之惡，豈可一二論哉? 臣等，賴陛下威靈，一擧蕩滅，願陛下，革舊圖新，一遵太祖正法，光啓中興．所有封章十條，具列以奏．

□一．昔祖聖，統一三韓，卜神京於松嶽郡，於明堂位，作大宮闕，爲子孫君王，萬世所御．頃者，宮室灾，又從而新之，一何壯麗，而信拘忌之說，久違臨御，安知有負於陰陽耶? 惟陛下，以吉日入御，承天永命．

□一．本朝官制，計以祿數，比乃差舛，兩府及庶位，間有剩置，廩祿不足，爲弊甚鉅．惟陛下，準古減省，量宜除授．

---

484) 柳森柏은 延世大學本과 東亞大學本의 『고려사』세가편에는 柳森相으로 달리 표기되어 있지만 열전13, 杜景升의 柳森栢(杜景升의 壻)이 옳을 것 같다고 한다(東亞大學 2006년 28책 458面). 또 崔允匡은 崔瑀의 執權期에 尙書左僕射에 이르렀던 것 같다(열전14, 盧仁綏). 그리고 ~~添字~~는 열전42, 崔忠獻에 의거하였다.

485) 崔斐에 관한 기사는 열전13, 崔世輔에도 수록되어 있다.

486) 白存儒는 이 기사와 이때를 반영한 崔忠獻列傳에는 이 글자와 同一하게 되어 있으나, 신종 1년 1월 26일(甲子), 5년 윤12월 19일(己未)에는 白存濡로 달리 표기되어 있다.

487) 이는 「崔忠獻墓誌銘」에 의거하였다.

488) 이는 「吳倖墓誌銘」에 의거하였다.

489) 이는 「德興寺銅鍾銘」에 의거하였다(東京國立博物館 所藏, 文明大 1994년 3책 268面). 이 鍾의 出處가 咸鏡北道 會寧郡 八乙面 小豊山 歸州寺(現 會寧市 豊里山)라고 하지만, 日帝强占期에 蒐集되었기에 信憑하기 어렵다(金石總覽 420面).

· 銘文, “明昌七年丙辰四月日,鑄」成金鍾一,重六十七斤,德」興寺懸排,普勸丹那同一心,」聖躬萬歲,上棟梁·戶長金仁鳳,」副棟梁延甫·慶讚·陳蕃孝」”.

□一. 先王制, 土田, 除公田外, 其賜臣民, 各有差, 在位者貪鄙, 奪公私田, 兼有之矣. 一家膏沃, 彌州跨郡, 使邦賦削, 而軍士缺. 惟陛下, 勑有司, 會驗公文, 凡所見奪, 悉以還本.

□一. 公私租賦, 皆由民出, 民苟困竭, 顧安所取足? 吏或不良, 惟利之從, 動輒侵損, 又勢家奴皂等, 爭田租, 反復徵償, 民皆嗷然, 愁痛盈衍. 惟陛下, 擇良能, 以補外寄, 毋令勢家破民產.

□一. 國家分遣使, 統兩界, 察五道, 欲吏姦抑民瘼沮而已, 今諸道使等, 應察不察, 但誅求, 以供進爲名, 勞郵以輸, 或充私費, 惟陛下, 禁諸道使供進, 專以覈問爲職.

□一. 今一二浮圖山人也, 嘗徘徊王宮, 而入臥內. 陛下惑乎佛, 每優容之. 浮屠者, 既冒寵, 屢以事, 干穢聖德, 而陛下勑內臣, 勾當三寶, 嘗息以穀, 重取於民, 弊不細矣. 惟陛下, 斥群髡, 使不跡于宮, 無使息穀於民.

□一. 比聞, 郡國吏多逞貪, 廉恥道息, 諸道使, 置不問焉, 設有仁而淸者, 亦不之知, 使其惡肆, 而淸無益, 奈戒勸何? 惟陛下, 勑兩界都統, 五道按察使等, 當按吏能否, 具以狀聞, 能者擢之, 否者懲之.

□一. 今之廷臣, 竝不節儉, 修第宅, 理服玩, 飾以珍寶, 而夸異之, 風俗傷敗, 亡無日矣. 惟陛下, 具訓于百僚, 禁華侈, 尙儉嗇.

□一. 在祖聖代, 必以山川順逆, 創浮屠祠, 隨地以安. 後代將相·群官群臣, 無賴僧尼等, 無問山川吉凶, 營立佛宇, 名爲願堂, 損傷地脉, 灾變屢作, 惟陛下, 使陰陽官檢討, 凡裨補外, 輒削去勿留, 無爲後人觀望.

□一. 省臺之臣, 主言事, 故上或不逮, 則有敢諫, ~~雖干鈇逆鼎, 所甘心焉~~. 今皆婞婀低昂, 以苟合爲心, 事與古相百也, 惟陛下, 擇其人, 然後授之, 使直言者在庭, ~~臨事或折~~". 490)

○書奏. 王嘉納:節要轉載].

[某日, 義旼子至純·至光, 自詣仁恩館. 忠獻曰, "此禍本也, 不可貸". 斬之:節

490) 이와 같은 기사가 열전42, 崔忠獻에도 수록되어 있으나 字句에 出入이 있는데, ~~添字~~는 이에 의거하였다. 또 臨事或折은 '어떤 事案에 대해 詰難하여 바르게 할 수 있도록 한다[折正]'라는 의미를 지니고 있는 것 같다.

· 『구당서』 권98, 열전48, 韓休, "初, 蕭嵩以休柔和易制, 故薦引之. 休既知政事, 多折正嵩, 遂與休不叶. 宋璟聞之曰, 不謂休, 乃能如是, 仁者之勇也".

· 『신당서』 권126, 열전51, 韓休. "初, 蕭嵩以休柔易, 故薦之. 休 臨事或折, 正嵩, 嵩不能平. 宋璟聞之曰, 不意休能爾, 仁者之勇也".

要轉載].[491]

[某日, 崔忠獻以多殺朝臣, 人心恟懼, 遣使諸道, 以慰安之:節要轉載].

[某日, 崔忠獻奏, 內侍·戶部侍郞李尙敦, 軍器少監李芬, 閤門~~祗候元倩~~等五十人, 皆以勢冒進, 不當爲內侍, 竝黜之:節要轉載].[492]

[某日, 崔忠獻, 以王子僧小君洪機·洪樞·洪規·洪鈞·洪覺·洪貽等, 在內干政, 奏還本寺. 又黜嬖僧雲美·存道~~又以嬖僧雲美·存道~~, ~~出入王宮~~, ~~朝臣多附~~, ~~幷黜~~:節要轉載].[493]

[甲午15日, 熒惑守心:天文2轉載].

[戊申29日晦, 飛星出坤, 滅於艮, 尾長十尺:天文2轉載].

六月[己酉朔小盡,乙未, 有星流下, 城中呼譟:天文2轉載].

壬子4日, 以左右衛攝大將軍崔忠獻·于承慶爲左·右承宣.[494]

[庚申12日, 震光德門:五行1雷震轉載].[495]

庚午22日, 以左承宣崔忠獻△爲知御史臺事.

[乙亥27日, 流星出東壁, 入羽林:天文2轉載].

[夏某月, 以中郞將金元義爲將軍兼給事中:追加].[496]

秋七月戊寅朔大盡,丙申, [癸未6日, 天狗墜地:天文2轉載].

[甲申7日, 月入氐星:天文2轉載].

丁亥10日, 賜趙挺規等及第.[497]

---

491) 이 기사는 열전41, 李義旼에도 수록되어 있다.

492) 添字는 열전42, 崔忠獻에 의거하였다.

493) 添字는 열전42, 崔忠獻에 의거하였다. 또 雲美(?~1173)는 安東府 管內의 龍壽寺(現 慶尙北道 安東市 禮安面)를 창건하여 주지가 된 인물이다(安東龍頭山龍壽寺開刱記).

494) 이때 崔忠獻은 樞密院左承宣·知禮部兼知御史臺事·太子詹事에 임명되었던 것으로 추측된다(崔忠獻墓誌銘).

495) 이날 일본의 京都에서도 오후 1시(未時) 무렵에 비가 조금 내리고 천둥소리[雷鳴]가 때때로 있었다고 한다(高麗曆과 同一).

· 『明月記』第1, 建久 7년 6월, "十二日, 未時許小雨, 雷時々鳴".

496) 이는 「金元義墓誌銘」에 의거하였다.

497) 지27, 선거1에는 趙挺規가 趙挺觀으로 되어 있으며, 이와 관련된 기사로 다음이 있다. 여기에서 崔詵은 明年(신종 즉위년) 12월 25일(癸巳) 知樞密院事에 임명되었기에, 이때 樞密院使가 아니라 樞密院副使였을 것이다.

丙申[19日], 政堂文學柳公權卒,[498)] [年六十五, 諡文簡:列傳12柳公權轉載].[499)] [□□[公權], 性公廉好學, 工草隷, 居官匪懈, 奉使金國, 以知禮稱, 久爲知奏, 啓事稱旨, 多所裨益, 嘗以疾乞退. 疾病, 親屬進藥, 公權却之曰, 死生有命, 及疾革, 王特拜是職:節要轉載].

[某日, 以金鳳毛爲慶尙道按察使:慶尙道營主題名記].

[某日, 遣尙書禮部侍郞趙冲如金, 賀天壽節, 太府監劉應擧, 獻方物:追加].[500)]

八月戊申□[朔小盡,丁酉], 守司空·左僕射申寶至卒.[501)]

[○有氣竟天, 赤如血:五行1轉載].

[壬戌[15日], 月食. 太史不奏, 御史臺劾之:天文2轉載].[502)]

[丙寅[19日], 流星出危, 入羽林:天文2轉載].

[丁卯[20日], 秋分. 月犯畢星:天文2轉載].

[戊辰[21日], 熒惑犯南斗魁:天文2轉載].

· 지27, 선거1, 科目1, 選場, "[明宗]二十六年七月, 樞密院使[樞密院副使]崔詵知貢擧, 國子祭酒李資文同知貢擧, 取進士, [于亥], 賜趙挺觀等三十七人及第".

498) 이날은 율리우스曆으로 8월 26일(그레고리曆 9월 2일)에 해당한다.

499) 諡號는 「柳公權墓誌銘」; 「柳甫發墓誌銘」에서도 확인되고, 당시의 관직은 政堂文學·參知政事·判禮部事였다.

500) 이는 다음의 자료에 의거하였다. 이때 趙冲의 金에서의 역할을 기록한 다음의 자료가 있고, 그가 띤 禮部侍郞은 借職이고 實職은 工部郞中·太子文學이었다.

· 『금사』 권62, 표4, 交聘表下, 承安 1년, "八月甲戌[27日], 高麗尙書禮部侍郞趙冲賀天壽節, 太府監劉應擧進奉".

· 『금사』 권10, 본기10, 章宗2, 承安 1년 9월, "丁丑朔, 天壽節, 宋·高麗·夏遣使來賀".

· 「趙冲墓誌銘」, "明昌七年, 奉□□[使如]金, 至客省幕, 中使與執禮官來, 煩□殿庭禮數, 至皇帝問國王安否, 使跪奏國王臣某之一節, □[公]曰, '言君上之諱非禮也', 中使曰, '此流例也, 不可易辭', 公曰, '小大雖殊, 事君之禮一也. 豈大國而强人, 以非禮乎? 吾不忍口進寡君之諱'. 中使再三致詰, 知不可奪, 遂引入殿中, 行禮一如公意. 復命, 上聞大嗟賞之曰, 使於四方, 不辱君命, 其爾之謂乎?".

501) 戊申에 朔이 탈락되었다. 이날은 율리우스曆으로 1196년 8월 14일(그레고리曆 8월 21일)에 해당한다.

502) 이날 宋과 金에서도 월식이 있었다(『송사』 권52, 지5, 천문5, 月食 ; 『금사』 권20, 지1, 天文, 月五星凌犯及星變). 또 이날 일본의 교토에서도 월식이 있었다고 하는데, 餘他의 자료에서는 확인되지 않는다고 한다(高麗曆과 同一, 日本史料4-5冊 256面). 그리고 이날은 율리우스력의 1196년 9월 9일이고, 월식 현상이 심했던 때의 世界時는 9시 9분, 食分은 0.37이었다(渡邊敏夫 1979年 478面).

· 「石淸水八幡宮記錄」, 石淸水八幡宮略補任, "建久七年八月十五日, 月蝕"[筆者 未確認].

庚午[23日], 改中和殿曰延康, 雲龍門曰天祐.

[辛未[24日], 流星出北斗魁, 入弧:天文2轉載].

壬申[25日], 王自壽昌宮, 移御延慶宮. 自辛卯[明宗1年]宮闕灾, 爲接金使, 先創康安·大觀兩殿, 金使至, 則入御康安殿, 引見于大觀殿. 忌其新創, 未嘗留御, 禮畢, 卽還御壽昌宮. 至是, 乃御延慶宮. [大將軍]崔忠粹陳兵兵曹[兵部]之南, 及車駕將入廣化門, 觀者多從傍出. 忠粹遣人呵止, 觀者辟易, 亂觸太子儀仗. 人訛言, 變生輦下, 扈駕百官, 皆狼狽[狼狽]四散,503) 夾道士女, 交相踐蹂. 惟侍中杜景升按轡自若. 時, 人心洶洶, 危疑如此.

[→王移御延慶宮, 訛言, 變生輦下. 扈駕百官, 皆狼狽四散, [門下侍中杜]景升獨按轡, 神色自若:列傳13杜景升轉載].

九月丁丑朔[小盡], 御儀鳳門[儀鳳樓門], 赦.

[己卯[3日], 歲星犯軒轅:天文2轉載].

[甲午[18日], 月犯畢右股第三星:天文2轉載].

[丁酉[21日], 霜降. 犯東井北轅第一星:天文2轉載].

[辛丑[25日], 熒惑·鎭星同舍:天文2轉載].

[冬十月[丙午朔大盡,己亥], 癸亥[18日], 赤氣如火, 見于南方:五行1轉載].

冬十一月[丙子朔大盡,庚子], 己丑[14日], 設八關會.504) 王勑北界諸都領等觀樂, 麟州都領·中郎將子冲, 見判閤門事王珪, 長揖不拜. 有司劾奏無禮, 王曰, "與藩民同樂, 寵之也, 而罪之可乎?". 有司再請, 允之. 子冲初發本州, 謂諸都領曰, "國家召吾輩, 盖有指矣. 吾入朝, 欲以微事試之. 如將罪我, 是朝廷有人, 否則是畏我也".

[壬辰[17日], 熒惑犯壘壁東南第六星:天文2轉載].

甲午[19日], 移御壽昌宮.

[乙未[20日], 大霧:五行3轉載].

[是月, 遣尙書戶部侍郎金光富如金, 謝賜生日, 禮賓少卿牙應卿, 賀正:追加].505)

---

503) 『고려사절요』 권13에는 바르게 되어 있다.

504) 이날 八關會가 개최되었음[小會]은 다른 자료에서도 확인된다.
· 『동국이상국집』 권7, 仲冬十四日…·二子見和,復答之, "是日, 八關會 …".

[是月戊戌23日, 金改元承安:追加].

[十二月丙午朔小盡,辛丑:追加],[506] [癸亥18日, 以前奉恩寺眞殿直□純誠卒, 年七十八:追加].[507]

[己巳24日, 流星, 一出弧, 入天社. 一出紫微西藩, 入王良:天文2轉載].[508]

庚午25日, 以門下侍中杜景升爲中書令, [金純爲門下侍郎同中書門下平章事·判戶部事·上將軍, 前兵部侍郎尹東輔爲太僕卿, 仍令致仕:追加],[509] [神虎衛保勝借將軍吳倖爲戶部侍郎:追加].[510]

[○舊制三品以上, 每遷級, 例上讓表, 降詔不允~~降批答不允~~, 然後, 表謝上官. 景升獨曰, "內不欲讓而假人筆, 外爲禮文, 吾不忍爲也":列傳13杜景升轉載].[511]

[是年, 以左司郎中田元均爲將作少監:追加].[512]

[○以監察御史金冲爲西北界分臺察訪使:追加].[513]

---

505) 이는 다음의 자료에 의거하였다.

· 『금사』 권62, 표4, 交聘表下, 承安 1년, "十二月丙午朔, 高麗戶部侍郎金光富謝賜生日".

· 『금사』 권62, 표4, 交聘表下, 承安 2년, "正月乙亥朔, 高麗禮賓少卿牙應卿賀正旦".

· 『금사』 권10, 본기10, 章宗2, 承安 2년 1월, "乙亥朔, 受宋·高麗·夏使朝賀".

506) 11월(丙子朔)의 庚午는 이달에 없고 12월 25일이다. 이날에 門下侍中 杜景升을 中書令으로 삼았다고 하는 것은 12월에 이루어진 人事行政[銓注]인 大政에서 행해진 조치일 것이다. 그러므로 庚午 앞에 十二月이 탈락되었음을 알 수 있다.

507) 이는 「□純誠墓誌銘」에 의거하였다.

508) 지2, 천문2에 11월 壬辰(17일) 다음에 己巳가 이어져 있으나, 11월에는 己巳가 없다. 60甲子에서 己巳 다음이 庚午인데, 위의 脚注와 같이 세가편에 기록된 11월 庚午가 12월 庚午임을 감안해 볼 때 己巳는 12월 24일로 추정된다.

509) 金純과 尹東輔는 그들의 묘지명에 의거하였다.

510) 이는 「吳倖墓誌銘」에 의거하였다. 또 이날 일본의 朝廷에서도 頒政[題目]이 있었다.

· 『三長記』, 建久 7년 12월, "廿四日己巳, 晴, …明日除目, 申文內覽爲早參也, 廿五日庚午, 晴, 今日被行除目, …".

511) 이 기사에서 降詔不允은 降批答不允으로 고쳐야 더 좋을 것이다. 唐代 이래 新官爵에 除授된 官僚가 이를 짐짓 辭讓하는 관례가 있었지만, 帝王은 이를 허락하지 않는 批答을 내렸다고 한다.

· 『자치통감』 권244, 唐紀60, 文宗太和 7년(833) 3월 壬辰5日, "… 檢校吏部尙書·盧龍節度使楊志誠怒不得僕射, 留官告使魏寶義弁春衣使焦奉鸞, 送奚·契丹使尹士恭□□□~~於幽州~~. 甲午7日, 遣牙將王文穎來賜恩弁讓官. 丙申9日, 復以告身弁批答賜之[胡三省注, 自唐以來, 凡讓官者, 皆有批答不允], 文穎不受而去". 여기에서 ~~添字~~는 筆者가 任意로 추가하였다.

512) 이는 「田元均墓誌銘」에 의거하였다.

[○以前試司宰主簿朴仁碩爲東萊縣令:追加].[514]
[○以三重大師志謙爲禪師:追加].[515]

丁巳[明宗]二十七年, 金承安二年, [南宋慶元三年], [西曆1197年]

1197년 1월 20일(Gre1월 27일)에서 1198년 2월 7일(Gre2월 14일)까지, 13개월 384일

春正月乙亥朔大盡,壬寅, 丙子2日, 移御延慶宮.
[○木稼:五行2轉載].
辛卯17日, 金遣同知登聞檢院事阿弗罕德剛來, 賀生辰.[516]
[癸卯29日, 虎入穆淸殿:五行2轉載].
[某日, 以崔光著爲慶尙道按察使:慶尙道營主題名記].

二月乙巳朔大盡,癸卯, 日食.[517]
壬子8日, 夜, 有人入大內, 鑿利賓門外西步廊柱, 爲穴數十. 武人曰, "此必東班蠱西也". 相傳譁譟者甚衆, 東班無以自明. 獨大將軍·右承宣于承慶曰, "此姦人隙文, 因以生事耳, 非東班爲之也". 衆口乃止.
[己未15日, 月食:天文2轉載].[518]

---

513) 이는 「金冲墓誌銘」에 의거하였다.

514) 이는 「朴仁碩墓誌銘」에 의거하였다.

515) 이는 『동국이상국집』 권35, 故華藏寺住持·王師定印大禪師追封靜覺國師塔碑銘에 의거하였다. 또 이 시기에 1190년(명종20) 5월 製述業에 급제한 韓光衍이 帝命을 받아 曹溪宗의 宗選을 담당하여 思儉·惠文 등을 선발하였다고 한다.
· 「韓光衍墓誌銘」, "踰年, 上第, 詔監選曹溪宗, 所選皆碩學, 如思儉·惠文□等是也".

516) 阿弗罕德剛은 前年(承安1) 12월 5일(庚戌)에 파견이 결정되었다.
· 『금사』 권10, 본기10, 章宗2, 承安 1년 12월, "庚戌, 以同知登聞檢院□事阿弗罕德剛爲高麗生日使".

517) 이날(율리우스력의 1197년 2월 19일)의 일식은 북동아시아 3국이 中心食帶에서 벗어나 있었기에 관측될 수 없었다(渡邊敏夫 1979年 308面·安英淑 2009年 105面). 이날 교토에서는 맑았으나 일식에 대한 기록은 없다(『猪隅關白記』, 建久 8년 2월, "一日乙巳, 天晴").

518) 이날 金에서는 皆旣月食이 있었고(『금사』 권20, 지1, 天文, 月五星凌犯及星變), 일본의 京都에서도 월식이 있었다(高麗曆과 同一, 日本史料4-5冊 383面). 그리고 이날은 율리우스력의 1197년 3월 5일이고, 월식 현상이 심했던 때의 世界時는 19시 45분, 食分은 1.86이었다(渡邊敏夫

[某日, 制曰, "往者, 趙位寵叛於西都, 元帥尹鱗瞻·奇卓誠等, 同心協力, 以討平之. 予嘉厥功, 日篤不忘, 其贈鱗瞻, 推忠靖難匡國功臣·守太師·門下侍中·上柱國, 卓誠, 輸忠[推忠]協謀佐理同德功臣·守太師·門下侍中". 又制曰, "左承宣崔忠獻·大將軍崔忠粹, 疾惡如讎, 手斬義旼, 以安宗社, 可賜忠獻, 忠誠佐理功臣, 忠粹, 輸忠贊化功臣. 贈其父元浩, 奉議贊德功臣·守太尉·門下侍郎[平章事], 並圖形閣上": 節要轉載].[519)]

[三月乙亥朔[小盡,甲辰]:追加].

[春某月, 幸普濟寺, 設談禪法會, 抄選承逈等數人:追加].[520)]

[夏四月[甲辰朔大盡,乙巳], 癸酉[30日], 歲星守軒轅大星:天文2轉載].
[是月, □諫議大夫王儀, □□□□□[掌國子監試], 取百人:選擧2國子試額轉載].

夏五月[甲戌朔小盡,丙午], 己酉[乙酉12日],[521)] 賜房衍寶等及第.[522)]
[是月, 有山鳥, 群飛入城, 形如戴勝, 觜黑而長, 人以其聲, 名之曰, "獵人足項". 命有司禳之, 世謂之兵鳥:五行1轉載].

1979年 478面).
· 『猪隈關白記』, 建久 8년 2월, "十五日己未, 天晴, 書今月心經, 月蝕正見云々, 有一字金輪念誦事".

519) 이 기사의 일부가 열전9, 尹瓘, 鱗瞻 ; 열전13, 奇卓誠에도 수록되어 있다.

520) 이는 다음의 자료에 의거하였는데, 이때 실시된 僧科[談禪法會]는 1월에 실시되었을 가능성이 있다. 또 이 塔碑는 경상북도 浦項市 北區 松羅面 中山里 622에 있다(보물 제252호).
· 「淸河寶鏡寺住持大禪師贈謚圓眞國師塔碑銘」, "… 師諱承逈, 字永廻, 俗姓申氏, 上洛山陽人也. 家世儒業, 父通漢, … 越丁巳春, 例赴普濟寺談禪法會, 純公凶訃至, 將赴喪, 就叔父侍御君曰, '人生若朝露, 富貴如浮雲, 吾於世味若嚼蠟, 然吾師永逝, 而□便去, 以成吾志'. 乃杖策徑往. 時, 明廟[明宗]當宁, 素聞師之道行, 於及抄選, 詔有司, 有司特加抄錄, 此不拘常例也". 여기에서 純公은 曦陽山 鳳巖寺의 승려로 承逈(侍御史 申光漢의 姪)의 스승이다.

521) 己酉는 이달에 없으므로 乙酉(12일)의 오자일 것이다.

522) 이와 관련된 기사로 다음이 있다.
· 지27, 선거1, 科目1, 選場, "[明宗]二十七年五月, 參知政事崔讜知貢擧, 左諫議大夫閔公珪同知貢擧, 取進士, [乙酉], 賜房衍寶等三十人及第".

[六月癸卯朔[大盡,丁未]:追加].

[閏六月[癸酉朔小盡,丁未], 己卯[7日], 月入氐. 流星出東壁, 入羽林:天文2轉載].
[丁酉[25日], 月入東井:天文2轉載].

[秋七月[壬寅朔大盡,戊申], 丙寅[~~丙辰15日~~], 月食:天文2轉載].[523)]
[某日, 以庾資諒爲東北面兵馬使,[524)] [~~起居舍人~~]崔孝思爲慶尙道按察使兼蔚·金·梁州點軍使:慶尙道營主題名記].[525)]
[某日, 遣禮部侍郎趙謙如金, 賀天壽節, 戶部侍郎梁元, 獻方物:追加].[526)]

[八月[壬申朔小盡,己酉], 壬午[11日], 流星出紫微, 入文昌. 熒惑入大微[~~太微~~]右掖門, 犯右執法:天文2轉載].
[甲午[23日], 歲星犯右執法, 西入大微[~~太微~~]. 熒惑犯左執法:天文2轉載].
[乙未[24日], 月犯軒轅右角:天文2轉載].
[己亥[28日], 歲星犯大微[~~太微~~]右執法:天文2轉載].

---

523) 丙寅(25일)은 丙辰(15일)의 오자이다. 宋에서는 己未(17일)에 旣月食이 있었다고 하는데(『송사』 권52, 지5, 천문5, 月食, "慶元三年七月己未, 月食, 旣"), 이 역시 날짜를 잘못 정리하였을 것이다. 또 이날 日本의 京都에서도 月食이 있었다(高麗曆과 同一, 日本史料4-5册 449面). 그리고 이날은 율리우스력의 1197년 8월 29일이고, 월식 현상이 심했던 때의 世界時는 9시 14분, 食分은 1.72이었다(渡邊敏夫 1979年 478面).
· 『猪猥關白記』, 建久 8년 7월, "十五日丙辰, 天霽, … 今夜月蝕也, 正見云々".

524) 이는 다음의 자료에 의거하였다. 庾資諒은 이보다 6년 전인 1191년(명종21) 秋冬番慶尙道按察使에 임명되었다(『경상도영주제명기』).
· 『신증동국여지승람』 권44, 襄陽都護府, 佛宇, 洛山寺, "明宗丁巳[27年], 庾資諒爲兵馬使, 至十月到窟前".
· 「庾資諒墓誌銘」, "其或廉察東南, 秉鉞東北, 則威風所及, 無不股弁, 然濟以仁信, 故民便之. … 其帥關東也, 到洛山禮觀音, 俄有二青鳥含花落衣上, 又海水一掬許湧灌其頂. 世傳此地有青鳥, 凡謁聖者, 非其人則不見, 此公之惇德至信所致然也".

525) ~~添字~~는 다음의 자료에 의거하였다.
· 「崔孝思墓誌銘」, "除起居舍人兼太子司經郎, 出爲慶尙州道按察兼蔚金梁州點軍使, 剖決無留, 吏民不能欺".

526) 이는 다음의 자료에 의거하였다.
· 『금사』 권62, 표4, 交聘表下, 承安 2년, "八月戊戌[27日], 高麗禮部侍郎趙謙賀天壽節, 戶部侍郎梁元進奉".
· 『금사』 권10, 본기10, 章宗2, 承安 2년 9월, "辛丑朔, 天壽節, 宋·高麗·夏遣使來賀".

秋九月辛丑朔小盡,庚戌, [某日, 左承宣崔忠獻欲往興王寺, ~~慶成佛像~~. 有人投匿名書云, "興王寺僧統寥一, 與~~中書令~~杜景升, 謀害忠獻". 乃止:節要轉載].[527]

[癸丑13日, 雷:五行1雷震轉載].

甲寅14日, 左承宣崔忠獻兄弟設醮, 以廢立事告天. 是夕, 大雷電, 雨雹, 旋風暴起, 拔興國寺南道傍樹木, 吹入獄中, 垣墻盡頹, 近獄新步廊十八閒, 一時壞仆, 又吹過高達坂, 至賢聖寺, 多拔樹木, □□~~而止~~.[528]

[丁巳17日, 門下侍郎平章事<u>金純</u>卒, 年七十:追加].[529]

庚申20日, 大<u>雷電</u>.[530]

[○大將軍崔忠粹與其甥朴晋材, 往謀於左承宣忠獻曰, "今上, 在位二十八載, 老而倦勤, 諸小君, ~~常在上側,~~ 竊弄恩威, 以亂國政. 上又寵愛<u>群小</u>群少, 多賜金帛, 府庫虛竭, <u>盍廢乎</u>~~不可以主臣民~~. 且太子璹, ~~嬖群婢, 生子九大, 各投小君, 祝髮爲弟子~~. 性又闇弱, 豈宜儲副. 宗室中, □守司空縝, 博通經史, 聰明有度量. 若立爲王, 國可中興矣". 縝婢爲忠粹所嬖, 故欲立之. 忠獻曰, "平涼公旼, 上之母弟, 宏略大度, 有帝王之量, 且其子淵, 聰明好學, 宜爲儲副". 議未決, 晋材曰, "縝與旼, 皆可爲君, 然金國不知有縝, 若立縝, 彼必以爲簒, 不如立旼, 如毅宗故事, 以弟及, 告之, 則無患矣". 議乃定:節要轉載].[531]

[→玶子縝, 守司空. 縝婢爲崔忠粹所嬖, 明宗末, 忠粹與兄忠獻, 謀廢立, 乃曰, "宗室中, 唯縝博通經史, 聰明有度量, 若立爲主, 國可中興矣". 崔忠獻及朴晋材, 有異議, 不果:列傳3顯宗王子平壤公基轉載].

[辛酉21日, 忠獻兄弟與晋材及其族金躍珍·盧碩崇等, 勒兵市街, 爲中軍, 分諸衛兵, 爲左右前後軍, 屯于四街. 又遣將卒, 閉諸城門. 召中書令杜景升, 流于仁州<u>紫燕島</u>, 樞密院副使<u>柳得義</u>·上將軍高安祐·大將軍白富公·親從將軍周元迪·將軍石城柱·侍郎李尙敦·郎中宋踶·廉克髦·御史申光漢等十二人及~~大禪師~~<u>淵湛</u>等十餘僧于嶺南:節要轉載].[532]

---

527) ~~添字~~는 열전42, 崔忠獻에 의거하였다.

528) ~~添字~~는 『고려사절요』 권13에 의거하였다. 이와 같은 기사로 다음이 있다.
· 지7, 五行1, 水, 雷震, "明宗27年9月, 甲寅. 夕, 大雷電雨雹, 旋風暴起, 多拔樹木, 步廊十八間壞.".

529) 이는 「金純墓誌銘」에 의거하였는데, 이날은 율리우스曆으로 1197년 10월 29일(그레고리曆 11월 5일)에 해당한다.

530) 이와 같은 기사가 지7, 五行1, 水, 雷震에도 수록되어 있다.

531) ~~添字~~는 열전42, 崔忠獻에 의거하였다.

[→崔忠獻謀廢王，勒兵市街，托議事，召景升．景升女壻將軍柳森栢疑之，自刎死．遂流景升于仁州紫燕島，又流森栢父得義于南裔:列傳13杜景升轉載]．

[壬戌22日，又配小君洪機等十餘人于海島:節要轉載]．

[→□□~~小君~~洪機·洪樞·洪規·洪鈞·洪覺·洪貽，明宗之廢，同配海島:列傳3毅宗王子洪機轉載]．

癸亥23日，忠獻兄弟逼王，單騎出向成門，幽于昌樂宮，放太子璹于江華島．迎平涼公旼，立之，以子淵爲太子．

[→忠獻兄弟遣人入闕，逼王，以單騎出向城門，幽于昌樂宮，使中禁指諭鄭允候，守之．時，太子~~璹~~在內園北宮，使人督之，與妃步出宮門，冒雨乘驛~~騎~~，遂放于江華島．迎平涼公旼，卽位于大觀殿，以子淵爲太子．忠獻兄弟擁兵，入樞密院，令諸衛將軍，屯于毬庭:節要轉載]．533) 神宗五年九月，王患痢疾，神宗遣中使，請曰，"欲遣醫進藥，誰其可者"．王曰，"我忝位二十八年，壽七十二，豈希延生"．遂不聽．十一月戊午17日，薨于昌樂宮，謚曰光孝，廟號明宗，葬于長湍，[閏十二月壬寅2日:追加]．534) 陵曰智陵，535) 高宗四十年，加謚皇明．

史臣贊曰，"自鄭仲夫·李義方·義旼等，弑毅宗，竊弄國柄，爲明宗計者，當誓心自强，必欲討賊而後已．若曰力不足，則慶大升憤王室之微弱，疾强臣之跋扈，一朝擧義，誅仲夫父子，如獵狐兎．而義旼奉首鼠竄，假息卿閭~~鄕閭~~，536) 此正任用賢良，脩明紀綱，復張王室之秋也．王不能然，溺於宴安，其所施爲，殊如平居無事之時．若義旼者，特一匹夫耳，遣一介使，數其弑君之罪，誅而族之，可也．反加招置，驟登爵位，使之陵轢王室，殺害朝臣，賣官鬻獄，濁亂朝政，其禍慘矣．崔忠獻乘釁以起，而王反見放遂，子孫不保．自是，權臣相繼執命，王室之不亡，若綴旒者，幾百年．嗚呼，痛哉"．

[仁同人 張東翼 校注，增補]

532) ~~添字~~는 열전42, 崔忠獻에 의거하였다. 또 柳得義는 杜景升의 壻인 柳森柏의 父이고(열전13, 杜景升), 大禪師 淵潭은 圓應國師 學一(1052~1144), 大鑑國師 坦然(1070~1158)의 弟子로 추측되고 있다(許興植 1986년 237, 243面).

533) ~~添字~~는 열전42, 崔忠獻에 의거하였다.

534) 이는 신종 5년 閏12月 2일(壬寅)에 의거하였다.

535) 智陵은 開城市 板門郡 두매리에 있다(洪榮義 2018년).

536) 『고려사절요』 권13에는 바르게 되어 있다.

新編高麗史全文

세가5책 의종 7–명종

초판 1쇄 인쇄 | 2023년 05월 23일
초판 1쇄 발행 | 2023년 05월 30일

지은이 | 張東翼
발행인 | 한정희
발행처 | 경인문화사
편집부 | 김지선 유지혜 한주연 이다빈 김윤진
마케팅 | 전병관 하재일 유인순
출판번호 | 제406-1973-000003호
주소 | 경기도 파주시 회동길 445-1 경인빌딩 B동 4층
전화 | 031-955-9300 팩스 | 031-955-9310
홈페이지 | http://www.kyunginp.co.kr
이메일 | kyungin@kyunginp.co.kr

ISBN 978-89-499-6710-3 94910
978-89-499-6754-7 (세트)

값 26,000원